C000196711

JULI ZEH

UNTER LEUTEN

Roman

btb

Für Ada

»Alles ist Wille.«

Manfred Gortz

Teil I

Geliebte Babys

Unterleuten ist ein Gefängnis.
Kathrin Kron-Hübschke

1 Fließ

»Das Tier hat uns in der Hand. Das ist noch schlimmer als Hitze und Gestank.« Jule schaute auf. »Ich halte das nicht mehr aus.«

»Es bringt nichts, sich aufzuregen, Liebes.« Gerhard bemühte sich, seiner Stimme einen sicheren Klang zu geben. Je hysterischer Jule wurde, desto fester klammerte er sich an die Vernunft. »Wenn man jemanden hasst, stört einen alles, was diese Person tut.«

»Du meinst, ich soll versuchen, das Tier zu lieben? Und dann wäre es in Ordnung, dass es unser Leben zerstört?«

»Ich meine, dass du dich nicht reinsteigern sollst. Durch die Aufregung schadest du nur dir selbst, und…«

Er kämpfte auf verlorenem Posten. Jule war in sich zusammengesunken und hatte zu weinen begonnen, so dass ihm nichts übrig blieb, als sich neben sie zu setzen und ihr einen Arm um die Schultern zu legen. Auf dem Schoß hielt sie die kleine Sophie, die sich in ihren Armen wand und unentwegt quengelte. Das Baby fand keine Ruhe und wachte auch nachts ständig auf, was bei der Hitze im Haus kein Wunder war. Dass Jule die Kleine ständig an die Brust presste, machte die Sache nicht besser. Seit die Feuer brannten, raubten sie sich gegenseitig den letzten Nerv.

Mit einem Hemdzipfel trocknete sich Gerhard das Gesicht. Die Haut spannte über den Knochen. In letzter Zeit vermied er den Blick in den Spiegel. Jule sah erschöpft aus, aber sein eigener Anblick war verheerend. Das lag an den zwei Jahrzehnten, die er ihr voraushatte, und an der Hagerkeit, die ihm jede Anstrengung scharf ins Gesicht schnitt.

Als Jule vor fünf Jahren zum ersten Mal in einem seiner Seminare an der Humboldt-Universität aufgetaucht war, hatte er bei ihrem Anblick spontan »Willkommen!« gesagt und nicht nur die Lehrveranstaltung, sondern gleich sein ganzes Leben gemeint. Ruhig hatte Jule zwischen den anderen Studenten gesessen, rothaarig, hellhäutig und wie von Licht umgeben, was außer ihm niemand zu bemerken schien. Ihre offenen Haare und das fließende Kleid schienen von Woodstock zu erzählen und weckten in Gerhard die Sehnsucht nach einer Epoche, die er verpasst hatte. Statt mit Blumen im Haar auf Sommerwiesen zu liegen, hatte er als junger Mensch in kommunistischen Arbeitskreisen gesessen und sich Sorgen um den Zustand der Welt gemacht. Die Frauen in seiner Umgebung waren nicht halb nackt und auf LSD, sondern steckten in dunklen Rollkragenpullovern, trugen Brillen und rauchten Kette, während sie über den Kapitalismus in seiner gegenwärtigen Endphase diskutierten. Vor der Kulisse dieser Erinnerung erschien Jule als Abgesandte aus einer anderen Welt.

Jetzt blickte er auf ihren gebeugten Nacken und die bebenden Schultern und wünschte, er könnte Hitze und Gestank einfach in sich einsaugen, alle Last auf sich nehmen, um Jule und Sophie zu befreien. Es war Hochsommer, 32 Grad im Schatten, und sie saßen seit vier Tagen eingesperrt im Haus, ohne Möglichkeit, in den Garten zu gehen oder auch nur ein Fenster zu öffnen. Nicht einmal bei Nacht konnten sie lüften, weil Schaller, den Jule nur noch »das Tier« nannte, die Feuer auch nach Sonnenuntergang nicht ausgehen ließ.

Wenn Gerhard sich ausmalte, wie das Tier nachts alle zwei Stunden aus dem Bett kroch, um die Feuer in Gang zu halten, begannen seine Hände vor Hass zu zittern.

»Bald kommt die Mauer, Liebes.«

Seit das Tier auf dem Nachbargrundstück eine »Autowerkstatt« betrieb – ein Begriff, der sich angesichts von Schallers Müllhalde nur in Anführungszeichen denken ließ –, hörte sich Gerhard immer häufiger mit der Stimme eines Nahost-Diplomaten reden. Jule hob das verweinte Gesicht.

»Wann?«

»Sobald das Genehmigungsverfahren abgeschlossen ist.«

»Du meinst, wenn die Scheißämter zur Vernunft gekommen sind.« Jule wurde lauter. »Wenn sie einsehen, dass sie nicht dem Tier einen Schrottplatz erlauben und uns den Sichtschutz verbieten können!«

Gerhard schüttelte den Kopf. Es brachte nichts, auf diese Weise darüber zu reden. Tatsache war, dass von der geplanten Mauer seit Monaten nicht mehr als ein metertiefer Schacht entlang der Grenze zu Schallers Grundstück existierte. In Anflügen von schwarzem Humor nannten Gerhard und Jule die brachliegende Baustelle ihren Schützengraben. Auf dem Wall entlang des Grabens wuchsen bereits Gras und Robiniensprösslinge. Die Mauer hätte ihnen den Anblick von Schallers zugemülltem Hof ersparen und die Privatheit des Gartens wiederherstellen sollen. Um effektiven Sichtschutz zu bieten, musste sie 2,40 Meter hoch sein. Das Bauamt war der Meinung, dass zwei Meter genügten. Obwohl Gerhard durch seinen neuen Job beim Vogelschutzbund über gute Beziehungen zu den Behörden verfügte, war es ihm nicht gelungen, das Verfahren zu beschleunigen.

»Gegen den Gestank würde die Mauer sowieso nicht helfen«, sagte er leise.

In den vergangenen vier Tagen hatte sich der Rauch im

gesamten Garten verteilt. Die Schwaden zogen über den Schützengraben, hingen in den Himbeersträuchern, fuhren in kleinen Wirbeln durch die drei jungen Tannen, die mit der Zeit zu einem Nadelwald anwachsen würden, weil Jule jedes Jahr einen Weihnachtsbaum im Topf kaufte und ihn im Frühling in die Ecke hinter dem Geräteschuppen pflanzte. Der Rauch stieg sogar bis in die Kronen der Robinien, die das Dach um mehrere Meter überragten. Ihr kleines Paradies hatte sich mit giftigen Dämpfen vollgesogen. Trotz geschlossener Fenster und Türen war der Gestank auch in die Räume gedrungen. Es gab Momente, in denen Gerhard zu wünschen begann, sie hätten dieses Haus nicht gekauft und sich stattdessen eine einsame Jagdhütte im Wald gesucht, auf einer Lichtung, kühl, gut belüftet, ohne Nachbarn. Menschen brauchten Abstand voneinander. Gerhard hatte lange genug in Berlin gelebt, um das zu wissen. Nicht gewusst hatte er, dass selbst ein Dorf mit zweihundert Einwohnern zu eng sein konnte.

»Du weißt doch, wie die Leute hier sind. In der DDR gab es eben keine Umweltbewegung. Jeder verbrennt seinen Müll, wie es ihm passt.«

»Was der da drüben macht, ist keine Müllverbrennung«, unterbrach ihn Jule.

»Jeder bohrt Brunnen hinterm Haus, zapft das Grundwasser an, baut Schuppen im Außenbereich.« Gerhard versuchte die Flucht ins Allgemeine. »Niemand will einsehen, dass er die Unterleutner Heide nicht als Galoppstrecke für Pferde oder als Motocrossbahn benutzen kann. Dass dort Kampfläufer brüten, interessiert die Leute überhaupt nicht. Deshalb ist es so wichtig, dass der Naturschutz …«

»Es geht hier ausnahmsweise nicht um deine Kampfläufer!«, rief Jule. »Es geht darum, dass das Tier meine Tochter vergiftet!«

Weil Jule die Stimme hob, ging Sophies Quengeln erneut in Geschrei über, woraufhin Jule aufsprang und im Zimmer hin und her zu wandern begann. Gerhard konnte es nicht leiden, wenn sie »meine Tochter« sagte. Sophie war genauso seine Tochter, auch wenn er noch immer nicht begriff, wie es ihm gelungen war, etwas so Reizendes hervorzubringen. Obwohl die Kleine in vielerlei Hinsicht sein Gegenteil verkörperte, schaffte sie es trotzdem, ihm ähnlich zu sehen. Sie war eine winzige weibliche Variante seiner selbst.

»Soll ich sie mal nehmen?«

Statt zu antworten, drückte Jule das Baby noch fester an die Brust, als könnte Gerhard versuchen, es zu entführen. Auch ohne Schallers Giftfeuer war Jule in letzter Zeit schwierig gewesen. Seit Sophies Geburt vor knapp sechs Monaten litt sie unter einer Art nervöser Geistesabwesenheit. Wenn Gerhard danach fragte, antwortete sie stets, es gehe ihr gut. Dabei stand sie offensichtlich neben sich, hörte manchmal nicht, wenn er sie ansprach, schaute erst auf, wenn er lauter wurde, und blickte ihn an wie einen Fremden. Nicht, dass er ihr das übel genommen hätte. Das Stillen brachte es mit sich, dass Jule unter massivem Schlafentzug litt. In Lagern der CIA wurden Häftlinge gefoltert, indem man sie in unregelmäßigen Abständen weckte. Außerdem hatte Gerhard im Internet gelesen, dass Väter nicht selten nach der Geburt eines Babys von den Müttern zurückgewiesen würden und dass sich dieses Syndrom nach einiger Zeit von alleine gebe. An dieser These hielt er sich fest. Eines Tages würde Jule mit Stillen aufhören und wieder wie früher werden. Sie würde mit unbekümmertem Lachen abstreiten, überhaupt irgendwie »komisch« gewesen zu sein. Auf diesen Augenblick freute er sich. Gerhard liebte Sophie abgöttisch, aber er war nicht bereit, seine Frau an das Baby zu verlieren.

»Lass uns einen Ausflug machen«, sagte Gerhard. »Wir packen Sophie ein und fahren zum See. Einfach raus hier, an die frische Luft.«

»Am See sind zu viele Mücken.«

»Dann eben woandershin.«

»Und wohin?«

»Ist doch egal! In den Wald! Spazieren!«

»Auf den unbefestigten Wegen kann man den Kinderwagen nicht schieben.«

»Herrgott, Jule!«

Sie kam zurück zur Couch, setzte sich und hob das T-Shirt, um Sophie die Brust zu geben. Mit einem Schlag kehrte Ruhe ein, eine Stille, die in den Ohren brauste. Gerhard betrachtete Sophies winziges Gesicht, die zornige Miene beim Milchtrinken, die an den Wangen geballten Fäuste, mit der ganzen Kraft eines kleinen Körpers ans Leben geklammert. Einige Strähnen von Jules langen Haaren hatten sich aus dem Zopf gelöst und fielen über die nackten Beine des Babys. Jule weinte immer noch lautlos. Gelegentlich landete eine Träne auf Sophies Rücken. Der Anblick schnitt Gerhard ins Herz.

»Jule«, sagte er sanft. »Ich lasse euch ein paar Minuten allein, verschwinde in der Küche und mache uns ein schönes Ginger Ale. Einverstanden?«

Jule nickte, ohne den Kopf zu heben. Gerhard küsste sie auf den Scheitel und stand auf. Wenn sich eine Dreißigjährige entschied, ihr Leben mit einem Fünfzigjährigen zu teilen, sollte sich der Fünfzigjährige wenigstens Mühe geben.

Auf dem Weg in die Küche nahm er sich ein paar Sekunden, um das Federn der Dielen unter seinen Füßen zu genießen. Das alte Kiefernholz gab ein sattes Knarzen von sich, als hätte es hundert Jahre lang die Geräusche sämtlicher

Schritte in sich bewahrt. Die Erinnerung an seinen ersten Besuch in diesem Haus stand Gerhard deutlich vor Augen. Er hatte den Flur betreten, Jule und den Makler hinter sich, und wollte gerade die Tür zum Wohnzimmer öffnen, als er plötzlich stehen blieb.

»Was ist«, hatte der Makler gefragt, »geht die Tür nicht auf?«

Gerhard hatte die Türklinke angestarrt, ein schönes Stück aus Messing, geschwungen und mit einer schneckenförmigen Verzierung am Ende. Die Klinke musste weit über hundert Jahre alt sein, und diese Erkenntnis lähmte ihn wie ein Schock. Als die Klinke an der Tür befestigt wurde, hatten die Leute, die das bezahlten, noch nichts von zwei bevorstehenden Weltkriegen gewusst. Sie hatten sich gefreut, ein frisch gebautes Haus mit allem Komfort zu beziehen. Der Türklinke hatten sie vermutlich keine besondere Beachtung geschenkt. Niemand hatte darüber nachgedacht, dass die Klinke ihre Besitzer spielend überleben würde. Für sämtliche Bewohner des Hauses war der Augenblick gekommen, in dem sie diese Klinke zum allerletzten Mal berührten. Plötzlich wollte Gerhard, dass es ihm genauso erginge. Auch er wollte eine Phase im Leben der Klinke sein, die sich nach seinem Tod immer noch an ihrem Platz befinden würde. Er wusste jetzt, dass er dieses Haus erwerben musste. Einen Neubau, in dem alles jünger war als er selbst, hätte er nicht ertragen. Er wollte kein Haus, in dem jede Scheuerleiste seinem persönlichen Gestaltungswillen folgte. Wo die Gegenstände seine Herrschaft anerkennen mussten, weil er für ihre Existenz verantwortlich war. Er wollte der Welt nichts Neues hinzufügen, sondern das Vorgefundene erhalten. Denn darin bestand die heilige Aufgabe dieser hektischen Epoche: das Bestehende gegen die psychotischen Kräfte eines überdrehten Fortschritts zu verteidigen.

Als der Makler an ihm vorbeigriff, um die Wohnzimmertür zu öffnen, war Gerhards Entscheidung bereits gefallen.

Er betrat die Küche, nahm die Kanne mit Ingwer-Sud aus dem Kühlschrank und stellte sie auf die Anrichte. Die Aussicht vom Küchenfenster ging Richtung Westen. Weil ihr Anwesen das letzte im Dorf war, traf der Blick kein weiteres Haus, keinen Zaun, auch keinen Strommast oder Hochstand, überhaupt kein Anzeichen menschlicher Zivilisation, abgesehen von der Straße, die eine leichte Anhöhe hinauflief, bevor sie, schon einen guten Kilometer entfernt, im Wald verschwand. Man konnte minutenlang aus dem Fenster schauen, ohne dass der Wald ein Auto ausspuckte und auf das Dorf zurollen ließ. Am meisten liebte Gerhard die langen Reihen von Birnbäumen zu beiden Seiten der Fahrbahn. Wie man es in der Gegend häufig sah, wuchsen die Stämme nicht senkrecht, sondern nach links und rechts den Feldern zugeneigt. »Aufgeklappte Alleen« hatte Jule das Phänomen auf ihrer ersten Fahrt nach Unterleuten genannt. Bis heute hatte ihnen niemand die Frage beantworten können, ob die Bäume von der sich aufwölbenden Asphaltdecke nach außen gedrückt wurden oder ob man sie absichtlich so gepflanzt hatte, damit weniger Früchte auf die Fahrbahn fielen.

Auf der anderen Seite des Waldstücks ging die Birnenallee weiter, vernetzte sich mit anderen Straßen, Apfelalleen, Pflaumenalleen, Kirschalleen, Mirabellenalleen, und so reiften im ganzen Landkreis abertausend Tonnen Obst heran, wurden prächtig und schwer, bis sie im Herbst herunterfielen und an den Straßenrändern verrotteten, weil es der Natur gleichgültig war, ob der Mensch ihre Produkte brauchte oder nicht. Noch waren die Birnen klein und grün, aber es war abzusehen, dass die Bäume in zwei Monaten unter der Last ihrer Früchte schier zusammenbrechen würden. Im April und Mai hatte es viel geregnet; nun herrschte seit Wochen Trockenheit, die Hitze lag wie ein unsichtbarer Deckel auf der Landschaft. Der Weizen stand hoch und wurde vom leichten Wind in Wellen bewegt wie die Oberfläche eines Sees. In Unterleuten ging fast immer ein leichter Wind. Er stand im Osten, also dort, wo sich Schallers Grundstück befand. Wo die Feuer brannten.

Gerhard füllte zwei Gläser zur Hälfte mit Ingwer-Sud. Er nahm Eiswürfel aus dem Gefrierschrank und schnitt eine Orange in Scheiben.

Mit Jule war er sich schnell einig gewesen. Auch ihr hatte der einstöckige Ziegelbau mit grünen Fensterläden und großem Dach sofort gefallen. Dazu die Randlage, fünftausend Quadratmeter Gartenland, eine alte Linde, die den Eingang überschattete. Der günstige Preis hatte sie überrascht. Berlin lag nur eine Stunde entfernt und war doch weiter weg als der Mond. Die Angst, das urbane Leben zu vermissen, geriet bald in Vergessenheit, ebenso wie Jules Pläne, dreimal pro Woche in die Stadt zu pendeln, um eine Promotion über die destruktiven Auswirkungen des kapitalistischen Glücksversprechens zu schreiben. Stattdessen stürzte sich Jule in die Aufgabe, die bröckelnde Idylle in eine blühende Landschaft zu verwandeln. Während sich Gerhard in seine neue Rolle als Vogelschützer einfand und die Kollegen vom Naturschutz langsam überzeugte, dass ein habilitierter Soziologe vielleicht überqualifiziert, aber nicht komplett unfähig war, rodete Jule in abgeschnittenen Jeans und verschwitztem T-Shirt den Garten mit einer Sense.

Ihr gemeinsamer Plan, die Stadt zu verlassen, war relativ spontan entstanden und hatte sich doch schon vor Jahren abgezeichnet. Für Gerhard hatte der Umzug aufs Land eine Kündigungserklärung dargestellt. Er kündigte nicht nur seinen Job, sondern auch die Mitgliedschaft in einer Gesellschaft, in der es nur noch darum ging, beim großen Ausverkauf der Werte die eigenen Schäfchen ins Trockene zu bringen.

Als früher Anhänger der Umweltbewegung hatte Gerhard politisches Engagement immer als natürlichen Zustand empfunden. In Gorleben hatte er zu den Aktivisten der ersten Stunde gehört. Er hatte volle 33 Tage in der neu ausgerufenen »Republik Freies Wendland« verbracht und sich von Helmut Schmidts Polizisten vom besetzten Gelände tragen lassen. Er fuhr zur Gründung der Grünen nach Karlsruhe, zog nach der Wende sofort nach Berlin und verpasste keinen Castor-Transport. Er hatte eine Feministin geheiratet, die keine Kinder wollte und sich bald wieder von ihm scheiden ließ. Er hatte über die »Topographie des Aufstands« habilitiert, auf den Ruf in irgendeine kleine Universitätsstadt verzichtet und lieber zwanzig Jahre lang als unterbezahlter Dozent am Berliner Institut für Sozialwissenschaften gearbeitet, wo er junge Leute auf ihrem Weg zum kritischen Bewusstsein unterstützen wollte.

An seinem 45. Geburtstag schien es Gerhard, als stünde er allein auf einem Schlachtfeld, das alle anderen verlassen hatten, um für den nächsten Stadtmarathon zu trainieren. Umweltschutz war eine Angelegenheit für Unternehmensberater geworden, und die restliche Politik wurde zwischen Sachzwangverwaltung und Spektakeljournalismus zerrieben. Mit zunehmender Fassungslosigkeit blickte er in die Gesichter seiner Studenten, in denen sich Angst und Erwartung zu seltsamer Leere paarten. Der Bologna-Prozess hatte aus der Universität ein Trainingscamp für Menschen gemacht, die sich bereits seit dem Kindergarten um das Design ihrer Lebensläufe sorgten. Gerhards Kollegen waren freundlich, sportlich und stets mit allem einverstanden. Sie hatten Familien, aßen mittags Salat und tranken auf Abendveranstaltungen höchstens ein Glas Bier, bevor sie um halb elf nach Hause gingen.

Wenn Gerhard bei solchen Gelegenheiten versuchte, ein politisches Gespräch in Gang zu bringen, wurde er misstrauisch beäugt wie ein verwirrter Greis. Am liebsten sprach er davon, dass das Drama der modernen Politik im fanatischen Streben der Menschen nach Veränderung liege. Die Menschen von heute konnten nichts lassen, wie es war, auch das Gute nicht. Wenn etwas funktionierte, machten sie es mit ihrer Änderungswut kaputt, bis es wieder Probleme gab, mit deren Lösung sie sich profilieren konnten. Sein berühmtes Mephisto-Zitat, pflegte Gerhard zu rufen, habe Goethe schlichtweg falsch herum formuliert. Das Teuflische des Menschen liege zweifellos in jener Kraft, die stets das Gute will und dann das Böse schafft.

Während seinen Zuhörern das Unbehagen in die Gesichter geschrieben stand, redete sich Gerhard in Rage. Ein Universitätssystem, auf das die ganze Welt neidisch gewesen war? Abgeschafft für ein paar Credits und Exzellenzinitiativen! Das große Projekt der europäischen Versöhnung? Eingetauscht gegen eine Zentralmacht mit Demokratiedefizit, die den kleinen Bauern das Saatgut verbot und den Finanzmärkten das Spekulieren erlaubte. Flughäfen mussten zusammengelegt, Bahnhöfe saniert, Städte untertunnelt und freie Flächen in Einkaufscenter verwandelt werden. Alles sollte immerzu wachsen und streben, auch wenn niemand mehr wusste, in welche Richtung es eigentlich ging. Das dritte Glas Rotwein in der Hand, verkündete Gerhard, man brauche heutzutage keine Helden des Umsturzes, sondern Helden der Bewahrung, die sinnlose Veränderungen bekämpften.

Spätestens an dieser Stelle begann die Gruppe, die ihm zuhörte, zu erodieren. Wenn Gerhard fragte, ob man nicht hier und jetzt eine Aktionsgruppe gegen die Studienreform gründen wolle, trug der letzte Zuhörer sein Mineralwasser in einen anderen Raum.

Außer Gerhard schien niemand mehr zu glauben, dass Glück im gemeinsamen Kampf für eine gute Sache liege. Stattdessen suchten alle ihr Heil im Training von Körper und Geist. Gerhard fühlte sich umgeben von Athleten. Bildungsathleten, Berufsathleten, Liebesathleten, Lebensathleten. Im Kampf hatte man sich stets als Teil einer Gruppe gefühlt; das Training machte einsam. Immerzu gingen die Menschen nach Hause, zur Familie, zum Sport, zu ihrem Facebook-Profil. Gerhard fühlte sich zurückgelassen, mit hängenden Armen zuschauend, wie alle anderen in verschiedene Richtungen auseinanderliefen.

An seine letzten Uni-Jahre erinnerte er sich mit Schaudern. Während er jetzt in seiner Küche stand und Orangen und Eiswürfel zu einer knirschenden Masse zerstampfte, dachte er daran, wie er damals an der eigenen Fakultät, in der eigenen Stadt, im eigenen Land zum Fremden geworden war. Die Anstrengungen anderer Menschen waren ihm erst übertrieben, dann lächerlich und schließlich gefährlich erschienen. Er hatte aufgehört, sich anzustrengen. Auf der Arbeit hatte er nicht mehr versucht, erfolgreich zu sein, in der Kneipe nicht, sich zu amüsieren, und im Theater nicht, das gezeigte Stück zu mögen. Kollegen und Freunde fanden ihn seltsam. Gerhard wusste, dass ihm nur die Wahl zwischen Verbitterung und Neuanfang blieb. Mit Verbitterung begann er sich auszukennen. Wie ein Neuanfang funktionieren sollte, war ihm schleierhaft. Dann kam Jule.

Einen Augenblick lauschte Gerhard ins Wohnzimmer hinüber und registrierte erleichtert, dass noch immer kein Laut zu hören war. Das war ein gutes Zeichen, denn es bedeutete, dass Sophie trank. Wenn das Baby die Brust verweigerte, geriet Jule endgültig außer sich. Gerhard verteilte Orangen und Eis auf die Gläser und füllte den verbleibenden Platz mit Selters. Als die fertigen Getränke vor ihm standen, verspürte er plötzlich solchen Durst, dass er beide hinunterstürzte und mit der Zubereitung noch einmal von vorn begann.

In der dritten Semesterwoche war Jule nach dem Gesellschaftsdiagnosen-Seminar auch noch in Gerhards Transparenz-Workshop aufgetaucht, hatte sich für die verspätete Einschreibung entschuldigt und gefragt, ob sie noch teilnehmen könne. Sie kam in seine Sprechstunde, um ein Referatsthema abzustimmen. Sie ging in die gleiche Cafeteria wie er, saß am Nebentisch und grüßte mit einem Nicken.

Bei einem öffentlichen Vortrag des ewigen Münkler entdeckte er sie im Publikum und traf sie anschließend in einer Gruppe wieder, die noch auf einen Absacker gehen wollte. In der Kneipe saß Jule neben ihm und erklärte, dass Münkler nicht nur hoffnungslos überschätzt, sondern ein veritabler Vollidiot sei. Spätestens in diesem Augenblick wusste Gerhard, dass sie die Frau seines Lebens war. Als Jule den Tisch verließ und auf die winzige Tanzfläche ging, verzichtete er darauf, sie zu begleiten und zwischen lauter Studenten gegen seine fünfzig Jahre anzuzappeln. Einer Frau wie Jule musste er nichts beweisen. Er konnte in Frieden sitzen bleiben und zusehen, wie sie sich bewegte, mit geschlossenen Augen und dezenten Gesten, die nicht dazu gedacht waren, einem Publikum zu gefallen.

Sie hatten sich nie als »Professor und Studentin« gefühlt, obwohl sie natürlich genau das waren. Innerhalb des kleinen Universums der Universität bildeten sie einen wandelnden Skandal – der scharfzüngige, etwas kantige, aber immer noch gutaussehende Dozent und die junge, weiche, rothaarige Schöne. Aber darum ging es nicht. Sie hatten im wörtlichen Sinn etwas füreinander übrig. Für Jule war Gerhards

Furor ein Mittel gegen die drohende Informationsnarkose des frühen 21. Jahrhunderts. Für Gerhard war Jule der lebende Beweis, dass Begreifen keine Voraussetzung für Lieben darstellte. Gemeinsam konnten sie tun, wovon andere nur träumten: die Dinge hinter sich lassen, statt an ihnen zu verzweifeln. Und eine große Summe von Dingen – das war die Stadt.

Als Gerhard durch einen ehemaligen Kollegen und Hobby-Ornithologen, der regelmäßig zum Beobachten der Kampfläufer in die Unterleutner Heide fuhr, von einer offenen Stelle beim Vogelschutz hörte, hatte er gleich gewusst, dass dies sein letzter Weckruf war. Der Umzug aufs Land stellte kein Problem, sondern die Lösung dar. Auch der Name des Orts, in dem sich die Vogelschutzstation befand, war Programm: Seelenheil. Von Unterleuten fuhr man kaum zehn Minuten mit dem Auto.

Zwei Jahre später hatten die neuen Himbeersträucher im Garten bereits reichlich getragen. An allen vier Hausecken blühten Glyzinien, und Gerhard hatte ein Gemüsebeet angelegt, in dem ein paar Reihen Bohnen, Zwiebeln und Möhren gegen die gärtnerische Ahnungslosigkeit ihrer Besitzer kämpften. Als der Garten begann, einer Ecke des Paradieses zu gleichen, wurde Jule schwanger. Wenn sie abends vor dem Haus saßen, sprachen sie manchmal über die Idee, auch noch das angrenzende Grundstück zu erwerben. Es wurde nur durch einen wackeligen Drahtzaun von ihrem eigenen Garten getrennt und beherbergte einen kleinen, seit langer Zeit leer stehenden Hof, ein würfelförmiges Wohnhaus mit halb verfallenen Nebengebäuden. Das Grundstück besaß wenig Charme, aber Jule mochte den Gedanken, die Gebäude abzureißen und auf diese Weise den Garten zu erweitern. Ein Mensch konnte niemals genug Land besitzen – so viel hatte sie ihre neue Existenz im provinziellen Paralleluniversum bereits gelehrt. Gerhard hatte nichts dagegen. Erst das Baby, dann expandieren, sagte er, und sie lachten.

Jules Bauch wölbte sich schon, als Gerhard eines Abends während der Gartenarbeit sah, wie drüben ein Mann im Hof umherging, Zigaretten rauchte und die Kippen auf den Boden warf. Der Mann war fett, aber nicht schwammig, jede Bewegung verriet, dass sein voluminöser Körper Kraft besaß. Gerhards vorsichtigen Gruß erwiderte er erst nach sekundenlangem dumpfem Starren, als müsste er überlegen, was eine erhobene Hand zu bedeuten hatte. Arme und Rücken waren stark behaart. Zwei Wochen später fuhr ein schäbiger Transporter mit Anhänger vor und kehrte immer wieder zurück, mehrmals täglich, viele Tage hintereinander, auch am Wochenende. Der dicke Kerl lud Unmengen von Schrott aus, den er nach einem unergründlichen System im Hof verteilte. Mehr als knappes Nicken und widerwilliges Knurren war ihm nicht zu entlocken. Gerhard und Jule fragten sich, ob er vielleicht nicht recht bei Sinnen sei. Wenn er nicht gerade seinen Schrott sortierte, saß er auf einer Planke, die quer über zwei Ölfässern lag, trank Bier aus der Dose und sah vor sich hin.

Schon nach wenigen Tagen verlor Jule die Lust, in den Garten zu gehen.

»Der hockt da drüben und starrt mich an«, pflegte sie zu sagen. Auch wenn Gerhard immer wieder versicherte, dass der neue Nachbar keinerlei Interesse an Jule oder Gerhard zeige, dass er gewiss nur ins Leere blicke, vielleicht sogar extrem kurzsichtig sei, hörte Jule nicht auf, sich beobachtet zu fühlen. Umgekehrt war der Anblick des Nachbargrundstücks kaum zu ertragen, er folterte die Sinne wie ein anhaltender schriller Schrei. Ein bizarres Durcheinander aus Wrackteilen, rostigen Ölfässern, Plastikplanen, Schläuchen, Werkzeugen, Kanistern und leeren Bierflaschen. Am Boden in den Schlamm getretenes Gras. Dazwischen erinnerten undefinierbare Kleidungsstücke, vom Regen aufgeweicht und von der Sonne zu Häufchen getrocknet, an totgefahrene Tiere. Draußen entlang der Straße parkte eine Reihe von wechselnden Autos, das eine ohne Kotflügel, das andere ohne Räder, die meisten mit polnischen Kennzeichen. Gelegentlich war auch ein fabrikneuer Audi ohne Zulassung dabei.

Schaller war eine Katastrophe. Er war Gerhards und Jules persönliches Armageddon. Trotzdem glaubte Gerhard, dass es das Beste war, sich möglichst wenig aufzuregen. In den fünfzig Jahren seines Lebens hatte er gelernt, dass Kampf niemals zum Frieden führte. Schaller war ein Schicksal, das man akzeptieren musste, bevor man beginnen konnte, es vorsichtig zu domestizieren.

So weit die Theorie. Die Praxis war schwer zu ertragen.

Im Wohnzimmer begann Sophie wieder zu jammern. Gerhard blieb im Flur stehen, ein Glas Ginger Ale in jeder Hand, schloss die Augen und unterdrückte den Impuls, die Getränke zurück in die Küche zu bringen und das Haus durch die Hintertür zu verlassen. Obwohl er sich für den Rest der Woche frei genommen hatte, um Jule beizustehen, verspürte er unbändige Lust, zur Arbeit zu gehen. Es gab immer etwas zu tun; er konnte die Beobachtungstürme kontrollieren, einen Fachaufsatz über das Brutverhalten der Kampfläufer überarbeiten, Ordnung in die Datenbanken mit den Bestandsinformationen bringen oder überprüfen, ob der Brief mit der Abmahnung an die Pferdezüchter schon zugestellt worden war. Sehnsüchtig dachte er an die Stille seines Büros, an die geöffneten Fenster, an das Klappern der Störche, die den Turm der leer stehenden Kirche anflogen, um drei Jungvögel mit Nahrung zu versorgen. Der Job in Seelenheil, Naturschutzbehörde Plausitz, Unterabteilung Vogelschutz, Außenstelle Unterleutner Heide, hatte sich in jeder Hinsicht als Glücksfall erwiesen. Im Wesentlichen hatte Gerhard 33 Kampfläufer zu betreuen, paläarktische Schnepfenvögel, die in Deutschland bis auf den hiesigen Bestand praktisch ausgestorben waren. Zwar hatte er anfangs keine Ahnung vom Vogelschutz gehabt; dafür war er in zwei Jahrzehnten an einem geisteswissenschaftlichen Lehrstuhl zum Experten im Beantragen von Fördermitteln geworden. Als die neuen Kollegen erkannten, mit welcher Leichtigkeit er EU-Dokumente ausfüllte und Antragsbegründungen formulierte, hatten sie schnell begonnen, ihn zu lieben. Außerdem hatte er unter www.vogelschutzbund-unterleuten.de eine Website ins Leben gerufen und pflegte sie regelmäßig. Vor allem aber traf sich die Berufspraxis auf wundersame Weise mit Gerhards politischen Neigungen. Bauvorhaben in der Region besaßen grundsätzlich naturschutzrechtliche Relevanz. Jede Errichtung einer Biogasanlage, jeder Ausbau einer Straße, die Abholzung von Waldstücken, Planung von Tankstellen, Sportflughäfen oder Schweineställen – alles ging über die Schreibtische der Naturschutzbehörde. Wurde ein Vorhaben nicht offiziell gemeldet, bekam Gerhard auf andere Weise Wind davon und konnte sich einschalten, um das Schlimmste zu verhindern. Im Auftrag der Kampfläufer und der gewaltigen Populationen von ziehenden Gänsen und Kranichen, die zweimal im Jahr in der Unterleutner Heide Station machten, setzte Gerhard der fatalen Fortschritts- und Wachstumsideologie etwas entgegen. Er war stolz darauf, in den ersten drei Jahren als Vogelschützer siebzehn Bauvorhaben verhindert und elf weitere mit einschränkenden Auflagen versehen zu haben. Schallers »Autowerkstatt« hätte er auch dann zur Anzeige gebracht, wenn sie sich nicht auf dem Nachbargrundstück befunden hätte. Leider konnten auch gute Beziehungen zu den Ämtern nichts daran ändern, dass es sich bei Unterleuten um sogenanntes Mischgebiet handelte, das den Betrieb von Kleingewerben erlaubte. Das Naturschutzgebiet begann erst hinter dem Ortsschild. Erst als Schaller begonnen hatte, das Dach seiner Scheune abzudecken, hatte Gerhard ihn drangekriegt.

Sophies Weinen im Wohnzimmer steigerte sich von Unzufriedenheit über Wut bis zur schieren Verzweiflung. Gerhard seufzte, gab sich einen Ruck und ging, ein Glas Ginger Ale in jeder Hand, den Flur hinunter. Die angelehnte Tür stieß er mit der Schulter auf. Jule war von der Couch aufgestanden, ging mit Sophie vor dem Fenster auf und ab und machte »sch-sch«, während sie das Baby rhythmisch in den Armen hüpfen ließ, was die Kleine offensichtlich nicht im Geringsten beruhigte. Gerhard zwang sich, mit ruhigen Schritten durch den Raum zu gehen und die Gläser auf dem Couchtisch abzustellen. Dann trat er auf Jule zu.

»Wir sollten sie ins Bettchen legen«, sagte er. »Sie ist total übermüdet.«

»Sie schreit, weil ihre Schleimhäute gereizt sind von den giftigen Dämpfen. Sie reibt sich die Augen! Ihre Nase läuft! Sie ist ganz rot!«

»Das kommt vom Weinen«, sagte er. »Die Luft hier drin ist nicht so schlimm.«

Gerhard trat Jule in den Weg und streckte die Arme aus.

»Gib sie mir mal.«

»Lass.«

»Komm. Ich trage sie ein bisschen.«

»Das mach ich doch schon. Siehst du das nicht? Ich trage sie. Hin und her. Nicht nur jetzt, sondern auch, während du weg bist. Glaubst du, dass du sie besser tragen kannst?«

»Natürlich nicht, Jule.«

»Du gehst in dein Büro, öffnest die Fenster und setzt dich an den Schreibtisch. Oder machst einen schönen Rundgang durchs Naturschutzgebiet. Ich bin den ganzen Tag hier. Mit

Sophie. In dieser Sauna. Ich trage sie. Tag und Nacht. Verstehst du?«

»Du lässt dir ja nicht helfen!«

»Ach so! Sophie ist meine Zuständigkeit, und du hilfst von Zeit zu Zeit ein bisschen?«

»Ich formuliere neu: Du lässt mich nichts tun.«

»Du kannst gern etwas tun.«

»Und was?«

»Ruf die Polizei.«

Gerhard schüttelte den Kopf.

»Das haben wir doch schon hinter uns.«

Am zweiten Tag der Befeuerung, als langsam klar wurde, dass es sich nicht um vorübergehende Müllverbrennung, sondern um eine gezielte Aktion handelte, hatte Gerhard seinen Vorgesetzten bei der Naturschutzbehörde in Plausitz angerufen. Der hatte ihn ans Ordnungsamt verwiesen, wo man erklärte, dass man unterbesetzt sei und nicht jederzeit einen Beamten in die Außengebiete schicken könne. Als Nächstes versuchte Gerhard es bei der Polizei, die ihn zurück ans Ordnungsamt verwies. Er wurde wütend, verlangte sofortiges Eingreifen und drohte mit einer Dienstaufsichtsbeschwerde.

Gegen acht am Abend hatte es plötzlich an der Tür geklingelt. Vor dem Haus parkte ein Streifenwagen, zwei picklige Jungen in Uniform standen auf der Fußmatte. Gerhard blickte zur Grundstücksgrenze. Dort brannte kein Feuer. Nicht der kleinste Funken war zu sehen. Das Problem habe sich wohl bereits gelöst, sagten die Jungen und tippten sich an die Mützen. Gerhard stammelte einen Dank und sah dem abfahrenden Streifenwagen hinterher. Das Fahrzeug war noch nicht außer Sichtweite, als Schaller nebenan mehrere Autoreifen zur Grundstücksgrenze trug. Kurz darauf hantierte er mit einem Benzinkanister.

»Erinnerst du dich an unseren kleinen Katalog mit Unterleutner Verhaltensregeln?«, fragte Gerhard. »Eins: Wenn du auf eine Party mit fünfzig Gästen kommst, gib jedem einzelnen die Hand. Zwei: Wenn dich jemand beleidigt, ist das nett gemeint. Drei: Probleme löst man nicht mit der Polizei.«

»Dann verklag das Tier!«

»Bis wir eine Unterlassungsverfügung kriegen, sind wir halb erstickt. Die Verfügung wird zugestellt, Schaller schmeißt sie weg. Sie verhängen ein Ordnungsgeld, Schaller zahlt nicht. Der Gerichtsvollzieher kommt. Es gibt nichts zu pfänden. Schaller wird …«

»Stopp!«

Jule schrie so laut, dass Sophie vor Schreck verstummte. Mit einem Ausdruck tiefer Verwunderung blickte sie ihre Mutter an und schob drei Finger in den Mund, um daran zu lutschen. Trotz allem musste Gerhard lächeln. Er fasste Jule am Ellenbogen und führte sie zur Couch. Als sie saß, drückte er ihr ein Glas Ginger Ale in die Hand und wartete, bis sie widerwillig mit ihm anstieß. Obwohl die Flüssigkeit eiskalt war, wärmte der Ingwer Mund und Rachen. Gerhard mochte den Effekt.

Eine Weile schwiegen sie, Zeit, die Jule brauchte, um einzusehen, dass er recht hatte. Dörfer wie Unterleuten hatten die DDR überlebt und wussten, wie man sich den Staat vom Leibe hielt. Die Unterleutner lösten Probleme auf ihre Weise. Sie lösten sie unter sich.

Ein leises Schnarchgeräusch unterstrich die Tatsache, dass seit mindestens zwei Minuten kein Kindergeschrei zu hören war. Sophie hing rücklings über Jules Arm, die kleinen Fäuste neben den Wangen geballt, das Gesicht rot und verschwitzt vom Weinen. Eingeschlafen im Zustand äußerster Erschöpfung. Auch Jule war tiefer in die Kissen gerutscht, sie lag mehr auf dem Sofa, als dass sie saß. Gerhard beugte sich über sie, hob ihre Füße auf die Couch, löste das Zopfgummi, so dass sich das rötliche Haar auf den Polstern ausbreiten konnte, und bettete ihren Kopf auf die Armlehne. Aus glasigen Augen sah sie zu ihm herauf.

»Es kann nicht sein, dass wir nichts tun können«, murmelte sie.

Gerhard nickte und strich ihr beruhigend über die Stirn.

»Keine Sorge, Liebes. Wir werden etwas tun.«

Dass die Polizei nicht in Frage kam und Schaller für Gespräche nicht zur Verfügung stand, hieß noch lange nicht, dass es keine Möglichkeit gab, sich zu wehren. Als Soziologe hatte sich Gerhard von Anfang an für die dörflichen Beziehungen interessiert, und drei Jahre waren lang genug, um etwas darüber zu lernen. Obwohl Unterleuten keine hundert Kilometer von Berlin entfernt lag, hätte es sich in sozialanthropologischer Hinsicht genauso gut auf der anderen Seite des Planeten befinden können. Unbemerkt von Politik, Presse und Wissenschaft existierte hier eine halb-anarchische, fast komplett auf sich gestellte Lebensform, eine Art vorstaatlicher Tauschgesellschaft, unfreiwillig subversiv, fernab vom Zugriff des Staates, vergessen, missachtet und deshalb auf seltsame Weise frei. Ein gesellschaftstheoretisches, nein, gesellschaftspraktisches Paralleluniversum. Geld spielte eine geringere Rolle als die Frage, wer wem einen Gefallen schuldete. Um in diesem System etwas zu bewegen, musste man Teil des Systems werden. Gerhard brauchte Verbündete. Mit anderen Worten: Schuldner. Heute Abend war Dorfversammlung. Ungewöhnlicherweise hatte Bürgermeister Arne auf dem Einladungsschreiben den Gegenstand des Treffens mit keinem Wort erwähnt. 18 Uhr, Märkischer Landmann, das war alles. Das Treffen war sogar auf www.maerkischer-landmann-unterleuten.de

angekündigt, allerdings auch ohne nähere Informationen. Gleichgültig, worum es ging – Gerhard würde nach einer Gelegenheit Ausschau halten, sein Problem zur Sprache zu bringen.

»Weißt du, was?«

Jule schlief schon halb, sie hatte die Augen geschlossen, ihre Stimme war zu einem Flüstern geworden. Gerhard beugte sich über sie, um zu verstehen, was sie sagte.

»Was, mein Schatz?«

»Am besten, du bringst das Tier einfach um.«

2 Franzen

Früh um sieben fiel das Sonnenlicht bereits mit voller Kraft in die Küche. Der Garten stand reglos, als wäre der Wind noch nicht erfunden. Hoch über den Kronen der alten Bäume flitzte eine Armee von Schwalben am blauen Himmel. Es regnete so selten in Unterleuten, dass Linda sich manchmal fragte, ob ihr das gute Wetter irgendwann auf die Nerven gehen würde. Die Tage waren trocken, die Nächte sternenklar. Selbst im Juli, wenn die Nächte einen hellen Rand besaßen, war es völlig normal, die Milchstraße zu sehen.

Linda stand an der wackligen Spüle und löffelte Kaffeepulver in eine große Tasse. Auf einem Hocker summte der Wasserkocher. Die Kücheneinrichtung hatten Frederik und sie in Kategorie C eingestuft. A bedeutete »dringend anschaffen«. B hieß »möglichst in diesem, spätestens im nächsten Jahr«. C-Sachen gehörten in eine Zukunft, die in abstrakter Ferne lag. Momentan gab es eine Mikrowelle, zwei Camping-Kochplatten und einen funktionierenden Kühlschrank mit Gefrierfach. Weder Linda noch Frederik waren jemals begabte Köche gewesen. Ihr Überleben verdankten sie Bofrost.

Lindas Unterarm zitterte, als sie den Wasserkocher anhob, um den Kaffee in der Tasse aufzugießen. Wie jeden Morgen steckte ihr Körper in einem Korsett aus Muskelkater, das die kleinste Bewegung zu einer Herausforderung machte. Als hätten Putzabschlagen und Fensterschleifen sämtliche Sehnen im Leib verkürzt. Der Schmerz machte ihr nichts aus, im Gegenteil begrüßte sie ihn als Beweis dafür, dass sie das Richtige tat, und zwar mit vollem Einsatz. Außerdem war er ein Ansporn, denn er verschwand, sobald sie sich wieder an die Arbeit machte.

Die erste halbe Stunde des Tages verbrachte sie damit, ihren Kaffee zu trinken und auf den Postboten zu warten. Weil Unterleuten die erste Station auf seiner Rundreise über die Dörfer darstellte, erschien er regelmäßig um halb acht an der Tür. Meistens hatte er ein Paket für Linda dabei, für das er eine Unterschrift brauchte. Amazon schickte große Pappkartons voller Handtücher, Farbdosen, Blumentöpfe oder Schleifpapier, einen in Popcorn verpackten Staubsauger oder eine elend schwere Lieferung Schrauben und Nägel in verschiedenen Größen. Das nächste Einkaufszentrum mit Drogerie und Baumarkt lag vierzig Autominuten entfernt.

Der Postbote war nicht älter als dreißig und trug eine Irokesenfrisur. Während Linda im Türrahmen lehnte und darauf wartete, dass er ihren Namen in den kleinen Computer tippte, warf er verstohlene Blicke auf ihre nackten Beine und das karierte Hemd, das sie mit über der Brust verschränkten Armen zusammenhielt.

»Ausgeschlafen?«, fragte er jedes Mal, wenn er ihr das Display entgegenhielt, und Linda sagte »ja«, weil sie es grundsätzlich mochte, Fragen mit Ja zu beantworten.

»Heute spür ich wieder die Bandscheiben«, sagte er zum Abschied und fügte, schon im Gehen, hinzu: »Aber irgendwas ist ja immer.«

Weil Frederik es hasste, um diese Uhrzeit geweckt zu werden, hatte Linda sich angewöhnt, das Knirschen der Reifen auf dem Schotter der Einfahrt abzuwarten und an der Tür zu sein, bevor der Postbote klingeln konnte.

Sie goss etwas Milch in den Kaffee, blies auf die Oberfläche, damit sich die Schwebeteilchen schneller senkten, und trug die Tasse ins Wohnzimmer, in dem sich außer einer Couch aus grünem Samt und einem alten Schaukelpferd keine Möbel befanden. Schräg fiel die Morgensonne durch vier hohe Fenster. Die alten Dielen glänzten wie vollgesogen mit Licht. Unter der Dachtraufe nisteten Spatzen. Um aus ihren Nestern zu kommen, ließen sie sich wie Steine vor den Fenstern herabfallen, bevor sie die Flügel ausbreiteten und sich in die Luft schwangen. In der halben Stunde, bevor der Postbote kam, saß Linda einfach nur da und dachte nach, bevor sich der Tag in einen Rausch aus Aktivitäten verwandelte. Auch Manfred Gortz, dessen Schriften sie ihr geistiges Fitnessprogramm entnahm, empfahl gezielte Ruhepausen. Wer sich zwischendurch auf die wichtigen Dinge besann, konnte den Rest des Tags frei von Zweifeln verbringen.

Drei Jahre war es nun her, dass Frederiks Bruder Timo den Sitz seiner Firma nach Berlin verlegt hatte. Frederik hatte nicht darauf gebrannt, das beschauliche Oldenburg zu verlassen, aber der Job bei Timo ließ ihm keine Wahl. Diese Entwicklung hatte Linda in ein Dilemma gestürzt. Dass eine Distanzbeziehung an ihrem ungeduldigen Pragmatismus scheitern würde, war ihr sofort klar gewesen. Fehlte ihr etwas, suchte sie Ersatz. Und sie wollte Frederik nicht ersetzen, ausgerechnet in dem Moment, da sie Spaß daran fand, mit ihm zusammenzuleben. Ihm nach Berlin zu folgen bedeutete aber, ihren wichtigsten Besitz in Oldenburg zurückzulassen. Der Schatz hieß Bergamotte, war ein vierjähriger Hengst und für Linda gewissermaßen der Sinn des Lebens. Gleich zu Beginn ihrer Ausbildung zur Pferdewirtin hatte sie miterlebt, wie das Hengstfohlen zum Ärger seines Züchters mit krummen Vorderbeinen zur Welt kam und eingeschläfert werden sollte. Sie bettelte um Bergamottes Leben, bis der Züchter ihr das Eigentum an dem Fohlen überließ; die Kosten für Futter und Unterbringung zog man ihr vom mageren Lehrlingsgehalt ab. Tagsüber schuftete Linda auf dem Gestüt, die Nächte verbrachte sie im Stutenstall. Alle drei Stunden hob sie Bergamotte, der nicht aufstehen konnte, aus dem Stroh und hielt ihn zum Trinken unter das Euter seiner Mutter. Acht Wochen und unzählige Streckverbände später stand er zum ersten Mal zitternd auf seinen stark gespreizten Beinen. Mit einem Jahr gewann er eine Prämierung auf der Oldenburger Fohlenschau. Wenn Frederik scherzhaft davon sprach, dass er wohl lernen müsse, im Schatten eines Pferds zu leben, widersprach Linda nicht.

Die Reitställe in Berliner Stadtnähe stellten für einen künftigen Zuchthengst keine angemessene Umgebung dar. Unter einer Bedingung hatte sich Linda bereit erklärt, in die Hauptstadt zu ziehen und Bergamotte auf dem Oldenburger Gestüt zurückzulassen: Sie würden so bald wie möglich eine Gelegenheit finden, das Pferd nachzuholen, und Frederik würde sie dabei unterstützen.

Da Linda in Berlin nicht auf Anhieb einen Job als Bereiterin fand, bekämpfte sie Langeweile und die Sehnsucht nach Bergamotte mit einer Geschäftsidee. Wie sich herausstellte, gab es im Berliner Raum massenhaft Problempferde, besser gesagt, Problempferdebesitzer, die keine Ahnung hatten, wie sie mit ihren vor Verwirrung schon halb gestörten Vierbeinern umgehen sollten. Kurzerhand druckte Linda Visitenkarten, auf denen sie sich »Equidentrainerin« nannte, ließ eine Homepage erstellen, fuhr die Reitställe der Umgebung ab und heftete Flyer an Schwarze Bretter. Den Rest erledigte die Mundpropaganda. Der Kundenstamm wuchs rasant, und binnen kürzester Zeit war aus der Idee eine Vollzeitbeschäftigung und aus Linda eine Pferdeflüsterin geworden.

Wenn sie abends allein in der Berliner Wohnung saß, weil sie in der Stadt keine Freunde hatte und Frederik noch nicht von der Arbeit nach Hause gekommen war, surfte sie auf Immobilienseiten, wo sie nach alten Häusern und verlassenen Höfen Ausschau hielt. Manchmal schickte sie Frederik eine besonders interessante Anzeige, und dann sendete er einen Smiley zurück, der heftig nickte und grinste.

An einem Wochenende überraschte er sie mit Ausflugsplänen, hatte den Picknickkorb gepackt und verriet nicht, wohin sie fahren würden. Unterwegs sahen sie Hasen, Füchse und Rehe auf den Feldern. Das Haus erkannte Linda sofort. Das war Nummer 108, eins ihrer Lieblingsobjekte auf ImmobilienScout24. Hölzerner Wintergarten, Stuck über den Fenstern, dazu ein seltsam geformtes Dach. Verwilderter Garten, alte Bäume. Ein Haus wie aus dem Märchen, verwunschen und fast ein bisschen bedrohlich.

Nachdem sie das Gebäude umrundet hatten, verlangte Linda, auf Frederiks Schultern gehoben zu werden, um durch die hoch gelegenen Fenster zu sehen. Sie hielt sich an der Hauswand fest, während er sich mühsam aufrichtete. Frederik war groß, aber das Gegenteil eines Sportlers. Gemeinsam mit Timo hatte er Kindheit und Jugend vor dem Computer verbracht.

Sie hatte beide Hände gegen die schmutzige Fensterscheibe gelegt und in jenen Raum geblickt, in dem sie jetzt mit ihrer Kaffeetasse saß. Während sie daran dachte, erwartete sie beinahe, ihr eigenes Gesicht am Fenster auftauchen zu sehen, wie es zwischen gewölbten Händen hereinspähte. Komischerweise war das keine unangenehme Vorstellung.

Damals hatte der Raum wie ein Gemälde gewirkt. Einsam hatte die grüne Couch auf der weiten Dielenfläche gestanden, als wartete sie seit Jahren auf die Rückkehr ihrer Besitzer. Das Schaukelpferd hatte Linda erst auf den zweiten Blick entdeckt. Es befand sich mehrere Meter entfernt in der anderen Zimmerecke. Der weiße Stoff, der seinen Körper überzog, war fadenscheinig und vergilbt, der rote Sattel zerschlissen. Aber die bernsteinfarbenen Glasaugen leuchteten wie bei einem lebendigen Tier.

Über die Entdeckung des Schaukelpferds war Linda schier außer sich geraten. Sie sprang von Frederiks Schultern und wies ihn an, einen Klimmzug am Sims zu machen, um es mit eigenen Augen zu sehen. Ein Pferd, verstehst du! Das ist ein Zeichen.

Mit einem Mal stand alles fest, und Linda begriff, dass das Leben wichtige Entscheidungen ohne Rücksprache traf. Man wurde nicht gefragt. Die Freiheit des Menschen bestand in der Möglichkeit, sich zu widersetzen, um auf diese Weise wenigstens für das eigene Unglück verantwortlich zu sein. Aber Linda zog es vor, dem Schicksal zu gehorchen und glücklich zu werden. Was sie soeben durchs Fenster gesehen hatte, war *ihr* Schaukelpferd in *ihrem* Wohnzimmer in *ihrem* Haus. Sie musste nur noch Frederik überzeugen, ein mittelgroßes Vermögen für die Sanierung auszugeben.

Nach dem Blick durchs Fenster hatten sie noch einen Spaziergang über das Grundstück unternommen. Es gab einige Nebengebäude, die sie ausgiebig besichtigten. Getreidespeicher, Hühner- und Schweinestall, Geräteschuppen. Sie freuten sich über verrostete Eggen, Futterkrippen, Teile eines ausgeschlachteten DDR-Traktors. Linda redete ununterbrochen. Den Getreidespeicher konnte man ausbauen, hier die Box von Bergamotte, da die Sattelkammer, dort der Laufstall für die Fohlen. Dahinten der Stutentrakt. Hinter der Gartengrenze einfach nur Land, Land, Land bis zum Horizont. Vielleicht gehörte ein Teil schon dazu, wenn nicht, konnte man es kaufen oder pachten. Frederik behauptete, die majestätischen Bäume zu mögen, die respektvoll Abstand zueinander hielten. Eiche, Buche, Birke, Robinie, Ahorn. Linda stellte sich auf die Zehenspitzen und küsste ihn, weil sie wusste, dass er sich nicht im Entferntesten für Bäume interessierte. Frederik hasste die Natur, solange sie sich nicht in sanften Farben auf dem Bildschirmhintergrund seines Computers befand.

In den folgenden Wochen telefonierte Linda mit ihren Eltern, Großeltern sowie verschiedenen Tanten und Onkeln und holte sich eine Abfuhr nach der anderen für ihr angeblich völlig versponnenes Projekt. Nach weiteren Anrufen bei sieben verschiedenen Banken stand der Finanzierungsplan auch ohne Eigenkapital. Trotz Finanzkrise und historisch niedrigem Zinsniveau langte die Bank bei den Zinsen ordentlich zu. An ihrem Abenteuer würden Frederik und Linda dreißig Jahre zu tragen haben.

Natürlich hätte Frederik seinen kleinen Bruder fragen können. Timo hätte sie in seine atemberaubend große, atemberaubend unordentliche Wohnung gebeten, ein paar Flaschen Club-Mate serviert und beim Zuhören die Stirn gerunzelt, nicht aus Ärger, sondern weil das bei ihm einen Ausdruck höchster Konzentration darstellte. Hin und wieder hätte er genickt und »Das ist ja schön« oder »Kann ich gut verstehen« gesagt. Am Ende hätte er, anders als Lindas Familie, nicht gefragt, ob sie verrückt geworden sei. Er hätte es nicht als größte Schnapsidee des Jahrhunderts bezeichnet, eine Bruchbude im Niemandsland zu erwerben. Stattdessen hätte er gesagt, wie sehr er sich freue, dass sie einen Ort gefunden hatten, der ihnen gefiel. Dann hätte er wissen wollen, was die Sache kosten sollte.

Linda wusste, dass er ihnen das Geld gegeben hätte. Anstandslos und aufgerundet. Damit sie sich besser fühlten, hätte er von seinen Anwälten einen Kreditvertrag aufsetzen lassen, in dem ein symbolischer Zinssatz notiert war. Ob er die Summe wiederbekam oder nicht, wäre ihm völlig gleichgültig gewesen. Es wäre niemals zu Verstimmungen gekommen; niemals hätte er ihnen Vorhaltungen gemacht, Ansprüche erhoben oder die Leihgabe auch nur erwähnt. Die meisten Menschen besaßen komplizierte Persönlichkeiten; Timo war einfach nur nett. Außerdem verfügte er über haufenweise Geld, das ihm peinlich war. Er liebte Frederik, und Frederik liebte ihn. Ihr Leben lang hatten sie sich kaum gestritten. Trotzdem hätte es Frederiks Selbstwertgefühl endgültig in Schutt und Asche gelegt, seinen jüngeren Bruder um Hilfe zu bitten.

Frederik war neunzehn gewesen und hatte sich fürstlich in seinem Informatikstudium an der Uni Oldenburg gelangweilt, als Timo und sein bester Freund Ronny, beide gerade siebzehn geworden, eines Tages zu ihm kamen. Sie hatten die Idee zu einem Browserspiel entwickelt und wollten eine Firma gründen, um das Spiel selbst zu vertreiben. Frederik hörte lange zu, sah sich die selbstgebastelte Demo-Version an, äußerte ein paar spontane Vorschläge zur Ausgestaltung. Die Idee fand er nicht schlecht. In all den Jahren der autodidaktischen Streifzüge durch die Welt des Programmierens war ihm Timo stets dicht auf den Fersen geblieben, und Frederik musste zugeben, dass sein jüngerer Bruder im Begriff stand, ihn zu überholen. Seine Gratulation war ernst gemeint.

»Und bist du dabei?«, fragte Timo.

»Wobei?«, fragte Frederik.

»Bei unserer Firma. Als dritter Gesellschafter.«

Da erklärte Frederik von der Höhe seiner neunzehn Jahre herab, warum es sich bei der anvisierten Firma nur um ein Luftschloss handeln könne. Die großen Konzerne hätten den Markt längst unter sich aufgeteilt. Es sei undenkbar, dass sich ein paar Jugendliche mit ihren Plänen ernsthaft durchsetzen sollten, ganz egal, wie enthusiastisch sie waren. Er schloss seine Ausführungen mit dem verhängnisvollen Satz:

»Am Ende seid ihr halt nur ein paar Kinder, die gerne daddeln.«

Enttäuscht zogen Timo und Ronny davon, holten sich Vollmachten bei ihren Eltern und gründeten eine GmbH, die sie *Weirdo* nannten, Frederik zu Ehren, denn das war immer sein Spielername gewesen.

Zwei Jahre später landete *Weirdo* mit »Traktoria« einen weltweiten Erfolg. Als eins der ersten populären Browsergames gewann das Spiel binnen eines Jahres über 13 Millionen Spieler und sprengte sämtliche Statistiken. Kurzzeitig katapultierte Traktoria die Firma unter die erfolgreichsten Browserspiel-Hersteller der Welt, der Umsatz stieg auf 20 Millionen Euro im Jahr. Frederik verließ die Uni ohne Abschluss und nahm eine Stelle als Entwickler bei *Weirdo* an. Das Gehalt war in Ordnung. Es entsprach exakt dem, was die anderen Entwickler verdienten. Frederik hätte sich lieber ein Bein abgeschnitten, als Almosen von seinem jüngeren Bruder zu akzeptieren. Keine Gehaltserhöhung, keine Firmenanteile und schon gar keinen Kredit, den man in Wahrheit nicht zurückzahlen musste.

Linda respektierte das. Sie hatte ihm nicht einmal vorgeschlagen, mit Timo zu reden. Inzwischen war sie sogar stolz darauf, dass sie es alleine schaffen würden, aus eigener Kraft, ohne Timos Hilfe. Noch vor wenigen Monaten hatte sie nicht gewusst, was eine Dampfsperre ist. Heute war sie in der Lage, ein ganzes Dach zu dämmen.

Wenn sie doch einmal schwächelte, wenn sie verzweifelt meinte, dass der Berg von Arbeit immer größer statt kleiner werde, musste sie nur die Augen schließen und an Bergamotte denken, wie er in vorschriftsmäßiger Haltung stand, den Hals aufgewölbt, die Ohren gespitzt, das rechte Hinterbein einen halben Schritt zurückgestellt. Das cremefarbene Fell glänzte wie Lack. Der Gedanke an Bergamotte heilte Muskelkater und Frustration. Linda hatte einen Auftrag, der darin bestand, ein Stück Welt abzuzäunen. Bergamotte brauchte nicht nur einen Platz zum Leben, sondern auch die Möglichkeit, seine Schönheit an möglichst viele Nachkommen weiterzugeben. Überhaupt ging es um das Herstellen von Schönheit, im Haus, im Garten, auf den Weiden. Pferde unter Obstbäumen, Pferde im hohen Gras, Pferde im Licht der untergehenden Sonne. Dieser Traum war Lindas Zukunft, und nur weil er einer Postkartensammlung glich, hieß das noch lange nicht, dass er sich nicht realisieren ließ. Manfred Gortz sagte, das Wichtigste im Leben sei Freiheit, und Freiheit bedeute zu entscheiden, wer man sein wolle. Linda war eine Pferdezüchterin in spe.

Im oberen Stock rauschte die Klospülung, als flösse ein Wasserfall durch die Innereien des Hauses. Frederik war aufgestanden; für seine Verhältnisse ziemlich früh. Das konnte bedeuten, dass die nächtliche Arbeit schlecht gelaufen war oder dass der Hahn der Nachbarn ihn geweckt hatte. Bis er die Treppe herunterkommen würde, blieb genug Zeit, noch einmal Kaffeewasser aufzusetzen und sich im Bad vor dem Spiegel das Haar zum Pferdeschwanz zu binden.

Linda saß schon wieder auf der Couch und hielt eine zweite Tasse Kaffee bereit, als Frederiks schlaksige Gestalt im Türrahmen erschien, gekleidet in Boxershorts und ein ausgeleiertes T-Shirt. Das schulterlange Haar hing ihm ins Gesicht, von der Nase in zwei Hälften geteilt. Er ließ sich auf die Couch fallen und nahm den Kaffee entgegen.

»Wann kommt der Spekulant?«

»Nicht vor Mittag.«

»Dann können wir ja vorher noch das Dach neu decken, ein zweites Bad einbauen und im Garten nach Öl bohren.«

»Fährst du heute nicht in die Firma?«

»Das Meeting wurde gecancelt. Timos Sekretariat hat gerade angerufen.«

»Deshalb bist du schon wach.«

»Und du? Keine Problempferde heute?«

»Alles auf morgen verschoben. Der Spekulant geht vor.«

Linda konnte sehen, wenn Frederik an Sex dachte. Irgendetwas passierte mit seinem Blick. Als schaute er plötzlich direkt in sie hinein.

»Dann gehen wir doch einfach wieder ins Bett«, schlug er vor.

»Du gehst auf den Dachboden und machst weiter mit Entrümpeln, ich kümmere mich um die Fenster.«

Er verdrehte die Augen.

»Oui.«

»Oui quoi?«

»Oui, mon Général.«

Linda musste lachen. Manchmal konnte sie es kaum fassen, dass sie tatsächlich hier mit ihm saß, mit dem Mann, von dem sie immer behauptet hatte, sie würde sich nicht einmal für ihn interessieren, wenn er der letzte Mensch im Universum wäre. Frederiks Bruder Timo war in Lindas Klasse gegangen, ein netter, aber sterbenslangweiliger Nerd, der mit seinem Computer verheiratet war und mit seinem Nerd-Freund Ronny bei jeder Gelegenheit Technikgespräche führte. Frederik ging in eine höhere Klasse, war genauso computerverrückt und genauso langweilig wie sein jüngerer Bruder, gehörte aber zur Clique eines Jungen namens Marc, dem Linda zu dieser Zeit restlos verfallen war. Sie folgte Marc wie ein Hund, über den Schulhof, zum Sport und auf jede Party. Während Marc im Wohnzimmer irgendeines sturmfreien Einfamilienhauses mit anderen Mädchen tanzte, saß Linda mit Frederik draußen auf der Eingangstreppe, betrachtete den Mond, der wie ein Teller Milchsuppe am Himmel stand, und machte »hm-hm« und »na klar«, wenn Frederik etwas sagte. Trotz seines Computerfimmels sah er vorzeigbar aus. Dies und die Tatsache, dass er älter war, machten es möglich, seine Anwesenheit zu ertragen, obwohl sein Marktwert erheblich unter ihrem lag.

Frederik selbst schien sich über Marktfragen keine Gedanken zu machen. Linda wusste nicht einmal, was er von ihr wollte. Nie unternahm er den Versuch, sie zu küssen. Anscheinend reichte es ihm, gelegentlich auf dem Schulhof mit ihr zu plaudern und ihr zu helfen, wann immer sie Probleme mit ihrem Computer hatte. Er war ein Mensch, der Dinge tat, ohne sie in Frage zu stellen. Auf Partys gehen, auf Treppen sitzen, Linda nach Hause fahren, während sie aus dem Fenster seines Polos kotzte. Computerviren unschädlich machen, braune Socken tragen, Fünfen schreiben und trotzdem das Abitur bestehen.

Als zwei Jahre später auch Linda mit der Schule fertig war, hörte sie von Timo, dass Frederik einen Mitbewohner für seine Studentenwohnung suchte. Zu diesem Zeitpunkt hatte Marc einer seiner vielen Freundinnen ein Kind gemacht und war ohne Abschluss von der Schule gegangen. Linda zog bei Frederik ein, und weil es sich anbot, schliefen sie gelegentlich miteinander.

Während Frederik die Uni schwänzte, schuftete Linda auf ihrer Lehrstelle als Bereiterin, kam abends völlig erschlagen nach Hause und erfüllte die Wohnung mit Pferdegestank. Manchmal war er noch wach, wenn sie morgens aufstand, und sie tranken einen Kaffee zusammen. Sie hatte Affären mit einem Hufschmied, einem Tierarzt und einem

Reitlehrer. Er traf eine Graphikdesignerin, eine Unternehmensberaterin und eine Friseuse. Es dauerte eine Weile, bis Linda begriff, dass Frederik zu den seltenen Menschen gehörte, die ihr nicht auf die Nerven gingen. Sie lachten viel und stritten nie. Linda begann, neue Merksätze zu formulieren, wenn sie über ihr Verhältnis zu Frederik nachdachte. Verliebtheit verfliegt, Freundschaft bleibt. Wer seine Träume selbst verwirklicht, braucht keinen Prinzen. Überhaupt gab es laut Manfred Gortz nur zwei Kategorien von Dingen auf der Welt – solche, die funktionierten, und den großen Rest. Frederik funktionierte. Eines Tages erfuhr sie, dass auch er einen Merksatz über sie hatte. Er lautete: Ich habe diese Frau vom ersten Augenblick an geliebt. Dass sie ihn dafür auslachte, störte ihn nicht.

»Und wie läuft das nachher ab mit dem Spekulanten?«

»Der Spekulant«, sagte Linda, »trifft auf zwei sympathische junge Menschen an der Schwelle zu einer glücklichen Zukunft. Das erweicht sein Spekulantenherz.«

»Welches Kleid ziehst du an?«

»Arschloch.«

Er gähnte und legte die langen Beine über Lindas Schoß, damit sie ihm die Füße massieren konnte.

»Was ist das eigentlich für einer?«

»Geschäftsmann in Standardausführung. Ich hab ihm von Bergamotte erzählt, und er wollte wissen, wie viel man mit Pferdezucht verdient.«

»Vielleicht steht er nicht auf Pferdemädchen.«

»Dann machst du die Hilf-mir-Kumpel-du-weißt-doch-wie-die-Frauen-sind-Nummer.«

»Oui.«

»Oui quoi?«

»Oui, mon Général.«

Linda lockerte seine Fußgelenke durch rotierende Bewegungen, danach drückte sie jede seiner Zehen sanft zwischen Daumen und Zeigefinger. Vor dem Fenster stritten zwei Spatzen in der Luft, wobei einer mehrfach mit den Flügeln gegen die Scheibe stieß. Linda dachte, dass die Temperaturen heute die Dreißig-Grad-Marke übersteigen würden.

»Nervös?«

Sie zuckte die Achseln.

»Hey.« Frederik setzte sich auf und stupste ihr einen Finger auf die Nase. »Wir kriegen das Land. Versprochen. Schon allein, damit Bergamotte nicht eines Tages zwischen uns im Bett liegt.«

Sie nickte, gab seinen Füßen einen Klaps und erhob sich. Bevor der Spekulant auftauchte, wollte sie unbedingt noch eins der Fenster schaffen, die sie im Obergeschoss ausgebaut und zum Abschleifen in den ehemaligen Schweinestall getragen hatte. Frederik nutzte den frei gewordenen Platz auf der Couch, um sich ganz auszustrecken, und sah träge zu ihr hoch.

»Mir tut der Rücken weh. Ich glaube, ich mache heute mal gar nichts.«

Linda nickte und ermahnte sich, keinen Ärger aufkommen zu lassen. Als sie sich entschieden hatten, das Haus zu kaufen, hatte Frederik unmissverständlich klargestellt, dass er nicht zum Heimwerker mutieren würde. Dafür zahlte er den Löwenanteil der Kreditraten. Sein Job war in der Stadt, seine Freunde im Internet, seine Heimat ein weiß möbliertes Büro mit Hochleistungsrechner, das bislang den einzigen voll eingerichteten Raum des Hauses darstellte. Wenn er Lust verspürte, einen Dachboden zu entrümpeln, konnte er das tun. Wenn nicht, war es sein gutes Recht, den ganzen Tag auf der Couch zu liegen.

Die Reifen des Postautos erzeugten ein harsches Geräusch im Schotter vor dem Haus. Linda verließ das Wohnzimmer und ging über den Flur. Der frisch gereinigte Fliesenboden war kühl unter den Füßen, jeder Schritt ein kleiner Triumph. Stunde um Stunde hatte sie auf den Knien liegend in diesem Flur verbracht und mit einem Spachtel Klebstoffreste von den Fliesen geschabt. Ein nicht unbeträchtlicher Teil der Restaurierung von Objekt 108 bestand darin, die untergegangene DDR von Wänden und Böden zu kratzen. Als Linda und Frederik das Linoleum im Flur herausgerissen hatten, war der alte Kachelboden zum Vorschein gekommen, mit filigranen Rankenmustern verziert, auf die Linda jetzt ihre nackten Füße setzte.

Sie betrat den Wintergarten und sah von dort aus zu, wie der Postbote einen Brief in den Kasten neben dem linken Torpfosten warf. Als er sie entdeckte, schüttelte er den Kopf zum Zeichen, dass heute kein Päckchen gekommen war, stieg wieder ins Auto und fuhr davon.

Der Holzboden des Wintergartens fühlte sich warm an unter den Füßen, wie der Rücken eines Tiers; die Steinstufen der Treppe waren wieder kalt. Linda genoss die kleinen Explosionen unter der Schädeldecke, während sie auf nackten Sohlen über den Schotter der Einfahrt zum Briefkasten ging. Ein einzelner Brief lag darin. Der Umschlag aus Umweltpapier, längliches Format mit Sichtfenster. Nur Behördenangestellte waren in der Lage, ein Blatt Papier so zu falten, dass es in diese Sorte Umschlag passte.

Lindas Laune sank, ein innerer Temperatursturz. Behördenpost verhieß niemals etwas Gutes. Der Staat verschickte keine Briefe, in denen er sich bei seinen Bürgern für gesetzestreues Verhalten, braves Steuerzahlen oder die Nichtinanspruchnahme von Sozialleistungen bedankte. Der Staat war wie ein falscher Freund, der sich nur meldete, wenn er etwas wollte. Geld eintreiben, Maßregeln verhängen, Verbote erlassen. Der Anblick des Briefs erzeugte ein flaues Gefühl im Magen, aber Linda war nicht der Typ, der einem Gegner ausweicht. Barfuß auf dem Schotter zerfetzte sie den Umschlag in der Luft und ließ die Teile zu Boden fallen.

In Händen hielt sie ein einzelnes Blatt. Oben prangte ein dilettantisch erstelltes Logo, ein Paar Vogelschwingen, in deren Mitte die Buchstaben »VoSchuWa« zu lesen waren. Darunter eine Webadresse: www.vogelschutzbund-unterleuten.de. Der Rest des Briefkopfs informierte Linda darüber, dass die Vogelschutzwarte Unterleutner Heide eine Außenstelle der Naturschutzbehörde Plausitz darstellte und in einem Ort namens Seelenheil ansässig war.

Sie begann zu lesen. Sie kannte keinen Gerhard Fließ. Sie hatte nichts gegen Vögel, im Gegenteil. Sie fand es toll, dass man die letzten Kampfläufer schützte. Sie wollte nur ein paar Pferdeboxen und eine Weide.

Die Wut stieg vom Magen her die Wirbelsäule hoch, verteilte sich wie heiße Flüssigkeit im ganzen Körper, ließ die Kehle eng und den Mund trocken werden. Der Brief war nicht lang, er bestand im Wesentlichen aus zwei nummerierten Absätzen und einer Unterschrift. Als Linda zu Ende gelesen hatte, spürte sie, wie ihr die Tränen kamen.

Sehr geehrte Frau Franzen,

heute teilen wir Ihnen das Folgende mit:

1.) Der Vogelschutzwarte Unterleutner Heide liegen Hinweise vor, dass Sie beabsichtigen, am Rand der Unterleutner Heide ein Nebengebäude umzunutzen. Die Unterleutner Heide gehört zum europäischen Vogelschutzreservat Unterleuten, in dem sich die letzten Brutstätten der Kampfläufer befinden. Von baulichen Veränderungen in ihrem Sichtfeld können sich die Kampfläufer gestört fühlen.

Hiermit teilen wir Ihnen heute schon mit, dass wir das genannte Bauvorhaben beim Bauamt Plausitz zur Anzeige bringen werden.
2.) Weiterhin liegen uns Hinweise vor, dass Sie in der Unterleutner Heide die Errichtung großräumiger Einzäunungen planen. Zaunanlagen im Landschaftsschutzgebiet Unterleutner Heide sind genehmigungspflichtig. Die Unversehrtheit der Landschaft ist zu wahren. Zudem besteht die Gefahr, dass sich Singvögel in oder an den Zaunanlagen tödlich verletzen. Wir bringen auch dieses Vorhaben zur Anzeige und weisen Sie heute schon darauf hin, dass wir der Naturschutzbehörde Plausitz anraten werden, ihre obligatorische Einwilligung im betreffenden Genehmigungsverfahren nicht zu erteilen.

Mit freundlichen Grüßen,
Gerhard Fließ

3 Meiler

Als Mizzie noch verlangt hatte, dass nach drei Stunden am Steuer eine Pause einzulegen sei, pflegte Meiler trotz Hunger, Müdigkeit oder voller Blase so lange aufs Gas zu drücken, bis sie ihr Ziel ohne Unterbrechung erreichten. Seit Mizzie – er hatte noch immer kein Wort dafür, denn sie war weder tot noch krank noch in einen anderen Mann verliebt – seit Mizzie also nicht mehr auf dem Beifahrersitz saß, hielt er sich an die Geschwindigkeitsbegrenzung und beachtete die Drei-Stunden-Vorschrift. Konrad Meiler mochte Regeln, solange er sich selbst aussuchen konnte, welche er befolgte.

An einer Raststätte bei Gera trank er Milchkaffee, bei Magdeburg aß er einen Rostbraten mit Rotkohl und Kartoffeln, der gar nicht übel schmeckte. Während er das Fleisch kaute, schaute er durch die Scheibe auf bunte Spielgeräte, an denen die Kinder gestresster Urlauber turnten. Die vielen staubigen Kombis mit Dachboxen und Fahrradträgern auf dem Parkplatz ließen Meilers silbern glänzenden Mercedes Roadster wie einen Fremdkörper wirken. Die Außentemperatur wurde mit 32 Grad angegeben. Ab 30 Grad gönnte er sich mittags ein Weizen.

Als er am Morgen in Ingolstadt aufgebrochen war, hatte er sich vorgenommen, bis Bayreuth zu wissen, was er hier tat. Bei Leipzig hatte er noch keine Ahnung gehabt, und jetzt saß er ohne einen blassen Schimmer in der Nähe von Magdeburg. Dass er im Auto nach Berlin fuhr, um einen Kunden zu treffen, war nichts Besonderes. Er stand lieber im Stau, als in einem überheizten oder unterkühlten ICE auf das Beheben einer Signalstörung zu warten. Aber das Kundengespräch war erst für den kommenden Vormittag angesetzt, und Meiler war nicht der Typ, der einen Tag früher in die Hauptstadt reiste, um ins Theater zu gehen. Das Navigationsgerät nannte als Zielort den Namen eines gottverlassenen Nests in der Prignitz. Dort lebte eine Frau, mit der er eigentlich nichts zu tun haben wollte.

Während der letzten Etappe seiner Fahrt sah Konrad Meiler dabei zu, wie die Landschaft sich selbst abschaffte. Wälder zogen sich zurück, Hügel ebneten sich ein, Flüsse versandeten, Farben bleichten aus. Er hasste Preußen. In Bayern gab es Berge und Täler, Wälder und Felder, Flüsse und Ufer. Der Himmel war der Himmel, und die Erde war die Erde. In Preußen machte der Sand jede Landschaft unmöglich. Der Sand ließ Anhöhen und Senken ineinanderrutschen. Der Sand verwischte die Horizonte. Der Sand entzog dem Himmel das Blau und den Bäumen das Grün. Er ließ Mauern einsinken und schluckte halbe Dörfer. Der Sand machte die Seen trübe und die Menschen blass. Den Rest erledigten gelbes Steppengras und Kiefern.

Als das Navigationssystem ihn anwies, die nächste Ausfahrt zu nehmen und sich Richtung Plausitz zu halten, war er so lange überzeugt, dass er einfach auf der Autobahn bleiben und weiter Richtung Berlin fahren würde, bis seine linke Hand dann doch den Blinker setzte, der linke Fuß die Kupplung trat und die rechte Hand vom fünften in den vierten und dann in den dritten Gang schaltete, um den Mercedes sicher durch die enge Kurve zu bringen. Im Grunde blieb ihm nichts anderes übrig. Er hatte sein Kommen zugesagt, und das Einhalten von Verabredungen gehörte zu den vielen Selbstverständlichkeiten in Meilers Leben.

Erst hatte die Frau ihm gemailt, an seine Firmenadresse, die sich über die Homepage von *Result International* leicht herausfinden ließ. An der Geschwindigkeit, mit der sie von »Sehr geehrter Herr Meiler« und »Mit freundlichen Grüßen« zu »Hallo Konrad« und »Liebe Grüße« überging, erkannte er, dass sie nicht älter als dreißig sein konnte. Vielleicht war sie vierundzwanzigeinhalb. Philipp, sein jüngster Sohn, war vierundzwanzigeinhalb. Meiler staunte, dass er das überhaupt wusste.

Dann rief sie auf seinem Privatanschluss an, obwohl die Nummer nicht mehr im Telefonbuch stand, seit Philipp zum ersten Mal verschwunden war. Meiler hatte in der Presse gelesen, dass deutsche Behörden Datensätze verkauften, aber das war ihm immer wie eine Übertreibung von Bürgerrechtshysterikern erschienen. Linda Franzen traute er zu, die Handynummer des Papstes herauszufinden, wenn sie die brauchte.

Am Telefon klang ihre Stimme nach einer Frau, die wusste, wie man Charme für eigene Zwecke einsetzt. Meiler war sicher, dass sie überdurchschnittlich gut aussah. Man musste kein Psychologe sein, um Franzens starken Willen hinter dem freundlichen Singsang zu spüren. Obwohl sie zweifellos mit einem festen Freund zusammenlebte, sagte sie nicht, »wir wünschen uns« oder »unser Anliegen wäre«. Sie sagte »ich plane«, »ich brauche«, »ich muss«.

Fragte man Meiler nach dem Geheimnis seines Erfolgs, antwortete er mit zwei Vokabeln: Konsequenz und Konsistenz. Er besaß Prinzipien, hasste Zeitverschwendung und mochte keine Spielchen. Weshalb er auf Linda Franzens Charmeoffensive mit der unverblümten Wahrheit reagierte.

Sein neuerworbener Besitz, erklärte er, umfasse eine Fläche von 250 Hektar. Diese hingen nicht zusammen, sondern verteilten sich in unregelmäßigen Parzellen über den halben Landkreis. Es handele sich um Felder, Wiesen und Wälder; es gebe die unterschiedlichsten Nutzungsarten von Ackerbau bis Streichelzoo, und das bei meist unklaren Grenzverläufen. Mit dem Zuschlag auf der Auktion habe er, Konrad Meiler, eine ganze Armada von neuen Nachbarn erworben, von denen sie, Linda Franzen, nur eine sei. Eins müsse sie sich klarmachen, um die vollständig fehlende Erfolgsaussicht ihrer Anrufe einschätzen zu können: Es sei nicht nur praktisch unmöglich, sich um die Partikularinteressen jedes einzelnen neuen Nachbarn zu kümmern, er habe auch keine Lust dazu und plane nicht einmal, es zu versuchen. Auch nicht ausnahmsweise, auch nicht in Franzens Fall. Das Land habe er aus einem einzigen Grund erworben. Weil er es konnte.

Meiler kam ins Reden. Er merkte es, während es passierte, und wusste, dass Linda Franzen es genau darauf anlegte. Aufhören konnte er trotzdem nicht. Seit Mizzie nur noch sporadisch im gemeinsamen Haus in Ingolstadt auftauchte, gab es niemanden mehr, der ihm zuhörte. Seine älteren Söhne Friedrich und Johannes lebten seit bald fünfzehn Jahren nicht mehr zu Hause, der eine war Anwalt in Würzburg, der andere Urologe in Fürth, und was der Jüngste, Philipp, gerade machte, wollte Meiler lieber gar nicht wissen. Mit Linda Franzen hatte das alles nichts zu tun, aber sie verstand es, ihn mit Fragen nach seiner Geschäftsphilosophie zum Reden zu bringen. Er erzählte ihr, dass er *Result International* vor bald vierzig Jahren gegründet hatte, zu einer Zeit, als Managementberatung noch als amerikanisches Dienstleistungsmodell galt. Seitdem steuerte er das Firmenschiff durch die Untiefen der Wirtschaftsgeschichte, deutsche Einheit, 9/11, Finanzkrise. Konsequenz und Konsistenz. Er hatte darauf geachtet, die Firma trotz frühem Erfolg nicht zu groß werden zu lassen. Er arbeitete nur für Menschen, deren Witze er verstand. Er hatte den Firmensitz in Ingolstadt belassen, obwohl es ihm und seinen Angestellten in den vergangenen Jahrzehnten viel Zeit gespart hätte, in der Nähe des Frankfurter Flughafens zu wohnen. Trotz aller Zurückhaltung wäre er nicht dorthin gekommen, wo er heute stand, wenn er es nicht verstünde, eine Gelegenheit beim Schopf zu packen.

Irgendwann hatte Gottfried Wanka, einer von Meilers langjährigen Kunden, beim Abendessen erzählt, dass ein Quadratmeter Land im Umkreis von Berlin nicht mehr kostete als ein Vitalbrötchen beim Bäcker. Weil Meiler ungläubig reagierte, schlug Wanka vor, ihn zu einer Versteigerung mitzunehmen. Meiler sagte zu, mehr aus Faszination für den großen Schlussverkauf von Grundbesitz als aus dem konkreten Wunsch, etwas zu erwerben.

Da *Result International* nie in der Politikberatung tätig gewesen war, erschien ihm der Vorgang, den Wanka beschrieb, einigermaßen befremdlich. Seit die amerikanische Immobilienkrise die Staatshaushalte unter Druck setzte und sich die Erkenntnis ausbreitete, dass Überschuldung auch für Volkswirtschaften zum Problem werden konnte, machte das Finanzministerium, was jeder Privatmensch auch tun würde: Es verscheuerte zwar nicht das Tafelsilber, wohl aber den großflächigen Ramsch, der bei der Wiedervereinigung in Form von ehemaligem Volkseigentum in das Eigentum der Bundesrepublik gelangt war. Bei der Auktion, die Wanka und Meiler besuchten, brachte die Nachfolgeorganisation der Treuhand 250 Hektar unter den Hammer. Weil der Ausgangspreis geradezu lächerlich war, bot Konrad Meiler mit, und als er einmal damit angefangen hatte, konnte er nicht mehr aufhören. Als die Grenze von zwei Millionen

Euro überschritten war, hielt nur noch ein weiterer Bieter dagegen.

Bei 2,3 Millionen stand ein Mann auf, der bislang nur als Zuschauer an der Versteigerung teilgenommen hatte. Man drehte sich nach ihm um; auch der Auktionator hielt inne in Erwartung eines überraschenden Quereinsteigergebots. Wie ein Millionär sah der Kerl allerdings nicht aus. Er mochte Anfang siebzig sein, ein ehemals gut aussehender Mann im Zustand fortschreitender Verwahrlosung. Der Bart war ungepflegt, das Haar strähnig und zu lang. Er hatte seine Windjacke nicht abgelegt, obwohl es ohnehin zu warm war im Raum. Neben seinem Stuhl stand ein großer Rucksack, an dem eine Krücke lehnte. Der Mann streckte einen Arm aus, zeigte auf Meiler und sagte »verdammte Heuschrecke«. Dann setzte er sich wieder hin.

Konrad Meiler gab sein nächstes Gebot ab. Bei 2,5 Millionen gehörte das Land ihm. Er fühlte sich nicht als Sieger. Die Vorstellung, dass da draußen im Mittagslicht Waldstücke lagen, Weizenfelder, Kuhweiden, Obstwiesen und Brachflächen, die nun mit einem Schlag ihm gehörten, hatte etwas Absurdes. Der Garten seiner Villa am Rand von Ingolstadt war ihm immer groß vorgekommen. Er umfasste knapp 2000 Quadratmeter. Meiler versuchte zu schätzen, wie lange er brauchen würde, um seinen neuen Besitz zu Fuß zu umrunden, und stellte fest, dass das eine unmögliche Rechnung war.

Ein gutes Jahr später erzählte er diese Geschichte einer völlig unbekannten Frau am Telefon, obwohl ihm klar war, dass ihr seine Redseligkeit falsche Hoffnungen machen würde. Sie würde ihn für einen einsamen Mann halten und glauben, dass er ihr das Stück Land, das sie so dringend brauchte, irgendwann aus Sympathie überlassen würde. Bestimmt trank Franzen in diesem Augenblick das erste Glas

Sekt auf ihren bevorstehenden Erfolg. Zu allem Überfluss hatte er irgendwann zugesagt, sie zu treffen. Bei einem ihrer Telefonate hatte sie ihm das Datum seiner nächsten Geschäftsreise nach Berlin entlockt. Ehe er es sich versah, hatte er versprochen, bei dieser Gelegenheit nach Unterleuten zu kommen. Nicht um über den Verkauf von vier Hektar Land zu verhandeln. Sondern weil es ihn reizte, seine neuen Besitztümer einmal mit eigenen Augen zu sehen.

»Ist mir egal, warum Sie kommen«, sagte Franzen. »Schauen Sie einfach vorbei.«

Immerhin wusste sie genau, woran sie bei ihm war. Meiler entspannte sich und schaltete das Radio an. Ein Mann sang mit sonorer Stimme zu Klavierbegleitung.

»Brandenburg / Wenn man Bisamratten im Freibad sieht / dann ist man im Naturschutzgebiet / Mark Brandenburg.«

Meiler lachte laut. Als das Navi ihn anwies, die Bundesstraße zu verlassen und einer schmalen Allee zu folgen, drosselte er die Geschwindigkeit auf 30 Stundenkilometer, obwohl 60 erlaubt waren. Der Asphalt lag in Wellen wie die Oberfläche eines erstarrten Flusses und war an vielen Stellen aufgerissen, so dass riesige Schlaglöcher zum Slalom zwangen. Der Roadster lag tief auf der Straße, seine Schnauze hob und senkte sich wie die eines Motorboots bei Windstärke sieben.

Schwer zu glauben, wie dünn besiedelt die Gegend war. Die Anzeichen menschlicher Zivilisation waren so selten, dass jeder Strommast auffiel. Ein paar Schilder am Straßenrand: Ferienwohnungen, Kleintransporte, Fußpflege, Hundetraining. Ein Sportflughafen, ein paar Kühe, Maisfelder, in einiger Entfernung die Förderbänder eines Kieswerks. Nirgendwo eine Menschenseele. Hin und wieder drängten sich am Straßenrand ein paar Häuser zusammen, die von Ortsschildern zu Dörfern erhoben wurden. Die Namen klangen wie aus einem surrealen Film, Wassersuppe, Regenmantel, Seelenheil. Auf dem Dach einer Scheune thronte ein Storchennest, groß wie ein Traktorreifen. Meiler bremste für eine Katze und fuhr Schrittgeschwindigkeit hinter drei Ponys, die mit ihren jugendlichen Reiterinnen mitten auf der Straße trotteten. Ihm kam das alles wie ein Paralleluniversum vor. Ein No-man's-Disneyland. Ein Freilichtmuseum preußischen Versagens beim Versuch der Wiederaufsiedlung wüst gefallener Ländereien. Friedrich der Große würde sich im Grab umdrehen, wenn er wüsste, wie das Ergebnis seiner aufwändigen Siedlungspolitik aussah, samt Sumpftrockenlegung und Dorfneubau: drei zwölfjährige Mädchen auf Ponys in einer ansonsten völlig ausgestorbenen Landschaft.

Der Sänger im Radio war zum nächsten Lied übergegangen.

»Du fragst mich, was vor Armut schützt / Die Antwort lautet: Grundbesitz!«

Noch einmal lachte Meiler; anscheinend lief das Liederprogramm nur für ihn.

Ein Stück voraus standen mehrere Autos am Straßenrand. Erst dachte Meiler an einen Unfall, aber als die Ponys und er langsam näher kamen, sah er Menschen unverletzt herumlaufen, auch die Autos schienen unbeschädigt. Mehrere Männer bauten Stative auf. Für eine Polizeikontrolle war das Ganze allerdings zu auffällig. Die Mädchen dirigierten ihre Ponys an den Straßenrand, beschirmten die Augen mit den Händen und schauten aufs Feld hinaus. Während Meiler den Roadster an der Gruppe vorbeizwängte, erkannte er, dass die Männer Kameras mit langen Teleobjektiven auf die Stative schraubten; die Frauen standen daneben und hoben Ferngläser an die Augen. Sosehr er sich auch anstrengte, auf der weitläufigen Wiese etwas Sehenswertes zu entdecken – außer einer Gruppe grau gesprenkelter Vögel in hundert

Metern Entfernung gab es nichts zu sehen. Meiler dachte, dass die Wiese, auf die hier alle starrten, möglicherweise ihm gehörte.

Zu keinem Zeitpunkt im Leben hatte er den Wunsch verspürt, Land zu erwerben. Aber seit es geschehen war, fühlte er sich anders. Besser. Er war Großgrundbesitzer. Die Adligen mochten in Deutschland zum Marionettentheater der Boulevardpresse verkommen sein; für ihre Methoden galt das nicht.

Mizzie hatte ihn für verrückt erklärt, als sie endlich ans Handy gegangen war und er ihr von seinem Coup erzählen konnte. Seit sie wegen Philipp die Wohnung in München gemietet hatte, war sie schwerer zu erreichen als ein Topmanager. Wenn er versuchte, sich vorzustellen, womit sie beschäftigt war, sah er schreckliche Bilder. Mizzie, wie sie eine Thermoskanne Tee, Käsebrote und frische Herrenunterwäsche in einen Rucksack packte. Mizzie, die mit uniformierten Mitarbeitern der Bahnhofsmission sprach. Mizzie, die in den Gängen einer U-Bahn-Station die Reihen von am Boden liegenden Menschenbündeln abschritt, immer wieder anhielt, sich hinunterbeugte und ein schmutziges Stück Stoff beiseiteschlug, um einem von ihnen ins Gesicht zu sehen.

Hartnäckig rief Meiler bei ihr an, um von den Ereignissen in seinem Leben zu erzählen, auch wenn er nicht wusste, ob sie das noch interessierte. Sie hörte schweigend zu, während er von der Versteigerung berichtete, und fragte anschließend, ob er den Verstand verloren habe. Noch einmal hatte Meiler seine Argumente wiederholt. Staatsanleihen können absaufen. Börsenkurse fallen. Vermögen von der Inflation gefressen werden. Mizzie blieb bei ihrer Gegenfrage: »Was zur Hölle willst du mit der halben DDR?«

Zwei Monate später meldete Lehman Brothers Konkurs an. Immobilienfonds wie jene, aus denen Meiler sich zurückgezogen hatte, um die Anschaffung seiner neuen Ländereien zu finanzieren, waren plötzlich keinen Pfifferling mehr wert.

Mit seinem Stück Ex-DDR musste Meiler nichts wollen. Er konnte es sich leisten zu warten. Auf Bebauungspläne, die neue Flächen als Bauland auswiesen. Auf eine Supermarktkette, die Land brauchte, um in der Nähe von Unterleuten eine Filiale zu eröffnen. Auf die Ausdehnung des Berliner Speckgürtels. Auf Umgehungsstraßen, Outlet-Center oder die große Energiekrise, die den Anbau von nachwachsenden Rohstoffen unverzichtbar machen würde. Und solange er wartete, war Konrad Meiler sein eigenes Spekulationsgeschäft.

Am besten gefiel ihm, dass sich sein neues Investitionsmodell als System mit positiver Rückkopplung entpuppte. Ein berühmter Kunstsammler konnte den Wert eines Künstlers dadurch steigern, dass er dessen Werke kaufte und in seine Sammlung aufnahm. Mit Land verhielt es sich ähnlich. Als Meiler nach dem Zuschlag an der Seite von Gottfried Wanka das Gebäude verlassen hatte, in dem die Versteigerungen stattfanden, war er dem Krückenmann wiederbegegnet, der vor dem Eingang auf ihn wartete und offensichtlich noch etwas zu sagen hatte.

»Ist dir eigentlich klar«, sagte der Kerl, »dass Heuschrecken wie du die Bodenpreise ruinieren? Und dass es Leute gibt, die dafür bitter bezahlen?«

Ohne auf eine Antwort zu warten, spuckte er Meiler vor die Füße und humpelte davon.

Wanka klärte Meiler darüber auf, dass er soeben einen vergleichsweise astronomischen Preis für seine 250 Hektar bezahlt hatte. In Plausitz gab es einen Gutachterausschuss, der den Bodenrichtwert auf Grundlage der im vergangenen Jahr getätigten Transaktionen neu festsetzte. Größere Geschäfte besaßen folglich erheblichen Einfluss auf die Berechnungen, so dass Meiler, indem er teuer kaufte, den Wert des Gekauften in die Höhe trieb. Wie er inzwischen wusste, liefen auch die viel zu billigen Pachtverträge nach und nach aus, so dass bei Neuabschlüssen die Preise angehoben werden konnten. Er stand bereits mit Rudolf Gombrowski in Verhandlung, der auf 900 Hektar in der Region Unterleuten Öko-Weizen und Bio-Milch produzierte und auf einige von Meilers Flächen dringend angewiesen war. Die angepassten Pachtpreise würden erstens eine Rendite von bis zu vier Prozent sichern, was angesichts der aktuellen Situation nicht übel war, und zweitens wiederum wertsteigernden Einfluss auf den Bodenrichtwert nehmen. Meiler mochte gut geölte Maschinen, und diese hier lief dermaßen rund, dass er lächeln musste, wenn er nur daran dachte.

Nachdem er es endlich geschafft hatte, an den Ponys vorbeizukommen, genoss er es, wie ihn die Beschleunigung des Roadsters in den Sitz drückte. Beim zweiten Telefonat hatte Franzen ihn gefragt, ob er Pferde möge. Er hatte erwidert, dass er sich nicht die Bohne für Tiere interessiere. Seine Arbeit habe ihn gelehrt, dass schon die Dressur von Menschen genügend Probleme aufwerfe. Reiten sei ein Sport, bei dem er selbst während der Olympischen Spiele umschalte. Außerdem flößten ihm die großen Tiere Respekt ein.

»Wenn Männer Respekt sagen, meinen sie Angst«, hatte Linda Franzen geantwortet.

»Touché!«, hatte Meiler gesagt, obwohl er Männer, die »Touché!« sagten, für schwul hielt.

Es stellte sich heraus, dass Franzen ihren Lebensunterhalt mit Pferden verdiente.

»Sie glauben gar nicht, wie viele Pferdebesitzer keine Ahnung haben, wie man mit diesen Tieren umgeht. Das ist so, als würde jemand, der Kupplung und Bremse nicht unterscheiden kann, einen Formel-1-Wagen kaufen.«

»Die Leute besitzen Pferde und können nicht reiten?«

»Reiten vielleicht schon. Aber in der Pferdesprache sind sie komplette Legastheniker.«

»Und Sie bringen den Menschen Pferdisch bei.«

Er hatte das als Witz gemeint, aber Linda Franzen reagierte in vollem Ernst. Sie hielt ihm einen Vortrag, der mit den Worten »Pferdesprache ist Körpersprache« begann. Als Herden- und Fluchttiere besäßen Pferde eine feine Wahrnehmung für die kleinsten physischen Signale. Unablässig läsen sie in der Körperhaltung des Menschen, deuteten seine Gesten, stellten Spannungsgrade fest, interpretierten Bewegungsmuster, um herauszufinden, wen sie vor sich hätten, Freund oder Feind. Da sich die meisten Menschen ihres eigenen Körpers überhaupt nicht bewusst seien, sendeten sie einen pantomimischen Kauderwelsch aus, der das Pferd permanent verwirre. Und wer verwirrt sei, gerate leicht in Panik.

»Stellen Sie sich mal vor, Sie bestünden aus 700 Kilo Fleisch und liefen durch eine karnivore Welt«, sagte Franzen. »Dann hätten Sie auch ein Faible für klare Verhältnisse.«

Grundsätzlich sei der Mensch für Pferde ohnehin ein verdächtiges Wesen, weil seine Augen so eng beieinanderstünden. Die Fleischfressermiene.

»Jäger fokussieren«, sagte Franzen, »Opfer haben den Rundumblick.«

Beeindruckt beschloss Meiler, sich diesen Satz zu merken, um ihn beim nächsten Consulting zu verwenden. Er wurde nicht müde, seinen Kunden zu erklären, dass Erfolg vor allem Konzentrationsfähigkeit voraussetzte. Man musste sich einer Sache vollständig widmen, statt ständig in alle Richtungen nach möglichen Gefahren Ausschau zu halten.

Linda Franzen hatte weitergesprochen und führte gerade aus, dass sie in Wahrheit nicht Pferde, sondern Menschen trainiere. Sie bringe den Leuten im wahrsten Sinne des Wortes »Selbst-Bewusstsein« bei. Sie müssten lernen, ihren Körper, ihre Haltung, ihren Adrenalinhaushalt, selbst ihre Gedanken jederzeit zu kontrollieren. Kein unnötiges Schlenkern und Gestikulieren mit den Armen. Ruhige Motorik, gerader Rücken, aufgerichtetes Brustbein. Niemals aufregen, niemals wütend werden. Angst nicht nur verbergen, sondern gar nicht erst empfinden.

»Sie können Menschen beibringen, keine Angst zu haben?«, fragte Meiler und ärgerte sich im gleichen Moment über seinen ungläubigen Tonfall, der ihn endgültig in die Rolle des staunenden Zuhörers drängte. Was auch immer Franzen da gerade machte – sie machte es gut. Ihm war die Ironie abhandengekommen. Er wollte das Telefonat nicht mehr beenden, er wollte hören, was sie zu erzählen hatte.

»Ich bringe den Leuten bei, Chef zu sein«, sagte Franzen. »Wer anderen seinen Willen aufzwingen kann, hat keine Angst.«

»Jetzt bin ich aber gespannt.«

Franzen erklärte ihre Methode: Eine Übersetzung für »Macht« sei die Frage »Wer bewegt wen«. Der Mensch müsse das Pferd bewegen, niemals umgekehrt. Das Pferd habe dem Menschen in jeder Situation zu weichen. Sie zeige ihren Kunden, wie man von vorne auf das Pferd zugehe, so dass es zurücktreten müsse. Nähere man sich von schräg hinten, werde das Pferd vorwärtslaufen, trete man an die Körpermitte des Pferdes heran, weiche es zur Seite. Umgekehrt werde das Pferd dem Menschen automatisch folgen, wenn er ihm Platz mache. Daraus ergebe sich mit etwas Übung ein fein abgestimmter Tanz, und wer den beherrsche, sei eine Führungspersönlichkeit. Nicht nur in der Pferdewelt.

»Aber warum sollte ein Pferd dieses Spiel mitspielen, statt Sie einfach umzurennen?«

Linda Franzen lachte.

»Herr Meiler, Ihr Beruf lässt mich vermuten, dass Sie die Antwort kennen.«

Jetzt hatte sie ihn schon so weit, dass er verlegen schwieg. Er wusste tatsächlich nicht, worauf sie hinauswollte.

»Mit Pferden ist es wie bei Menschen. Die allermeisten haben in Wahrheit überhaupt kein Interesse daran, Chef zu werden. Sie verzichten gern auf eine Beförderung, um sich in Ruhe dem Grasen zu widmen. Pflanzenfresser eben. Die wollen nichts weiter als klare Anweisungen und ein sicheres Umfeld.«

Wenn man zu den seltenen Exemplaren gehöre, die tatsächlich Befehle erteilen wollten, fügte Franzen hinzu, genüge es im Normalfall, die richtigen Signale zu setzen.

»Chapeau«, sagte Meiler, was er noch dämlicher fand als »Touché«.

»Und jetzt kommt's«, rief Franzen.

Sie sei dabei, ein spezielles Managertraining zu entwickeln, erklärte sie so selbstverständlich, als sei das ein völlig normaler Satz für eine Vierundzwanzigjährige. Beim Umgang mit Pferden lerne man eine Menge über Menschenführung, Hierarchien, nonverbales Kommunizieren, Motivation. Nächstes Jahr wolle sie noch ein Zertifikat in Verhaltenspsychologie erwerben, um seriöser rüberzukommen.

»Was sollen die Seminare kosten?«, fragte Meiler.

An ihrem Zögern merkte er, dass sie sich darüber bislang keine Gedanken gemacht hatte.

»2000 Euro für ein Wochenende pro Person«, sagte sie dann. »Inklusive Unterbringung, Verpflegung und Pferd.«

Meiler antwortete nicht, um sich nicht anmerken zu lassen, wie sehr ihm ihr Mut imponierte, ihr Optimismus und die Dreistigkeit, mit der sie nach den Sternen griff. Er fragte sich, warum es nicht Philipp sein konnte, der in ein Telefon sprach, um dem Gründer einer der ältesten deutschen Unternehmensberatungen ein Geschäftskonzept zu erklären, das auf der Idee beruhte, Männer in maßgeschneiderten Anzügen in einen stinkenden Pferdestall zu locken. Wer auch immer du bist, Linda Franzen, dachte er, meinen Respekt hast du.

»Sie könnten in Ihrer Branche ein bisschen Werbung für mich machen«, sagte Franzen. »Dafür biete ich Ihnen einen Kurs zum persönlichen Sonderpreis. Kooperative Dominanz und *non-verbal leading*. Wie wäre das?«

Mit vollendeter Höflichkeit bedankte sich Meiler für das Angebot und versprach, darüber nachzudenken, welcher seiner Kunden an Franzens Portfolio Interesse haben könnte. Für einen Moment sah er die junge Frau inmitten seiner Stammkunden auf einem staubigen Reitplatz stehen, Wanka, Liotard, Finkbeiner und die anderen, redlich bemüht, die Bewegungen nachzuahmen, die Linda Franzen ihnen vormachte. Daneben stand ein dümmlich glotzendes Pferd.

In den folgenden Monaten blieb Franzen am Ball. Immer wieder fand sie Anlass, um Kontakt mit ihm aufzunehmen. Eine aktuelle Flurkarte, von der sie ihm eine Kopie zukommen lassen wollte. Eine Tabelle mit Bodenrichtwerten, die bewies, dass die vier Hektar hinter ihrem Haus, aus denen sie Pferdekoppeln machen wollte, nicht mehr als 20 000 Euro wert waren. Meiler wiederholte, dass er nicht verkaufen werde. Sie rief trotzdem an, und er begann, sich darüber zu freuen.

Und da war er nun. Das Navigationssystem meldete, dass er sein Ziel in drei Kilometern erreichen würde. Die Straße verließ den Wald und wurde zu einer dieser seltsamen Alleen, deren Bäume nicht senkrecht, sondern schräg von der Straße weg wuchsen.

Einem Impuls folgend, hielt er an und stieg aus. Nach der langen Fahrt in der klimatisierten Kapsel des Mercedes überfiel ihn die Hitze von allen Seiten. Es war heißer als in Ingolstadt, oder jedenfalls anders heiß, rücksichtslos, schattenlos, unbeeindruckt vom Wind. Eine Variation auf das Thema Wüste.

Vor Meiler lief die Allee eine sanfte Anhöhe hinab. In der Senke drängten sich die roten und schwarzen Dächer von Unterleuten, kaum mehr als hundert mochten es sein. Eines der Häuser stach heraus, weil sein Dach mit leuchtend blauen Ziegeln gedeckt war, die in der Sonne blitzten. Erst vor ein paar Minuten war Meiler an einer Dachdeckerei vorbeigefahren, die für Dachziegel in Knallfarben warb. Das blaue Dach sah scheußlich aus. Trotzdem mochte Meiler das Gefühl, schon jetzt zu wissen, wer es gedeckt hatte. Wahrscheinlich war er auch an den Häusern von Schreinern, Maurern und Zaunbauern vorbeigefahren, die Teile dessen, was er gerade vor sich sah, errichtet oder repariert hatten. Er stand inmitten eines Netzes von Zusammenhängen, welche die Welt zu einem kleinen, begreiflichen Ort machten.

Die Straße durchquerte Unterleuten von Nordwesten nach Südosten, wurde hinter dem Dorf erneut zur Allee und lief über mehrere Kilometer hinweg auf den Wald zu, der die flache, mit Weizenfeldern gepolsterte Senke als dunkler Saum umgab. In der Dorfmitte befand sich eine Kreuzung. Entlang der Abzweigung nach Nordosten franste das Dorf aus, die Abstände zwischen den Häusern vergrößerten sich, die Gartengrundstücke begannen, sich im Wald zu verlieren. Der nach Südwesten verlaufende Seitenarm zog sich in Kurven durch eine Neubausiedlung, in der zwanzig würfelförmige Fertighäuser auf ihren quadratischen Grundstücken standen. Neben der Kreuzung ragte ein plumper Kirchturm auf, aus Naturstein gemauert. Soweit Meiler erkennen konnte, trug er weder Glocke noch Kreuz.

Er atmete tief ein und wunderte sich darüber, wie viel Luft in seine Lungen passte. Es roch nach warmem Asphalt und nach Dünger. Das Ausatmen schien Minuten zu dauern. Es war unglaublich still. Irgendwo im Dorf erklangen in großen Abständen Hammerschläge, die die Stille eher vergrößerten als störten. Meiler sah Felder, vom leichten Wind in Wellen bewegt, er sah Wald und versuchte zu begreifen, dass er sein Eigentum betrachtete. Bislang hatte er sich nie richtig klargemacht, dass die ganze Welt aus Eigentum bestand und dass die einzigen Dinge, die niemandem gehörten, Ozeane, Luft und Menschen waren, wobei nicht einmal das wirklich stimmte. Im Grunde, dachte Meiler, war es erstaunlich, dass es so wenig Kriege gab.

Während er stand und schaute, breitete sich ein Wort in ihm aus: Heimat. Unterleuten war nicht seine Heimat, er hatte nicht einmal Verwandte in der Region. Aber Unterleuten sah aus wie etwas, das man Heimat nennen konnte.

Als die Kinder noch zur Schule gegangen waren, wurden einmal im Jahr Westpakete in die DDR geschickt, mit Schokolade, Jeans und Grußkarten aus dem freien Westen. Die meisten Kinder adressierten ihr Paket an einen Cousin in der Ostzone, den sie noch nie gesehen hatten. Meilers Söhne schickten ihre Päckchen an Fremde. Einmal hatte Philipp gefragt, warum sie keine Familie in der Ostzone besäßen. Er würde nämlich gern dorthin ziehen, um mit dieser anderen Familie zu leben. Da war Philipp sieben. Schon früh verlangten seine Fragen keine Antworten, sondern waren als Vorwürfe formuliert.

Meiler dachte an Ingolstadt, an seine geräumige Villa am Stadtrand. Ein Sohn nach dem anderen war ausgezogen, und auch Mizzie lebte nicht mehr dort. Die Türen der vielen Zimmer hielt er geschlossen, weil er ohnehin nur Küche, Schlafzimmer und Bad benutzte. Wenn er die Augen schloss, konnte er ganz deutlich den Klang seiner Schritte im stillen Flur hören, und dann musste er die Augen aufreißen und an etwas anderes denken.

Am Rand von Unterleuten stieg Rauch auf.

»Da verbrennt jemand Gartenabfälle«, sagte Meiler, obwohl es völlig unsinnig war, diesen Satz laut in die Stille zu sprechen.

Er drehte sich um und stieg in den Roadster. Der gekühlte Innenraum empfing ihn mit jener sterilen Anonymität, die er so schätzte. Plötzlich hatte er den Eindruck, dass es ein Fehler war, hierherzukommen.

4 Schaller

»Komm schon. Nicht mit mir. Ich kenne solche wie dich.«

Schaller lag auf dem Rücken. Er trug Arbeitsstiefel und eine abgeschnittene Jeans, über deren Bund sich die gewaltige Masse seines Bauchs wölbte. Der Oberkörper war nackt und nur an der Vorderseite mit einer Lederschürze bedeckt. Schmerzhaft bohrten sich kleine Steine in die Rückenhaut.

»Es könnte so einfach sein. Aber nein, immer Scherereien, immer dieses Getue. Warum eigentlich? Ich bin nicht schlechter als die anderen. Ich versuche, das Beste rauszuholen. Für mich, aber auch für dich. Die meisten anderen hätten dich einfach ins Nirwana geschickt. Letzte Fahrt, ganz unpersönlich, und dann Good-bye, Stranger.«

Schaller bewegte die Schultern, um seine Lage neu zu justieren. Wegen des Bauchs passte er nicht zusammen mit dem Rollbrett unter die Autos. Also schob er seine 115 Kilo rücklings über den schorfigen Beton, um an den Unterboden heranzukommen. Das war nicht nur unbequem, sondern eine völlig arbeitsfeindliche Lage. Er konnte die Arme kaum bewegen und hatte nicht genug Platz, um den richtigen Winkel und die geeignete Distanz zu finden. Die Schweißbrille war von Rußpartikeln zugesetzt, was die Sicht behinderte. Der Auspufftopf über ihm bestand hauptsächlich aus Rost und Löchern. Es gab kaum noch Substanz zum Schweißen.

Trotzdem blieb die Sache eine einfache Rechnung: Wenn er den Auspufftopf durch einen neuen ersetzen würde, lohnte das Geschäft nicht. Wenn es hingegen gelang, ihn mit dem Schweißgerät so weit abzudichten, dass der rote Golf die Abgasuntersuchung bestand, machte Schaller einen guten Schnitt. Also schweißte er, Loch für Loch, in winzigen, behutsamen Punkten, ein feines Netz aus Schweißnähten, ein Kunststück, das eigentlich gar nicht gelingen konnte. Niemandem außer ihm.

»Aber ich gebe nicht auf. Ich bin daran gewöhnt, dass man mir Steine in den Weg legt. Das kenne ich gar nicht anders.«

Die Operation wäre erheblich leichter gewesen, wenn er nicht eingequetscht unter dem Auto gelegen hätte wie ein überfahrenes Wildschwein. Natürlich hätte er im Hof eine Arbeitsgrube anlegen können. Aber er ging mit gutem Recht davon aus, seine Hebebühne wiederzubekommen. Sie hätte eigentlich längst da sein sollen. Die Scheune war gut als Werkstatt geeignet, nicht riesig, aber ausreichend. Leider einsturzgefährdet. Es fehlten noch ein paar Handgriffe, damit sie die nächsten zwanzig Jahre überstand. Ringanker, gelaschte Dachbalken, Teilfundament. Nichts, was sich für einen wie Schaller nicht machen ließ. Als er begonnen hatte, das Dach abzudecken, wäre er nicht im Traum darauf gekommen, dass sich irgendjemand außer ihm selbst dafür interessieren könnte.

»Ein Schritt nach dem anderen. Das ist meine Philosophie. Immer nur an den nächsten Schritt denken, dann kommt man ans Ziel, irgendwann. Das ist der Weg für Leute, denen nichts geschenkt wird. – Scheißvieh!«

Er trat sich mit dem rechten Stiefel gegen den linken Unterschenkel. Die Pferdebremsen nutzten seine hilflose Lage, um auf der nackten Haut der Beine zu landen. Er legte das

Schweißgerät zur Seite und zog die Schutzhandschuhe aus. Sein Gesicht brannte von der starken UV-Strahlung, die die Schweißflamme erzeugte. Von der Hitze unter dem Auto war ihm schwindlig. Außerdem war der Gestank der brennenden Reifen schwer zu ertragen, auch wenn der Wind seit Tagen zuverlässig im Südosten stand.

Er stemmte die Füße in den Boden und zog sich unter dem Wagen hervor. Aus dem Wassereimer, der ihm als Kühlbox diente, nahm er eine Dose Bier, öffnete sie, trank sie aus, zerdrückte sie in der Faust und warf sie auf den Haufen zu den anderen. Leergut brachte er aus Prinzip nicht zurück. Dosenpfand interessierte ihn genauso wenig wie die restlichen sinnlosen Regeln, aus denen die Welt bestand. Er konnte richtig und falsch ohne fremde Hilfe auseinanderhalten. Er tat niemandem grundlos weh und war ein Typ, der mit sich reden ließ. Ansonsten wollte er seine Ruhe. Wie jeder vernünftige Mensch. Er verstand nicht, was die Leute gegen ihn hatten. In Gombrowskis Drecknest war er von Anfang an nicht willkommen gewesen. Hinter seinem Rücken verzogen die Menschen die Gesichter. Die einen kannten ihn von früher und glaubten, gewisse Sachen über ihn zu wissen. Die anderen kamen aus Berlin und hielten sich für etwas Besseres.

Wie die Vogelschützer. Er hatte den Vogelschützern nichts getan. Sie hätten herüberkommen können und mit ihm reden. Stattdessen schickten sie einen Sakkoträger vom Bauamt, der ihm die Sanierung der Scheune verbot. Statisches Gutachten! Dass er nicht lachte! Schaller hatte sein Leben lang Dinge repariert, Häuser, Autos, Kühlschränke, Waschmaschinen. Das war nun einmal der Lauf der Welt: Sachen gingen kaputt und mussten repariert werden. Was er dafür gewiss nicht brauchte, war eine Genehmigung. Die Anzeige beim Bauamt brachte den Nachbarn eine Woche Gummi.

Schaller hatte genug von der Welt gesehen, um zu wissen, dass Menschen Raubtiere waren. Jeder saß auf seiner Beute und schlug nach den anderen. Raubtiere verstanden nur die Sprache der harten Hand. Den stinkenden Qualm hatten sich die Vogelschützer redlich verdient, und die Polizei würde ihnen ganz gewiss nicht helfen. Nicht, solange es noch Leute gab, die Schaller anriefen, sobald sich in Plausitz ein Streifenwagen Richtung Osten in Bewegung setzte. Er nahm die Schweißbrille ab und rieb sie an der kurzen Jeans sauber.

»Es ist ganz einfach«, sagte er zum roten Golf. »Bei mir darf jeder selbst entscheiden. Wenn einer die harte Tour verlangt, soll er sie bekommen. Da bin ich ganz Dienstleister.«

Er zündete eine Zigarette an, die nach verbranntem Gummi schmeckte.

»Für dich heißt das: Ich mache weiter, bis wir uns einig sind. Oder bis du mir unter den Händen zusammenbrichst. Ganz einfach.«

Wenn es gelang, den roten Golf flottzukriegen, würde er ihn an einen Vater verkaufen, der ihn seiner Tochter zum 18. Geburtstag schenkte. Samstagabend würde die Tochter den Wagen mit ihren niedlichen Freundinnen besetzen, die Musik bis zum Anschlag aufdrehen und am »Atlantis« in Plausitz vorfahren. Ein schöneres Restleben konnte der Golf gar nicht bekommen. Vorausgesetzt, er zeigte sich einsichtig.

Schaller warf die Zigarette weg, setzte die Brille wieder auf und kroch unter das Heck des Wagens. Jetzt kam die schwierigste Stelle. Entlang der alten Schweißnaht verlief ein Riss. Weil sich das Metall des Topfs verzogen hatte, klaffte der Spalt einen halben Zentimeter auseinander. Da kam er mit einfachem Punkten nicht weiter. Es galt, die beiden Seiten zusammenzudrücken, ohne das Material unter Spannung zu bringen, und das Schweißgerät mit äußerster Vorsicht zu führen.

Auch seine Tochter Miriam hatte zum 18. Geburtstag ein Auto bekommen, allerdings keinen Golf, sondern etwas Besonderes. Es war Schallers erste Arbeit auf dem neuen Hof in Unterleuten gewesen, praktisch ohne Werkzeug, ausgeführt mit Messer und Gabel und einer großen Portion Vaterliebe. Ein MG, GT-Modell aus der B-Reihe von 1973, ziemlich heruntergekommen und fast geschenkt. Schaller hatte den kleinen Sportwagen komplett entkernt und ihm eine 3,5-Liter-V8-Maschine von Rover eingebaut, die er vor längerer Zeit von einem seiner Zulieferer erhalten hatte. Somit gehörte der Wagen nun zu den nur 2.500 Exemplaren des MGB GT V8, die jemals hergestellt worden waren – in diesem konkreten Fall nicht von Morris Garages, sondern von Schaller selbst. Farblich hatte er sich für ein helles Postgelb entschieden, das nicht der britischen Originalfarbpalette entstammte, dem klassischen MG-Gelb aber zum Verwechseln ähnlich sah. An der gesamten Berliner Angeberschule, die Miriam besuchte, gab es niemanden, der ein schöneres Auto fuhr, die Lehrer eingerechnet. Schallers Herz dehnte sich, wenn das tiefe Röhren des Drei-Liter-Motors auf der Unterleutner Landstraße erklang.

Obwohl Miriam seit Schallers Unfall bei ihrer Mutter in Berlin wohnte, fuhr sie mindestens einmal in der Woche zu ihm raus. Dann saßen sie nebeneinander im Hof in der Abendsonne und tranken Bier. Während Miriam von ihren Freundinnen erzählte oder die neueste Niederlage des Fußballvereins schilderte, in dem sie seit ihrer Kindheit spielte, schwieg Schaller andächtig. Es war so schön, neben ihr zu sitzen, dass er es kaum ertrug. Heimlich bewunderte er ihr glattes Gesicht, die langen braunen Haare, die runden Schultern. Alles an ihr war kräftig und gesund. Sie war keine hysterische Bohnenstange wie die Mädchen aus der Stadt. Sie besaß einen Motorradführerschein und einen festen Händedruck, auch wenn ihre Augen sanft waren wie bei einem Pflanzenfresser. Es gab nichts und niemanden auf der Welt, den Schaller so liebte wie sie.

Er kroch noch ein Stück tiefer unter den Golf. Das Schweißgerät brauste zu dicht vor seinem Gesicht und blendete ihn. Wenn er so weitermachte, würde er sich trotz Brille die Augen verblitzen. Eine Pferdebremse landete auf seinem Unterschenkel und hatte zugebissen, bevor er sie verscheuchen konnte. Schaller fluchte durch die Zähne. Erneut brachte er sich in Position, zielte und stellte das Schweißgerät an.

»Deine Entscheidung«, sagte er.

Ein minimaler Widerstand gab nach, als der Schweißkopf die poröse Außenhaut des Topfs durchstieß. Ein großes Stück des korrodierten Metalls brach heraus und fiel Schaller ins Gesicht. Sekunden später war er aufgestanden und hatte das Schweißgerät weggestellt. Er wusste, wann er verloren hatte.

»Ob das ein Sieg für dich ist, kannst du dir selbst überlegen«, sagte er.

Mit der linken Hand fischte er die nächste Bierdose aus dem Eimer, mit der rechten hob er eine Metallstange vom Boden auf. Als Erstes zertrümmerte er die Scheinwerfer des Golfs, danach schlug er sämtliche Scheiben ein. Mit wenigen weiteren Schlägen verwandelte er die rote Lackierung in ein abstraktes Gemälde aus Kratzern und Dellen. Als die Beifahrertür schief in den Angeln hing, hörte er auf. Er hatte soeben eine Menge Ersatzteile zerstört, aber das musste man sich leisten können. Das mit der netten Abiturientin hätte er wahr gemacht. Er hätte dem Golf eine Abgasuntersuchung und ein gutes Zuhause besorgt. Die Schläge fügte sich das Auto im Grunde selbst zu. Der Golf hatte sich freiwillig und in Kenntnis aller Folgen gegen die Zusammenarbeit entschieden. Es war wichtig, solche Dinge ganz klar zu sehen. Schaller hatte Prinzipien. Er tat niemandem weh, der das nicht wollte. Er ließ Menschen und Dingen stets ihren freien Willen. Nachdem er die Metallstange zurück auf den Boden geworfen hatte, hob er die Bierdose und prostete den fest verschlossenen Fenstern der Vogelschützer zu.

Aus zwei Ölfässern und einem Brett hatte er eine Bank gebaut, die so hoch war, dass er die Beine baumeln lassen konnte wie ein Kind. Dort saß er gern und ließ den Blick auf seinem neuen Zuhause ruhen. Langsam nahm der Hof Gestalt an. Er war nicht groß, vielleicht vierzig Schritte im Quadrat, bot aber durch die Nebengebäude, die ihn von zwei Seiten einfassten, genügend Platz für alle Besitztümer. Neben der Scheune, die auf ihren Umbau wartete, gab es einen ehemaligen Hühnerstall mit unbeschädigtem Dach, in dem alles lagerte, was trocken bleiben musste. Die Seite zur Straße wurde zur Hälfte vom Wohnhaus eingenommen, welches eng und dazu feucht vom langen Leerstehen war. Schaller störte das nicht, er verbrachte ohnehin die meiste Zeit im Freien. Ans Haus grenzte eine Mauer, die den Hof zur Straße abschirmte. In der Mauer befand sich ein Tor, doppelflügelig, mannshoch und breit genug, um bei Bedarf auch größere Transporter einzulassen. Die vierte Seite würden die Vogelschützer mit ihrer Mauer schließen, sobald sie die nötige Baugenehmigung erwirkt hatten. Dafür drückte er ihnen die Daumen. Gegen die Idee mit der Mauer hatte er nichts einzuwenden. Er freute sich darauf, die vorwurfsvollen Blicke der rothaarigen Prinzessin nicht mehr sehen zu müssen. Überhaupt lief insgesamt alles rund. Endlich befand sich sein Leben wieder auf dem richtigen Pfad. Selbst die Genehmigung für den Umbau der Scheune war letztlich nur eine Frage der Zeit. Unterleuten war Mischgebiet und kein Luftkurort für feindselige Vogelschützer. Schaller gründete eine Existenz, er schaffte einen Arbeitsplatz, nämlich für sich selbst. Außerdem brachte er seit Jahren Gombrowskis Traktoren mit oder ohne Bremsbeläge durch den TÜV, und Gombrowski spielte mit dem Bürgermeister Skat und stiftete jedes Jahr ein paar Bierfässer für die freiwillige Feuerwehr. Alles würde sich fügen, über kurz oder lang. Es ging ihm gut. Nach seiner persönlichen Zeitrechnung war Schaller keine zwei Jahre alt. In diesem Alter hatte man ein Recht darauf, mit sich und der Welt zufrieden zu sein.

Vor knapp zwei Jahren, an einem trüben Novembermorgen des Jahres 2008, war Schaller aus dem künstlichen Koma erwacht. Nach 25 Tagen. Er hatte einen sterilen Raum vorgefunden, vollgestopft mit tickenden und blinkenden Maschinen. Zu diesem Zeitpunkt war er bereits fünf Mal operiert worden und trug eine drei Zentimeter lange Titanschraube im Genick, welche die gebrochenen Halswirbel miteinander verband. Ansonsten bestand er aus Augen, mit denen er sehen, einem Mund, der brüllen, und Gliedmaßen, die um sich schlagen konnten. Etwas, das Schaller hieß, war nicht mehr vorhanden. Kein Name, kein Alter und keine Geschichte. Das Einzige, woran er sich noch erinnerte, war das rundliche Gesicht eines braunhaarigen Engels.

Wenig später saß der Engel leibhaftig an seinem Bett, hielt seine Hand und weinte viel. Jeden Tag nach der Schule kam Miriam zu ihm ins Krankenhaus. Man hatte ihm gesagt, dass Miriam seine Tochter sei, aber Schaller wartete auf sie wie ein Kleinkind auf die Mutter. Sobald sie hereinkam, gingen in seinem dumpfen Schädel die Lichter an. Er lag auf dem Rücken, mit Gurten fixiert, die ihn daran hinderten, mehr als die Augen zu bewegen, und lächelte strahlend, während Miriam »Hallo, Papa« sagte und auf einem weißen Kunstlederhocker mit Rollen so nah wie möglich ans Bett heranrückte. Für Monate blieb diese Anordnung Schallers neue Existenz, der Rahmen, in dem sich seine Wiedergeburt vollzog. Miriam sitzend, er liegend, immer Hand in Hand.

Unter Anleitung eines ganzen Ärzte- und Psychologenteams führte Miriam ihn durch die Kulissen seines früheren Lebens. Ihre erste gemeinsame Aufgabe bestand darin, den Unfall zu rekonstruieren. Alles, was sie zutage förderten, floss in die Akten der Kriminalpolizei, um dort folgenlos verwahrt zu werden.

Das Motorrad hatte einem Kunden gehört, eine BMW R 1200 GS. Schon nach wenigen Sitzungen mit Miriam konnte er sich an die Reparatur der GS in allen Einzelheiten erinnern: Er hatte einen Schaden am Hinterachsgetriebe so geschickt behoben, dass er ein komplett neues Getriebe in Rechnung stellen konnte, ohne ein einziges Ersatzteil kaufen zu müssen. Wie immer startete er die Maschine nach erfolgreicher Reparatur für eine Probefahrt.

Sein damaliger Hof lag in Niederleusa, direkt am Wald. Um die Bundesstraße zu erreichen, musste man den alten Postweg nehmen, eine bucklige Kopfsteinpflasterpiste, die sich Richtung Nordosten durch den Kiefernforst zog. Es war der 3. November 2008, als Schaller das Hoftor öffnete und die BMW GS vom Grundstück fuhr. Motorräder waren seine Leidenschaft. Während er im Krankenhaus mit Miriam sprach, konnte er plötzlich wieder fühlen, wie seine Hände an den Lenkergriffen zu kribbeln begannen, während der Boxermotor am Tank rüttelte.

Selbst einem geländegängigen Modell wie der GS waren auf dem Kopfsteinpflaster des Postwegs keine hohen Geschwindigkeiten zuzumuten, weshalb Schaller nicht schneller als 60 km/h fuhr. Auch bei geringerem Tempo hätte er den Pkw nicht gesehen. Der Wagen stieß aus einem ungepflasterten Stichweg, der normalerweise nur von Forstfahrzeugen benutzt wurde. Der Kühler des Pkw traf das Hinterrad der GS. Schaller wurde in die Luft geschleudert und flog zehn Meter weit in den Wald, wo die Bäume dicht genug standen, um einem fliegenden Motorradfahrer das Genick zu brechen. Es war das Verhalten des Motorrads, das ihm das Leben rettete. Statt ebenfalls im Wald zu verschwinden, drehte sich die Maschine eine Weile um sich selbst und blieb mitten auf der Straße liegen, Mahnmal eines soeben geschehenen Unglücks. Das Vorderrad zeigte genau in die Richtung, wo Schaller im Farn verborgen lag. Nachdem ein Jogger mit Hund und Handy erst die GS und dann Schaller gefunden hatte, vergingen noch knapp 40 Minuten, bis sich der Schwerverletzte in einem Hubschrauber auf dem Weg nach Berlin befand.

Der Kripo-Beamte aus Potsdam zeigte sich deutlich angewidert davon, in ein Berliner Krankenhaus fahren zu müssen, um einen Zeugen mit retrograder Amnesie in einer Bagatellsache zu befragen. Seine Lederjacke quietschte gequält bei jedem Atemzug. Am liebsten hätte er in die Akte geschrieben, dass Schaller wegen überhöhter Geschwindigkeit ohne jede Fremdeinwirkung von der Straße abgekommen sei – wären da nicht die grünen Lackspuren am schwarzen Hinterteil der GS gewesen. Der Kripo-Beamte sagte »Fahrerflucht« und versprach, der Sache auf den Grund zu gehen.

Schaller war es gleichgültig, was die Polizei machte. Trotz Gedächtnisschwund war ihm sein Abscheu vor Behörden erhalten geblieben. Die Polizei tat eine Weile so, als würde sie ermitteln, und stellte das Verfahren ein.

Drei Monate später wurde Schaller entlassen. Mit Halskrause saß er neben Miriam im Taxi und versuchte sich vorzustellen, was ihn erwartete. Sie hielten vor einem Haus, an das er sich vage erinnerte. Der Gerichtsvollzieher musste da gewesen sein. Niemand sonst käme auf die Idee, einen Brief an die Tür zu kleben.

»Es tut mir so leid«, sagte Miriam.

Als sie die Haustür öffneten, schoben sich dahinter Schichten von Kuverts, Prospekten und Zeitungen zu einem Berg zusammen, der raschelnd gegen die Wand gedrückt wurde – das Ergebnis von fünf Monaten unverdrossener Briefträgertätigkeit. Erstaunt stellte Schaller fest, dass sein Leben anscheinend auch ohne ihn einfach weitergegangen war. Allerdings hatte sich wohl einiges verändert. Abgesehen von dem Haufen Post im Flur war das Haus weitgehend leer. Die schäbige Kücheneinrichtung war noch da, für deren Ersetzung er laut Miriam jahrelang gespart und dann das Geld doch immer für etwas anderes ausgegeben hatte. Im Wohnzimmer standen ein Sessel und ein Fernseher und gaben vor, auf Schaller zu warten, während im Schlafzimmer das Bett fehlte. Stattdessen lag eine Matratze am Boden, darauf eine gefaltete Decke und ein Kissen.

Angesichts von Miriams Existenz war Schaller bereits auf die Idee gekommen, dass es eine Frau in seinem Leben geben musste. Aber weil Miriam das Thema die ganze Zeit sorgfältig ausgeklammert hatte, wollte er nicht nachfragen. Jetzt fing sie angesichts der leeren Räume an zu weinen.

»Mama hat die ganzen Sachen abholen lassen. Nach deinem Unfall sind wir sofort weg.« Sie fasste nach seiner Hand. »Ich wollte das nicht, aber was sollte ich tun? Die Ärzte meinten, ich soll dir nichts davon erzählen, bis du dich erholt hast. Ich dachte …«

Schaller nahm sie in den Arm und küsste sie auf den Scheitel. Es war das erste Mal, dass er sich ihr gegenüber wie ein Vater fühlte und nicht wie ein Sohn.

»Tapferes Mädchen«, sagte er. »Fahr jetzt …«, er zögerte, »zu deiner Mama.«

»Aber du kannst doch nicht hier alleine …«

»Ich komme zurecht.«

»Der Kühlschrank ist leer. Soll ich …?«

»Wie heißt sie?«

»Wer? Mama?«

»Ja.«

»Susanne.«

»Danke. Und jetzt geh.«

Vor der Mauer seiner partiellen Amnesie stehend, dachte Schaller, dass Susanne bestimmt genau die Frau war, die er gern in diesem Haus angetroffen hätte. Allein für die Tatsache, dass sie einen Engel wie Miriam zur Welt gebracht hatte, liebte er sie.

Auf dem Herd lag ein Brief, auf dem sein Name stand. Er fühlte kein Bedürfnis, ihn zu lesen. Fast wäre es ihm wie Verrat erschienen. Der Brief gehörte ihm nicht, weil der Mann, dem dieser Brief geschrieben worden war, nicht mehr existierte. Außerdem wusste Schaller inzwischen genug über sich selbst, um erraten zu können, was darinstand. Wie schwer es Susanne falle, ihm das anzutun. Wie schön und wichtig die gemeinsame Zeit gewesen sei. Dass sie einen anderen Mann kennengelernt habe, der gerne Bücher las. Dass sie noch einmal von vorn anfangen wolle.

An Miriam konnte Schaller sehen, dass Susanne klüger und schöner sein musste als er selbst. Er hoffte, dass die Zeit, in der sie unter ihm gelitten hatte, nicht allzu lang gewesen war. Immerhin war sie nicht einfach weggelaufen, sondern hatte einen Unfall gebraucht, um ihn zu verlassen. Das nahm er als gutes Zeichen. Er warf den Brief zur Post auf dem Boden im Flur, morgen würde er alles in eine Kiste packen und im Hof verbrennen. Dann legte er sich auf die Matratze und schlief.

Es dauerte Tage, bis Schaller das Ausmaß der Katastrophe begriff. Nach Miriams und Susannes Wegzug hatten die Kunden ihre Autos abgeholt und hier und da noch ein weiteres mitgenommen. Das Werkzeug und ein Großteil der Gerätschaften waren verschwunden, inklusive der Hebebühne, die Schaller für seine Arbeit dringend brauchte. Nach der Plünderung hatten Jugendliche den Hof als Treffpunkt benutzt, bis der Gerichtsvollzieher bei dem Versuch, die traurigen Reste zu pfänden, den Hof mit Ketten verschloss.

Schallers berufliche Existenz hatte aus einem komplizierten Netz von Kontakten bestanden, das am Rande der Legalität gespannt war. Die verschiedenen Geschäfte, Absprachen, offenen Rechnungen, Tausch- und Vermittlungsbeziehungen glichen einem großen Satz Bälle, die er alle zugleich in der Luft gehalten hatte. In dem Augenblick, als sich der Unfall ereignete, waren die Bälle zu Boden gestürzt. Schaller befand sich außerhalb seines eigenen Netzwerks. Er hatte vergessen, wer ihm Geld schuldete und wer auf einen Gefallen wartete.

Eines Morgens wurde er von einem Anzugtypen aus dem Bett geklingelt, der eine Kleinfamilie im Schlepptau hatte. Der Anzugtyp stellte die Kleinfamilie als Kaufinteressenten vor. Schaller hatte nicht einmal gewusst, dass sein Haus zum Verkauf stand. Auch nicht, dass es gar nicht sein Haus war, weil nur Susanne im Grundbuch stand. Er lungerte in T-Shirt und Boxershorts herum, während der Anzugtyp seine Kunden durch die Räume führte und die Vorzüge von Schallers ehemaligem Zuhause pries. Im Grunde hatte Schaller nichts dagegen. Er war in der Lage, den absoluten Nullpunkt zu erkennen, und hatte keine Lust, gegen das Unvermeidliche zu kämpfen.

Wenn Miriam ihn am Telefon fragte, wie es ihm gehe, und er dann behauptete, dass alles okay sei, sagte sie regelmäßig: »Das wird schon, Papa. Hauptsache, du rufst nicht bei Gombrowski an.«

An einen Gombrowski konnte sich Schaller nicht erinnern, aber er wusste, wie man ein Telefonbuch benutzte. Rudolf Gombrowski war Geschäftsführer der Ökologica GmbH und lebte in Unterleuten, keine 15 Kilometer von Niederleusa entfernt. Nach dem Besuch des Maklers setzte sich Schaller ins Taxi, was er als Anfahrt zur Krankengymnastik abrechnen konnte, und stand eine Viertelstunde später vor einem großen Haus mit auffällig blau gedecktem Dach.

Der Mann, der ihm öffnete, war zehn Jahre älter als er selbst und von ähnlicher Statur. Schaller kannte ihn. Er kannte ihn gut. Er hatte sich daran gewöhnt, dass dem Gefühl, etwas oder jemanden zu kennen, zunächst keine weiteren Informationen folgten.

»Da bist du ja«, sagte Gombrowski, als hätte er ein halbes Leben darauf gewartet, dass Schaller eines Tages auf der Schwelle stünde. Ohne ein weiteres Wort drehte er sich um und ging voran über den Flur, während ein riesiger grauer Hund mit faltigem Gesicht die Nase gegen Schallers Gürtelschnalle drückte.

Die Terrasse war mit weißem Marmor belegt, und Schaller dachte, dass es hier bei Regen rutschig sein müsse wie auf einer Schlittschuhbahn. Die Möbel massiv und aus Teak, der Sonnenschirm vom Umfang einer fliegenden Untertasse. Der Blick ging direkt auf einen Teich, der nicht nur zu groß, sondern auch zu nah am Haus gelegen war, so dass er den halben Garten einzunehmen schien. Ein Kranich aus Bronze stand auf einem Bein und starrte in das unterste der drei Becken, wo träge Kois dicht unter der Oberfläche trieben. Gombrowski brachte zwei Flaschen Bier. Eine Weile saßen sie schweigend nebeneinander und starrten ins Wasser.

»Also.« Gombrowski wischte sich die Oberlippe ab. »Was willst du?«

Der Landwirt saß zurückgelehnt, die Bierflasche auf dem

Bauch. Seine fleischigen Wangen ruhten direkt auf der Brust. Es war lachhaft, wie ähnlich er seinem Hund sah, der sich unter dem Tisch niedergelassen hatte und so viel Platz einnahm, dass Schaller die Beine nicht ausstrecken konnte. Schaller beschloss, hoch zu pokern und alles auf eine Karte zu setzen.

Er sagte: »Ein Haus.«

»Mit Hof für deine Autos?«

Falls Gombrowski überrascht war, ließ er sich jedenfalls nichts anmerken. Schaller hatte Lust, sich mit der Faust in die flache Hand zu schlagen, gestattete sich aber nicht einmal ein Lächeln.

»Genau.«

Gombrowski überlegte. Er fragte nicht, was mit Schallers Bleibe in Niederleusa passiert war. Mit Sicherheit hatte er von dem Unfall gehört; möglicherweise wusste er mehr darüber als Schaller selbst.

»Gleich hier in Unterleuten«, sagte Gombrowski. »Gehört einem anderen, aber das lässt sich ändern. Der Hof hat Abendsonne.«

Sie tranken ihr Bier aus und sprachen wenig. Nur so viel, dass Schaller beim Abschied auch noch wusste, wo seine Hebebühne abgeblieben war.

Nachdem er sich von Gombrowski verabschiedet hatte, machte er noch einen Abstecher zu einem Mann namens Nikolai, an dessen russischen Akzent er sich dunkel erinnerte, und brach eine Latte vom Zaun, bevor er an der Haustür klingelte. Nach zwei zerschlagenen Lampen und einer umgestürzten Vitrine war man sich einig. Die Hebebühne würde gebracht, sobald Schaller nach Unterleuten gezogen war.

Das war ein gutes Jahr her. Schaller hatte sein neues Anwesen in Besitz genommen. Er hatte den MG für Miriams

Geburtstag hergerichtet und Stück für Stück seinen Betrieb wiederaufgebaut. Ein paar der alten Kunden meldeten sich zurück, ein paar neue kamen dazu. Der kleine Hof am Rand von Unterleuten hatte tatsächlich Abendsonne. Gelegentlich fragte sich Schaller, was einen Mann wie Gombrowski veranlassen konnte, ihm ohne Zögern ein Haus zu schenken. So schön die Abendsonne schien – sie erinnerte Schaller daran, dass er vor langer Zeit etwas für Gombrowski getan haben musste, das ebenso schwer wog wie ein ganzer Hof.

Nachdenklich betrachtete Schaller den roten Golf, den er soeben mit wenigen Schlägen von einem potenziellen Gebrauchtwagen in einen Haufen Schrott verwandelt hatte, und beschloss, für heute Feierabend zu machen. Er warf Bierdose und Zigarette fort und startete den Golf, um ihn auf den Friedhof hinter dem Hühnerstall zu fahren. Die Karre röhrte wie ein Sportflugzeug, während die Beifahrertür halb aus den Angeln hing und über den Boden schleifte.

»Gute Nacht«, sagte Schaller, zog den Zündschlüssel ab und schleuderte ihn in hohem Bogen aufs Grundstück der Vogelschützer. Er ging zum Materiallager, schob jeweils einen Arm durch zwei Autoreifen und schleppte seine Last zur Grundstücksgrenze, wo er die Reifen neben den Feuerstellen bereitlegte. Damit waren die Vorkehrungen für die Nacht getroffen, und er konnte sich seiner Abendgestaltung zuwenden. Ein paar Bier trinken und seinen Erinnerungen nachhängen. Noch immer kamen täglich neue hinzu. Die unerwünschten sortierte er aus und warf sie zurück auf die Müllhalde der Amnesie.

»He, hallo! Ist da jemand?«

Er hatte sich auf die Bank gesetzt und war in Träumereien versunken, so dass er zunächst glaubte, die Frauenstimme im Inneren seines Kopfes zu hören. Als er endlich aufblickte, wurde heftig am Tor gerüttelt.

»Hören Sie? Hallo!«

Schaller ging zum Tor und öffnete einen Spalt, darauf gefasst, es sofort wieder zuzuschlagen, falls eine Polizistin davorstünde. Aber die Frau, die er sah, kam mit Sicherheit von keiner Behörde. Amtsschimmelstuten trugen keine kurzen blauen Kleider. Das Haar der Besucherin war blond und zum Pferdeschwanz gebunden. Keine von den Hiesigen, dachte Schaller, mit Sicherheit zugezogen aus der Stadt, höchstwahrscheinlich aus dem Westen. Auch wenn die Vergangenheit nach wie vor eine Wundertüte darstellte – beim Einschätzen der Gegenwart machte ihm niemand etwas vor. Er konnte sogar mit einer gewissen Wahrscheinlichkeit erraten, welches Auto jemand fuhr. Die Frau im blauen Kleid besaß entweder einen Skoda Fabia mit Kindersitz auf der Rückbank und gehörte zu einer der Sparkassenfamilien aus der Neubausiedlung hinter der Kirche. Oder sie fuhr einen Frontera, mit dem sie Pferdeanhänger ziehen konnte, dann wohnte sie in der alten Villa am Rand des Naturschutzgebiets. Für einen Skoda wirkte sie zu jung und zu fröhlich – also Frontera. Erst als Schaller mit dieser Überlegung fertig war, fiel ihm auf, dass eine weitere Person vor dem Tor stand. Ein Mann um die sechzig, BMW Z4 Roadster, keine Frage.

»Entschuldigen Sie die Störung.« Frontera reichte ihm die Hand. Fester Händedruck. Wie Miriam. Noch fester. »Mein Bekannter hier hat ein Problem mit seinem Wagen.«

Der Händedruck des Roadsters war schlaff.

»Ich war gerade losgefahren, da fing er heftig an zu stottern.«

»Zeigen Sie mal die Papiere.«

Während Schaller den Kfz-Schein studierte, runzelte er die Stirn. Mercedes Roadster, nicht BMW, knapp daneben. Die Karre war nagelneu. Da ging nicht einfach so die Einspritzanlage kaputt. »Haben Sie an der Tankstelle in Groß Väter getankt?«

»Wieso?«

»Die verlängern den Sprit mit Wasser.«

Bei diesen Worten begann Frontera hinter dem Rücken des Roadster-Fritzen eine Art Augenbrauengymnastik aufzuführen. Dazu führte sie einen Finger an die Lippen, als wollte sie Schaller zum Schweigen bringen. Also wusste er jetzt, was dem Wagen fehlte.

»Meine letzte Tankfüllung stammt aus Magdeburg.«

Misstrauisch sah sich der Roadster im Hof um, musterte die Scherben am Boden, rings um die Stelle, an welcher der Golf gestanden hatte, registrierte die Feuer, die Autoreifen, sogar die leeren Bierdosen neben der Bank.

»Vielleicht rufe ich einfach den ADAC.«

»Der bringt sie in die nächstgelegene Autowerkstatt«, sagte Frontera. »Und die ist hier.«

Es gehörte zu Schallers Prinzipien, die Angelegenheiten anderer Leute allein danach zu beurteilen, ob sie ihm nutzten oder schadeten. Auf diese Weise vermied er Missverständnisse und konnte zweifelsfrei zwischen richtig und falsch unterscheiden. Dieser Fall war vollkommen klar.

»Beim neuen R 230 SL verabschiedet sich gern mal der Luftmassenmesser«, sagte er. »Ich kann das Teil über Kurier besorgen lassen.«

»Sehen Sie.« Frontera lächelte. »Und zur Not haben wir auch ein nettes Gästezimmer.«

»Schlüssel«, sagte Schaller.

Für die fiktive Reparatur würde er rund 400 Euro berechnen, während er nichts weiter zu tun hatte, als den Tank abzusaugen, mit sauberem Benzin aufzufüllen und zur Sicherheit ein Fläschchen Brennspiritus dazuzugeben.

Frontera sah zufrieden aus. Beim Abschied wies sie zur

Grundstücksgrenze hinüber, wo der Qualm der Reifen in Schichten lagerte, auf den nächsten Windstoß wartend, der ihn aufs Nachbargrundstück hinübertragen würde.

»Wer wohnt da?«

»Ein Typ von der Vogelschutzwarte«, sagte Schaller.

»Interessant«, sagte Frontera.

Schon immer hatte Schaller die Auffassung vertreten, dass er lieber zehn Männer zu Feinden hätte als eine einzige Frau.

5 Gombrowski

Es roch nach faulen Eiern, und Fidi veranstaltete einen Höllenlärm. Eigentlich wohnte im Körper der 80-Kilo-Hündin eine sanfte Seele. Gegenüber Besuchern verhielt sie sich freundlich, selbst Kinder durften sie ungestraft an den Ohren ziehen. Meine Fidi will es jedem recht machen, pflegte Gombrowski zu sagen, sie würde noch den Einbrechern helfen, den Fernseher hinauszutragen.

Eine Ausnahme stellte das Tankfahrzeug der Plausitzer Klärwerke dar. Mit den Plausitzer Klärwerken stand Fidi auf Kriegsfuß. Wenn der Mann im grauen Overall den dicken Schlauch übers Grundstück zerrte, um die Abwassergrube hinter dem Haus leerzupumpen, rief Fidi den Notstand aus. Wie besinnungslos rannte sie von Zimmer zu Zimmer, stellte die Vordertatzen auf die Fensterbänke und versuchte, in die Scheiben zu beißen, bis Gombrowski sie am Halsband erwischte. Ihre Krallen kratzten über den Boden, während er sie über den Flur bis zum Gästeklo zerrte und dort einsperrte. Jetzt klang Fidis tiefe Stimme dumpf, als käme sie direkt aus der Unterwelt. Die großen Pfoten bearbeiteten die geschlossene Tür. Elena würde wegen der Kratzspuren schimpfen.

Seufzend wandte Gombrowski sich ab, holte einen Lappen aus der Küche und machte sich daran, die Speichelfäden zu beseitigen, die Fidi auf den Fensterbänken hinterlassen hatte. Seine Skatbrüder nannten ihn einen Pantoffelhelden, aber das störte ihn nicht. Genau wie Fidi war er stets bemüht, es allen recht zu machen. Anerkannt wurde das nicht. Heutzutage betrachteten die Leute die Welt als Selbstbedienungsladen. Sie kamen in die Ökologica, wenn sie etwas von ihm wollten, und begannen zu murren, wenn er den Wunsch nicht erfüllen konnte. Zu Hause war es nicht anders. Sein Leben lang hatte er gearbeitet, um Frau und Tochter eine angenehme Existenz zu ermöglichen. Zum Dank gab Elena ihm das Gefühl, kein guter Ehemann zu sein. Und Püppi hatte nur darauf gewartet, dass die Mauer fiel, um »das verfluchte Dreckskaff Unterleuten« endlich verlassen zu können. Sie lebte in Freiburg, wo sie auf Gombrowskis Kosten an der »von euch am weitesten entfernten Universität der Republik« ein ebenso langwieriges wie hochnäsiges Studium durchgeführt hatte. Weil es mit ihrem Doktortitel in Klugscheißerei nur zu einer halben Assistentenstelle reichte, hatte Gombrowski ihr eine Wohnung gekauft. Trotz allem besaß sie die Dreistigkeit, es peinlich zu finden, dass das Geld, von dem sie lebte, mit Mähdreschern und Melkmaschinen verdient wurde.

Das Feierabendbier, das sich Gombrowski in der Küche öffnete, schmeckte nach Kloake. Irgendwo musste ein Fenster offen stehen und den schwefeligen Fäkaliengestank ins Haus lassen. Nach der Wende hatte sich Gombrowski für den Bau einer Kanalisation eingesetzt. Ein aussichtsloses Unterfangen, weil der Betrieb von Sammelgruben billiger war und es zur kleingeistigen Mentalität der Unterleutner gehörte, jede Veränderung überflüssig zu finden, vor allem, wenn sie Geld kostete. Immerhin war es dem Bürgermeister mit Gombrowskis Unterstützung gelungen, den Bau einer Brunnenanlage durchzusetzen, die Unterleuten mit Trinkwasser versorgte. Was aus den Wasserhähnen floss, war nach modernster Technik aufbereitet. Was in Abflüssen und Toiletten verschwand, holte einmal wöchentlich der Tankwagen ab.

Fidis Gebell steigerte sich zu einem heiseren Jaulen und verstummte. Anscheinend hatte der Mann von den Klärwerken seine Arbeit beendet, den Schlauch eingerollt und sein Tankfahrzeug zum nächsten Kunden gesteuert.

In der plötzlichen Stille vernahm Gombrowski ein Klopfen. Es kam vom Flur.

»Rudolf«, rief eine Frauenstimme. »Rudolf Gombrowski, Teufel noch mal.«

Hilde Kessler war so klein, dass nur die obere Hälfte ihres Kopfs vor der Scheibe der Eingangstür zu sehen war. Umso rührender wirkte der Mullverband, der Stirn und Augenbrauen verdeckte. Mit beiden Händen rüttelte sie am Knauf der Tür, was ihre Frisur in heftige Bewegung versetzte. Als Gombrowski öffnete, wäre sie fast gestürzt.

»Bist du verrückt geworden!« An ihm vorbei strauchelte Hilde in den Flur. »Du kannst mich doch nicht draußen stehen lassen!«

»Ich hab die Klingel nicht gehört. Wegen Fidi.«

»Scheiß Köter.« Sie weinte fast.

»Tut mir leid, Hilde. Komm her.«

Wenn er Hilde umarmen wollte, musste er in die Knie gehen. Im Garderobenspiegel konnte er das seltsame Bild betrachten. Elena behauptete, dass er Fidi ähnlich sehe, und er musste zugeben, dass das stimmte. Er war groß, weich und schwer. Alles an ihm hing herunter, Tränensäcke, Wangen, Schultern und Arme, was ihm ein schuldbewusstes Aussehen verlieh. Auch Fidi wirkte immer schuldbewusst. Selbst ihr Futter schien sie nur mit schlechtem Gewissen zu verzehren.

Hilde hingegen war klein, zierlich und sprungbereit wie eine Katze. Wer sie kannte, hatte Respekt vor ihr, trotz ihrer geringen Körpergröße. Sie besaß einen scharfen Verstand und eine gewisse Härte. Es gab nur eine Sache, die sie nicht ertrug, und das waren Aufenthalte unter freiem Himmel. Das Versprechen, ihn jeden Donnerstag zu besuchen, hatte Gombrowski ihr abgerungen, damit sie wenigstens einmal in der Woche an die frische Luft kam. Da sie gleich nebenan wohnte, musste sie nur durch die Gärten gehen, um das Haus der Gombrowskis zu erreichen. Selbst dieser kleine Spaziergang stellte eine Herausforderung für sie dar. Ihr Mann Erik war von einem herabstürzenden Ast erschlagen worden. Obwohl das Unglück fast zwanzig Jahre zurücklag, hatte Hilde ihre Angst vor dem offenen Himmel bis heute nicht verloren.

An den tragischen Tag erinnerte sich Gombrowski in allen Einzelheiten. Auch das Datum hatte sich ihm eingeprägt: 3. November 1991. Gegen siebzehn Uhr war ein apokalyptisches Gewitter losgebrochen. Die Entladung hatte direkt über Unterleuten stattgefunden. Blitz und Donner fielen im selben Augenblick zusammen. Der Himmel war grell erleuchtet, die Donner krachten, als bestünde die Luft aus Holz und würde von einem Wahnsinnigen mit einer gigantischen Axt in tausend Stücke gehackt.

Es war die Zeit, in der Gombrowski um die Rettung der LPG »Gute Hoffnung« kämpfte. Das neue Landwirtschaftsanpassungsgesetz der BRD sah vor, dass ehemalige DDR-Betriebe, die nicht bis Ende des Jahres zu einer neuen Rechtsform gefunden hatten, als aufgelöst galten. Hildes Mann Erik gehörte gemeinsam mit dem ewigen Querulanten Kron zu einer kleinen Gruppe, die sich der Gründung der »Ökologica GmbH« unter Gombrowskis Geschäftsführung widersetzte. Als das Gewitter niederging, befanden sich nur Hilde und er im Vorstandsbüro. Gombrowski erinnerte sich, wie sie über das Gelände rannten, Ställe und Getreidespeicher verriegelten, die Blitzableiter an den Scheunen überprüften und die Fensterläden des Verwaltungsgebäudes schlossen, während der Himmel bereits in Flammen stand. Es dauerte fast eine halbe Stunde, bis endlich Regen einsetzte. Eine Sintflut, die den Schweinestall unter Wasser setzte und draußen auf den Feldern die Heuernte verdarb. Der Strom fiel aus, das Telefon blieb stundenlang gestört. So kam es, dass sie erst am späten Abend von Eriks Tod erfuhren. Er hatte sich während des Gewitters auf einer Waldlichtung unweit des Dorfs aufgehalten. Kron war bei ihm gewesen und mit schweren Verletzungen ins Krankenhaus eingeliefert worden.

Seit diesem Tag verließ Hilde das Haus nicht mehr. Lange hatte Gombrowski versucht, ihr die Angst zu nehmen, hatte Spaziergänge vorgeschlagen, kleine Übungsausflüge, gemeinsame Aufenthalte im Garten. Es war sein Ehrgeiz gewesen, ihr das Vertrauen in den Himmel zurückzugeben. Erreicht hatte er nicht mehr als die bis heute gültige Vereinbarung, dass Hilde ihn einmal pro Woche besuchte. Am Ende dieser Expedition vor verschlossener Tür zu stehen, mit nichts als einer Menge Sommerluft über sich, gehörte zu ihren schlimmsten Albträumen.

»Es tut mir leid«, wiederholte Gombrowski.

Hilde weinte ein paar stumme Tränen, die schwarze Wimperntusche auf Gombrowskis kariertem Hemd hinterließen. Er richtete sie auf, schob sie ein Stück von sich weg und brachte sie ins Gleichgewicht, als sortierte er die schlaffen Glieder einer Puppe. Zum Schluss strich er ihr mit seinen großen Händen das Haar glatt, sorgfältig darauf achtend, den Schläfenverband nicht zu berühren. Dann ließ er sie los, um zu prüfen, ob sie selbstständig stand.

»Komm«, sagte er. »Wir setzen uns auf die Terrasse.«

Der Schwefelgestank hatte sich verzogen. Sanft plätscherte

Wasser durch die drei Becken des Gartenteichs. Eine Trauerweide badete die Spitzen ihrer herabhängenden Zweige. Darunter schwammen die kreisrunden Blätter einer Seerose. Zwischen die Dotterblumen am Rand hatte Gombrowski vier dicke Keramikfrösche gesetzt, deren grimmiges Glotzen ihn amüsierte. Am meisten aber liebte er die acht Kois, die reglos im Wasser standen und sich von der Sonne bescheinen ließen. Bereits als kleine Fische hatte er sie für einen beträchtlichen Preis gekauft. Mittlerweile waren sie über fünfzig Zentimeter lang und ein kleines Vermögen wert. Elena hatte es sich zur Aufgabe gemacht, die Kois vor Reihern zu schützen, weshalb sie im Sommer um fünf Uhr morgens aufstand und sich mit einer Tasse Tee an den Rand des Gartenteichs setzte. Auch wenn Gombrowski wusste, dass dieser Dienst zum Selbstaufopferungsprogramm gehörte, mit dessen Hilfe Elena sein schlechtes Gewissen Männchen machen ließ wie einen dressierten Pudel, war er doch froh, dass ihm in all den Jahren kein einziger Fisch abhandengekommen war.

Obwohl Hilde nie ein lobendes Wort über den Gartenteich verloren hatte, war er sicher, dass auch sie den Frieden der Anlage genoss. Den riesigen Sonnenschirm hatte er ihretwegen installiert. Wenn er sie mit dem Rücken zum Haus platzierte, fühlte sie sich geschützt und hatte optimale Aussicht in den Garten. Trotz des dicken Kissens, das er ihr unterschob, wirkte sie auf dem Gartenstuhl klein wie ein Kind.

»Was ist passiert?«, fragte Gombrowski und zeigte auf den Kopfverband.

»Hast du was zu trinken?«

Er nickte, ging ins Haus und schloss die Terrassentür hinter sich. Durch die Scheibe sah er, wie Hilde ihr Schminkzeug hervorholte. Das starke Make-up, das ihr Gesicht wie eine Maske verdeckte, trug sie erst seit Eriks Tod.

In der Küche nahm er den halbtrockenen Sekt aus dem Kühlschrank, den er jede Woche für Hilde kaufte, obwohl sie nie mehr als ein halbes Glas davon trank. Dazu gab es einen Teller mit Marmeladenkeksen, von denen Hilde einen und Gombrowski keinen essen würde, bevor sie später der Hund bekam. Anschließend würde er Hilde zu ihrem Haus hinüberbegleiten, rechtzeitig bevor Elena von ihrem Doppelkopf-Nachmittag zurückkehrte. Auf diese Weise war sichergestellt, dass sich die beiden Frauen nicht begegneten.

Mit Sekt und Keksen ging er zurück über den Flur und ließ Fidi aus dem Gästeklo. Solange Hilde zu Besuch war, würde der Hund im Haus bleiben müssen. Hilde mochte Fidi nicht besonders, sie war ein Katzenmensch. Mit den Jahren hatte sich ihr Haus in ein Auffanglager für unglückliche Stubentiger verwandelt, die genau wie Hilde nicht ins Freie gingen. Rund zwanzig Katzen saßen auf Sofa- und Sessellehnen, schliefen zu dritt im Wäschekorb, gingen in den Regalen spazieren, aalten sich unter den Fenstern im Sonnenlicht. Die meisten von ihnen waren struppig und mager, manche hinkten, einigen fehlte der halbe Schwanz oder ein Ohr. Es stank wie im Raubtierkäfig. Jeder im Dorf, der eine verletzte, kranke, streunende Katze fand, brachte sie zu Hilde. Nicht nur ihre Witwenrente, auch ein Großteil von Gombrowskis monatlichen Zuwendungen flossen in Futter und Tierarztrechnungen.

Während er Sekt und Kekse auf den Tisch stellte, verstaute Hilde ihr Schminkzeug in der Handtasche und wandte Gombrowski ihr frisch renoviertes Gesicht zu.

»Kron hat mich geschlagen«, sagte sie und nippte an ihrem Glas. »Wegen einer kleinen Katze für Krönchen.«

Wenn jemals ein Mann ein weibliches Wesen vergöttert hatte, dann Kron seine kleine Enkeltochter. Krönchen war fünf Jahre alt, eine blonde Miniaturschönheit, die bereits die Koketterie einer Diva besaß. Weder Eltern noch Großvater sahen sich in der Lage, sie von der Durchsetzung ihres Willens abzuhalten. Regelmäßig entwischte die Kleine zu Hause, lief quer durchs Dorf, kletterte an Hildes Rosengittern hoch und trommelte so lange gegen das Küchenfenster, bis sie eingelassen wurde, um mit den Katzen zu spielen.

»Seit Moni Junge hat, kommt sie täglich. Total aus dem Häuschen. Sie wünschte sich eins der Kätzchen zum Geburtstag, ein ganz bestimmtes, mit silbernem Fell.«

»Da war ihre Mama sicher begeistert.«

»Du kennst Krönchen. Sie hat Terror gemacht, bis Kathrin persönlich bei mir auf der Matte stand und fragte, was die Katze kostet.«

»Und dann?«

»Dann saß das Kätzchen auf dem Geburtstagstisch. Große Freude. Drei Tage später lag es morgens tot auf dem Teppich.«

»Sterben sie schnell in dem Alter?«

Hilde hob die Achseln.

»Eigentlich nicht. Aber es sind halt Lebewesen. Wie wir alle, nicht wahr? Es sollte besser Sterbewesen heißen.«

Gombrowski schüttelte den Kopf. Hilde besaß eine ganze Sammlung von Sprüchen, die er nicht mochte.

»Jedenfalls schrie Krönchen Zeter und Mordio. Völlig verzweifelt rief Kathrin bei mir an und bat um ein zweites Kätzchen. Es gibt noch ein weiteres in dieser Farbe. Aber das ist schon versprochen. Ein kleiner Junge aus Mantel soll es bekommen.«

»Und dann hat Kron sich eingeschaltet.«

»Er stand mittags vor meiner Tür. Hat einfach die Tür aufgestoßen und ist an mir vorbei ins Haus gehumpelt.«

»Drecksack.«

»Wie er ins Wohnzimmer kommt, sitzt das silberne Kätzchen mitten auf dem Teppich. Direkt vor ihm.«

»Und er?«

»Pflückt das arme Tier vom Boden und schwenkt es durch die Luft. Ich dachte, er bricht der kleinen Katze das Genick. Ich war außer mir.«

»Arme Hilde.«

Für einen Augenblick umschloss Gombrowski ihren Oberarm mit den Fingern. Wie ein trockener Zweig. Hilde schüttelte seine Hand ab.

»Auf dem Couchtisch lag eine Schere. Ich wusste nicht, wie ich mich sonst wehren sollte. Als ich danach griff, hat er mir seine Krücke vor den Kopf gehauen und ist weggelaufen.«

»Er hat dich da liegen lassen?«

»Einen Krankenwagen hat er mir geschickt.« Wieder berührte Hilde den Verband. »Mit fünf Stichen genäht.«

Ein paar Sekunden schwiegen sie. Fidi pfiff einen hohen Ton und stieß die Nase gegen die Scheibe. Eine Amsel badete plätschernd im flachen Wasser am Rand des Teichs. Irgendwo winselte eine Motorsäge.

»Das tut man nicht«, sagte Gombrowski. »Man schlägt keine Frauen.«

Hilde hob ihre aufgemalten Augenbrauen.

»Ach ja, Gombrowski? Ist das so?«

Er beeilte sich mit den nächsten Sätzen.

»Die Katze war nur ein Vorwand. Kron hat sich an dir vergriffen, weil er mich treffen wollte.«

»Aber warum? Ich meine: Warum jetzt?«

Die Amsel beendete ihr Bad, flog heran und setzte sich auf einen Pfosten des Terrassengeländers, um Fidi hinter der Scheibe zu beschimpfen. Nachdenklich streichelte Gombrowski Hildes Hand.

Dass Kron ihn hasste, war so sicher wie das Amen in der Kirche. Gombrowski und Kron gehörten zu der kleinen Anzahl Menschen, die in Unterleuten geboren waren und bis heute hier lebten. Da Kron sieben Jahre älter war, hatte Gombrowski in seiner Kindheit wenig mit ihm zu tun gehabt. Kron rauchte Zigaretten, während sich Gombrowski noch für Lollis interessierte. Wenn Kron einen Fußball kickte, musste Gombrowski zur Seite springen, damit ihn der scharfe Schuss nicht von den Beinen holte. Irgendwann fuhr Kron einen Simson Roller, was ihn endgültig in unerreichbare Sphären rückte. Außer dem Alter stand auch die Herkunft zwischen ihnen. Kron stammte aus einer Familie von Kleinbauern, die seit Generationen ihren mageren Lebensunterhalt aus der kargen Erde kratzte. Gombrowskis Vater hingegen bewirtschaftete den Familienbesitz – 250 Hektar Land.

In der Vergangenheit hatte das Gut der Gombrowskis manche Höhen und Tiefen erlebt, aber irgendwie war es der Familie immer gelungen, ihre Wirtschaft am Laufen zu halten. Selbst während der harten Kriegsjahre bis 1945 hatten die Felder niemals brachgelegen. Nach der Kapitulation allerdings begann eine Krise, die alles bisher Dagewesene übertraf. Plündernd zog die Rote Armee durchs Land; auch Unterleuten lag auf ihrem Weg. Den marodierenden Soldaten fielen Viehbestand, Maschinen und Arbeiter zum Opfer. In den folgenden Jahren fehlte es an allem – Geld, Saatgut, Pferden, Dünger, Werkzeug, Männern, Zuversicht. In dieser Zeit wurde Gombrowski geboren. Eine seiner ersten Erinnerungen bestand darin, dass er einer Katze beim Vertilgen einer Maus zusah und dabei ein Hungergefühl verspürte.

Als Gombrowskis Vater glaubte, es könne nicht mehr schlimmer kommen, nahm die Kollektivierung ihren Anfang. Er war jetzt nicht mehr Landwirt, sondern Klassenfeind. Ringsum wurden Ländereien enteignet und aufgeteilt, bis die Wirtschaften zu klein wurden, um mehr als ihre Besitzer ernähren zu können. Erfahrene Bauern verließen das Land, ihre Höfe wurden von Flüchtlingen in Besitz genommen, die nicht notwendig Landwirte waren und sich mit den hiesigen Bedingungen nicht auskannten.

Aber Gombrowskis Vater gab nicht auf. Er verfügte über ein Kapital, das ihm keiner nehmen konnte: gute Beziehungen in die umliegenden Dörfer. Als in Plausitz die erste Bodenkommission der Region gegründet wurde, trat er sofort bei. Nicht, um die Bodenreform voranzutreiben, sondern um zu verhindern, dass sein eigener Betrieb verstaatlicht wurde. Er kannte alle, die in der Kommission saßen, und alle kannten ihn. Kein Treffen verging, ohne dass er Gelegenheit fand, seine Lieblingssätze zu äußern: »Auch Kommunisten wollen essen«, »Wir arbeiten mit Jahreszeiten, nicht mit Jahresplänen«, und »Kein Mensch braucht eine Partei, die nicht weiß, wie man es regnen lässt«.

Niemand widersprach. Die kleineren Bauern waren auf den alten Gombrowski angewiesen, der sich immer bereitfand, Saatgut, Maschinen oder Arbeitskräfte zu verleihen, wenn jemand in Not geriet – und in Not gerieten alle, und zwar ständig.

Abgesehen davon hatte er recht. Jeder Landbewohner wusste von Anfang an, dass die DDR ein schwachsinniges System darstellte. Die Partei, nach deren Pfeife man plötzlich zu tanzen hatte, war aus den Städten hervorgegangen. Ihr Führungspersonal, in Moskau geschult, verstand wenig vom Landleben und noch weniger von der Landwirtschaft. Mangelnde Kenntnisse versuchten Ulbricht und Konsorten durch die Anwendung marxistisch-leninistischer Theorien zu kompensieren. Aber die Natur zeigte sich wenig empfänglich für kommunistische Weltbilder. Sie bestand auf ihren eigenen Gesetzen. Über Generationen hinweg hatten die Bauern gelernt, dem sandigen Boden seine Früchte abzuringen. Sie lebten auf dem Land, mit dem Land und für das Land. Mit politischen Parolen hatten sie nichts am Hut. Der alte Gombrowski war nicht überall beliebt. Aber wenn seine Wirtschaft im Rahmen einer von Volltrotteln geführten LPG zugrunde gerichtet werden sollte, dann hielt man lieber zu ihm als zu Polit-Schnöseln aus den Städten, die Weizen nicht von Gerste unterscheiden konnten.

Bis 1960 gelang es dem Alten, sich im Sattel zu halten. Sein Betrieb brachte Erträge, und die DDR hatte jede Menge Flüchtlinge sowie eine halbe Hauptstadt zu ernähren. Er sah Neubauern kommen und wieder gehen. Er sah alte Gutshäuser, die abgerissen wurden, obwohl es überall an Wohnraum mangelte. Er sah, wie Ländereien zerschlagen und ihre Besitzer vertrieben wurden. Unterleuten leerte sich, Familie Gombrowski blieb.

Bis der sozialistische Frühling über das Land hinwegrollte. Weil die kollektivierten Betriebe nicht die gewünschten Ergebnisse erzielten, beschloss die Partei, Feuer mit Öl zu löschen und die flächendeckende Zwangskollektivierung einzuleiten. Berlin schickte Werbebrigaden, welche die entsprechende Überzeugungsarbeit leisten sollten. Bunt zusammengewürfelte Haufen fielen in den Dörfern ein, Polizei, Stasi, agitierte Arbeiter und Studenten, allesamt linientreu und krawallbereit. Drei Tage lang parkte vor dem Haus der Gombrowskis ein Lautsprecherwagen, der Parolen zu den Fenstern hinaufplärrte. Eines Nachts splitterten die Fenster im Erdgeschoss.

Der junge Gombrowski war gerade dreizehn geworden. Vom Lärm erwacht, rannte er im Schlafanzug auf den Balkon im ersten Stock. Was er sah, schien einem Albtraum zu entstammen. Auf dem Betriebsgelände brannte ein Kornspeicher, das Feuer tauchte die Szenerie in flackerndes Licht. Mehrere Männer waren über den Zaun geklettert und bis zum Haus der Gombrowskis vorgedrungen. Sie trugen Knüppel und Eisenstangen. Ein Topf Geranien flog durch die Luft. Dann splitterte das nächste Fenster. Starr vor Angst beugte sich der junge Gombrowski über das Geländer und blickte direkt in das wilde Gesicht von Kron, der eine Dachlatte schwang.

Bis heute erinnerte sich Gombrowski an das Geräusch der berstenden Fenster und an Krons irren Blick. Er konnte die gebrüllten Parolen hören, »Junkerland in Bauernhand«, während Kron auf die Scheiben seines Elternhauses eindrosch, bis kein Splitter mehr im Rahmen steckte. Das Feuer im Kornspeicher wuchs zu einer turmhohen Flammensäule, deren Funken bis zu den Sternen flogen. Der Schreck fuhr dem Dreizehnjährigen in die Knochen und blieb dort. In Krons Augen hatte er blanken Hass gesehen, den er nicht verstand. Wohl aber ahnte er, dass er eines Tages in der Lage sein würde, ihn zu erwidern.

Hinter der Terrassentür begann Fidi zu winseln. Gombrowski rief sie zu Ordnung und schüttelte den Kopf, um die Echos aus der Vergangenheit loszuwerden. Schwer zu glauben, dass die Feindschaft zwischen Kron und ihm tatsächlich ein halbes Jahrhundert alt war, älter als die Ehe mit Elena, älter als die Freundschaft zu Hilde. Gombrowski hatte diese Feindschaft nie gewollt, und doch schien sie unabänderlich wie ein Naturgesetz. Auf jahrelange Phasen des Waffenstillstands konnte von Krons Seite urplötzlich die nächste Attacke erfolgen. Nicht auszuschließen, dass Hildes Kopfverband den Auftakt zu einer neuen Reihe von Kampfhandlungen darstellte.

Hilde zog ihren Arm weg, um zu verhindern, dass Gombrowski ihr ein Loch in den Handrücken streichelte. Er wusste nicht, wie lange er stumm gesessen hatte. Der Teich gab plätschernde Geräusche von sich. Drei Kois zogen ihre bunten Körper dicht unter der Oberfläche entlang. Als Gombrowski einen Schluck Bier nehmen wollte, war die Flasche leer. Misstrauisch sah Hilde ihn von der Seite an.

»Verschweigst du mir etwas?«

»Wie kommst du darauf?«

»Was hat Kron auf den Plan gerufen?«

»Ehrlich, ich weiß es nicht.«

»Und worum soll es heute Abend gehen?«

»Auf der Dorfversammlung? Keine Ahnung.«

»Ach, komm.« Hilde lachte, was selten vorkam. »Du kannst mir nicht erzählen, dass Arne dich nicht informiert hat.«

»Ist aber so.«

»Und das wundert dich nicht?«

»Was meinst du?«

»Überleg doch mal, Gombrowski. Wenn das«, sie berührte ein weiteres Mal den Verband an ihrer Stirn, »auf dich gemünzt war, braucht Kron einen Grund. Vielleicht geht etwas vor.«

»Dann weiß Kron mehr als ich.«

»Wäre möglich. Er muss es ja nicht von Arne haben. Es gibt andere Kanäle.«

»Und ob. Was Kanäle angeht, ist das hier schlimmer als Venedig.« Gombrowski presste die Handballen auf die Augen, wobei er sein weiches Gesicht in Falten zusammenschob. »Manchmal habe ich Lust, die Brocken hinzuschmeißen. Soll Betty den Laden übernehmen und sich mit dem ganzen Mist herumschlagen.«

»Das meinst du nicht ernst.«

Als er die Augen freigab, sah er bunte Kreise, die sich ineinanderdrehten. Dahinter erschien Hilde, die ihn besorgt musterte. Es war normal, auf Unterleuten zu schimpfen. Alle schimpften auf Unterleuten. Aber manchmal bekam Gombrowskis Überdruss eine andere Qualität. Er glaubte dann, den Angriffen, die ihn von allen Seiten trafen, nichts mehr entgegensetzen zu können. Die Milchpreise waren im Keller, die Agrarsubventionen sollten gekürzt werden, und weil der Staat seit der Schuldenkrise Geld brauchte, sorgte das Finanzministerium mithilfe der Treuhand-Nachfolgeorganisation dafür, dass die Preise für landwirtschaftliche Flächen sukzessive erhöht wurden. Bald würde sich die Ökologica die Pacht ihrer Felder nicht mehr leisten können. Dazu kamen noch die Spinner aus dem Westen. Die einen spielten Superkapitalisten, ersteigerten Hunderte Hektar zu Phantasiepreisen, weil sie gerade Lust dazu verspürten, und hoben dadurch die Bodenrichtwerte weiter an. Die anderen gehörten zur Kategorie »Weltenretter«, zogen nach Unterleuten, um im Auftrag des Naturschutzes ein paar dämliche Vögel gegen die örtliche Landwirtschaft zu verteidigen, und verwandelten jedes neue Silo und jede geplante Flächenumnutzung in eine Staatsaffäre mit Genehmigungspflichten, reihenweise Aktenordnern und nervtötenden Behördenverfahren.

Fest stand, dass die Ökologica in der momentanen Lage höchstens noch zwei Jahre weitermachen konnte, bevor sie in Zahlungsschwierigkeiten geriet. Kurz vor Ausbruch der Finanzkrise hatte Gombrowski eine halbe Million in die Modernisierung der Kuhställe investiert. Wenn er daran dachte, standen ihm noch immer die Haare zu Berge. Niemand kann in die Zukunft sehen, pflegte Hilde zu sagen, wenn die Sprache auf dieses Thema kam. Leider bestand der Beruf eines Landwirts aber im Hellsehen. Er musste das Wetter von nächster Woche genauso vorausahnen wie die neuesten Einfälle der europäischen Agrarpolitik. Wenn er mit seinen Prognosen ein paarmal danebenlag, ging der Laden pleite, so einfach war das.

Gombrowskis Leben war ein Kampf für die Ökologica, ein Kampf für Unterleuten und für die ganze Region, während sich alle anderen die Zeit damit vertrieben, ihm Knüppel zwischen die Beine zu werfen. Wenn er das Wort »Politik« nur hörte, wurde ihm schlecht. »Politik« waren Leute, die eine Firma wie die seine kaputtsparten, um anschließend 20 Arbeitslose durchzufüttern. »Politik« war, wenn sich gelangweilte Westdeutsche mehr für Vögel als für Menschen interessierten. »Politik« bedeutete, dass Kron eine wehrlose Frau wie Hilde schlug, um zu verhindern, dass Gombrowski zur Dorfversammlung ging, wo es wahrscheinlich irgendwelche Pfründen zu verteilen gab. Vielleicht kam ja demnächst noch mehr Land unter den Hammer. Wobei Gombrowski nicht wusste, wieso das Kron interessieren sollte. Um bei Versteigerungen mitzuhalten, fehlte dem das nötige Kleingeld.

»Frührente«, sagte Gombrowski. »Dann können alle sehen, wie sie ohne mich klarkommen.«

»Jetzt mal halblang.« Hilde beugte sich vor, um ihn an der Schulter zu rütteln. »Oder bist du genauso dumm wie dein Hund?«

Er wusste sofort, worauf sie anspielte. Jeden Mittag ging er mit Fidi auf dem Feldweg hinter den Kuhställen bis zum alten Wasserturm und zurück, was einen Marsch von zwanzig Minuten ergab. Kurz bevor sie umkehrten, spielte sich täglich die gleiche Szene ab. Zweihundert Meter vor dem Wasserturm blieb Fidi stehen, ließ Gombrowski allein weitergehen und sah ihm mit einem Ausdruck tiefer Verwunderung hinterher. Warum immer wieder bis zum Wasserturm laufen, wenn man doch schon wusste, dass man umdrehen und zurückgehen würde? Gombrowski hatte Hilde erzählt, wie sehr ihn dieses Verhalten ärgerte. Streng pflegte er die Hündin zu sich zu rufen, ließ sie das letzte Stück bei Fuß gehen und vor dem Wasserturm »Sitz« machen, bevor sie gemeinsam den Rückweg antraten. Aber Fidi lernte nichts daraus und blieb am nächsten Tag wieder zu früh stehen. Wäre Gombrowski jemals dem Vorschlag der Hündin gefolgt und zweihundert Meter vor dem Wasserturm umgekehrt, hätte Fidi am nächsten Tag noch zweihundert Meter früher angehalten und ihm nachgeschaut, als hätte er den Verstand verloren. Von Tag zu Tag wäre der Spaziergang kürzer geworden, bis sie den Hof gar nicht mehr verlassen hätten. Darüber wäre Fidi dann untröstlich gewesen, da sie die gemeinsamen Spaziergänge in der Mittagspause über alles liebte.

»Schon klar«, sagte Gombrowski. »Den eingeschlagenen Weg weitergehen, obwohl man weiß, dass er endet.«

»Du gehst heute Abend zur Dorfversammlung«, sagte Hilde. »Verstanden?«

Gombrowski seufzte und nickte.

»Danach sind wir klüger.«

»Soll ich Kron etwas von dir ausrichten?«

»Nichts.«

»Zeigst du ihn an? Wegen Körperverletzung?«

Schon als junge Frau hatte Hilde wässrig blaue Augen gehabt, die ihren Blick ein wenig abwesend wirken ließen. Das Alter hatte den Eindruck verstärkt. Es gab Menschen, die glaubten, sie sei nicht ganz richtig im Kopf. Wenn sie einen allerdings unvermittelt anschaute, lag Härte in ihrem Blick. Als spränge man in einen See, dachte Gombrowski, und plötzlich ist das Wasser nur wenige Zentimeter tief. Darunter Panzerglas.

»Seit wann«, fragte Hilde, »regeln wir unsere Angelegenheiten mithilfe der Polizei?«

Gombrowski tätschelte ihre Wange.

»Gut, dass du kein Mann geworden bist. Du wärst eine Gefahr für den ganzen Landkreis.«

Hilde schob seine Hand beiseite wie ein störrisches Kind.

»Steh auf«, sagte sie.

»Willst du schon nach Hause?«

»Wir gehen spazieren.«

Ohne ein weiteres Wort erhob sie sich, öffnete die Terrassentür, warf der großen Hündin einen vernichtenden Blick zu und drängte sich an ihr vorbei ins Haus. Erst im Flur holte Gombrowski sie ein.

»Du willst auf die Straße? Unter freien Himmel?«

»Nimm einen Schirm mit.«

So gingen sie Seite an Seite den Beutelweg hinunter. Mit der rechten Hand hielt Gombrowski, dem strahlenden Sonnenschein zum Trotz, einen aufgespannten Regenschirm über Hildes Kopf; die andere führte Fidi an der Leine. Man beobachtete das seltsame Trio, aus Vorgärten, hinter Gardinen, durch die Scheiben vorbeifahrender Autos. Gombrowski wusste, was dieser Spaziergang Hilde kostete. Er sah ihre mahlenden Kiefer und den Schweiß, der vom Haaransatz über die Schläfen rann. Rund um die Kirche und wieder zurück, ein Triumphzug, dessen Botschaft das Dorf verstand.

6 Kron

Kron fand es seltsam, sie alle in einem Raum versammelt zu sehen. Seit der Wende waren sie nicht mehr so zahlreich zusammengekommen, und selbst am Tag des Mauerfalls, als der Tanzsaal des Landmanns komplett aus Stühlen bestand, waren viele Plätze leer geblieben, weil einige nach Berlin und manche gleich zur Grenze gefahren waren. Die vierzig Versammelten hatten beisammengesessen und geschwiegen, weil die Ereignisse zu groß waren, um kommentiert zu werden.

Ein andermal waren immerhin dreißig Personen erschienen, als Arne plante, die Dorfstraße mit gepflasterten Bürgersteigen versehen zu lassen. Alle Anwesenden besaßen Grundstücke, die an die Dorfstraße grenzten, weshalb sie an den Kosten beteiligt werden sollten. Der Protest nahm derart massive Formen an, dass Arne die Idee fallen ließ und man bis heute am Straßenrand spazieren ging.

Zu Gemeinderatssitzungen erschien niemand außer den Gemeinderäten und Kron. Zu sechst oder siebt saß man im Gastraum am Skattisch und ging die Tagesordnungspunkte durch. Reparatur der Straßenbeleuchtung in Beutel, Ehrung von Blutspendern, Baugesuche, Aussprache mit der Öffentlichkeit. Die Öffentlichkeit – das war dann Kron.

Heute jedoch brummte der Saal wie ein Bienenkorb. Alle

hundert Stühle waren besetzt, weitere Personen standen an den Wänden. Eine summende Ansammlung in gedeckten Farben, hier und da bunt betupft von den Kleidern der Zugezogenen, für die der Sommer keine Jahreszeit, sondern eine Modeerscheinung darstellte. Die saubere Luft war der Atem des 21. Jahrhunderts. Dass ausgerechnet im Märkischen Landmann eines Tages ein Rauchverbot gelten würde, hätte sich vor ein paar Jahren niemand träumen lassen. In Unterleuten galten Rauchen und Trinken nicht als Laster, sondern als Hobby. Eine Frage des Geldes, nicht der Gesundheit.

Kron kannte jedes einzelne Gesicht, aber vor allem kannte er das Gesamtwesen. Hätte man die Beziehungsfäden sichtbar machen können, welche zwischen den Anwesenden hin und her liefen, wäre für den Uneingeweihten ein undurchschaubares Knäuel zum Vorschein gekommen. Ein Experte wie Kron hingegen sah ein logisches System, klar strukturiert wie ein Spinnennetz. Verwandtschaft, Bekanntschaft, Nachbarschaft, Freundschaft, Feindschaft. Liebe, Hass, Schuld, Neid, Abhängigkeit. Kron besaß ein gutes Gedächtnis, was eher Strafe als Segen war. Ein gutes Gedächtnis arbeitete als ständiger Protokollant der Ungerechtigkeit. Es machte das Staunen unmöglich und lehrte zu schweigen. Niemand mochte Menschen, die sich alles merkten. Kron, der Chronist. Einer, der sich weigerte zu vergessen, und dafür mit Einsamkeit bezahlte.

Um Überblick zu gewinnen, war er an der Tür stehen geblieben. Der Zeitpunkt seines Eintreffens war gut gewählt. Alle saßen schon, obwohl der offizielle Teil noch nicht begonnen hatte. Silke und Sabine trugen Teller mit Schnitzel und Pommes durch die Reihen, lächelnd beim Gedanken daran, dass sie gerade den Umsatz ihres Lebens machten. Auf der Bühne des Tanzsaals stand ein Tisch, an dem Bürgermeister Arne saß und in seinen Unterlagen blätterte, wobei er die neugierigen Blicke der Wartenden auf sich zog. Der Andrang war seiner Geheimniskrämerei geschuldet. Auf allen Kanälen hatte Kron versucht, den Grund für die Dorfversammlung herauszufinden. Niemand schien etwas zu wissen. Wenn Arne so striktes Stillschweigen bewahrte, musste es sich um eine wichtige Sache handeln.

Lorenz, der Lastwagenfahrer. Thomas, der Bäcker. Agatha, die Architektin, und ihr Mann Jens, der Bauarbeiter. Daniel, René, Timmy und Mark, die ebenfalls Bauarbeiter waren, und Steffen, dem die Baufirma gehörte. Christina, die Kindergärtnerin. Ihre dralle zehnjährige Tochter Nadine. Hugo, der Dachdecker, und sein Sohn Knut, ebenfalls Dachdecker. Lena, die kochte. Sigrid, die putzte. Gerhard, der Vogelschützer, den Kron lustig fand, weil er Gombrowski mit sinnlosen Naturschutzvorschriften auf die Nerven ging. Gerhards Frau Jule, die ihr Baby auf dem Schoß hielt. Tonio, der junge Anwalt, schwul und aus Sachsen. Für Wolfgang, Heinz, Norbert, Jakob, Ulrich und Björn, alle über 70 und LPG-Veteranen wie Kron, hob er zum Gruß die Hand. Oma Rüdiger, mit dem halben Dorf verwandt, und Opa Margot, mit dem sie in wilder Ehe lebte, händchenhaltend in der ersten Reihe.

Am rechten Rand saß Krons Tochter Kathrin neben ihrem nichtsnutzigen Ehemann Wolfi und dem fünfjährigen Krönchen. Schon ertönte die Stimme des kleinen Mädchens als heller Ruf quer durch den Saal: »Opa!« Kron spürte, wie sich sein Gesicht in ein großes Lächeln verwandelte, während er der Kleinen zurückwinkte.

Odile, die Yogalehrerin. Ihr Mann Jochen, der im Internet arbeitete. Ken, der Hundetrainer. Seine Freundin Claudia, die malte. Richard, der Gärtner. Der andere Richard, Schornsteinfeger. Frau Hailbronner, ehemalige Bundestagsabgeordnete im Ruhestand, von der niemand wusste, was sie nach Unterleuten verschlagen hatte, und die angeblich mit einem pensionierten Oberstudienrat verheiratet war, den man niemals sah. Karl, der Indianer, trug zur Feier des Tages dreifarbige Streifen auf den Wangen und ein Band um den Kopf, in dem die Feder eines Rotmilans steckte. Auch Karls neue Nachbarin war zugegen, eine hübsche Frau mit kräftigen Armen und Beinen, auffällig in ihrem knallblauen Kleid. Kron ermahnte sich, demnächst einmal bei den Neuen vorbeizuschauen. Daneben ihr Freund, der das Haar zu lang trug und garantiert irgendetwas mit Computern machte.

Verena, Ingo, Patricia, Olaf, Mirko, Angela, Lutz und Betty, die bei Gombrowski arbeiteten. Und Gombrowski selbst, der fette alte Hund. Auch Elena war anwesend, auf Gombrowskis anderer Seite, in sich gekehrt wie immer.

Kathrin pflegte zu behaupten, ihr Vater sei ein Menschenfeind. Aber Kron hatte nichts gegen die Leute, Gombrowski einmal ausgenommen. Es stimmte nicht, dass er Menschen dafür verurteilte, wie sie ihre Leben führten. Schließlich war es der Lebenszeit egal, womit man sie verbrachte. Selbst als seine Frau ihn und die kleine Kathrin verlassen hatte, um ihren schönen Dickkopf in den Westen zu schmuggeln, hatte er sie nicht verurteilt. Dabei hatte sie nicht nur ihre Familie, sondern auch den Sozialismus verraten.

Wenn sie Streit hatten, schimpfte Kathrin ihn einen unbelehrbaren Kommunisten, wobei sie sich ungeheuer modern vorkam. Sie glaubte tatsächlich, wer E-Mails schreiben konnte, im Urlaub nach Thailand fuhr und den entfesselten Kapitalismus als alternativlos betrachtete, habe das 21. Jahrhundert verstanden. Seit Beginn der Finanzkrise, die vollumfänglich Krons jahrelangen Ankündigungen entsprach, gab sich Kathrin ein wenig kleinlauter, ging aber noch lange nicht so weit, ihrem alten Vater recht zu geben. Stattdessen warf sie ihm vor, dass er zwanzig Jahre nach der Wende noch immer nicht begriffen habe, was Freiheit sei.

Kron wusste durchaus, was Freiheit war. Ein Kampfbegriff. Freiheit war der Name eines Systems, in dem sich der Mensch als Manager der eigenen Biographie gerierte und das Leben als Trainingscamp für den persönlichen Erfolg begriff. Der Kapitalismus hatte Gemeinsinn in Egoismus und Eigensinn in Anpassungsfähigkeit verwandelt. Was Leute wie Kathrin für Individualismus hielten, entsprach in Wahrheit einem Zustand von Unterwürfigkeit. Auf ihren Arbeitsstellen saßen die Leute unter Überwachungskameras, ließen sich die Zigarettenpausen verbieten und machten Überstunden in der Hoffnung, von der nächsten Kündigungswelle verschont zu bleiben. In den Schulen, die jetzt »Lernumgebungen« hießen, wurde nicht mehr unterrichtet, sondern Projekte entwickelt, Lernprozesse evaluiert und in Kernkompetenzen investiert. Die Krankenhäuser hatten sich in Gesundheitsfabriken verwandelt, in denen sich eine industrialisierte Medizin nicht um den Patienten, sondern um die Bettenrendite kümmerte, was Kathrin, die im Neuruppiner Krankenhaus als Pathologin arbeitete, selbst am besten wusste.

Vor einigen Wochen hatte Kron seine Enkelin im Kindergarten abgeholt und zufällig mitgehört, wie die Betreuerin einer jungen Mutter erklärte, dass die »Bastelkompetenzen« ihres kleinen Sohnes leider nicht der Norm entsprächen. Es war nur Krönchens strahlenden Augen zu verdanken gewesen, dass Kron nicht handgreiflich geworden war.

Man musste kein Genie sein, um zu begreifen, was passierte. In einer kleinen Gemeinschaft wie Unterleuten war es besonders offensichtlich. Die neoliberale Ideologie, getarnt als Mischung aus Pragmatismus und Leistungsgerechtigkeit, eroberte die letzten Winkel des gesellschaftlichen Lebens. Zu

Zeiten der Stasi wurde weniger beobachtet, abgehört, gedroht und gefeuert als heute, und trotzdem nannte sich das neue System Demokratie. Stück für Stück war der soziale Zusammenhalt erodiert. Was sich heute im Landmann versammelt hatte, war kein Dorf mehr, sondern eine Zweckgemeinschaft von Einzelkämpfern. Wenn Kron darauf hinwies, nannte man ihn einen hoffnungslosen Ostalgiker, und seine Tochter Kathrin versank vor Scham im Boden.

Niemals würde Kron verstehen, wie die Leute in der Lage waren, mit harter Arbeit kaum das Existenzminimum zu erreichen und dennoch zu glauben, dass sie in der besten aller Welten lebten. Dass die meisten Unterleutner so zufrieden wirkten, hinterließ ihn fassungslos. Sie waren wie Gombrowskis Kühe, die auch nicht mehr gemolken und geschlachtet, sondern verwaltet wurden. Seit Neuestem trugen die Tiere Transponder um den Hals und trotteten freiwillig von Futtertrog über Melkmaschine zu Massagebürsten, Liegeplätzen und Bolzenschussgerät. So sah sie aus, die schöne neue Welt, die sich auf Dorf und Republik ausgedehnt hatte. Genormt, bespaßt und verwaltet – eine Bürgerherde. Trotzdem machte Kron, anders als Kathrin glaubte, diese Entwicklung niemandem zum Vorwurf. Es gab nur zwei Dinge, die er von Menschen verlangte: Gemeinschaftssinn und Aufrichtigkeit. Das hatte nichts mit gestern oder heute zu tun. Auch nichts mit Kommunismus oder Kapitalismus. Das war überhaupt keine Frage der Gesellschaftsform, sondern eine von Anstand und Vernunft.

Nach reiflicher Überlegung entschied sich Kron für einen bestimmten Platz und setzte sich in Bewegung. Bei jedem Schritt stieß er die Krücke laut aufs Parkett wie den Stock eines Zeremonienmeisters, der wichtigen Besuch ankündigte. Die Köpfe im Saal wandten sich um und fassten einen gemeinsamen Gedanken: Da kommt Kron.

Der Stuhl, auf dem er sitzen wollte, befand sich auf der anderen Seite des Saals. Von dort aus hätte er einen guten Blick nach vorn und könnte gleichzeitig die Eingangstür im Auge behalten. Momentan saß dort Knut, der junge Dachdecker. Es würde reichen, ihm mit der Krücke auf die Schulter zu klopfen, damit er den Platz räumte.

Statt außen um den Raum herumzugehen, wählte Kron den Weg durch die Masse der Sitzenden. Stühle wurden gerückt, Knie beiseitegeklappt, manch einer stand auf, um ihn vorbeizulassen. Kron grüßte in alle Richtungen. Für die Einheimischen hatte er ein Schulterklopfen, für Zugezogene ein Nicken. Nicht wenige der Anwesenden hatte er einst aus dem Kinderwagen gehoben und durch die Luft geschwenkt, als sie noch sabbernde Babys waren. Im Kindergarten hatten sie wartend auf winzigen Stühlchen gesessen, während er an der Reihe entlanggegangen war, um seine Kathrin abzuholen. Kron war der erste und bislang einzige alleinerziehende Vater in Unterleuten. Über Kathrin hatte er die anderen Dorfkinder kennengelernt. Er wusste bis heute, ob sie früh oder spät mit dem Laufen und Sprechen begonnen hatten, ob sie eher zur Sorte Schläft-Nicht oder zur Sorte Isst-Nicht gehörten, ob sie viel krank waren, viel weinten, Angst vor Hunden oder vor Spinnen hatten. Jetzt saßen sie hier, erwachsene Männer und Frauen auf Stühlen in Normalgröße, und es war schwer zu glauben, dass sie allesamt einmal geliebte Babys gewesen waren. Heute sahen sie aus wie die Eltern jener Kleinkinder, an die sich Kron erinnerte.

Das Vergehen der Zeit macht uns zu unseren eigenen Vätern und Müttern, dachte er. Alle Gesichter enthielten einen deutlichen Abdruck des früheren Kindes. Bei manchen schien das Erwachsenengesicht nur wie ein dünner Schleier vor der Kindermiene zu hängen. Wenn man wissen wollte, was ein Mensch dachte und fühlte, musste man sich nur vorstellen, wie er als Kind ausgesehen hatte, und schon trat sein ganzes Innenleben zutage.

Gombrowski verrenkte sich auf seinem Stuhl, um Krons Weg durch den Saal mit Blicken zu begleiten, auf eine Gelegenheit wartend, ihn demonstrativ zu grüßen. Gombrowski war sieben Jahre jünger, sah aber, wie Kron fand, wesentlich älter aus. Kron musste nur einen Schalter im Kopf umlegen, dann erblickte er in der fetten alten Hundevisage den pausbäckigen Jungen von früher, ein verwöhntes Großgrundbesitzerkind, im Glauben aufgewachsen, dass die Welt allein zu seinem persönlichen Vergnügen erschaffen worden war. An dieser Idee hatte sich bis heute nichts geändert.

Als es dem alten Hund gelang, Krons Blick zu fangen, zelebrierte er ein spöttisch-respektvolles Nicken und zog gleichzeitig die Augenbrauen hoch, als wollte er sagen: Nur weiter so, Kron, zeig den Leuten, was für ein Dreckskerl du bist. Die selbstgefällige Visage bereitete Kron Übelkeit.

Es war nicht so, dass er sich nicht geschämt hätte, auch wenn Hilde ein völlig überflüssiges Theater veranstaltet hatte. Vor zwanzig Jahren hatte sie dabei geholfen, das halbe Dorf zu enteignen, und heute war sie nicht einmal bereit, einem unglücklichen Kind ein wertloses Kätzchen zu überlassen. Trotzdem widersprach es Krons Prinzipien, sich an Schwächeren zu vergreifen. Hilde war seit Jahr und Tag Gombrowskis Komplizin, aber sie war immer noch eine Frau.

Sogar eine, die Kron in früheren Zeiten gut gefallen hatte. Damals auf den Fluren der LPG hatte er jede Gelegenheit genutzt, im Büro der Buchhalterin vorbeizuschauen, einen Kaffee zu trinken und sich an ihren wasserblauen Augen zu freuen. Ein Besuch bei Hilde ist wie zwei Tage Urlaub an der Ostsee, pflegte er zu sagen, und er hatte den Eindruck, dass ihr seine temperamentvollen Komplimente gefielen. Trotzdem ging sie in der Mittagspause in den Getreidespeicher, um sich von Gombrowski bespringen zu lassen.

Ausgerechnet Gombrowski, der Frau und Kind zu Hause hatte, während Kron mit der kleinen Kathrin allein blieb. Eines Tages heiratete Hilde überraschend den ruhigen Erik aus der Erntebrigade. Als nicht viel später Betty zur Welt kam, ging Kron wie alle anderen davon aus, dass Gombrowski seine Buchhalterin geschwängert und dem werdenden Kind einen Vater gekauft hatte. Trotzdem respektierte Kron die Verbindung und stellte seine Annäherungsversuche ein. Dass ihm ausgerechnet bei ihr gestern der Stock ausgerutscht war, mochte daran liegen, dass sie ihn noch immer leichter als andere aus der Fassung brachte.

Er erreichte den Stuhl, den er sich ausgesucht hatte, und klopfte mit der Krücke gegen die Lehne. Sofort sprang Knut auf und vollführte eine einladende Geste, die ein wenig übertrieben wirkte, wie die Gebärde eines Kabarettisten. Im Grunde glich das Dorf einem Tanzbären, dachte Kron, gut zu handhaben für jeden, der mit Zuckerbrot und Peitsche umzugehen wusste. Er legte die Krücke auf den Boden und streckte das steife Bein.

Die Lautsprecher krachten, ein lautes Räuspern ertönte und ging in ohrenbetäubendes Pfeifen über. Ungeschickt fingerte Arne am Mikrofon herum, bis Jochen aufsprang und das Gerät für den Bürgermeister justierte.

Das Gemurmel ebbte ab, als die Saaltür aufging und ein junger Mann in Jeans und Sakko erschien. Unter dem Arm trug er einen Beamer. Er ging an der Wand entlang nach vorn, wechselte ein paar Worte mit Arne, der am Tisch sitzen blieb, stellte den Beamer auf den Tisch und entnahm seiner Umhängetasche einen Laptop, den er mittels weniger Handgriffe mit dem Beamer verband. Kron konzentrierte sich auf das Gesicht des Unbekannten. Wenn er das Kind hinter dem Erwachsenen aufrief, kam ein bebrillter Bengel heraus, der wenig Freunde besaß und beim Melden mit den Fingern schnippte.

»Herrschaften«, sagte Arne, »schön, dass ihr alle da seid. Ich dachte immer, ihr kommt zu den Versammlungen, wenn ich möglichst genau erkläre, worum es geht. Wenn ich gewusst hätte, dass ihr den Arsch nur hochkriegt, wenn ihr keine Ahnung habt, hätte ich mir in den vergangenen Jahren viel Arbeit sparen können.«

»Komm zur Sache, Arne!«, rief Lorenz, der es gern laut hatte. Daniel, Mark und Timmy lachten, Steffen brachte sie zur Ruhe.

»Ich will euch nicht länger auf die Folter spannen. Nur so viel von meiner Seite: Ich glaube, dass wir heute Abend von einer interessanten Sache hören, die uns allen nützen kann. Das ist Herr Pilz.«

Nadine kicherte.

»Er arbeitet für die Vento Direct GmbH und ist extra aus Freudenstadt zu uns gekommen.«

»Hat er denn auch ein bisschen Freude mitgebracht?«, fragte Thomas und errang den ersten Punktsieg im Wettkampf um den dümmsten Zwischenruf des Abends.

»Benehmt euch«, sagte Arne. »Bitte, Herr Pilz.«

Pilz nahm von Arne das Mikro entgegen, zog ein paar Meter Kabel zu sich heran und trat neben den Tisch, an dem Arne in seiner typischen brütenden Haltung hockte. Vento, Vento, Vento, dachte Kron. Er war sicher, den Namen der Firma noch nie gehört zu haben.

»Herzlichen Dank an den Bürgermeister für die einleitenden Worte.«

Pilz schob sich die Brille ein Stück höher auf die Nase, wobei er der Versammlung versehentlich den Mittelfinger zeigte. Ohne Zweifel gehörte er zu jenen gehirngewaschenen Sklaven der Leistungsgesellschaft, die »Lösungen« sagten, wenn sie Möbel meinten, und zu einer internationalen Supermarktkette gingen, um dort Waren aus der Region zu kaufen. Kron wusste, dass der Junge versuchen würde, seine Zuhörer »abzuholen«, um »auf Augenhöhe« mit ihnen zu reden. Ein Typ wie Pilz war noch nicht mal Verkäufer, er war selbst ein Produkt.

»Ganz schön warm heute«, sagte Pilz und fuhr sich demonstrativ mit dem Finger in den Hemdkragen, der bis oben zugeknöpft war, obwohl er keine Krawatte trug. »Bei solchen Temperaturen kann man sich vorstellen, was Klimakatastrophe bedeutet.«

»Bessere Ernten und weniger Heizkosten«, sagte Kron, und der Saal begann bis in die letzte Reihe zu lachen. Nur der Vogelschützer schüttelte missbilligend den Kopf und sagte etwas zu seiner rothaarigen Frau. Zufrieden mit dem Erfolg seines Einwurfs dehnte Kron die Schultern und unterdrückte den Impuls, sich nach Gombrowski umzuschauen. Der alte Hund würde sich auch so daran erinnert fühlen, dass er vielleicht das Geld, nicht aber die Leute hinter sich hatte.

Pilz wartete in aller Ruhe, bis die Heiterkeit im Saal verebbte. Längst hatte er den Urheber des Einwurfs ausfindig gemacht und signalisierte durch freundliches Zwinkern, dass er plante, mit Kron in einen Dialog zu treten. Die Art, wie er ohne jedes Schwanken vor dem Publikum stand, verriet Übung.

»Aber nicht nur das, Herr …?«

Jetzt schaute er Kron direkt an und wartete darauf, dass dieser seinen Namen sagen möge. Aber Kron dachte nicht daran. Stattdessen wartete er grinsend, bis das Pilz-Manöver ins Leere gelaufen war. Der Saal schwieg. Unverdrossen nahm Pilz den Faden wieder auf.

»Der Klimawandel bedroht uns mit empfindlichen Gefahren. Ansteigen des Meeresspiegels, Dürreperioden, Stürme. Das wissen Sie aus den Medien. Die Vento Direct hat es sich zur Aufgabe gesetzt, Lösungen anzubieten.«

Da waren sie also, die Lösungen. Damit kannte Kron sich aus. Immerhin steckten jeden Morgen zwei überregionale Tageszeitungen in seinem Briefkasten. Früher hatte er die Blätter als Reportagen aus dem Herzen des Feindes gelesen, heute las er sie als Satiremagazine. Er wusste, wie man mit Schweinegrippe Pharmaprodukte verkaufte, mit Terrorismus Wirtschaftskriege legitimierte und mit Klimakonferenzen den heimischen Markt gegen Billigimporte schützte. Er beherrschte die dazu passende Rhetorik. Auf einer Pressekonferenz hätte er jeden beliebigen Schwachsinn erklären können, zum Beispiel, warum trotz Bankenkrise eine Regulierung der globalisierten Märkte leider nicht möglich sei. Er wusste, wann man »alternativlos« und »Sachzwang« sagen musste, nämlich in jedem zweiten Satz. Er kannte die Argumentationsfiguren, mit denen Verantwortung von den Kommunen auf die Länder, von der Landesebene auf die Bundesregierung und von der Bundesregierung nach Brüssel abgeschoben wurde. Soziale Ungerechtigkeiten ließen sich bestens legitimieren, indem man darauf verwies, dass Wirtschaft und Wohlstand andernfalls nach China abwandern würden.

Außer dem Lesen von überregionalen Witzblättern sah er jeden Abend fern, am liebsten öffentlich-rechtlich. Erst die Nachrichten und danach die einschlägigen Selbstentlarvungsshows mit Plasberg, Will, Beckmann, Maischberger, Illner oder Lanz. Die industrialisierte Zurschaustellung von Inkompetenz erheiterte ihn. Im Spätkapitalismus gab es keine Gesellschaft mehr, sondern nur noch ein Gesellschaftsspiel, dessen Ziel darin bestand, die kläglichen Überreste von Politik möglichst gekonnt in Unterhaltungswert umzusetzen. Da die Politiker nach eigenem Verständnis ohnehin nichts mehr zu entscheiden hatten, verwandelten sie sich in Politikdarsteller, deren Hauptaufgabe in Emotionstheater, Überzeugungsinszenierung und Entscheidungssimulation bestand. In gewisser Weise war das Kunst. Es gab Empörungsarien, Schuldzuweisungssinfonien und Forderungsballaden. Bequem saß Kron im Sessel, wie es das System von ihm erwartete, und schaute Kanzlerkandidaten, Oppositionsführern und Regierungssprechern beim Rüberkommen zu. Alle schauten zu. Der Konsumbürger schaute den Journalisten zu, wie sie den Politikern dabei zuschauten, wie diese der Wirtschaft beim Wirtschaften und den Katastrophen beim Eintreten zuschauten. Alles ließ sich in den Zyklus des Zuschauens einspeisen, Eurokrisen, Erdbeben, explodierende Bohrinseln. Bei der Suche nach nicht vorhandenen, weil in Wahrheit nicht wirklich gewollten »Lösungen« ging es ausschließlich um das Erzeugen von Unterhaltungswert. Kron durchschaute das Spiel in schmerzhafter Klarheit. Als Kind hatte er Krieg und Nachkriegszeit, als Erwachsener die DDR und als alter Mann den entfesselten Raubtierkapitalismus erlebt. Er hatte genug gesehen, um die Welt als einen Ort zu begreifen, an dem Veränderung vor allem darin bestand, die Ungeheuerlichkeit in immer neue bunte Gewänder zu kleiden. Krons bequemer Sessel stand auf der Meta-Ebene. Er schaute zu und verteilte A- und B-Noten. Pilz schlug sich gut. Er war dabei, sich eine hohe Punktzahl auf der Verlogenheitsskala zu sichern.

»Die Europäische Union verpflichtet ihre Mitgliedstaaten zur Förderung erneuerbarer Energien«, erklärte Pilz. »Das Bundeswirtschaftsministerium will den Anteil erneuerbarer Energien in den nächsten Jahren auf 33 Prozent des Gesamtverbrauchs steigern. Brandenburg beansprucht eine Vorreiterrolle auf dem Gebiet der erneuerbaren Energien. Dazu hat sich Ihr Ministerpräsident ausdrücklich bekannt.«

Pilz breitete die Arme aus und wartete, ob sich irgendjemand dem Stolz auf Bundesland, Vorreiterrolle und Ministerpräsident hingeben wollte. Aber das Erneuerbare-Energien-Mantra hatte narkotisierende Wirkung entfaltet, der Saal wirkte schläfrig. Pilz schaltete den Beamer an. Auf der Wand erschien ein Lichtviereck mit einem Schriftzug in der Mitte:

»MINISTERPRÄSIDENT: AUF JEDEN FALL MEHR ERNEUERBARE ENERGIEN.«

Nun lag auf der Hand, worauf das Ganze hinauslaufen würde. Krons Gehirn lief heiß beim Versuch, die verschiedenen Informationsbruchstücke zu einem stimmigen Bild zu arrangieren. Arne. Gombrowski. Erneuerbare Energien, Pilz und Vento Direct. Arne saß am Tisch und blätterte in seinen Unterlagen wie ein Lehrer, der dem Referat eines begabten Schülers beiwohnt. Gombrowskis Hundeblick hing arglos an Pilz, aber das konnte Tarnung sein. Nur der Vogelschützer war in offensichtlicher Aufregung, er rieb sich die Stirn, während seine Frau begonnen hatte, das Baby zu stillen.

Die aktuellen Liegenschaftspläne hatte Kron weitgehend im Kopf. Er versuchte zu schlussfolgern, um welches Gebiet es sich handeln würde. Der Wiesengrund. Die Plausitzer Höhe. Die Unterleutner Heide. Kron fixierte Arne, um ihn bei einem heimlichen Blickwechsel mit Gombrowski zu ertappen. Nichts. Anscheinend nahmen sie die Sache so ernst, dass sogar Arne es schaffte, sich professionell zu verhalten.

»So«, sagte Pilz, »jetzt wollen Sie bestimmt genau wissen, worum es geht.«

Niemand reagierte. Die Erwähnung des Ministerpräsidenten hatte die kollektive Narkose vertieft. Pilz ließ die Projektion an der Wand wechseln. Das Logo der Vento Direct erschien, ein Kreis mit einem stilisierten Rotor in der Mitte, so schlicht und einleuchtend, dass es auch einem totalitären Staat als Symbol hätte dienen können. Darunter die Webadresse: www.ventodirect.de. Nach wenigen Sekunden, in denen Pilz sein Markenzeichen wirken ließ, erschien die Panorama-Aufnahme einer Brandenburger Landschaft, Weizenfelder im Sonnenuntergang. Am Horizont die imposanten Silhouetten von sieben Windkraftanlagen, die Rotorblätter ausgebreitet wie steife Schwingen.

Für ein paar Augenblicke herrschte absolute Stille. Dann erhob sich Unruhe im Saal. Als Kron sich umdrehte, um die Reaktionen der Anwesenden zu beobachten, erstarrte er plötzlich wie vom Donner gerührt. Zwei Reihen hinter ihm, direkt neben der Neuen im blauen Kleid, saß ein Mann, der nicht nach Unterleuten gehörte. Fremd, aber nicht unbekannt. Unfassbar, dass Kron ihn beim Eintreten übersehen hatte. Vielleicht hatte sich der Kerl geduckt. Kron wusste genau, woher er die kugelköpfige Visage kannte. Das war der Schnösel von der Versteigerung. Jener Investor, der für einen horrenden Betrag die halbe Region gekauft hatte und seitdem die Leute mit seiner Sturheit terrorisierte. Er verkaufte nicht, tauschte nicht und hob die Pachtpreise bei jeder anstehenden Vertragsverlängerung um mindestens zehn Prozent an. Heuschrecke eben.

Kron blickte zwischen Gombrowski und dem Schnösel hin und her. Beide stellten überraschte, mäßig interessierte Mienen zur Schau und schienen sich gegenseitig nicht zu kennen. Krons Kopfmaschine arbeitete auf Hochtouren. Gleichzeitig ließ aufkommende Wut die Handflächen prickeln. Hier lief ein Ding. Ein ganz großes Ding.

7 Fließ-Weiland

»Nur über meine Leiche«, flüsterte Gerhard.

So nervös hatte Jule ihn schon lange nicht erlebt. Er drehte den Kopf hierhin und dorthin, als erwartete er, im nächsten Moment von allen Seiten angegriffen zu werden. Zwischendurch machte er Notizen, die dann wochenlang auf seinem Schreibtisch herumliegen würden, als müssten sie ein bestimmtes Alter erreichen, um weggeworfen zu werden.

»Was regst du dich auf«, flüsterte Jule. »Erneuerbare Energien findest du doch gut.«

Entsetzt schaute Gerhard sie an, ließ den Stift fallen und hob ihn wieder auf.

»Aber doch nicht im Naturschutzgebiet!«, sagte er ein wenig zu laut.

Um sie herum wurde Zustimmung gemurmelt.

»Wieso im Naturschutzgebiet?«, fragte Jule leise.

»Hörst du überhaupt zu?«

Da hatte er sie ertappt. In letzter Zeit fiel es ihr manchmal schwer, sich auf die Außenwelt zu konzentrieren. Seit Sophie auf der Welt war, schien für das Baby und sie ein besonderer Ort zu existieren, den niemand sonst betreten konnte. Als liefe eine unsichtbare Mauer um sie beide herum. Deshalb gab Jule ihr Baby so ungern aus der Hand – Sophie durfte nicht auf die andere Seite der Mauer geraten. Schließlich diente die Mauer dem Schutz vor Feinden, und feindlich war alles, was sich außerhalb der Mauer befand. Auch Gerhard. Für ihn tat es Jule besonders leid. Er bemühte sich nach Kräften, ein guter Vater zu sein, und machte trotzdem alles falsch.

Vor Sophies Geburt hatten sie lang und breit darüber gesprochen, was für eine Sorte Eltern sie sein wollten. Jule hatte geschworen, niemals eine dieser hysterischen Mütter zu werden, die ihren Kindern auf Berliner Spielplätzen mit Feuchttüchern und Vollkornkeksen hinterherrannten. Gerhard wollte ein moderner Vater sein, der sich im Restaurant lautstark darüber beschwerte, dass der Wickeltisch auf der Frauentoilette stand. Arbeitsteilung und Kommunikation sollten über allem stehen. »Erst Paar, dann Eltern« lautete ihr gemeinsames Motto. Schließlich gab es nichts Schlimmeres als überbesorgte Eltern, die nicht begriffen, dass Fortpflanzung seit Tausenden von Jahren ohne Ratgeberliteratur, Holzspielzeug und lactosefreie Milch stattfand. Gerhard und Jule hatten nicht vor, ihr Leben komplett auf den Kopf zu stellen. Natürlich würde ein Kind manches ändern, aber das war kein Grund für permanenten Ausnahmezustand. Glückliche Eltern hatten glückliche Kinder, weshalb man bei allem Stress niemals vergessen durfte, auf sich selbst zu achten. Das nötige Babyzubehör bestellten sie im Internet; danach fühlten sie sich für alles gerüstet.

Dann kam Sophie. Die ersten Tage nach der Geburt stellten einen surrealen Film dar, in dem es weder Sprache noch Tageszeiten gab, nur unklares Licht und klagende Laute. Sie irrten durch die Trümmer ihrer ausgiebigen Vorbereitung, zwei kopflose Erwachsene auf der Suche nach Schnullern, Windeln, Feuchttüchern, Söckchen. Hoben Gegenstände auf und ließen sie wieder fallen. Fingen alles halb an und vergaßen gleich wieder, was sie vorgehabt hatten. Im Bad stapelte sich die Schmutzwäsche, an der Haustür der Müll. Sophie schrie viel und war ziemlich hässlich. Ob man sie auf dem Arm trug oder ins Bettchen legte, sie streichelte, massierte, ihr etwas vorsang oder ein Kuscheltier vor ihrem Gesicht tanzen ließ – sie schien den Unterschied kaum zu bemerken. Von magischen Momenten oder überwältigenden Glücksgefühlen keine Spur.

Als sich das Chaos ein wenig lichtete, saß Jule irgendwann mit ihrer Tochter auf der Couch und erlebte einen Augenblick der Stille, ein kurzes Luftholen inmitten der Hektik. Sie hielt Sophie im Arm und betrachtete sie eingehend. Das Mädchen schaute zurück, mit verschwommenem Blick, der noch Mühe hatte, die Welt scharf zu stellen. Die Babystirn gerunzelt, die Augen zu Schlitzen verengt, den Mund zu einer misstrauischen Kirsche zusammengezogen. Das kleine Gesicht ein einziges Sinnbild der Skepsis. Plötzlich begriff Jule: Das Kind fand die Mutter genauso verdächtig wie die Mutter das Kind.

Da passierte es. Eine Welle schlug über ihr zusammen. Oder vielleicht war es ein Stromstoß, der sie durchfuhr. Jule lachte und spürte, wie ihr die Tränen kamen. Sie saß auf dem Sofa und konnte die Augen nicht mehr von ihrer Tochter abwenden. Sophie war gar nicht hässlich. Sie war eindeutig das schönste Kind im Universum.

So blieb es. Jedes Mal, wenn sie Sophie anblickte, wiederholte sich das Welle-Strom-Lachen-Heulen-Programm. Jule konnte Schmerz und Glück nicht mehr auseinanderhalten, und diese Unfähigkeit machte sie zur Außenseiterin. Sie begriff die Nichtigkeiten nicht mehr, mit denen sich andere Menschen beschäftigten. Die Welt bestand nur noch aus Leuten, die nicht in der Lage waren, Sophie angemessen zu behandeln. Dazu gehörte auch Gerhard. Er hielt Sophie nicht richtig und machte beim Wickeln die falschen Handgriffe. Gelegentlich erinnerte sich Jule daran, was sie vor der Geburt über Mütter gesagt hatte, die wie Affen an ihren Babys hingen. Das galt immer noch. Aber es waren eben andere Babys und nicht Sophie.

»Ich fasse es nicht, was hier passiert.«

In der Aufregung griff Gerhard nach ihrem Arm. Seine Hand war hart und kalt wie eine Zange. Sofort stellte sich Angst ein, er könnte Sophie aufwecken, die auf Jules Schoß selig schlief. Anscheinend fühlte sich das Mädchen in einer nach Bratenfett riechenden Menschenmenge wohler als in ihrem von brennendem Gummi verpesteten Zuhause. Jule musste sich bezwingen, um Gerhards Hand nicht abzuschütteln. Sie suchte nach ein paar zustimmenden Worten für ihn. Bestimmt hatte er recht mit seiner Fassungslosigkeit. Er hatte meistens recht bei der Einschätzung von Menschen und Situationen. Aber ihr fiel nichts ein. Jule war einfach nicht in der Lage, sich für ihn zu interessieren, schlimmer noch, sie wünschte insgeheim, er und seine Aufregung mögen sich in Luft auflösen.

Jule wusste, dass ihre Hormone verrückt spielten und dass sie außerdem unter Schlafmangel litt. Sie hatte nicht vergessen, warum sie Gerhard geheiratet hatte. Wie alle ihre Freundinnen und Kommilitoninnen hatte sie jahrelang Pech mit Männern gehabt und es kaum bemerkt, weil Pech mit Männern den Normalfall darstellte. Für emanzipierte junge Frauen gab es einfach keine männlichen Gegenstücke.

Im ICE konnte man ältere Ehepaare beobachten, die stets zu zweit an einem Vierertisch saßen. Während die Frau ein Sudoku löste, las der Mann die Frankfurter Allgemeine Zeitung, wobei er gelegentlich durch kurzes Auflachen seine Verachtung für das Gelesene zum Ausdruck brachte. Irgendwann rief er: »Marianne, hör dir das an«, und las einige Zeilen aus der Zeitung vor. Darauf folgte eine ausführliche Erklärung, welche gravierenden Denkfehler der strohdumme Autor begehe und warum die Zeitung heutzutage das Papier nicht mehr wert sei, auf dem sie gedruckt wurde. Marianne sagte »Du hast recht« und förderte eine Tupperdose mit Salamibroten zutage. Der Mann empörte sich lautstark über die kleinbürgerliche Angewohnheit, auf jede noch so kurze Reise ein Proviantpaket mitzunehmen, aß dann hungrig von den Broten und nahm noch ein hart gekochtes Ei dazu.

In den meisten ihrer Kommilitonen konnte Jule heute schon den Privatdozenten aus dem ICE erkennen. Bis auf wenige Ausnahmen, die nett und so langweilig waren, dass man es beim besten Willen nicht mit ihnen aushielt.

Die Idee zu Gerhard war simpel gewesen. Er konnte kein Vollidiot mehr werden, weil er sich in einem Alter befand, in dem die meisten Männer schon einer waren. Bei einem 45-Jährigen lagen die Dinge bereits auf der Hand. Ein Testlauf barg wenig Risiko.

Nach den ersten gemeinsamen Abenden war klar, dass auch Gerhard dozierte. Er brauchte keine Frau, sondern ein Publikum. Die Überraschung bestand darin, dass es Jule nichts ausmachte. Sie hörte ihm mit wachsendem Erstaunen zu. Er besaß eine Fähigkeit, die ihr wie Magie erschien. Gerhard war in der Lage, sich eine Meinung zu bilden, mehr noch, er besaß eine Ansicht zu fast allem, was er hörte oder sah. Alles ging ihn an. Weil er aus rätselhafter Quelle eine Vorstellung von »richtig« und »falsch« bezog, hatte er es nicht nötig, sich abzuschotten. Während Jule ständig in einem Meer von Informationen, Varianten und Versionen zu ertrinken drohte und deshalb darauf angewiesen war, sich für möglichst wenig Dinge zu interessieren, saugte Gerhard die chaotische Welt in sich ein, drehte sie durch seinen Prinzipienfilter und spuckte sie in ordentlich beschrifteten Päckchen wieder aus, ein Vorgang, den er »kritisches Bewusstsein« nannte. Nichts machte ihn sprachlos, nichts schüchterte ihn ein. Er nahm es mit Krisen und Kriegen, Hungersnöten und Naturkatastrophen auf, verurteilte begangene Fehler, benannte die Schuldigen und kannte die bestmögliche Lösung.

In Jules Augen der reinste Zaubertrick. Sie selbst musste nur eine beliebige Nachrichtenseite im Internet öffnen, um von einem lähmenden Schwindel erfasst zu werden. Jede Information verwies auf viele weitere Informationen, alles hing mit allem zusammen, und sicher war nur, dass es Jule besser ging als fast allen anderen Menschen auf der Welt. Trotzdem fühlte sie sich nicht glücklich, im Gegenteil. Sie wusste nicht einmal, wer sie war. In ihr gab es keinen festen Kern, nichts, was den Namen »Jule« wirklich verdiente. Immer wieder probierte sie verschiedene Rollen, die angepasste Studentin oder die aufmüpfige Rebellin, Party-Girl oder Spießerin, zynische Feministin oder feminine Verführerin. Die Rollen funktionierten ein paar Tage, manchmal Wochen oder sogar Monate, dann fielen sie von ihr ab wie zerschlissene Kleider. Übrig blieb eine Frau, die keine Überzeugungen besaß, keinen Glauben und keine Idee von einer besseren Welt.

Aber Jule wollte sich nicht im Ungefähren verlieren. Das Facebook-und-Spiegel-Online-Geschwafel ihrer Freunde ging ihr auf die Nerven. Sie wollte jemand sein. Sie war gefangen in einer Betäubung, die sich nicht abschütteln ließ – bis sie Gerhard traf. Während er sprach, verwandelte sich Jule in eine Person und die Welt in einen begehbaren Ort. Zum ersten Mal spürte sie festen Boden unter den Füßen.

Um sie herum wurde gelacht. Anscheinend hatte wieder einer aus dem Publikum einen Witz auf Kosten des Typen auf der Bühne gemacht. Jule hörte, wie Gerhard verächtlich schnaubte. Sie wollte verstehen, worum es ging, und kämpfte gegen die Müdigkeit, die ihr das Gehirn vernebelte. Mit Blicken suchte sie Oma Rüdiger im Saal und entdeckte sie in der ersten Reihe, wie sie mit halb offenem Mund und kurzsichtigen Augen auf die Projektion an der Wand starrte. Oma Rüdiger war eine wichtige Person im Dorf. Sie war mit ganz Unterleuten und noch ein paar Nachbardörfern in irgendeiner Form verwandt und trank gern Bromfelder, einen Kräuterlikör, der nach Maschinenöl mit Eukalyptus schmeckte. Oma Rüdiger war Börse und Dorfzeitung in einem. Wer etwas brauchte, ob Kantsteine oder Informationen, ging zu ihr. War die Angelegenheit komplizierter, brachte man eine Flasche Bromfelder mit. Aber das hier war keine Sache, die sich mit einer Flasche Schnaps erledigen ließ. Auch wenn Jule ansonsten wenig mitbekam, eines stand fest: Der Mann auf der Bühne stammte aus einer anderen Welt, und er war gekommen, um die Dörfler über den Tisch zu ziehen. Da galt eine alte Regel von der Uni: Wer einen Beamer mitbringt, ist ein Betrüger. Jule verspürte Mitleid mit Oma Rüdiger und den anderen und freute sich, weil das immerhin eine Art menschlicher Regung war.

Was Gerhard betraf, hatten sich Jules Hoffnungen tatsächlich erfüllt. Er unterschied sich in einem wesentlichen Punkt von den Twenty-Somethings, mit denen sie seit dem Abitur das Spiel »Feste Beziehung« ausprobiert hatte. Gerhard empfand Dankbarkeit. Er war dankbar für Jules Existenz, für jede Minute ihrer Anwesenheit, für jedes Wort, das sie zu ihm sprach. Er hatte das Gefühl, kein Anrecht auf Jule zu besitzen, und dieses Gefühl war, wie sie bald erkannte, die einzig taugliche Grundlage für eine gleichberechtigte Beziehung zwischen Mann und Frau.

Sogar seine Macken hielten sich in Grenzen. Zum Einkaufen fuhr er mit einer Liste, auf der die Waren entlang des Wegs durch den Supermarkt geordnet waren. Wenn er etwas aus dem Regal nahm, strich er es von der Liste. Fiel ihm spontan ein Produkt ein, das er kaufen wollte, obwohl es nicht auf dem Zettel stand, schrieb er es auf, um es gleich wieder durchstreichen zu können. Das war verschroben, aber nicht gemeingefährlich. Außerdem las er abends vor dem Einschlafen Gebrauchsanweisungen, von Jules neuem Handy, einer Software oder der elektrischen Zahnbürste, die er sich gekauft hatte. Auch damit konnte Jule leben.

Bis Sophie zur Welt gekommen war und alles wieder zu schwimmen begonnen hatte. Vermutlich lag es daran, dass Gerhard und sie inzwischen kaum noch richtig miteinander sprachen. Ohne ihre nächtelangen Diskussionen drohte Jule sich wieder in ihrem alten Ich zu verlieren. Wie früher fühlte sie sich überall nur zu Gast, im Märkischen Landmann, im Dorf, in Deutschland, im eigenen Leben.

Wieder spürte sie Gerhards Hand, diesmal sanfter, er rüttelte sie leicht an der Schulter.

»Überleg doch mal«, flüsterte er. »Das ständige Brummen der Windräder. Die Schatten. Das ist total gesundheitsschädlich. Willst du das für Sophie?«

Die Worte »gesundheitsschädlich« und »Sophie« ließen Jules Verstand in den nächsten Gang schalten. Sie schaute sich im Saal um. Es roch noch immer nach Bratenfett und war viel zu warm. Um sie herum saßen die Dörfler wie Vieh, das nicht wusste, ob es auf Schlachtbank oder Futter wartete. Vorne stand die Brillenschlange vor den Photos von Windmühlen im Sonnenuntergang.

Erst jetzt sickerte in Jules Bewusstsein, worum es tatsächlich ging. Sie rief sich den Blick aus dem Küchenfenster vor Augen. Das freundliche Wiegen des Weizens, das milde Licht, die aufgeklappte Allee. Mitten in das leicht ansteigende Feld setzte sie in Gedanken zehn große Windräder. Mit einem Schlag verloren Feld, Wald und Allee ihre Seele. *Exit* Landschaft, *enter* Windpark.

Jule sah ihren romantischen Garten, den Blauregen, die Stachelbeersträucher, die Himbeerhecke, die Wiesenblumen, die sie beim Mähen sorgfältig verschonte, und sie sah, wie gewaltige Schatten in gnadenlosem Takt über alles hinwegstrichen. Wie sie die Farben abtrugen. Die Vögel verscheuchten. Die Idylle in Scheiben schnitten. Zehn Meter weiter die grässliche Autowerkstatt, die brennenden Autoreifen, das Tier von nebenan. Erstaunt registrierte Jule ein feines Glühen irgendwo tief in ihrem Inneren. Ein erster Funke von Kampfbereitschaft.

Gerhard gab einen Laut der Überraschung von sich und deutete mit dem Kinn nach vorn. Dort war eine junge Frau aufgestanden, höchstens 25 und damit jünger als Jule. Eine ungewöhnliche Erscheinung in dieser Umgebung, lange blonde Haare, auffälliges blaues Kleid mit tiefem Ausschnitt.

»Mein Name ist Linda Franzen.«

Ihre Stimme klang heiser und war trotzdem bis in den hintersten Winkel zu verstehen. Jule bewunderte ihren Mut, vor dem versammelten Dorf zu sprechen. Gleichzeitig fragte sie sich, warum sie diese Linda noch nie gesehen hatte. Es konnte nur bedeuten, dass sie erst kürzlich zugezogen war. Also nach Sophies Geburt.

»Obwohl ich noch nicht lange hier lebe, kann ich jetzt schon sagen, dass ich Unterleuten liebe. Das soll mein Zuhause werden. Ich habe die Stadt verlassen, weil ich …«

Sie zögerte und hob beide Hände, nicht um Gott anzurufen, sondern um sich das Haar aus dem Gesicht zu streichen.

»Weil ich den Wahnsinn dort nicht mehr ertrug. Ich will meine Ruhe.«

Linda Franzen zeigte mit ausgestrecktem Arm auf die Projektion an der Wand, eine moderne Jeanne d'Arc im blauen Kleid.

»So etwas wird in Städten beschlossen und auf dem Land gebaut. Jeder weiß, dass die Dinger nichts taugen. Damit wird einfach nur Geld verdient auf Kosten der Steuerzahler. So etwas brauchen wir hier nicht!«

Sie setzte sich unter anhaltendem Beifall.

»Wer ist das?«, fragte Jule leise.

»Das ist die Neue«, sagte Gerhard, ohne das Applaudieren zu unterbrechen. »Aus der Villa Kunterbunt.«

Erstaunt blickte ihn Jule von der Seite an.

»Du meinst die Pferdezüchterin? Der du die Koppelzäune verbieten willst?«

Gerhard antwortete nicht. Er nickte im Takt seiner klatschenden Hände.

8 Wachs

Als Linda sich wieder setzte, nahm Frederik sie in den Arm. Er küsste sie auf die Wange und spürte, wie heiß ihr Gesicht war. Das konnte sie: auf eine Weise reden, dass alle zuhörten. Bei ihrem Pferdetraining dauerte es keine fünf Minuten, bis die Kunden an ihren Lippen hingen. Frederiks Eindruck war, dass auch die Pferde ihr zuhörten, jedenfalls drehten sie die Ohren immer in Lindas Richtung. Sie war überzeugt, dass ihre Methode bei allen Lebewesen funktionierte, und inzwischen glaubte Frederik das auch. Als sie beschlossen hatte, das Pferdeflüstern zum Beruf zu machen, hatte er sich anfangs heimlich über sie amüsiert. Bis sie eines Tages in eine Situation gerieten, in der ihm das Lachen verging.

Sie waren gerade nach Berlin gezogen und kamen eines Nachts von einer Party zurück, als ihnen am Kottbusser Tor drei Halbstarke den Weg versperrten. Sie standen vor der Tür zur U-Bahn-Station; Frederik und Linda wollten zum Bahnsteig hinauf. Offensichtlich ging es darum, Ärger zu machen, einfach so. Ist das deine Freundin, leih uns die doch mal, dann lassen wir dich in Ruhe. Zweimal versuchte Frederik, an den Typen vorbeizukommen, dann hatte ihn der kleinste an der Jacke gepackt. Frederik hob beide Hände und wollte sich abwenden, aber es war zu spät. Sie hatten ihn von drei Seiten eingekeilt. Wer nicht hören will, muss fühlen.

Da machte Linda plötzlich einen Ausfallschritt. Sie hatte den Kleinen als Anführer der Gruppe identifiziert, fasste ihn am Ärmel und zog ihn mit einem kleinen Ruck auf sich zu. Die unerwartete Bewegung brachte ihn aus dem Gleichgewicht. Im selben Augenblick hob Linda die Hand, und der Kleine versuchte instinktiv, nicht gegen sie zu taumeln, und verlagerte sein Gewicht nach hinten. Als sie vortrat, wich er aus. Starr blickte sie ihm in die Augen, tat einen weiteren Schritt nach vorn, dann noch einen, der Typ ging weiter rückwärts, als vollführten sie einen Tanz. Frederik erinnerte sich an den Gesichtsausdruck des Kleinen. Die Aggression war verschwunden und hatte einer Art Entspannung Platz gemacht; die Unterlippe hing leicht herab. Linda hielt an, auch der Kleine blieb stehen. Mit einem deutlichen Ausatmen ließ sie die Spannung sinken und bedankte sich, wie sie es auch bei ihren Pferden tat: »Ja. Gut. Danke schön.« Dann wartete sie, bis der Kleine ihr die Tür zur U-Bahn-Station öffnete, und betrat gemeinsam mit Frederik das Gebäude.

Sie hatten nie darüber gesprochen, was am Kottbusser Tor passiert war. Für Linda schien es nichts Besonderes gewesen zu sein. Vermutlich hatte sie die Situation noch nicht einmal als riskant empfunden, weil sie, wie Frederik wusste, mit dem Begriff Risiko nicht viel anfangen konnte. In Lindas System existierten verschiedene Stufen der Beherrschbarkeit, und wenn die Beherrschbarkeit verloren ging, musste ein Geschehen unverzüglich beendet werden, ganz einfach. Einer ihrer Leitsätze, die sie einem schrecklichen Buch namens »Dein Erfolg« entnahm, lautete sinngemäß: »Macht ist die Antwort auf die Frage, wer wen bewegt.« Anders als Frederik hatte Linda nie daran gezweifelt, dass es sich bei dem, was sie tat, um ein echtes Handwerk handelte. Ihr Beruf bestand darin, Wesen zu bewegen, die hundertmal stärker waren als sie. Inzwischen bewunderte Frederik ihre

Technik. Allerdings nur bis zu einer gewissen Grenze. Dahinter begann der Irrsinn. Das Projekt Konrad Meiler war dabei, diese Grenze hinter sich zu lassen.

Noch während applaudiert wurde, neigte sich Meiler zur Seite und sagte Linda etwas ins Ohr, wobei er einen weiteren Blick in ihren Ausschnitt warf. Inzwischen musste er die Form ihrer Brüste aus dem Gedächtnis zeichnen können. Den ganzen Tag hatte sich Linda um ihn gekümmert. Seit dem Moment, als Meiler in seinem Angeberauto auf der gekiesten Einfahrt von Objekt 108 vorgefahren war, entfaltete sich vor Frederiks Augen eine Choreographie, der er zuerst mit Faszination, dann mit wachsendem Ekel zusah.

Vom Wohnzimmerfenster hatten sie gemeinsam beobachtet, wie Meiler bei ausgestelltem Motor am Steuer sitzen blieb und verschiedene Schalter und Regler betätigte wie der Pilot eines Airbus, der einen komplizierten Computer herunterfahren muss, bevor er aussteigen darf. Dann schwang die Fahrertür auf, und ein gut geputzter Schuh wurde auf den Kies der Einfahrt gestellt. Meiler blickte sich um, unsicher, ob er das richtige Haus erwischt hatte. Zögernd näherte er sich dem Eingang und stieg die Stufen hinauf. Gerade als er feststellte, dass es keine Klingel gab, öffnete Linda die Tür von innen. Erschrocken trat Meiler einen Schritt zurück. Lindas Lächeln signalisierte kein Willkommen, sondern Freude über ihren ersten Sieg.

Sie führte ihn durchs Haus, durch den Garten, schritt jeden Meter des Grundstücks mit ihm ab, navigierte ihn hierhin und dorthin. Sie kam ihm zu nah, so dass er auswich, fasste seinen Arm, um den Meiler-Körper in eine neue Richtung zu drehen, ließ ihn zurücktreten und führte ihn gleich darauf wieder nach vorn. Meiler hörte zu, gehorchte, ließ geschehen. Erst wirkte er verwundert, dann verunsichert, schließlich schien er sich pudelwohl zu fühlen. Ohne jede

Scham betrachtete er Lindas Dekolleté, das offensichtlich zu diesem Zweck dargeboten wurde. Währenddessen erläuterte Linda ihre Pläne. In schillernden Farben ließ sie die künftige Pferdezucht entstehen, aufgebaut auf der DNA eines Wundertiers namens Bergamotte. Ausführlich schilderte sie, wie die Nebengebäude zu Stallungen ausgebaut würden, wo das Heu lagern sollte, in welcher Ecke sie eine Pferdewaschanlage plante. Zwischendurch ließ sie ihm Zeit, den romantischen Anblick der wilden Brombeeren zu bewundern.

Einstweilen tat Frederik dieses und jenes, immer in der Nähe, um das seltsame Paar im Auge zu behalten. Meiler war kleiner als Linda und fast kahl. Rund wie eine Bowlingkugel saß der von Sonne und Blutdruck gerötete Kopf auf dem kurzen Hals. Obwohl es heiß war, gab er das karierte Freizeit-Sakko nicht aus der Hand. Vielleicht glaubte er, dass Himmel, Horizont und hohes Gras von einem Mann wie ihm verlangten, mit über die Schulter geworfenem Jackett in ihrer Mitte zu stehen.

Die ganze Szene war schwer zu ertragen. Aber Frederik respektierte, dass Linda ihre Interessen durchsetzte. Dass der Kerl, den sie einwickeln musste, ein besonders widerliches Modell darstellte, war nicht ihre Schuld.

Den Blick über Meilers Land, das direkt an den Garten von Objekt 108 grenzte und in Pferdeweiden umgewandelt werden sollte, hatte sich Linda für den Schluss aufgehoben. Nebeneinander stützten Meiler und sie die Arme auf den Bretterzaun, der die Grundstücksgrenze markierte. Dahinter streckte sich eine weite Wiesenfläche, über die Wolkenschatten zogen, als grasten dort bereits die Zukunftsgeister von Bergamottes Nachkommenschaft. Alles, was Meiler jetzt sehen konnte, gehörte ihm. Nachdenklich ging sein Blick über den Landstrich hin. Man sah ihm an, dass er etwas fühlte, auch wenn unklar blieb, was das war.

Linda wandte sich zu Frederik um, machte eine unbestimmte Geste, die vermutlich »so weit, so gut« bedeuten sollte, und ließ Meiler für ein paar Minuten allein, damit in Ruhe wirken konnte, was sie ihm eingeträufelt hatte. Als Frederik sie in den Arm nehmen wollte, schob sie ihn weg und erteilte Anweisungen: Weißwein, Kartoffelsalat, anschließend Kaffee und Kuchen. Stand alles in der Küche bereit, nur noch anrichten und unter den Robinien servieren. Linda wirkte angespannt, aber nicht unzufrieden. Frederik verschwand wie befohlen im Haus, um den Imbiss vorzubereiten.

Nebenan war Karl im Garten damit beschäftigt, die Holzkonstruktion seines Tipis neu zu streichen. Er trug eine Weste und Shorts aus Wildleder. Das lange, schwarz gefärbte Haar hatte er zum Pferdeschwanz gebunden. Die Außenhaut des Tipis bestand aus Segeltuch und war innen isoliert, den Boden hatte Karl mit Fellen ausgelegt. In der Mitte eine Feuerstelle. Selbst im Winter verbrachte er die Nächte im Freien. Einmal hatte er geräucherten Rehrücken herübergebracht, der phantastisch schmeckte und, wie Karl mit einem Augenzwinkern betonte, unmittelbar aus der Region stammte. Frederik fragte sich, wer eigentlich verrückter war: Karl mit seinem Indianer-Spleen oder Linda, die eine generalstabsmäßige Offensive plante, um einem steinreichen Unternehmensberater ihren Willen aufzuzwingen. Immerhin hielt Frederik es für möglich, dass sie tatsächlich gewonnen hatte. Als er mit dem Tablett in den Garten kam, saßen Meiler und Linda einträchtig wie alte Freunde unter den Bäumen. Frederik deckte auf, goss Weißwein ein, verteilte den Salat. Das Hausmädchen zu spielen machte ihm nichts aus. Das war Teil von Lindas Inszenierung, die mit jeder Geste sagte: Die Chefin bin ich.

Dann aber fiel ihm auf, dass Meiler jede seiner Bewegungen mit geradezu wissenschaftlichem Interesse registrierte. Sein Blick war nicht mitleidig oder gar verächtlich, sondern anerkennend, amüsiert und ein wenig gerührt. Es war die Miene eines Profis, der Nachwuchskünstlern bei einer ambitionierten Darbietung zusieht.

Mit einem Mal wusste Frederik, was passieren würde. Meiler war nicht hier, um sich von irgendetwas überzeugen zu lassen. Er genoss Sonne, Salat und sorgfältig in Szene gesetzte Brüste, aß mit Appetit und freute sich an Lindas Eifer. Danach würde er sie kaltlächelnd ins offene Messer rennen lassen. Beim nächsten Blickkontakt signalisierte Meiler mit breitem Lächeln, dass er erkannt hatte, dass Frederik ihn durchschaute. Offensichtlich gefiel ihm die Anwesenheit eines Zuschauers.

Frederik wollte Linda warnen, aber es war zu spät. Nachdem alle den Kuchen probiert und gelobt hatten, lehnte sie sich zurück, schlug nach Männerart ein Bein mit abgespreiztem Knie über das andere, wobei der Rock fast ihren gesamten Oberschenkel freilegte, und fragte:

»Und, Herr Meiler, gefällt es Ihnen hier?«

»Ganz ausgezeichnet.« Meiler nickte im Takt seiner Kaubewegungen.

»Als Firmengründer haben Sie natürlich ein besonderes Gespür dafür, was es bedeutet, sich eine Existenz aufzubauen.«

»Absolut.« Meiler nahm den nächsten Schluck Kaffee und ließ seine Augen wohlwollend auf Linda ruhen.

»Dann sind Sie bereit, mich zu unterstützen.«

»Wenn ich kann.«

Über Lindas Gesicht ging ein Lächeln reinsten Triumphs. Mit gewaltiger Kraftanstrengung hatte sie den Gedanken an den Brief der Vogelschützer, über den sie am Morgen außer sich geraten war, beiseitegedrängt und sich auf das

Projekt Konrad Meiler gestürzt, kühl und konzentriert wie eine Leistungssportlerin. Jetzt beging sie den Fehler, vor der Ziellinie die Arme hochzureißen. In aller Unschuld erwiderte Meiler ihr strahlendes Lächeln. Frederiks Eingeweide zogen sich vor Hass zusammen.

»Wunderbar.« Linda hielt Meiler ihr Weinglas entgegen. Er stieß mit ihr an.

»Dann müssen wir uns nur noch über den Preis unterhalten«, sagte sie.

»Preis für was?«

Linda hielt inne, das Glas vor dem Gesicht. Offensichtlich fragte sie sich, ob er tatsächlich so begriffsstutzig sein konnte.

»Für die vier Hektar, die ich Ihnen abkaufen möchte.«

»Aber, Frau Franzen.« Meiler biss in seinen Kuchen. »Ich habe Ihnen doch gesagt, dass ich nicht verkaufe.«

»Meinten Sie nicht gerade eben, dass Sie bereit wären, mich zu unterstützen?«

»Ich sagte: Wenn ich kann. Verkaufen kann ich nicht, und das wissen Sie bereits.«

Frederik sah, wie Linda ausatmete und sich verbot, gleich wieder Luft zu holen. Jetzt würde sie langsam bis dreißig zählen, bevor sie den nächsten Atemzug tat. Auch Gefühle unterdrücken gehörte zu ihrem Selbsterziehungsprogramm. Anscheinend hielt »Dein Erfolg« irgendeine Technik dafür bereit.

Das Kunststück gelang. Linda rastete nicht aus. Sie schrie Meiler nicht an. Sie fragte nicht einmal, was zum Teufel er überhaupt hier wolle. Jede seiner Antworten hätte sie nur weiter erniedrigt. Stattdessen griff sie nach dem Kuchenteller.

»Darf ich Ihnen noch ein Stück anbieten?«

Meiler ließ sich Kaffee nachschenken und vertilgte ein

zweites Stück Kuchen. Offensichtlich schmeckte es ihm, die Landluft machte hungrig.

Wenig später spülte Frederik in der Küche Geschirr, als Linda hereinkam. Sie reichte ihm einen Autoschlüssel. Auf den zweiten Blick erkannte er, dass der Schlüssel nicht zum Frontera, sondern zu einem Mercedes gehörte.

»Geh vors Haus und schütte ihm zwei Liter Wasser in den Tank.«

Entgeistert starrte Frederik sie an.

»Das ist nicht dein Ernst.«

Linda schnappte sich zwei leere Mineralwasserflaschen und füllte sie an der Spüle.

»Davon geht der Wagen nicht kaputt«, sagte sie. »Ich will nur, dass Meiler noch ein paar Stunden in Unterleuten bleibt.«

»Wozu denn? Hast du nicht gehört, was er gesagt hat?«

»Wenn ›nein‹ immer ›nein‹ heißen würde, gäbe es keinen Fortschritt auf der Welt.«

»Linda, der Typ ist eiskalt.«

»Und ich?«, fragte sie.

Darauf wusste Frederik keine Antwort. Er nahm die Wasserflaschen und ging über den Flur zum Wintergarten, vor dem die Angeberkarre parkte. Nachdem er den Inhalt beider Flaschen in den Tank geleert hatte, schloss er wieder ab und hoffte, dass das Zwitschern der Zentralverriegelung nicht bis in den Garten zu hören war. Er hatte ein mulmiges Gefühl. Nicht das Auto machte ihm Sorgen, sondern Linda. Sie übertrieb. In Bezug auf Meiler, aber auch ganz allgemein. Mit dem Haus, dem Dorf, ihren Zukunftsplänen. Seit sie Objekt 108 übernommen hatten, lief sie mit zu hoher Drehzahl. Ihre Augen und Lippen glänzten wie im Fieber. Sie schlief wenig und aß wie eine Maschine. Wenn Frederik sie einfing und festhalten wollte, begann sie nach wenigen

Sekunden in seinen Armen zu zappeln, wand sich los und lief davon.

Jetzt saß sie neben ihm in diesem viel zu heißen Tanzsaal und tuschelte weiter mit Meiler, statt den Mann, der ihren Herzenswunsch mit Füßen getreten hatte, zum Teufel zu jagen. Frederik wusste nicht einmal, was sie bei der Versammlung wollten. Glaubte Linda wirklich, Meiler könnte sich wie durch ein Wunder doch noch in ihren Wohltäter verwandeln? Weil er die Gelegenheit bekam, Unterleuten beim Dorf-Sein zu beobachten, und das Ganze irgendwie lustig fand? Weil die Fritten gut schmeckten und Linda beeindruckende Spontanvorträge hielt?

Vermutlich fehlte ihr einfach die Exit-Strategie. Sie konnte nicht akzeptieren, verloren zu haben, weil Niederlagen in ihrem Weltbild nicht vorkamen. Und wenn es um Bergamotte ging, war sie noch sturer als sonst. Unbeirrt ging sie weiter auf dem eingeschlagenen Weg, als müsste man nur lang genug gegen Mauern rennen, um irgendwann ans Ziel zu kommen. Bergamotte war eine Obsession. Für dieses Pferd hatten sie ein Haus am Ende der Welt gekauft. Für das Pferd schüttete Frederik einem Unternehmensberater Wasser in den Tank und verbrachte den Abend zwischen grölenden Dörflern bei einem Vortrag über erneuerbare Energien. Er hatte niemals befürchtet, ein anderer Mann könnte ihm Linda wegnehmen. Sein wahrer Widersacher stand auf einer Weide in der Nähe von Oldenburg, ließ das cremefarbene Fell in der Sonne leuchten und warf wiehernd den Kopf hoch, wenn Linda auftauchte, um ihn zu besuchen. Manchmal stellte Frederik sich vor, wie Linda von einem sadistischen Erpresser mit vorgehaltener Waffe gezwungen wurde, sich zwischen ihrem Freund und ihrem Pferd zu entscheiden. Deutlich konnte er vor sich sehen, wie sie ihm einen bedauernden Blick zuwarf und die Arme um den muskulösen Hals des Pferdes legte.

Eine Zeitlang hatte Frederik massive Lust verspürt, Bergamotte einen mit Rattengift versetzten Eimer Hafer auf die Wiese zu stellen. Als der Drang schier unwiderstehlich wurde, suchte er Rat in der größten Selbsthilfegruppe der Welt, dem Internet. Er gab »Frau« und »pferdeverrückt« als Suchbegriffe ein und klickte sich durch eine hirnzersetzende Mischung aus Reitermagazinen, Kontaktanzeigen und Pornoangeboten, bis er schließlich auf www.reiterrevue.de ein Forum fand, das unter der Überschrift »Rossfrauen« genau sein Problem behandelte. Die exakte Übereinstimmung zwischen seinen eigenen Erfahrungen und dem, was er dort las, ließ ihn nicht mehr los. Die meisten Diskutanten waren Männer. Alle lebten mit einer Reiterin zusammen. Alle fanden es demütigend, öffentlich zuzugeben, dass sie auf einen stinkenden Vierbeiner eifersüchtig waren. Alle zweifelten gelegentlich am eigenen Geisteszustand, was jedoch nichts an den Fakten änderte: Ihre Frauen liebten das jeweilige Pferd mehr als sie.

Dass die Teilnehmer »man(n) muss wissen« schrieben, nervte Frederik nicht weniger als das weibliche Pendant »frau weiß nie« in feministischen Quasselgruppen. Trotzdem hatten seine Schicksalsgenossen recht mit ihrer Analyse. Der Kern des Problems bestand darin, dass »man(n)« mit einer fremden Spezies konkurrieren musste. Man(n) konnte von Natur aus nicht größer, schneller, behaarter, muskulöser sein als ein Pferd. Jede Form von Wettkampf war chancenlos.

Deshalb hatte das Forum eine Verteidigungsstrategie entwickelt, der Frederik, wie er im Nachhinein glaubte, das Fortbestehen seiner Beziehung verdankte. Ausgangspunkt war eine simple Erkenntnis: Einen Feind, den man nicht besiegen konnte, musste man lieben lernen. Das Konzept hieß »distanzierte Anteilnahme« und bestand aus einem Set von klaren Verhaltensregeln.

Zeige niemals Eifersucht, geschweige denn Ablehnung, Kritik oder auch nur Zweifel am Pferd. Mach dich aber auch nicht mit dem Pferd gemein. Versuch nicht, reiten zu lernen. Lass dich nicht zum Stallburschen erziehen. Beschränke deine Stallbesuche auf maximal vierzehntägige Frequenz. Reagiere gelassen, wenn man deinen Respekt vor einem 600 Kilo schweren Muskelpaket als Feigheit verspottet. Merke dir Grundbegriffe aus Reiterei und Pferdekunde und platziere sie maßvoll und beiläufig in euren Gesprächen. Hör zu, wenn dir die Rossfrau vom Pferd erzählt, auch wenn es eine Stunde dauert. Lobe die Fortschritte von Pferd und Rossfrau, auch wenn du nichts davon siehst. Komm nicht auf die Idee, dich an Stallfreundschaften der Rossfrau zu beteiligen; diese werden sich ohnehin über kurz oder lang in bösartige Intrigen auflösen. Beschwere dich nicht über den Geruch der Rossfrau und auch nicht über ihre Stiefel, die vor der Heizung trocknen. Schenke ihr zu jedem Geburtstag eine Regen-, Sommer-, Fliegen-, Thermo- oder Abschwitzdecke, ohne zu fragen, warum das Pferd mehr Jacken braucht als du. Dass der Reitsport schweineteuer und saugefährlich ist, weiß jeder. Es bringt nichts, das Offensichtliche zu wiederholen. Und zum Schluss: Nicht du bist verrückt, sondern die Rossfrau. Liebe sie trotzdem, es ist deine.

Das Konzept distanzierter Anteilnahme gab Frederik den Humor zurück. Die Forumsteilnehmer tauschten Anekdoten über völlig verhaarte Waschmaschinen oder von Lederzeug besetzte Garderoben aus. Jede Anekdote endete allerdings mit der Feststellung, warum es sich trotzdem lohnte, eine Rossfrau zu lieben: Ihr Hintern blieb bis ins hohe Alter straff, sie wollte keine Kinder und ging nicht fremd.

Irgendwann hörte Frederik auf, das Forum zu besuchen. Der quälende Eindruck, Beziehungsprobleme ohne Beziehung zu haben, hatte sich in Luft aufgelöst. Von nun an betrachtete er Bergamotte als das wichtigste Mittel, um Linda glücklich zu machen. Zu seiner eigenen Überraschung stellte er fest, dass er dem Pferd gegenüber sogar eine Art Sympathie entwickelte. Als Linda Bergamotte in Oldenburg zurückließ, um Frederik nach Berlin zu folgen, stellte diese Entscheidung mangels Krieg schon keinen Sieg mehr dar.

Der Fall war klar: Frederik konnte nicht ohne Linda leben und Linda nicht ohne Bergamotte, also brauchten sie einen Ort, an dem die Rechnung aufging. In diesem Sinne war Unterleuten eine bewohnte Pferdeweide und Objekt 108 der Anbau eines Pferdestalls. Frederik hatte nichts gegen Unterleuten und nichts gegen das Haus, auch wenn er nie verstehen würde, warum man ein Gebäude mit so vielen Fenstern ausstattete, dass sich nirgendwo ein vernünftiger Schrank hinstellen ließ. Seine Heimat aber befand sich in der Stadt, genauer gesagt, an einem Schreibtisch mit Monitor und fußläufigem Zugang zu Dönerbude, Tabakladen und Kneipe, möglichst auch nachts um halb vier. Dass er trotzdem bereit war, seine berufliche Zukunft zu verpfänden, um einem Pferd ein Haus zu kaufen, hatte er dem Konzept distanzierter Anteilnahme zu verdanken.

Während im Saal gelacht wurde, ohne dass Frederik den Witz verstanden hatte, begann er langsam zu begreifen, warum ihm das Projekt Konrad Meiler solches Unbehagen bereitete. Er war in der Lage gewesen, es mit einem Pferd aufzunehmen. Aber ein Haus oder gar ein ganzes Dorf durch distanzierte Anteilnahme zu besiegen, überstieg seine Kräfte. Lindas Pläne hatten die ursprüngliche Idee, ein Zuhause für Bergamotte zu schaffen, längst hinter sich gelassen. Sie drehte frei. Sie folgte blind den Anweisungen ihres verrückten Lieblingsbuchs, das Frederik nie gelesen hatte, weil schon die Kapitelüberschriften Brechreiz verursachten. »Moral ist für die Schwachen«, »Die Kosten-Nutzen-Bilanz der Gefühle«. Das Projekt Konrad Meiler würde in die Katastrophe führen. In Berlin liefen nicht wenige Leute herum, die nach erfolglosem Ausstiegsversuch zurück in die Stadt gezogen waren. Gescheitert waren sie nicht an einstürzenden Dächern oder vollgelaufenen Kellern, sondern an den Nachbarn. Was Dorfangelegenheiten betraf, gab es eigentlich nur ein Rezept: Raushalten. Das musste er Linda beibringen, und zwar schnell, bevor sie über ihrem Fanatismus den Verstand verlor.

Gerade strich sie Meiler über den kugeligen Glatzkopf, als müsste sie eine Fliege verjagen, was dieser lächelnd geschehen ließ. Frederik sah, dass sie vor Nervosität am ganzen Körper bebte und zwischen den Atemzügen die Luft anhielt, um ihren Herzschlag künstlich zu verlangsamen. Bei einer Dorfversammlung als Erste den Mund aufzumachen stellte das Gegenteil von Raushalten dar. Dass sie ihre Ansprache nur gehalten hatte, um Meiler zu beeindrucken, machte die Sache nicht besser. Frederik nahm sich vor, bei nächster Gelegenheit ein ernstes Gespräch mit ihr zu führen.

Auf der anderen Seite des Saals stand ein Mann auf. Lindas Finger gruben sich in Frederiks Unterarm.

»Das ist der Mistkerl«, flüsterte sie aufgeregt. »Der will mir die Koppelzäune verbieten.«

Groß gewachsen und schlank, mit elegant angegrauten Haaren bot der Mann eine angenehme Erscheinung, wenn er auch zu nervös wirkte, um wirklich gutaussehend zu sein. Er stellte sich als »Gerhard Fließ von der Vogelschutzwarte« vor und hob einen langen Arm, um sich mit dem Taschentuch die Stirn zu wischen. Neben ihm saß eine junge Frau, hielt ein Baby auf dem Schoß und schaute zu ihrem Mann auf, als schickte der sich an, das Evangelium zu verkünden. Die Sorte Frauen kannte Frederik und hatte sie schon zu Schulzeiten nicht gemocht. Sie färbten ihr Haar mit Henna und batikten ihre Kleider und glaubten deshalb, dass sie auf der guten Seite der Welt standen, und zwar immer.

»Meine Vorrednerin hat etwas sehr Kluges geäußert«, sagte Gerhard Fließ und deutete mit einer vagen Bewegung in Lindas Richtung. »Projekte wie dieses werden in Städten beschlossen, von Leuten, die mit den örtlichen Gegebenheiten nicht vertraut sind.«

»Siehst du, er lobt dich«, flüsterte Frederik beruhigend und streichelte Lindas Handrücken, um danach vorsichtig ihre Finger aus seinem Unterarm zu lösen.

»In der Tat. Seltsam.«

Linda nickte nachdenklich und verschränkte die Arme vor der Brust. Ihr Tonfall verriet, dass das Ziel, ein wenig Ruhe in die Unterleuten-Sache zu bringen, in rasendem Tempo in immer größere Ferne rückte.

9 Gombrowski, geb. Niehaus

»Das europäische Vogelschutzreservat Unterleuten ist eins der letzten Einstandsgebiete der Kampfläufer. Gleichzeitig bietet die Unterleutner Heide Lebensraum für einzigartige Bestände an Rotmilanen, Störchen, und, wie die Anwesenden wahrscheinlich wissen, seit dem Jahr 2006 sogar für ein Pärchen Seeadler. Neuere Studien beweisen, dass Windkraftanlagen erhebliche Auswirkungen auf Brut-, Gast- und Zugvögel haben.«

»Herr Fließ...«, begann der Junge mit der Nickelbrille. Pilz hieß er wohl; Elena hatte nicht besonders gut aufgepasst. Seit der Vogelschützer sprach, streichelte der Pilzjunge seinen Beamer, als handelte es sich dabei um ein Exemplar der so gut wie ausgestorbenen Kampfläufer.

»Zum einen geht es um das Unfallrisiko. Das Rotorblatt eines Windrads trifft mit 230 km/h auf den Körper eines Zugvogels. Da bleibt nicht viel übrig.«

Im Saal reagierten einige weibliche Stimmen mit erschrockenen Ausrufen. Der Vogelschützer machte eine Kunstpause, um den Effekt wirken zu lassen. Sofort nutzte der Pilzjunge die Gelegenheit.

»Herr Fließ«, sagte er in sein Mikrofon, »Sie wissen so gut wie ich, dass diese Studien umstritten sind.«

»Zum anderen«, der Vogelschützer wurde lauter, »gibt

es die Scheuchwirkung auf rastende Vögel. Gänse, Schwäne und Watvögel meiden die Umgebung von Windkraftanlagen.«

»Die Vento Direct«, sagte der Pilzjunge, ebenfalls lauter, »räumt Naturschutzbelangen höchste Priorität ein.«

»Wenn die Vögel ihre Rastplätze verlieren, verliert Unterleuten seine Vögel!«

»Herr Fließ, hören Sie auch mal zu?«

»Hör du doch zu!« Das war Oma Rüdiger. Neben ihr begann Opa Margot zu applaudieren. Halb erhob er sich dabei von seinem Platz in der ersten Reihe und wandte sich dem Saal zu, um auch die anderen zum Klatschen zu animieren. Ein paar Unterleutner fielen ein, hörten aber bald wieder auf, als klar wurde, dass die Schwelle zu einem echten Applaus nicht überschritten würde. Aber wenn Oma Rüdiger entschieden hatte, dass der Vogelschützer vielleicht ein Fremder, aber immer noch weniger fremd als der Pilzjunge war, würde es ohnehin nicht lange dauern, bis Ärger losbrach.

»Nirgendwo im Land gibt es noch Kampfläufer«, fuhr der Vogelschützer fort. Offensichtlich hatte er Übung darin, zu tauben Ohren zu sprechen. »Nur hier. 33 Individuen.«

»Unsere Standortplanung wurde naturschutzrechtlich geprüft. Ich versichere Ihnen …«

»Die Kampfläufer machen uns zu etwas Besonderem«, rief der Vogelschützer, bemüht, die Mikrofonstimme des Pilzjungen zu übertönen. »Dafür schulden wir ihnen Schutz!«

»So ist es! Die armen Vögel!«, rief Oma Rüdiger.

Dieses Mal klappte es, der anfeuernde Tonfall tat seine Wirkung. Applaus brach los. Auch Elena klatschte mit. Ihre Arme und Hände machten sich selbstständig, als gehorchten sie immer noch dem Zentralkomitee.

Dabei war natürlich klar, dass sich keiner der Anwesenden für Kampfläufer interessierte. Die Vogelschützer waren Sonderlinge, belächelt, solange sie mit ihren Ferngläsern und Photoapparaten durchs Unterholz krochen, verflucht, wenn sie sich in die Bauvorhaben der Dorfbewohner einmischten. Als Elena bemerkte, dass Gombrowski neben ihr über fest verschränkten Fingern vor sich hin brütete wie beim Weihnachtsgottesdienst, ließ sie das Klatschen in ein Händereiben übergehen, strich den Stoff ihres Rocks glatt und schob die Hände unter die Oberschenkel.

»Regenerative Energiegewinnung«, sagte der Pilzjunge in den Applaus hinein. »Das entspricht dem Willen der Landesregierung. Das kommt von ganz oben.«

»In den Vögeln wohnen die Seelen der Toten.« Karl, der Indianer, hatte sich für seinen Redebeitrag vom Stuhl erhoben und mit ruhiger Stimme gesprochen. Mit einer kleinen Verbeugung setzte er sich wieder hin. Normalerweise lachte das Dorf über ihn; jetzt wurde geklatscht.

»Genug gelabert!« Das war die Stimme von Lorenz, der in derselben Reihe saß wie Elena und bereits drei leere Bierkrüge unter seinem Stuhl stehen hatte. Die Aussicht auf leicht verdienten Applaus holte auch jene, die nichts zu sagen hatten, von ihren Stühlen.

»Keiner hier will deine Scheiße!«, brüllte Thomas, der Bäcker. Jede Nacht musste er um Viertel nach drei das Haus verlassen, damit er um vier Uhr früh in seiner Backstube in Plausitz stand. Ab sieben am Abend zählte er die Minuten des verbleibenden Nachtschlafs und wurde immer nervöser. Jetzt war es fast neun.

»Die Vogelschutzwarte Unterleuten wird dieses Vorhaben nicht zulassen«, sagte der Vogelschützer und setzte sich unter anhaltendem Beifall.

»Sie begreifen nicht, dass die Windenergie auf jeden Fall kommt, ob Sie wollen oder nicht«, sagte der Pilzjunge. »Ich bin hier, um gemeinsam mit Ihnen den besten Weg zu finden.«

»Bester Weg am Arsch!« Thomas fuchtelte in der Luft herum.

Auch Lorenz reckte die Faust.

»Wir zeigen dir den besten Weg! Und zwar vor die Tür!«

Damit erntete er die finale Lachsalve, der Saal schmolz im Getöse zu einer siedenden Masse. Daniel, Timmy und Mark waren auf den Beinen, stießen sich gegenseitig in die Seiten und drängten nach vorn. Hugo, der in der Nähe saß, packte Timmy am Hosenbund und versuchte, ihn zurück auf seinen Stuhl zu ziehen.

»Steffen«, rief Arne, »du kriegst jetzt sofort deine Leute in den Griff.«

»Hinsetzen!«, brüllte Steffen mit einer Stimme, die daran gewöhnt war, ganze Baustellen zu beschallen.

Elena war froh, dass sie auf ihren Händen saß. Andernfalls hätte sie sich vor Schreck die Ohren zugehalten, und dann hätte Gombrowski ihr sein schweres, weiches Gesicht zugewandt und sie ärgerlich angesehen.

Sie ertrug kein Geschrei und schon gar keine Gewalt. Jedes laute Wort erschütterte sie bis ins Mark, jede erhobene Faust fuhr ihr direkt in die Eingeweide. Im Lauf der Jahre hatte sich Elena in ein Auffangbecken für böse Worte und rüde Gesten verwandelt. Jede Form von Brutalität floss in ihre Richtung. Beschimpfungen, Drohungen, Schläge meinten immer sie. Als Püppi ins Trotzalter gekommen war und anfing, ihrem Papa Widerworte zu geben, hatte Elena gelernt, die gesamte zerstörerische Energie von Gombrowskis Wut auf sich selbst zu lenken. Fuhr eine Hand durch die Luft, stand Elena im Weg, um dem Streich eine Richtung zu geben. Es wurde zu ihrer Lebensaufgabe, Ursache und Ziel aller Gewalt zu sein, weil jeder Schlag, der sie traf, ihre Tochter verschonte.

Inzwischen lebte Püppi in Freiburg, meldete sich selten und kam noch seltener zu Besuch. Selbst wenn Elena nie wieder etwas von ihr gehört hätte – sie war dankbar für jeden Kilometer, der ihr Kind von Unterleuten trennte.

Heute gab es eigentlich wenig Grund, sich vor Gombrowski zu fürchten. Das Alter beruhigte ihn. Er gab sich Mühe, ihr im Haushalt möglichst wenig zur Last zu fallen. Er beschränkte Hildes Besuche auf die Nachmittage, an denen Elena zum Doppelkopf mit dem Frauenclub verabredet war, und beseitigte sämtliche Spuren, bevor sie zurückkam. Mit Fidi konnte er sogar richtig zärtlich sein, was ihm gegenüber Frau und Tochter nie gelungen war. Trotzdem konnte Elena nicht aufhören, ihn als tickende Zeitbombe zu betrachten. Als er sie einmal am Sonntag mit Frühstück im Bett überraschte, hatte sie keinen Bissen heruntergebracht. Je durchdringender er sie ansah, desto größer wurde ihre Angst. Sie rechnete damit, er würde ihr jeden Augenblick die Kanne mit heißem Kaffee auf den Kopf schlagen. Als er ihr endlich das kaum berührte Tablett abnahm und das Schlafzimmer verließ, bebte sie unter der Bettdecke von Kopf bis Fuß.

Bis heute war es ihr nicht gelungen, ihrem Schweigen den vorwurfsvollen Klang abzugewöhnen. Wenn sie sich aufrichtete, verlangte ihr Körper, sich gleich wieder wegzuducken. Sobald irgendwo ein Mann wütend wurde, hörte sie hinter sich ein kleines Mädchen weinen.

Steffen musste kein zweites Mal laut werden, seine Zementpanscher saßen schon wieder auf ihren Plätzen. Die beiden Richards waren Richtung Gastraum verschwunden und kamen mit einem Rad Schnäpse zurück. Stühle wurden zurechtgerückt, Kleidungsstücke geordnet. Arne schüttelte den Kopf und sortierte seine Unterlagen. Der Pilzjunge hatte den Beamer losgelassen, lehnte am Tisch und schob sich mit dem Mittelfinger die Brille auf der Nase hoch. Offensichtlich machte ihm der Tumult nicht das Geringste aus. Elena schaute ein zweites Mal hin – tatsächlich wirkte er nicht verängstigt oder auch nur erschöpft. Eher gelangweilt wie ein Schauspieler, der in einem hundertmal gespielten Stück auf den nächsten Einsatz wartet.

»Bitte, Herr Pilz«, sagte Arne, und der Junge dankte lässig mit zwei erhobenen Fingern.

»Wie bereits erwähnt, arbeitet die Vento Direct eng mit den Naturschutzbehörden zusammen. Aber auch andere Belange wie Anwohnerschutz, Landschaftsschutz und die Flugsicherheit der Luftwaffe werden berücksichtigt. Auf dieser Grundlage werden Windeignungsgebiete ausgewiesen, in denen es nicht zu einer Verletzung berechtigter Interessen kommen kann.« Er beugte sich über seinen Laptop und drückte eine Taste. »Sie sehen hier eine Flurkarte der Region.«

»Endlich wird's interessant«, murmelte Gombrowski.

Wie so oft suchte Elena vergeblich nach einer passenden Antwort. Es war nicht so, dass sie die Dinge, mit denen er sich beschäftigte, nicht verstand. An heißen Tagen sorgte sie sich um das Getreide, und bei Regen fielen ihr die Kartoffeln ein. Aber ihr Kopf brachte keine Sätze hervor, die sie hätte sagen können. Der Kopf nickte, wenn Gombrowski gute Nachrichten brachte, und wippte bekümmert von einer Seite zur anderen, wenn es Probleme gab. Gern wäre Elena für ihren Mann eine kompetente Gesprächspartnerin gewesen. Insgeheim hatte sie immer verstanden, was er an Hilde fand. Hilde legte ihre kleinen Fäuste auf die Tischplatte und sagte: »Das können wir nicht dulden«, oder: »Da muss man abwarten«, oder: »Hauptsache, die Bilanzen stimmen«. Sie widersprach Gombrowski, sie pflichtete ihm bei, sie machte Vorschläge, und manchmal lachte sie ihn aus. Im Grunde hatte Elena nichts dagegen, dass Gombrowski seit Eriks

Tod für Hildes Unterhalt aufkam. Sie wollte nur nicht wissen, warum er das tat. Sie wollte der Frau nicht begegnen und mit der ganzen Sache nichts zu tun haben. Insgeheim aber glaubte sie, dass Hildes Existenz und ihre eigene Bereitschaft, diese Existenz zu dulden, auf geheimnisvolle Weise das Fundament ihrer Ehe bildeten.

»Man erkennt nichts«, sagte Christina, die Kindergärtnerin.

»Heller machen«, rief das Mädchen im blauen Kleid, das vorhin schon gesprochen hatte.

»Größer«, kam es von Jakob oder Norbert, deren Stimmen zum Verwechseln ähnlich klangen. Die anderen LPG-Veteranen stimmten ein: »Hier gibt's Leute, wo die Sehkraft nicht zum Besten steht!«

Gombrowski hatte sich vorgebeugt. Er stützte seine großen Hände auf die Knie und starrte mit zusammengekniffenen Augen auf die Projektionswand.

»Die bunt schraffierten Bereiche sind Gebiete, die für Windkraft nicht infrage kommen. Wegen des Vogelschutzgebiets scheiden große Teile der Unterleutner Heide aus. Zu jedem Wohngrundstück ist ein Abstand von tausend Metern einzuhalten. Zudem benötigt ein Windpark nach dem Gesetz eine zusammenhängende Fläche von zehn Hektar oder mehr. Wie Sie sehen, bleibt da nicht viel übrig.«

»Wir sehen überhaupt nichts«, rief Gombrowski ungeduldig.

Sein Bass vibrierte in Elenas Zwerchfell. Vorne blickte Arne auf und hob nickend eine Hand, als hätte Gombrowski ein Grußwort an ihn gerichtet. Mit einem Fingerschnippen wies er Internet-Jochen an, sich um die Schärfeeinstellung des Beamers zu kümmern.

Eine Pause trat ein, in der Gombrowski und Arne einander musterten. Seit Gombrowski dafür gesorgt hatte, dass

Arne Bürgermeister wurde, unterhielten sie eine komfortable Freundschaft. Arne begleitete Gombrowskis Projekte mit genehmigungsfreundlichem Wohlwollen; Gombrowski sorgte alle vier Jahre für Arnes Wiederwahl. Man traf sich regelmäßig zum Skat. Heute aber herrschte dicke Luft. Schon auf dem Weg zur Dorfversammlung hatte Gombrowski darüber geschimpft, dass Arne ihn nicht über das Thema des Abends informiert hatte. Die Spannung zwischen den beiden war so auffällig, dass die Umsitzenden zu tuscheln begannen. Elena hörte, wie Oma Rüdiger halblaut sagte: »Bei Gombrowskis hängt der Haussegen schief« – und wusste, dass nicht sie und Gombrowski, sondern Arne und Gombrowski damit gemeint waren.

Nachdem Jochen eine Weile an den Reglern herumgefummelt hatte, ohne dass sich die Lesbarkeit des Plans verbessert hätte, klopfte Arne ihm zum Dank auf den Arm und entließ ihn mit einem weiteren Fingerschnippen. Wieder hatte der Pilzjunge geduldig gewartet, bis die Dörfler mit ihrem Unsinn fertig waren, und nahm dann erneut das Mikrofon zur Hand.

»Ich werde Ihnen den Plan erklären. Das hier ist das große Waldgebiet zwischen Unterleuten und Plausitz. Hier die Unterleutner Heide, da das Beuteler Bruch. Dies sind die Dörfer Beutel, Groß Väter und Unterleuten.« Der Schatten des Pilzjungenzeigefingers fuhr über die Wand, machte halt, wanderte weiter. »Entlang des Waldrands sehen Sie einen Streifen, der nicht zu den Sperrgebieten zählt. Es handelt sich also um ein sogenanntes Eignungsgebiet. Aber der Wind kommt bei Ihnen meistens aus Südost. Deshalb sind die erwarteten Erträge an dieser Position nicht besonders hoch.«

Gombrowskis Stuhl folgte dem Gewicht des massigen Körpers, der sich immer weiter vorlehnte, und balancierte bereits auf den Vorderbeinen. Es sah aus, als bereitete er sich am Beckenrand auf einen Kopfsprung vor. Schließlich holte er Luft und stieß zwei Wörter aus:

»Schiefe Kappe.«

»Besser geeignet ist das Gebiet westlich der Unterleutner Landstraße.« Der Zeigefingerschatten verschwand, während sich der Pilzjunge die Brille richtete, und tauchte wieder auf, um ein Rechteck an die Wand zu malen. »Hier befindet sich ein Eignungsgebiet von etwa achtzehn Hektar. Der Flurabschnitt heißt Schiefe Kappe.«

»Da gucken wir direkt drauf«, rief eine aufgeregte weibliche Stimme; gleich darauf begann ein Kind zu schreien.

Die Frau des Vogelschützers verließ mit dem Baby den Saal. Ihr Mann hatte die Hände an die Schläfen gelegt und schüttelte ungläubig den Kopf. Als Gombrowskis Stuhl krachend auf die Hinterbeine zurückfiel, zuckte Elena zusammen wie von einem Schuss getroffen.

10 Seidel

Es hätte schlimmer laufen können. Am Nachmittag war Pilz auf einen Kaffee in der Waldstraße vorbeigekommen, um die letzten Absprachen für die Versammlung zu treffen. Dabei hatte er ein wenig aus seinem Berufsleben erzählt. Mit einem fliegenden Bierkrug müsse man immer rechnen, und letzte Woche sei er in Storchow fast verprügelt worden. Das berichtete Pilz ohne Wut oder Angst, er lachte nicht einmal. Er schaute nur immer weiter geradeaus durch seine runde Brille, als säße er in einem Berliner Konferenzraum bei einem langweiligen Montagsmeeting.

Der Junge sah aus wie ein Idiot, war aber Profi. Kaffeetrinken mit Provinzbürgermeistern und Wirtshausschlägereien gehörten zu seinem Job. Seit sechs Monaten waren er und sein Beamer im Auftrag der Vento Direct unterwegs, in über vierzig Dörfern war er aufgetreten. Inzwischen sei ihm, wie er selbst erklärte, nichts Menschliches mehr fremd.

Wieder einmal dachte Arne, dass sich die Zeiten geändert hatten. Die jungen Leute von heute besaßen erstaunliche Talente. Zum Beispiel ungeheure Effizienz bei vollständiger Abwesenheit von Humor. Einem wie Pilz ging es nicht mehr ums gute Leben, es ging nicht einmal um Geld. Was diese Generation antrieb, war der unbedingte Wunsch, alles richtig zu machen. Keine Fehler zu begehen und dadurch unangreifbar zu werden. Das kapitalistische System pflanzte einen Angstkern in die Seelen seiner Kinder, die sich im Lauf ihres Lebens mit immer neuen Schichten aus Leistungsbereitschaft panzerten. Heraus kamen Arbeitszombies, die keine Angst davor hatten, von einem Dorfmob aufgemischt zu werden. Was waren ein paar gebrochene Rippen gegen den Horror, die Erwartungen der Firma nicht zu erfüllen?

Armes Würstchen, dachte Arne, hielt aber den Mund.

Immerhin hatte er guten Gewissens versprechen können, dass es in Unterleuten nicht zu einer Schlägerei kommen würde. So waren seine Schäfchen nicht. Natürlich gab es immer wieder Reibereien, die der Bürgermeister zu schlichten hatte. Die Leute waren in der Lage, sich wegen eines angeblich vom Nachbarn angefahrenen Zaunpfahls in die Haare zu kriegen. Es konnte vorkommen, dass ein Siebzigjähriger einer Sechzigjährigen wegen einer kleinen Katze den Krückstock auf den Kopf schlug. Aber letztlich waren das Lappalien. Unter Leuten, die daran gewöhnt waren, ihre Angelegenheiten selbst zu regeln, ging es eben manchmal etwas rau zu. Natürlich gab es auch haufenweise Legenden, die dabei halfen, sich gegenseitig verdächtig zu finden. Wie Gombrowski mit seiner LPG-Umwandlung das halbe Dorf betrogen habe. Wie es bei dem schrecklichen Unwetter, in dem Erik sein Leben und Kron die Beweglichkeit eines Beins verloren hatte, nicht mit rechten Dingen zugegangen sei. Wer alles für die Stasi gearbeitet habe.

Derlei Blödsinn diente der Unterhaltung. Den meisten Menschen fiel es schwer zu akzeptieren, dass das Leben eine Mischung aus alltäglicher Langeweile und sinnlosen Tragödien war. Sie vermuteten hinter jedem Ereignis das planvolle Wirken einer übergeordneten Macht. Wenn nicht Gott, dann Gombrowski. Die einzige Person, die tatsächlich für die Staatssicherheit tätig gewesen war, hatte Arne seinerzeit besser gekannt, als ihm lieb gewesen wäre – und das hatte keine Klatschtante der Welt vorhergesehen. Der Rest war Humbug. In Wahrheit waren die Unterleutner viel zu anständig, um sich bei einer Versammlung auf einen Einzelnen zu stürzen. Das hatte er Pilz erklärt, und Pilz war es vollkommen gleichgültig gewesen.

In allen Ecken des Saals wurde gemurmelt und geflüstert wie in einer Schulklasse, die der Lehrer für ein paar Minuten verlassen hat. Arne musste nicht zuhören, um zu wissen, worüber die Leute sprachen. Auf der verwaschenen Projektion an der Wand ließ sich unmöglich erkennen, welche Flurstücke die Windeignungsgebiete genau umfassten. Auf die Schnelle konnte also niemand wissen, wem die Flächen gehörten, um die es ging. Die Unschärfe stellte keinen Zufall dar. Selbst das Drehen an den Einstellungen des Beamers war Teil einer sorgfältigen Inszenierung. Im Lauf der vergangenen Monate hatte der erstaunliche Herr Pilz eine Methode entwickelt, nach der er seine Arbeit tat.

Pilz war ein paar Schritte zur Seite getreten und lehnte an der Wand, während er darauf wartete, dass sich die Zuhörer müde diskutierten. Bei Steffens Jungs war es schon so weit, sie starrten mit leerem Blick vor sich hin und hatten den Anschluss an das Geschehen verloren. Die LPG-Veteranen debattierten. Gombrowski trug eine versteinerte Miene zur Schau. Der Vogelschützer sah aus, als hätte er gerade seine ganze Familie bei einem Terroranschlag verloren. Der würde Ärger machen, so viel stand fest. Auf die anderen wartete nach viel Peitsche das Zuckerbrot. Auch das gehörte zu Pilz' Strategie, die er Arne beim Kaffeetrinken offenbart hatte. Es galt, die Ablehnung bis zum kritischen Punkt zu steigern, dann die Wut verrauchen zu lassen und anschließend Argumente nachzulegen, die das ganze Projekt alternativlos erscheinen ließen. Auf diese Weise entstand der Eindruck, es handele sich um eine komplexe Materie mit einer gewissen Ausweglosigkeit. Das verwirrte die Leute. Pilz brauchte keine Zustimmung, er brauchte nur Resignation. Arne kam aus dem Staunen nicht mehr heraus. Der Junge sprach wie die Bundeskanzlerin.

Zu regenerativen Energien vertrat Arne keine persönliche Meinung, aber eins wusste er mit Sicherheit: Die Gemeindekassen waren leer. Den Kindergarten bedrohte die Schließung, Groß Väter und Beutel brauchten neue Bürgersteige, und die Feuerwehr war seit Langem von Spenden abhängig. In der letzten Gemeinderatssitzung hatten sie darüber diskutiert, die Straßenbeleuchtung aus Kostengründen nach Mitternacht abzuschalten. Damit noch mehr Katzen überfahren würden. Eines Tages wäre dann auch mal ein Betrunkener dabei. Pilz hatte eine einfache Kalkulation im Gepäck. Ein Windpark brachte pro Megawatt bis zu 13 000 Euro Gewerbesteuer im Jahr. In Unterleuten waren zehn Kraftwerke mit insgesamt fünfzehn Megawatt denkbar. Das Ergebnis ließ sich im Kopf ausrechnen. Sicherheitshalber hatte Arne einen Taschenrechner benutzt. Die Einkünfte würden die bescheidenen Mittel des Dorfs fast verdoppeln.

Eigentlich hatte sich Arne nie zur Politik berufen gefühlt. Die glücklichste Zeit seines Lebens verdankte er vielmehr der Fähigkeit, den Mund zu halten. Als junger Mann hatte er sich in der DDR zum Veterinäringenieur ausbilden lassen und nach dem Studium eine Anstellung in der LPG »Gute Hoffnung« bekommen. Deshalb war er im Jahr 1979 nach Unterleuten gezogen, wo man ihm ein schönes Haus in der Waldstraße zuwies, das seit der Fluchtwelle im sozialistischen Frühling leer stand. Er kümmerte sich um den Großviehbestand der LPG, setzte das Haus instand und heiratete Barbara, die den LPG-Kindergarten leitete. Obwohl sich herausstellte, dass sie keine eigenen Kinder bekommen konnten, war Arne zufrieden. Er mochte Unterleuten, und er mochte seinen Job. Weil er sich wie die meisten Menschen im Dorf nicht für Politik interessierte, gab es wenig Berührungspunkte mit dem System. Man schimpfte auf die Bonzen aus Berlin und hielt im richtigen Moment den Mund.

Zu einem nicht unwesentlichen Teil bestand Arnes Arbeit darin, Kälber zur Welt zu bringen und alte oder kranke Tiere zu töten. Fast täglich überquerten Lebewesen unter seinen Händen die Schwelle zwischen Leben und Tod in die eine oder andere Richtung. Mit der Zeit entwickelte Arne ein entspanntes Verhältnis zur eigenen Existenz. Dass er sterblich war, erschien ihm nicht als Dilemma. Für Arne war das Älterwerden eine Straße, auf der er freiwillig voranschritt.

Bis zur Wende. Monatelang glaubte Arne, selbst diese Entwicklung gehe ihn nichts an. Schließlich interessierten sich Geburt und Tod nicht für Kommunismus oder Kapitalismus, sondern bestanden darauf, in jedem beliebigen System stattzufinden. Irgendwie würde es schon weitergehen. Dann aber stellte sich heraus, dass die neue Bundesrepublik Arnes Abschluss als Veterinäringenieur nicht anerkannte. Gombrowski versuchte alles, um ihn zu behalten, musste aber am Ende einsehen, dass er einen Mann ohne Berufsabschluss nicht als Tierarzt beschäftigen konnte. Plötzlich hatte Arne kein Geld mehr, dafür viel freie Zeit. Zum ersten Mal spürte er das Fehlen von Kindern wie ein gleichförmiges Brummen im Kopf.

Das Brummen wurde zu einem schrillen Ton, als Barbara von ihrem Besuch in einem Westberliner Krankenhaus nach Hause kam. Weil sie seit einiger Zeit an Migräne litt, war sie auf Arnes Drängen in die Charité gefahren, hatte die Maschinen bestaunt und im Scherz gefragt, ob man Patienten mit diesen Geräten in die Zukunft verschicke, um dort Diagnosen erstellen zu lassen. Von ihrer persönlichen Zeitreise kehrte sie mit einem Todesurteil zurück. Bösartig. Inoperabel. Prognose unklar.

Arne nahm ihr übel, wie schnell sie starb. Als hätte sie es eilig, von ihm wegzukommen. Er hatte genug Tiere in den Tod begleitet, um zu wissen, wie es aussah, wenn ein Wesen kämpfte. Barbara kämpfte nicht. Es war, als hätte ihr die untergehende DDR ein Loch in den Kopf gebohrt, durch das sich ihre Seele geräuschlos davonstahl. Arnes Liebe, Arnes Fürsorge, Arnes verzweifelte Versuche, sie zurückzuholen, nahm sie einfach mit ins Nichts.

»Lass mich doch gehen«, sagte Barbara. Dann ging sie.

Als er vier Wochen später die Sachen seiner verstorbenen Frau sortierte, fand er zwischen den Seiten eines Buchs eine Notiz, welche die Worte »Bericht« und »Magdalena« sowie Zeit und Ort für ein Treffen enthielt. Einen Abend lang saß er vor dem ausgeschalteten Fernseher. Am nächsten Tag forderte er seine Akte an.

»Magdalena« war fleißig gewesen. Sie hatte nicht nur die betrieblichen Abläufe in der »Guten Hoffnung« dokumentiert. Nicht nur die Kinder in der KiTa gefragt, was bei ihnen zu Hause geredet wurde. »Magdalena« hatte auch ihren Ehemann bespitzelt. Arne saß im Lesesaal der Gauck-Behörde, während um ihn herum die Welt versank. Vor ihm lagen Protokolle von Gesprächen, die er mit Barbara geführt hatte. Auflistungen seiner Vorlieben und Abneigungen. Ein Stundenplan seines Tagesablaufs. Die Buchstaben verschwammen auf dem Papier, als sich seine Augen mit Tränen füllten. Eine Mitarbeiterin der Behörde näherte sich mit den sanften Schritten einer Krankenschwester und fragte, ob sie etwas für ihn tun könne. Stumm schüttelte er den Kopf. Er wollte nach Hause. Bis ihm einfiel, dass er kein Zuhause mehr besaß.

Weil ihm nichts anderes übrig blieb, fuhr er trotzdem zurück nach Unterleuten, legte sich auf die Couch und stand nicht mehr auf. Er hatte geglaubt, Barbaras Tod habe eine Leere hinterlassen. Jetzt lernte er, was echte Leere war. Es spielte keine Rolle, dass er seine Frau nicht mehr zur Rede stellen konnte. Er wusste auch so, was sie gesagt hätte. Dass man sie unter Druck gesetzt hatte. Dass es darum ging, ihr gemeinsames Leben zu bewahren. Dass sie ihn beschützt hatte, indem sie nur Positives oder Belangloses über ihn berichtete. Das alles hätte sie Arne unter Tränen erzählt, und zu allem Überfluss wäre es nicht einmal gelogen gewesen. Sie hätte alles versucht, damit Arne ihr verzieh, und am Ende hätte er sich noch als Unmensch fühlen müssen, weil er ihr unmöglich verzeihen konnte. So gesehen war es gut, dass sie tot war. Was dem Krebstod nicht gelungen war, hatte der Verrat mit Leichtigkeit geschafft – er hatte Arne die Frau genommen.

Mit einem Mal wurde Arne klar, dass sein munteres Voranschreiten niemals etwas mit Freiwilligkeit zu tun gehabt hatte. Jetzt wollte er umkehren. Er wollte zurück ins Jahr 1979, genauer gesagt, zurück zu dem Tag, an dem er seinen ersten Spaziergang durchs Dorf unternahm. Plötzlich hatte eine Frauenstimme aus vollem Hals »Kathrin! Kathrin!« geschrien. Gleichzeitig war ein kleines Mädchen die Dorfstraße hinuntergerannt, einer Katze nachjagend, im Jagdfieber taub gegen alle Rufe, mit fliegenden blonden Locken und flatterndem Kleid. Die Frau, die gerufen hatte, hielt ein Baby auf dem Arm und hatte einen großen Bollerwagen bei sich, in dem zehn weitere Kinder saßen. Arne lief der rennenden Kleinen ein Stück entgegen, parierte ihr Ausweichmanöver und fing sie ein. Das Mädchen wand sich, strampelte und schrie, während er es zu seiner Betreuerin zurückbrachte. Einen Augenblick standen sie sich gegenüber, und die kleine Kathrin in Arnes Armen fühlte sich plötzlich an wie ein gemeinsames Kind.

Arne wollte ins Jahr 1979 zurück, um in diesem Augenblick nicht zu lächeln. Er wollte Barbara nicht die Hand geben und nicht seinen Namen nennen. Er wollte sie eine Woche später nicht zum Tanzen in den Märkischen Landmann einladen. Er wollte sie nicht heiraten. Stattdessen wollte er eine andere Frau kennenlernen, mit der er Kinder kriegen konnte und die ihn nicht erst verraten und dann verrecken würde.

Die schreckliche Einsicht bestand darin, dass es gleichgültig war, was er wollte. Für Arne würde es weitergehen, ohne Kinder, ohne Frau, ohne Job, mit anderen Worten, ohne den geringsten Sinn.

Er blieb auf der Couch. Gelegentlich schlief er, gelegentlich stand er auf, ging auf die Toilette, holte sich ein Glas Wasser oder durchstöberte die Schränke nach Essbarem. Am zehnten Tag erkannte er sich nicht mehr im Spiegel. Er hatte abgenommen. Hose und Hemd hatten sich in stinkende Fetzen verwandelt, das Haar klebte ihm am Schädel, ein ungepflegter Bart bedeckte sein Gesicht. Er staunte, wie schnell sich ein Mensch in ein Gespenst verwandeln konnte. Sein Erstaunen nahm er mit auf die Couch.

Bis Gombrowski dreimal klopfte und dann die Tür eintrat. Er zerrte Arne vom Sofa und schüttelte ihn wie eine Puppe. Dabei schrie er: »Du hast sie wohl nicht mehr alle.«

Mehr hatte er zu Arnes Unglück nicht zu sagen. Wenn Arne ehrlich war, traf der Satz seine Lage nicht einmal schlecht.

Gombrowski schleifte ihn zum neuen Auto, um ihn ins neue Geschäftsführerbüro der neuen Ökologica GmbH zu verfrachten. Dort wartete Hilde, die schwarz trug wegen Eriks Tod und einen Schirm dabeihatte, damit ihr der blaue Himmel nicht auf den Kopf fiel. Gombrowski und Hilde eröffneten Arne, dass er sich als Bürgermeisterkandidat zur

Wahl stellen und gewählt werden würde. Arne widersprach nicht. Das Gespräch dauerte keine zehn Minuten. Im Anschluss daran ging Arne zu Fuß nach Hause und duschte.

Seitdem versuchte er, der beste Bürgermeister der Welt zu sein. Der Dienst am Dorf hatte ihm das Leben gerettet, also widmete er sein Leben dem Dorf. Was nicht immer einfach war. In Unterleuten gab es keine Kanalisation, die Straßen besaßen keine Bürgersteige, und die Dorfbeleuchtung stammte noch aus der DDR. Sämtliche Versuche, etwas an den Zuständen zu ändern, waren am Widerstand der Unterleutner gescheitert. Streng genommen hatte Arne während seiner gesamten Amtszeit nur ein einziges Projekt realisiert, nämlich den Bau einer Trinkwasserversorgungsanlage, welche Unterleuten die Unabhängigkeit vom Plausitzer Zweckverband sicherte. Auf einer üppigen Wiese zwischen Unterleuten und Groß Väter stand ein Horizontalfilterbrunnen modernster Bauart. Arne fuhr gern dorthin, um nach dem Rechten zu sehen, besonders, wenn er traurig war.

Herr Pilz beendete seine Kunstpause. Er stieß sich von der Wand ab, ging betont langsam zum Tisch, nahm das Mikrofon in die Hand, ordnete das Kabel, überprüfte den Beamer, sah auf die Uhr. Er zog sein Vorbereitungstheater in die Länge, bis es im Saal stecknadelstill war. Wieder dachte Arne, wie merkwürdig die Jugend von heute veranlagt war. Pilz konnte nicht älter als 30 sein und besaß die Abgeklärtheit eines alten Haudegens.

»Verehrte Damen und Herren, liebe Zuhörer.« Sein Tonfall hatte sich geändert. Er klang, als spräche er an diesem Abend zum ersten Mal mit dem Publikum. »Zur Vermeidung von Missverständnissen möchte ich Ihnen gleich vorweg ein paar wichtige Informationen liefern. Nach Bundesgesetz ist die Errichtung von Windkraftanlagen im Außenbereich privilegiert zulässig. Trotz des hohen umweltpolitischen Nutzens der Windenergie bedarf es allerdings einer räumlichen Steuerung, um Konflikte mit anderen Nutzungen und Belangen, insbesondere dem Schutz von Natur und Landschaft, zu minimieren. Die überörtliche Steuerung von Windenergieanlagen erfolgt durch die Ausweisung von Eignungsgebieten in den Regionalplänen. Unterleuten gehört zum Bereich Prignitz-Oberhavel. Zuständig sind also die regionalen Planungsgemeinschaften, welche wiederum von den Landkreisen und kreisfreien Städten gebildet werden.«

Pilz lächelte, und in diesem Lächeln lag das ganze Wissen darüber, dass niemand im Raum ein einziges Wort verstand.

»Soll heißen, *nicht* zuständig sind die Gemeinden. Auch nicht Ihr netter Bürgermeister, Herr Arne Seidel.«

Wieder machte Pilz eine Pause, als müsste er überlegen, wie er den Sachverhalt noch nachvollziehbarer zusammenfassen könnte.

»Das Wesentliche wird nicht in Unterleuten entschieden. Nicht einmal in Plausitz. Sondern in Neuruppin.«

Der Saal schwieg. Die Menschen waren daran gewöhnt zu hören, dass sie nichts zu entscheiden hatten. Seltsamerweise löste diese Ansage keine Wut, sondern schlechtes Gewissen aus. Arne kannte das Phänomen und hatte darüber nachgedacht. Vielleicht fanden sie es peinlich, dass sie überhaupt für eine Sekunde auf die Idee verfallen waren, eine Stimme zu besitzen. Oder sie schämten sich, weil sie nichts gegen die Entmachtung unternahmen. Am wahrscheinlichsten aber war, dass sich das schlechte Gewissen auf ihre heimliche Erleichterung bezog. In Wahrheit war jeder froh, wenn er nichts entscheiden und folglich auch nichts verstehen musste. Auf diese Weise ersparte man sich das anstrengende Nachdenken über komplizierte Sachverhalte und behielt trotzdem das Recht, sich nach Herzenslust zu beschweren. Arne spürte, wie sich die Leute bereit machten, den Rest des

Vortrags zu verdösen, um nachher vor der Tür lautstark auf Die-da-oben zu schimpfen.

»Im Rahmen der Regionalpläne«, sagte Pilz, »bleibt den Gemeinden die Möglichkeit, die ausgewiesenen Eignungsgebiete zu konkretisieren.«

Übersetzt bedeutete das: Bauen würde die Vento Direct auf jeden Fall. Die Frage war nur, wo.

»Ein paar Worte zu den Abläufen. Die Gemeinde stellt einen Bebauungsplan auf, wenn sie den von uns projektierten Windpark ermöglichen will. Sie alle hier sind befugt, an diesem Planungsverfahren mitzuwirken. Lassen Sie mich jetzt erklären, warum regenerative Energien in Ihrem eigenen Interesse sind.«

Nun würde die frohe Botschaft folgen. Arne hörte auf, in seinen Unterlagen zu blättern, und lehnte sich zurück, um seinen Schäfchen ins Gesicht zu sehen. Ganz links saß Kathrin, die Tochter von Kron. Jenes Mädchen, dass er eingefangen und zu den anderen Kindern zurückgebracht hatte, an dem Tag, als er Barbara zum ersten Mal sah. Inzwischen eine schöne Frau. Auf ihrem Schoß das zappelnde Krönchen. Als Kathrin merkte, dass Arne sie ansah, senkte sie den Kopf. Es gehörte zu ihren Eigenheiten, sich ständig für irgendetwas zu schämen.

Vor dreißig Jahren waren Barbara und Arne für Kathrin wie Ersatzeltern gewesen. Das kleine Mädchen wuchs ohne Mutter auf, und Kron tat sich als Vater oft schwer. An den Nachmittagen hatte Arne die Kleine gern mit in die LPG genommen. Sie liebte die Kühe und ging ihm bei der Arbeit zur Hand, so gut sie konnte. Bis heute hatte er nicht aufgehört, Kathrin auf besondere Weise zu mögen. Ihr war das unangenehm, besonders, weil sie Zaun an Zaun wohnten und sich täglich sahen, seit Kathrin mit ihrem Mann Wolfi nach Unterleuten zurückgekehrt war. Manchmal machte Arne sich einen Spaß daraus, sie in Verlegenheit zu bringen. Wenn sie abends mit Wolfi auf ein Bier in den Märkischen Landmann kam, trat er von hinten an sie heran und hob sie an den Hüften hoch, wie er es getan hatte, als sie ein kleines Mädchen war. Sie kreischte noch genau wie damals, in einer Mischung aus Angst und Vergnügen, nach der Arne regelrecht süchtig war. Nach dem ersten Schreck wurde sie wütend und schickte ihn weg, mit einer kleinen Zornesfalte auf der Stirn.

Seltsamerweise hatte sich seine Zuneigung nicht auf Kathrins Tochter Krönchen übertragen, auch wenn die Kleine genauso aussah wie die junge Kathrin von damals. Aber sie besaß ein völlig anderes Naturell. Bei offenem Fenster im Arbeitszimmer hörte Arne regelmäßig, wie Krönchen im Nachbargarten spielte. Mit Spielzeugautos inszenierte sie nichts als tödliche Unfälle und mit ihren Puppen Krieg. War ein Elternteil in der Nähe, drangen unentwegt schrille »Guck mal! Guck mal!«-Rufe zu Arne herüber, abgelöst von »Geh weg!« und »Du nicht!«, wenn sich Wolfi oder Kathrin näherten. Krönchen war falsch, liebte Intrigen und spielte die Eltern gegeneinander aus. Arne war überzeugt, dass mit ihrem Charakter etwas nicht stimmte. Da sie derartige Defekte nicht von Kathrin haben konnte und Wolfi ein harmloser Trottel war, musste sich wohl das Genmaterial von Krönchens Großvater durchgesetzt haben.

Arne wandte sich zur anderen Seite und rückte sich so auf dem Stuhl zurecht, dass er den alten Kron ins Visier nehmen konnte. Er saß halb verborgen hinter den beiden Neuen, Frederik und Linda, die mit einem Unbekannten gekommen waren, vermutlich ein älterer Verwandter auf Besuch. Arne wollte sehen, wie Kron die nächsten Informationen aufnehmen würde.

»Ihrer Gemeinde würde der Windpark jährlich knapp 200 000 Euro Gewerbesteuer bringen«, sagte Pilz.

Auch wenn Kron entgegen den Gerüchten gewiss niemals mit der Stasi zusammengearbeitet hatte, besaß er ein paar Eigenschaften, die ihn unbequem machten. Er war ein Querulant, ein Störenfried. Außerdem ein guter Redner. Häufig erschien er als einziger Zuhörer bei den Gemeinderatssitzungen. Kron kritisierte Vergabeverfahren und verlangte Nachweise für verwendete Mittel. Sosehr sich Arne wünschte, mehr Menschen für seine Arbeit und die Belange der Gemeinde begeistern zu können – insgeheim gestand er sich ein, dass es besser voranging, wenn die Leute wegblieben. Bürgerbeteiligung war ein Name für die Einmischung von Leuten, die keine Ahnung hatten, jede Menge Ärger verursachten und am Ende darüber meckerten, dass sich alles in die Länge zog.

»Und der Eigentümer, auf dessen Grundstück die Kraftwerke gebaut werden, bekommt pro Anlage einen Pachtzins von 15 000 Euro im Jahr. Bei zehn Windrädern ergibt das ein hübsches Grundeinkommen.«

Der Saal reagierte mit Raunen.

»Außerdem fühlt sich die Vento Direct traditionell für ihre Standorte verantwortlich. Wir engagieren uns für lokale Belange. Spenden für die Feuerwehr gehören ebenso dazu wie die Unterstützung von Sportvereinen und Kindergärten. Und wenn mal ein Dorffest stattfindet, dann weiß die Vento Direct, dass man dazu das eine oder andere 50-Liter-Fass braucht.«

Der Jubel blieb aus, aber es protestierte auch niemand. Manche tuschelten, die meisten starrten vor sich hin. Gombrowski flüsterte aufgeregt mit Betty, die neben ihm saß. Auch ohne etwas zu verstehen, kannte Arne den Inhalt des Gesprächs. Betty erhielt gerade Anweisung, die Flurpläne einzusehen. Aus dem Kopf wusste Gombrowski genauso wenig wie die anderen, wem die Grundstücke auf der Schiefen Kappe gehörten.

Das Erstaunliche war, dass Kron ganz ruhig auf seinem Platz saß. Der Mund stand halb offen, und seinem Blick war anzusehen, dass der Verstand angestrengt nach einem Ansatzpunkt suchte. Im Stillen gratulierte Arne sich selbst. Die Geheimhaltungsstrategie hatte sich als goldrichtig erwiesen. Niemand hatte Zeit gehabt, sich auf das Thema Windkraft vorzubereiten. Kron war wie ein Messinstrument, das auf der Oberfläche der Öffentlichkeit schwamm und ihre Temperatur registrierte. Wenn Kron den Mund hielt, wusste auch sonst niemand, auf welcher Seite er stand.

11 Kron-Hübschke

»Reingehen und denen auf die Fresse hauen. Alle erschlagen wie räudige Hunde.«

Immer musste er übertreiben. Immer gleich aufs Maul, in die Fresse, vors Schienbein. Dabei wusste er doch selbst nicht, wen er überhaupt mit »alle« meinte. Gombrowski, klar, der war immer gemeint. Den sollte der Schlag treffen, der Teufel holen, die Pest erwischen. Aber sonst? Den kleinen Vento-Jungen, der sich sein erstes Aktienpaket verdiente? Oder Arne, den einzigen Menschen weit und breit, der es gut mit dem Dorf meinte und nicht immer nur an sich selbst dachte?

Wenn sich Kathrin an ihre Kindheit erinnerte, sah sie ihren Vater stets wütend oder mürrisch. Sie hatten niemals zusammen gelacht. Bis heute hielt Kron seine schlechte Laune für etwas Besonderes. Am liebsten pflegte er sie in aller Öffentlichkeit. Seiner Meinung nach plagte ihn kein alltäglicher Frust, sondern ein höherer Weltschmerz, der auf speziellen Kenntnissen über die Schlechtigkeit der Menschen beruhte. Kron glaubte, die Leute als Einziger so zu sehen, wie sie wirklich waren. Daraus folgte ein Leiden am Sein, das er seiner Umwelt präsentierte wie eine Trophäe. Da die Menschen sein Elend verursachten, sollten sie gefälligst auch hineinblicken wie in einen Spiegel.

Mit anderen Worten, Krons schlechte Laune hatte pädagogische Qualität. Das fand Kathrin so peinlich, dass sie sich unausweichlich zu einem sonnigen Gemüt verpflichtet fühlte. Um keinen Preis wollte sie in den Verdacht geraten, die demonstrative Miesepetrigkeit ihres Vaters geerbt zu haben.

»Stundenlanges Gelaber, und am Ende machen sie doch, was sie wollen. Das nennt sich dann Demokratie.«

Kron lehnte an der Mauer vor dem Märkischen Landmann, schwang seine Krücke und spielte Partisanenführer. Der einsame Kämpfer für die Gerechtigkeit. Nach Ende der Versammlung hatte Kathrin ihren Mann und Krönchen nach Hause geschickt und war vor dem Märkischen Landmann stehen geblieben, um den Vater zu beaufsichtigen.

»Dagegen hilft nur draufhauen.«

Schon als kleines Mädchen hatte Kathrin gelitten, weil Kron immer zu viel, zu laut und in belehrendem Tonfall redete. Mit den Jahren fing sie an, ihn besser zu verstehen. Er fühlte sich so allein, dass schon die bloße Existenz anderer Menschen einen Angriff darstellte. Im Grunde war seine schlechte Laune eine Art Selbstverteidigung. Niemand mochte Kron. Bis zur Wende hatte er als Hundertprozentiger gegolten, den das halbe Dorf für einen Stasi-Spitzel hielt. Seit dem Fall der Mauer nannte man ihn einen Vorgestrigen, der seine Irrtümer nicht einsehen wollte.

Das Verständnis für seine traurige Lage machte die Sache leider nicht besser. Die Scham wurde nicht kleiner, dafür wuchs das Mitleid – und damit der Schmerz. Es tat weh zu sehen, wie Kron im Kampf gegen Windmühlen die Faust reckte, den Mund aufriss und die Augen verdrehte. Wie er affektiert mit seiner Krücke fuchtelte, ohne die er niemals das Haus verließ. Eine tragbare Anklage. Manchmal wollte Kathrin ihrem Vater die Krücke entreißen und ihn anschreien. Dass er aufhören sollte, sich für etwas Besseres zu halten, und endlich anfangen, sich wie ein normaler Mensch zu benehmen.

Aber Kathrin schrie nicht. So sehr sie sich für ihn schämte, so sehr war sie ihm auch zu Dank verpflichtet. Als die Mutter kurz nach Kathrins zweitem Geburtstag die Familie verlassen hatte, war Kron von einem Tag auf den anderen zum ersten alleinerziehenden Vater der Region mutiert. Er hatte sein Leben umgekrempelt, um Kathrin die Mutter zu ersetzen. Neben seiner Arbeit in der LPG erledigte er den Haushalt, kochte, putzte, wusch die Wäsche. Die Tage verbrachte Kathrin bei Barbara im Kindergarten, nachmittags holte Kron sie ab, schob sie im Kinderwagen nach Hause, wickelte sie, badete sie, schnitt Hühnerbrust und Kartoffeln in winzige Stücke. Wenn Kathrin nachts ihre Hustenanfälle bekam, stand er stundenlang mit ihr vor dem offenen Kühlschrank, weil die kalte Luft die Bronchien beruhigte. Wenn ihr schlecht war, saß er an ihrem Bett, fütterte sie mit Salzkeksen und quirlte Kohlensäure aus der Vita-Cola. Nie würde sie seinen verletzten Blick vergessen, wenn sie wieder gesund war und als Erstes zu Arne und Barbara lief.

LPG, Hausarbeit und Tochter ließen Kron keine Zeit für eine neue Frau, und so wurde er immer älter und blieb allein. Dann kam die Wende, die alles durcheinanderwarf. Als Kron nach dem Waldunfall aus dem Krankenhaus kam, Gesicht und Oberkörper blau und verschwollen, das rechte Bein komplett in Gips, wurde Kathrin zur Mutter und er zum Kind. Das fünfzehnjährige Mädchen hielt den Vater im Arm, als er auf Eriks Beerdigung zusammenbrach. Sie sorgte dafür, dass er morgens das Bett verließ und abends eine warme Mahlzeit zu sich nahm. Als sie erfuhr, dass Gombrowski ihm ein großes Stück Wald überschreiben wollte und Kron sich weigerte, die Schenkung anzunehmen, schimpfte sie mit ihm, bis er sich endlich bereit erklärte, seinen Namen ins Grundbuch eintragen zu lassen. Seit Unfall und Umwandlung der LPG hatte Kron keine Arbeit mehr; die Invalidenrente reichte hinten und vorne nicht. Auf die Erträge des Walds waren sie bitter angewiesen.

Nach der Wiedervereinigung arrangierte sich Kathrin leicht mit dem neuen System. Sie wollte Abitur machen und Medizin studieren, sparte auf einen Computer und betrachtete die Zukunft als etwas, auf das sie ein Recht besaß. Kron hingegen bockte. Er wollte keine D-Mark, weigerte sich, den neuen Supermarkt in Plausitz zu betreten, und schimpfte über das Fernsehprogramm. Kathrin wurde erwachsen, während ihr Vater auf bestem Weg schien, sich in ein Kleinkind zurückzuverwandeln. Nach dem Studium kehrte Kathrin mit Wolfi nach Unterleuten zurück und akzeptierte eine Stelle am Krankenhaus in Neuruppin, obwohl sie im Westen viel mehr verdient hätte. Zweimal pro Woche schaute sie im Jagdhaus vorbei, überprüfte, ob sich etwas im Kühlschrank befand, und ermahnte Kron, sich den Bart zu stutzen, mehr Gemüse zu essen und vor allem um Himmels willen keinen Streit anzufangen.

»Dem ganzen verlogenen Pack die Ohren lang ziehen. Dann wissen sie, wo sie sich ihre Windräder hinstecken können!«

Rings um Kron hatte sich die übliche Gefolgschaft aus LPG-Veteranen versammelt. Wolfgang, Heinz und Norbert mit ihren Frauen, dazu Jakob, Ulrich und Björn. Gemeinsam bildeten sie einen kettenrauchenden Rentnerclub, zusammengeschweißt durch den festen Glauben, vom Leben betrogen worden zu sein. Wenn Kron irgendwo die Krücke schwang, waren seine Jünger nicht weit.

Aber auch ein paar ungewohnte Zuhörer waren stehen geblieben, um Krons Tiraden zu lauschen. Der Vogelschützer Fließ und seine Frau, die an ihrem Baby klebte, als stünde ein Bombenangriff bevor. Dazu die beiden Neuen, die seit ein paar Monaten in der Villa Kunterbunt lebten und ein bisschen aussahen wie Teenager, die von zu Hause weggelaufen waren. Etwas abseits stand der Fremde mit den teuren Schuhen, vermutlich ein Onkel der beiden, und tippte auf seinem Blackberry herum. Den Vorbesitzern hatte die heruntergekommene Villa kein Glück gebracht. Einer nach dem anderen war auf Kathrins Tisch in der Pathologie gelandet. Hirntumor, Schlaganfall, Selbstmord. Fehlte nur noch ein Autounfall, um das Quartett der beliebtesten Todesursachen zu komplettieren. Nach Meinung des Dorfs lastete ein Fluch auf der Villa Kunterbunt. Obwohl Kathrin nicht abergläubisch war, wünschte sie den Neuen Glück. Die beiden wirkten nett und normal, wie sie an der Mauer vor dem Landmann lehnten und Kron zuhörten. Solche Leute brauchte das Dorf. Kathrin fand, dass man jedem Normalen, der nach Unterleuten zog, ein Begrüßungsgeld zahlen sollte.

Vereinzelt kamen noch Gäste aus dem Landmann, die ein letztes Bier getrunken oder im Flur ein paar Worte gewechselt hatten. Sie musterten die Gruppe um Kron mit kurzem Blick und machten, dass sie weiterkamen. Arne, Gombrowski und der Windmühlen-Pilz waren noch nicht aufgetaucht. Vermutlich warteten sie drinnen, bis Kron seine Belagerung aufgegeben hatte und nach Hause gegangen war. Natürlich wusste der Bürgermeister, dass er bei den Dörflern mit Konfrontation nicht weiterkam. Zwar trugen die meisten das Herz auf dem rechten Fleck, aber stur waren sie alle, und Kron stellte im Reich der Sturköpfe den Kaiser dar. Kathrin mochte Arne für seine ruhige Art, für seine Selbstlosigkeit und dafür, dass er zuhören konnte. Als sie klein war, hatte sie in manchen Phasen mehr Zeit bei ihm und Barbara verbracht als zu Hause. Er hatte sie mit in die Ställe genommen, und manchmal durfte sie zusehen, wie er ein Kalb zur Welt brachte. Den lieben Gott hatte sie sich immer wie Arne vorgestellt, im Stroh kniend, von Eimern mit heißem Wasser und verschiedenen Zangen umgeben.

Irgendwann hatte Kathrin angefangen, sich in ihrem Zimmer einzuschließen, statt zu Arne zu laufen. Nicht dass sie aufgehört hätte, ihn zu mögen. Aber mit fünfzehn kam ihr die Freundschaft zu einem älteren Mann plötzlich unangebracht vor. Während des Studiums dachte sie nur noch selten an ihn, und es war allein dem Zufall geschuldet, dass sie direkt neben ihm einzog, als sie sich mit Wolfi für ein Leben in Unterleuten entschied.

Trotz ihrer Sympathie für Arne hielt Kathrin die Begegnungen am Gartenzaun möglichst kurz. Sie ertrug die Art nicht, wie er sie ansah. Sie ertrug seine Einsamkeit nicht und auch nicht den Gedanken daran, was Barbara ihm angetan hatte. In der Ausweglosigkeit der Kindheit war Arne ihr bester Freund gewesen. Nun hätte sie ihm in der Ausweglosigkeit des Alters beistehen müssen. Aber Kathrin hatte eine schwierige Tochter, einen Job in der Klinik, mit dem sie die Familie ernährte, weil Wolfi als Schriftsteller nichts verdiente, und einen Vater, der aller Welt Prügel androhte und zu Hause vergaß, den Herd auszuschalten. In ihrem Leben war einfach kein Platz für Arne und seinen sehnsüchtigen Blick. Dafür viel Platz für jede Menge schlechtes Gewissen.

»Wir lassen uns nicht mehr verarschen! Damit ist Schluss! Ein für alle Mal!«

In die Gruppe vor dem Landmann kam Bewegung. Das Mädchen aus der Villa Kunterbunt war ein paar Schritte vorgetreten und stand jetzt direkt hinter Kron. Sie schaute zur Seite, als beobachtete sie etwas auf dem gegenüberliegenden Bürgersteig, und ordnete mit erhobenen Armen ihren Pferdeschwanz.

»Mit Ruhe erreicht man mehr«, sagte sie. Dabei schaute sie nicht Kron an, sondern schien mit jemandem zu sprechen, der auf der anderen Straßenseite stand.

Die LPG-Veteranen starrten sie an wie eine Geistererscheinung. Normalerweise wagte es niemand, Kron in die Parade zu fahren. Alle Aufmerksamkeit konzentrierte sich jetzt auf die junge Frau, die sich unbefangen in der Mitte der Gruppe hielt und den Blick in unbestimmte Ferne richtete. Betont langsam drehte Kron sich um.

»Wer bist du denn?«

Mit dieser Frage hatte er zu lange gezögert, was sein traditionelles Duzen weniger unverschämt als hilflos klingen ließ.

»Ich bin Linda«, sagte die junge Frau.

Als sie Kron ins Auge fasste, schnappte etwas ein. Plötzlich konzentrierte sich ihre ganze Energie auf Kron, eine Willenskraft, die sie fast sichtbar wie eine Aura umgab. Kathrin staunte. Es verstrichen mehrere Sekunden, in denen ihr Vater und Linda sich anstarrten. Erst als Krons Blick zur Seite wanderte, entspannte sich Linda. Sie lockerte die Schultern und fing an, allen Anwesenden der Reihe nach und ohne Eile die Hand zu geben. Ihr Freund zog mit und stellte sich ebenfalls vor. Hände wurden geschüttelt, Namen gemurmelt.

Auch Kathrin sagte ihren Namen und lächelte die beiden an, so herzlich sie konnte. Sie hatte es bemerkenswert gefunden, dass Linda in der Dorfversammlung aufgestanden war und das Wort ergriffen hatte. Aber was sie hier mit Kron abzog, war noch ungewöhnlicher. Hätte jemand verlangt, dass Kathrin Eintritt dafür bezahlte, wäre sie gerne bereit gewesen.

»Jetzt pass mal auf, Linda«, begann Kron.

Der Vogelschützer schob sich dazwischen.

»Ich werd gleich morgen früh mit der Naturschutzbehörde reden«, sagte er atemlos. »Das muss sofort ... die können doch nicht einfach ...«

Kron sah ihn mitleidig an.

»Vergiss deine scheiß Behörde. Die stecken alle unter einer Decke. Ich sag dir, wie das läuft.« Er reckte die Krücke. »Da plant einer den großen Reibach. Einen gewissen Verdacht habe ich, wer das sein könnte.«

Björn und Ulrich lachten dreckig. Jakob war wie gewöhnlich betrunken, schwankte leicht und schaute Norbert an, um an dessen Miene abzulesen, wie er reagieren sollte. Wolfgang steckte die nächste Zigarette in seinen nach unten gezogenen Mundwinkel und nickte ununterbrochen.

»Es gibt hier einen alten Hund, der sich gern auf Kosten anderer mästet«, fuhr Kron fort. »Der hat irgendwo ein wertloses Stück Land, auf das er sich jetzt mithilfe des Bürgermeisters einen Windpark stellt. Die Propeller blasen ihm Kohle in die Taschen, während unsere Häuser das letzte bisschen Wert verlieren. Dafür gibt es ein Wort: Enteignung.«

Zustimmendes Johlen von den LPG-Veteranen. Auch Fließ nickte eifrig, obwohl es ihm vorhin noch um die Kampfläufer und nicht um den Wert seines Besitzes gegangen war. Seine Frau hatte sich auf die Bordsteinkante gesetzt und mit Stillen begonnen.

»Es wurde ein Bebauungsplan erwähnt«, sagte Linda, auf die Krons Ansprache offenbar nicht den geringsten Eindruck machte.

»Apropos Enteignung«, sagte Kron langsam.

Sein Blick verließ den Kreis der Umstehenden, suchte ein Ziel, sog sich voll mit bösem Vergnügen.

»He, du da!«

Der Typ, der wahrscheinlich Lindas Onkel war, sah von seinem Blackberry auf. Bitte nicht, dachte Kathrin. Sie wollte etwas sagen und konnte nicht. Wiederholte nur stumm im Kopf die beiden Wörter: Bitte nicht.

»Man muss Unterschriften sammeln«, sagte Linda. »Einen Bürgerprotest organisieren. Der Erlass eines Bebauungsplans ist ein demokratischer Prozess.«

»Tu nicht so, als wüsstest du nicht, wer ich bin!«, sagte Kron zu dem Blackberry-Mann.

»Sie sind also auch gegen Windkraftanlagen?«, fragte Fließ in Lindas Richtung.

»Kennst mich nicht mehr?« Kron ging auf den Blackberry-Mann zu, der sich umschaute, als könnte ein anderer gemeint sein. Oder vielleicht suchte er nach einem Fluchtweg.

»Auf der Versteigerung hatten wir schon einmal das Vergnügen.« Wie ein Schauspieler wandte sich Kron an die LPG-Veteranen, die langsam aufrückten. »Hat er vergessen. Dieser Kerl gibt 2,5 Millionen aus und vergisst es gleich wieder. Peanuts, was?«

Die letzten Worte waren wieder an den Blackberry-Mann gerichtet, der sein Gerät wegsteckte und einfach stehen blieb, die Mauer des Landmanns im Rücken.

»Was wollen Sie?«, fragte er und klang weniger gelassen, als er vermutlich beabsichtigt hatte.

»Pssst!« Kron hob einen Zeigefinger. »Einfach nur zuhören. Ist doch ein irrer Zufall, dass wir uns heute hier treffen. Kleine Landpartie nach Unterleuten? Ein Tag im Grünen? Alte Freunde besuchen?« Kron lachte künstlich. »Wo kommst du her? Baden-Württemberg?«

Der Blackberry-Mann schwieg und wippte in seinen rahmengenähten Schuhen.

»Jetzt darfst du reden«, herrschte Kron ihn an. »Ich hab dich was gefragt.«

»Ingolstadt«, sagte der Mann, und gleich darauf: »Was wird das hier eigentlich?«

Er wollte gehen, aber der Kreis der LPG-Veteranen hatte sich um ihn geschlossen. Schräg hinter Kron stand Linda, hielt die Arme vor der Brust verschränkt und beobachtete das Geschehen mit einem Gesichtsausdruck, als löse sie gerade eine Gleichung mit mehreren Unbekannten. Auch Fließ war herangetreten und wirkte handlungsbereit, auch wenn er offensichtlich nicht begriff, was vor sich ging. Seine junge Frau saß auf der Bordsteinkante und schien außer Brust und Baby nichts wahrzunehmen.

Lindas Freund, der sich als Frederik vorgestellt hatte, trat neben Kathrin. Er knickte seinen langen Körper in der Mitte, um ihr ins Ohr flüstern zu können.

»Läuft das hier immer so?«

Am Rand seines schmalen Gesichts schwangen die ungeschnittenen Haare vor und zurück. Er sah nett aus und ein bisschen albern, typischer Wahl-Berliner, mit ausgelatschten Turnschuhen, künstlerischen Ambitionen und dem festen Entschluss, lieber zu sterben als erwachsen zu werden.

Kathrin konnte sich vorstellen, wie er später im Kreis seiner Freunde, die vor lauter Individualität alle genauso aussahen wie er, die Anekdote mit den verrückten Dörflern vor dem Märkischen Landmann zum Besten geben würde. Sie hatte nichts dagegen. Sie wusste, dass Unterleuten aus Sicht der Städter ein Witz war. Gern hätte sie noch etwas Geistreiches gesagt, einen flotten Spruch, den Frederik später als Pointe zitieren konnte. Vielleicht würde er an sie denken und hinzufügen: »Aber einen trockenen Humor haben sie, die Landeier, das muss man ihnen lassen!«

Leider fielen Kathrin flotte Sprüche immer erst später ein. Wenn überhaupt.

»Ingolstadt!«, schrie Kron. »So weit fährst du, um uns die Erde unterm Hintern wegzukaufen. Hab mich ja schon bei der Versteigerung gefragt, was du mit 250 Hektar Ost-Prignitz willst.« Wieder wandte sich Kron an die Veteranen. »Kann es sein, dass dieses Rätsel mit dem heutigen Tag gelöst ist?«

Unsicheres Gemurmel zeigte an, dass die Gefolgschaft noch nicht wusste, worauf er hinauswollte. Da packte Kron den Blackberry-Mann am Kragen seines Freizeithemds.

»Papa!«, rief Kathrin und schlug sich gleich darauf die Hand vor den Mund.

Sie hasste es, wenn ihre Stimme schrill wurde. Es bedeutete, dass Krons Peinlichkeit auf sie übergriff. Geh nach Hause, befahl sie sich selbst. Sieh nach, ob Krönchen gut schläft. Trink ein Glas Wein, rede mit Wolfi über die Krise des deutschen Regietheaters.

Aber ihre Füße machten keine Anstalten, den Befehl auszuführen. Kron sprach dem Fremden aus wenigen Zentimetern Entfernung ins Gesicht. Kathrin konnte Bier und Essiggurken in seinem Atem fast selbst riechen.

»Ich werde deinem Gedächtnis auf die Sprünge helfen. Vor zwei Jahren hast du irgendwie Wind von der Sache bekommen. Vielleicht kennst du jemanden im Ministerium. Bist in deinen A8 gestiegen und nach Dunkeldeutschland gefahren. Du hast doch einen A8, oder etwa nicht? Sag schon!«

»Mercedes.« Der Blackberry-Mann sah in die Runde, als hätte er einen Witz gemacht. Niemand lachte.

»Aus Ingolstadt und fährt Mercedes! Bist wohl kein Lokalpatriot, was? Hast überhaupt keine Werte im Leib?«

Kathrin sah Speichelspritzer fliegen. Normalerweise spuckte Kron beim Reden nicht, er machte das absichtlich.

»Weil du für deinen Deal Kontakte brauchst, hast du ein bisschen recherchiert, und siehe da, ein gewisser Gombrowski ist für jede Schandtat zu haben, solange die Kohle stimmt. Er hat den Bürgermeister in der Hand und regelt die Einzelheiten.«

»So ein Schwachsinn«, sagte Frederik vernehmlich. »Herr Meiler kennt hier überhaupt niemanden.«

Kron ignorierte den Einwand. Er griff fester ins Hemd des Blackberry-Manns, der jetzt einen Namen hatte, hob ihn halb von den Füßen und knallte ihn gegen die Mauer. Kathrin schrie, Meiler stöhnte, die Veteranen lachten. Die Frau des Vogelschützers blickte kurz auf, bewertete das Geschehen als irrelevant und kümmerte sich weiter um ihr Baby.

»Jetzt reicht's aber!«, rief Frederik.

»Wir wollen doch alle dasselbe«, sagte Fließ, ohne dass klar wurde, mit wem er sprach. »Wir müssen die Kräfte bündeln.«

Ein zweites Mal knallte Meiler mit dem Rücken gegen die Mauer.

»Ihr werdet kein einziges Windrad bauen, verstanden?«, brüllte Kron. »Du setzt dich jetzt in deinen Mercedes und verschwindest. Wenn ich dich hier noch mal sehe, mach ich dich kalt!«

In diesem Augenblick kam Bewegung in die Szene. Linda war auf Kron zugetreten und hatte ihm blitzschnell etwas in die Hand gedrückt. In der Überraschung ließ Kron den Gegenstand gleich wieder fallen. Es klirrte auf dem Asphalt. Alle sahen zu Boden. Dort lag ein Messer mit blanker Klinge und glänzte in den Strahlen der Abendsonne. Linda musste es aus Jakobs Werkzeuggürtel gezogen haben.

»Na los«, sagte sie zu Kron. »Schneid Herrn Meiler die Kehle durch.«

Kron schaute auf das Messer, auf Meiler, in die Runde. Selten hatte Kathrin ihn so verwirrt gesehen.

»Was soll das denn?«, fragte er schließlich lahm.

»Ich mag Leute nicht, die groß reden und klein handeln.«

Im Hintergrund ordnete Meiler sein Hemd, nahm den Blackberry aus der Tasche, als wollte er jemanden anrufen, und steckte ihn wieder weg.

Kron straffte den Rücken und ging drohend auf Linda zu, in der sicheren Erwartung, dass sie zurückweichen würde. Aber sie blieb stehen.

»Magst du nicht, was?« Krons Stimme klang unsicher.

»Mag ich nicht«, sagte Linda in schönster Gelassenheit.

Das Schauspiel war zu Ende, das Kräftemessen entschieden. Kron versuchte, das Messer beiseitezukicken, verfehlte es, strauchelte und musste sein Gleichgewicht mithilfe der Krücke suchen. Die LPG-Veteranen glotzten wie Kühe, die man im Wald ausgesetzt hatte.

In Kathrins Kehle stieg ein Lachen auf. Sie konnte es nicht unterdrücken. Es platzte aus ihr heraus, mitten in die Stille hinein. Sie lachte über den eigenen Vater, während ihr nach Heulen zumute war. Kron sah sie an, sein Gesichtsausdruck war nicht zu deuten.

Nach ein paar Sekunden betroffenen Schweigens legte Kron den Kopf in den Nacken und musterte den Himmel, wie um zu prüfen, ob die Nacht schon hereinbrach.

»Ab nach Hause«, sagte er dann.

Sofort löste die Gruppe sich auf. Jakob hob sein Messer vom Boden auf, die Veteranen wandten sich ab und gingen davon, jeder in seine Richtung. Meiler war noch immer mit dem Ordnen seiner Kleidung beschäftigt.

»Sie kriegen eine Anzeige, die sich gewaschen hat«, sagte Meiler zu Kron, der nicht mehr zuhörte.

»Kommen Sie noch mit zu uns?«, fragte Linda.

Überrascht nahm Kathrin zur Kenntnis, dass Linda den Fremden siezte.

»Das könnte Ihnen so passen.« Meilers Stimme zitterte. Offensichtlich stand er kurz vor einem Wutanfall. »Ich hole mein Auto und bin weg.«

»Ziemliche Pleite«, sagte Frederik, während Meiler davonging.

»Da bin ich gar nicht so sicher«, erwiderte Linda.

Sie sah zufrieden aus. Sie nahm Frederik an der Hand, grüßte in die Runde, und schon schlenderten die beiden den Beutelweg hinunter, wo sie auf der Höhe von Gombrowskis Haus in den Stichweg zur Villa Kunterbunt einbiegen würden.

»Wir telefonieren«, sagte Fließ zu niemand Bestimmtem. »Wir bleiben in Kontakt.«

Kurz darauf waren Kathrin und Kron allein. Die Straßenbeleuchtung schaltete sich ein. Am Ende der Kette aus trüben Lichtern schloss sich der Wald zu einer schwarzen Wand. Irgendwo dort in der Dunkelheit stand das Kron'sche Jagdhaus, auf einer Lichtung, über die bei Nacht äsendes Damwild zog. Als Kathrin klein war, hatte ihr Vater sie manchmal auf den Arm genommen und reglos mit ihr am Fenster gestanden, wenn die Hirsche dicht ans Haus herangekommen waren.

Jetzt standen sie dicht beieinander und sprachen kein Wort. Gern hätte Kathrin etwas gesagt, eine Bemerkung gemacht, die ihrem Lachen von eben das Verächtliche nahm. Aber ihr fiel nichts ein.

Sie liebte ihren Vater und wusste, dass er sie ebenfalls liebte. Trotzdem konnten sie nicht mehr tun, als schweigend nebeneinanderzustehen. Kathrin war traurig. Unterleuten ist ein Gefängnis, dachte sie, obwohl das mit der Situation nicht viel zu tun hatte.

»Nacht, Schatz«, sagte Kron schließlich.

Flüchtig spürte Kathrin seine Hand auf ihrer Schulter.

Dann lauschte sie dem vertrauten Walzertakt seiner Schritte, während er unter den Laternen davonging. Der Klang des Krückstocks wurde leiser, verklang ins Schweigen des Dorfes, in die Schwärze des Waldes hinein. Im Gebüsch auf der anderen Straßenseite begann eine Nachtigall zu schlagen. Der durchdringende Ton schraubte sich in die Höhe, fiel plötzlich ab, ging in ein Rattern über, auf das ein komplizierter Triller folgte, der wiederum von einer Reihe hohler Pfiffe abgelöst wurde.

Kathrin fragte sich, ob Dichter, die von Nachtigallen schwärmten, jemals eine gehört hatten.

Teil II

Das Tier von nebenan

Unterleuten bedeutet Freiheit.
Gerhard Fließ

12 Gombrowski

Es hörte nicht auf. Es war wie eine Krankheit, die den einmal befallenen Körper niemals wieder verließ. Sie konnte jahrelang im Verborgenen schlummern und dann plötzlich wieder hervorbrechen. Man griff zu den bewährten Mitteln der Hausapotheke. Danach zu den wissenschaftlichen Methoden der Schulmedizin. Man gab Freunden nach, die einen zur Homöopathie bekehren wollten. Man versuchte, die Symptome zu ignorieren, in der Hoffnung, sie würden an mangelnder Aufmerksamkeit eingehen. Weil alles nicht half, ging man schließlich zum Gegenschlag über, ignorierte die Fachleute und unterzog sich einer selbsterfundenen Rosskur. Ohne Rücksicht auf Verluste. Daraufhin schien sich das Leiden tatsächlich zurückzuziehen, Erleichterung trat ein, trügerische Normalität. Aber die Keime, die Körper und Seele befallen hatten, wühlten weiter, fraßen heimlich an der Lebenskraft, verwandelten einen gutmütigen Mann in einen reizbaren Choleriker, der sich gegenüber Frau und Kind vergaß und anschließend in stummen Selbsthass verfiel, von dem sich die Krankheit weiter nährte. Bis sie eines Tages erneut zuschlug, aus heiterem Himmel und mit zehnfacher Kraft.

Manchmal nachts, wenn Gombrowski den Fehler begangen hatte, allein in der Küche sitzen zu bleiben und zu trinken, verfiel er auf die Idee, der Name dieser Krankheit sei »Schuld«. In nüchternem Zustand aber wusste er, dass sein Leiden »Morbus Kron« hieß. Gombrowski war kronisch krank.

Als er den Range Rover auf das Betriebsgelände der Ökologica lenkte, blieb einer der Melker verwundert stehen und hob zögernd die Hand zum Gruß. Es war zu früh für den Chef. Die Traktoren parkten noch in den Unterständen, die Pelletieranlagen schwiegen. Abgesehen vom gelegentlichen Brüllen der Kühe war es still. Gombrowski parkte den Wagen vor dem Eingang zum Büro, blieb noch einen Moment hinter dem Steuer sitzen und rieb sich das Gesicht.

Nach der Dorfversammlung am Vorabend hatte er an der Bar des Landmann gesessen, Bier und Bromfelder bestellt und darauf gewartet, dass Kron draußen auf der Straße mit seinem Affentheater fertig wurde. Durch die geöffneten Fenster war Stimmengewirr hereingedrungen, immer wieder überlagert von Krons herausforderndem Geschrei. Wie so häufig hatte der Alte irgendeinen Mist veranstaltet, und Gombrowski hatte wenig Lust verspürt, mitten hineinzugeraten. Als es draußen endlich still wurde, hatte Sabine ihm gerade die dritte Runde hingestellt, und danach sprach nichts mehr gegen eine vierte und eine fünfte.

In der Nacht hatte er schlecht geschlafen, weil Krons Stimme immer weiter in seinem Kopf krakeelte. Als der Morgen endlich weit genug fortgeschritten war, hatte er das Bett mit Erleichterung verlassen.

Den Schlüssel zum Büro musste er eine Weile suchen. Normalerweise kam Betty morgens vor ihm und verließ die Ökologica am Abend, wenn er schon lange nach Hause gegangen war. Ohne Betty wirkte der lang gestreckte Raum mit der niedrigen Decke so mürrisch, wie Gombrowski sich fühlte. Es roch nach alten Gummistiefeln. Missmutig betrachtete er die beiden Kaffeemaschinen auf dem Aktenschrank. In der blauen Kanne kochte Betty mehrmals am Tag einen ölig schwarzen Kaffee, den jeder vorgesetzt bekam, der das Büro der Ökologica betrat, egal ob Traktorfahrer, Tierarzt oder Bürgermeister. Die rote hingegen enthielt Gombrowskis Spezialgetränk, zwei Löffel Pulver auf einen ganzen Liter. Die durchsichtige Brühe stellte das Ergebnis von zähen Verhandlungen mit dem Hausarzt dar, der ihm das Kaffeetrinken ganz verbieten wollte. Jeden Abend nach der Arbeit schüttete Betty den Inhalt der roten Kanne in die Spüle, ohne dass jemand davon getrunken hätte. Die Existenz der roten Kanne sorgte dafür, dass der Inhalt der blauen, an der sich Gombrowski heimlich bediente, noch viel besser schmeckte.

Er hatte Lust auf Kaffee, entschied sich aber nach kurzer Überlegung gegen den Versuch, selbst welchen aufzusetzen. Betty hätte ihn ausgelacht. Unschlüssig stand er vor dem großen Doppelschreibtisch in der Mitte des Raums und haderte mit der Erkenntnis, dass er ohne ihre Hilfe auch nicht in der Lage war, die Pläne zu finden. Während seine Seite des Tischs bis auf ein paar Unterschriftenmappen relativ aufgeräumt wirkte, verschwand Bettys Arbeitsplatz unter einer Lawine von Papier. Aktenordner, Arbeitspläne, Antragsdossiers und dicke Handbücher zum Recht der Europäischen Union. Völlig unmöglich, in dem undurchschaubaren System eine bestimmte Flurkarte zu finden. Versuchsweise öffnete Gombrowski einen der Aktenschränke, die das Zimmer säumten, aber auch die Beschriftung der Ordner sagte ihm nichts. Betty kümmerte sich um das Ablagesystem. Wenn er wissen wollte, wem die Windkraft-Eignungsgebiete gehörten, musste er notgedrungen warten, bis sie im Büro erschien.

Schwer ließ er sich in den Schreibtischsessel fallen, dessen

Lehne unter seinem Gewicht weit nach hinten federte. Auch ohne einen Blick in die Pläne war er ziemlich sicher, dass das zweite Eignungsgebiet am Unterleutner Waldrand zu Krons Besitz gehörte. Nur unter diesen Vorzeichen ergab der erneute Ausbruch der Kron'schen Krankheit einen Sinn. Gombrowski schloss die Augen und sah Krons Gesicht vor sich, wie er es als Dreizehnjähriger erblickt hatte, verzerrt von teuflischer Freude, beleuchtet vom flackernden Schein eines Feuers, das sein Zuhause zerstörte. Gombrowski glaubte zu spüren, wie das Virus einer fünfzigjährigen Feindschaft erneut in seinen Adern zu wimmeln begann.

Damals hatte das Feuer im Kornspeicher auf mehrere Nebengebäude übergegriffen und die halbe Ernte vernichtet. Die ganze Nacht waren Gombrowskis Eltern und ihre Leute im Einsatz, um die Tiere zu evakuieren und zu verhindern, dass die Flammen das Dorf erfassten. Danach hatte der Vater kapituliert. Am 2. April 1960 brachte er 170 Hektar Land sowie sämtliche Maschinen in eine LPG ein, die »Gute Hoffnung« genannt wurde und das Gegenteil verhieß.

In den Monaten nach der Enteignung verwandelte sich der tatkräftige, polternde Mann in einen Schatten seiner selbst. Noch weniger als das erzwungene Nichtstun ertrug er zu sehen, was dem Betrieb widerfuhr, dem er und seine Vorfahren ihr Leben gewidmet hatten. Jetzt mussten die Gombrowskis aus dem schönen Gutshaus ausziehen, es wurde umgehend abgerissen. Ebenso die Ziegelscheunen, soweit sie nicht schon dem Brand zum Opfer gefallen waren. Wochenlang brachten Lastwagen Zement, um eine gewaltige Betonplatte zu gießen, auf der gesichtslose Stallungen und Lagerhallen errichtet wurden.

Schon bald zeigten sich auf den Feldern die ersten Folgen der Misswirtschaft. Als Gerüchte aufkamen, dass die Planwirtschaft auf eine industrialisierte Trennung von Vieh- und

Pflanzenproduktion hinauslief, verließ der alte Landwirt das Bett nicht mehr.

Gombrowski war sechzehn, als die Ärzte seinen Vater aufgaben. In seiner Verzweiflung versprach er dem sterbenden Mann, dass er Agrarwissenschaften studieren, in die LPG eintreten und sich eine Führungsposition erarbeiten werde. Eines Tages würde es ihm gelingen, die Ländereien in den Besitz der Gombrowskis zurückzubringen, zum Wohl der Familie und des ganzen Dorfs. Der Alte winkte ab, schloss die Augen und schickte ihn aus dem Raum.

Nach seinem Studienabschluss im Jahr 1971 fing Gombrowski bei der LPG an. Zu diesem Zeitpunkt hatte Kron bereits zehn Dienstjahre hinter sich. Sie hatten einander eine ganze Weile nicht gesehen. Vor seiner künftigen Arbeit hatte Gombrowski keine Angst. Er fürchtete sich nur davor, Kron wiederzubegegnen. Wie es sein würde, ihn täglich um sich zu haben, konnte er sich beim besten Willen nicht vorstellen.

Was auch immer er sich ausgemalt hatte – die Banalität der Wirklichkeit verspottete die Phantasie. Im Eingangsflur des Verwaltungsgebäudes liefen sie einander in die Arme. Kron reichte ihm die Hand und stellte sich mit vollem Namen vor, als wären sie einander noch nie begegnet. Danach verschwand er im Büro des Vorsitzenden, ohne sich noch einmal umzudrehen.

Seltsamerweise regte sich auch in Gombrowski nicht das geringste Gefühl. Der Mann, dem er gerade im Flur begegnet war, hatte nichts mit dem wilden Gesicht zu tun, das ihn seit seiner Kindheit verfolgte. Er fühlte sich erleichtert. Gleichgültigkeit war die beste Voraussetzung für eine gelingende Zusammenarbeit.

Kron stammte aus einer besitzlosen Familie, glaubte an den Kommunismus und sah seinen Lebenszweck darin, so hart wie möglich für die Ernährung der sozialistischen Gemeinschaft zu arbeiten, während Gombrowski ein schlechter Genosse, dafür aber studierter Landwirt war. Fachkenntnisse brauchte die »Gute Hoffnung« mindestens ebenso dringend wie politische Überzeugung. Anders als sein Vater besaß Gombrowski die Fähigkeit, im richtigen Augenblick den Mund zu halten, was ihm die Führungskader in Berlin als Linientreue anrechneten. Er verstand es, sich mit den Funktionären gut zu stellen, überholte den dienstälteren Kron im Nu auf der Karriereleiter und löste Anfang der Achtziger den amtierenden Vorsitzenden ab. Binnen kürzester Zeit holte er die rückständige LPG in die Gewinnzone, was ihm Ehrbezeigungen eintrug, die er mit gemischten Gefühlen entgegennahm. Keinen Tag seines Lebens vergaß Gombrowski, was er dem Vater versprochen hatte.

Es schien ihm nur folgerichtig, den fleißigen und zuverlässigen Kron zu Weiterbildungen anzuhalten, ihn zum Vorarbeiter und schließlich zum Brigadeführer in der Pflanzenproduktion zu befördern, auch wenn ihm Krons politische Didaktik auf die Nerven ging. Kron war kein Mensch, in dessen Gegenwart man ein offenes Wort zur Lage im Land geäußert hätte. Gombrowski respektierte ihn für seinen Fleiß, hätte ihn aber niemals in die Geheimnisse der Geschäftsführung eingeweiht. Es war nicht Kron, sondern Hauptbuchhalterin Hilde Kessler, die mit ökonomischer Musikalität dazu beitrug, die »Gute Hoffnung« trotz sinnloser Vorgaben als vorbildlichen Betrieb zu führen.

Die Wende kam, als kaum noch jemand daran glaubte. Montagsdemonstrationen, Massenflucht, Mauerfall – die Welt verwandelte sich in ein Kartenhaus, das ringsum in sich zusammenfiel. Aus Gombrowskis Sicht besaß das Durcheinander ein Zentrum, welches »Gute Hoffnung« hieß. Die LPG hatte in den letzten Jahren nicht nur 800 Hektar Land bewirtschaftet, sondern bildete auch in anderer Hinsicht das

Herz Unterleutens. Sie betrieb Kindergarten, Erholungsheim und ärztlichen Versorgungsdienst. Sie hatte sich um Instandhaltung der Straßen, Leerung der Sammelgruben und Beleuchtung des öffentlichen Raums gekümmert. Jedes Jahr wurden Weihnachtsfeier und Sommerfest ausgerichtet, und gelegentlich gab es im Aufenthaltsraum schlecht besuchte Kulturabende mit zähen Romanen, unbedenklicher Lyrik oder »Paul und Paula«. Seit Gombrowski den Vorsitz innehatte, florierte die LPG nicht nur in ökonomischer, sondern auch in sozialer Hinsicht. Der Kampf um die Bewahrung des Familienerbes trat in eine neue Phase. In schlaflosen Nächten sah Gombrowski immer wieder, wie sein Vater abwinkte, die Augen schloss und ihn aus dem Zimmer schickte.

Zum Zeitpunkt der Wiedervereinigung bestand die LPG aus 42 Mitgliedern, darunter dreizehn Landeinbringer, die Anteile am Betrieb hielten. Anfang 1991 beauftragte Gombrowski einen Umwandlungsberater aus dem Westen, Rack mit Namen, der sofort anreiste und bis auf Weiteres Wohnsitz im Märkischen Landmann nahm. Zwei Fragen waren schnell geklärt. Würde Gombrowski versuchen, den alten Familienbesitz aus der LPG herauszulösen, musste die »Gute Hoffnung« unweigerlich zugrunde gehen, und sie würde vierzig Arbeitsplätze sowie die Zukunft der Unterleutner Region mit in den Abgrund reißen. Eine Liquidation hingegen bedeutete faktisch den Verkauf unter Wert an einen Investor aus dem Westen, wobei von der Kaufsumme nach Abzug der Verbindlichkeiten für jedes einzelne Mitglied kaum etwas übrig bliebe. Es musste eine Alternative gefunden werden, was Umwandlungsberater Rack nach besten Kräften versuchen wollte, für ein beträchtliches Honorar und im Rahmen der Gesetze, oder doch wenigstens im Rahmen der Vernunft.

Das neue Landwirtschaftsanpassungsgesetz sah vor, dass Betriebe, die nicht bis Ende des Jahres zu einer neuen Form gefunden hatten, als aufgelöst galten. Es blieb also nicht viel Zeit. Hinauslaufen sollte es auf die Gründung einer GmbH nach bundesrepublikanischem Recht, die »Ökologica« heißen würde. Die Sache hatte nur einen Haken. Die LPG konnte sich kaum Austritte leisten. Das Gesetz garantierte ausscheidungswilligen Mitgliedern eine Abfindung, die sich am Wert ihres Anteils bemaß. Selbst wenn man, was Rack in Gombrowskis Arbeitszimmer sofort auf einem Stück Rechenpapier unternahm, eine Rückstellung in Höhe von 1,5 Millionen zur dringend nötigen Asbestsanierung bildete und eine weitere halbe Million für die Anschaffung neuer Mähdrescher zurücklegte, um das verteilungsfähige Eigenkapital der LPG um die Hälfte zu reduzieren, würden ein paar Wiedereinrichter, die mit ihrer Abfindung eine eigene Wirtschaft gründen wollten, dem Betrieb das Genick brechen. Mit anderen Worten, die »Gute Hoffnung« würde nur dann als Ökologica überleben, wenn alle an einem Strang zogen.

Gombrowski konnte allerdings weder Haken noch Problem erkennen. Die anderen 41 LPG-Mitglieder, erklärte er Rack, seien Freunde oder doch wenigstens Nachbarn und gute Bekannte. Sie schuldeten ihm so viele Gefallen, dass er noch drei weitere Betriebe von einer Rechtsform in die andere und wieder zurück umwandeln könne, wenn es darauf ankomme.

Rack sagte: Umso besser.

Sie begannen mit der Ausarbeitung des Umwandlungskonzepts. Die Abschlussbilanz der »Guten Hoffnung« sah weitere Rücklagen in Höhe einer halben Million vor; das Abfindungsangebot an ausscheidungswillige Mitglieder fiel bescheiden aus. Die Satzung der künftigen Ökologica GmbH machte Gombrowski zum alleinigen Geschäftsführer, der volle Prokura sowie siebzig Prozent der Gesellschaftsanteile erhielt. Ein Aufsichtsrat war nicht vorgesehen. Die Kompetenzen der Gesellschafterversammlung wurden durch die Satzung stark eingeschränkt, zudem erfolgte die Stimmverteilung nicht nach Köpfen, sondern nach Kapitalanteilen. Zusätzlich erstellte Rack einen Umwandlungsbericht, der wenig Zahlen, dafür viele schöne Worte zum Thema Arbeitsplätze, Strukturwandel und blühende Landschaften enthielt. Dieses Papier wurde in der Kantine der »Guten Hoffnung« ausgelegt, auf dem Getränkeautomaten, mit einem Feldstein beschwert.

Mit den meisten Mitgliedern hatte Gombrowski schon gesprochen, bevor die erste Informationsveranstaltung stattfand. Beim Bier im Märkischen Landmann, auf dem Marktplatz in Plausitz oder mitten auf der Landstraße nach Groß Väter, wo man, wenn ein bekanntes Auto entgegenkam, einfach anhalten und Fenster an Fenster ein paar Minuten plaudern konnte, bevor sich ein weiteres Fahrzeug näherte, für das man die Straße freigeben musste. Einem nach dem anderen hatte er erklärt, dass eine GmbH im Wesentlichen das Gleiche wie eine LPG sei, nur besser. Die Beteiligten hießen nicht mehr Mitglieder, sondern Gesellschafter, das eingebrachte Land nenne sich Stammeinlage. Vor allem aber habe die »Gute Hoffnung« alias Ökologica GmbH in Zukunft nicht mehr die unsinnigen Ideen der Bonzen zu verwirklichen, sondern könne vernünftige Landwirtschaft betreiben. Und das Beste: Wenn es gut laufe, sei Gombrowski nach neuem Gesellschaftsrecht in der Lage, am Jahresende eine Dividende auszuzahlen. Ansonsten werde sich gar nichts ändern.

Nach anfänglichem Unbehagen reagierten die Angesprochenen wohlwollend, manche sogar erleichtert. Das überraschte Gombrowski nicht. Vergangenheit und Zukunft waren dabei, sich in Luft aufzulösen, weshalb sich die Gegenwart schon aufgrund ihres bloßen Stattfindens wie ein Irrtum anfühlte. Inmitten allumfassender Unsicherheit war die »Gute Hoffnung« ein Bollwerk, ein Fels in der Brandung. Wenn es gelang, den Betrieb zu retten, behielt Unterleuten seine Vergangenheit und gewann eine neue Zukunft hinzu. Demgegenüber trat die Frage nach Gombrowskis Familienbesitz völlig in den Hintergrund. Es ging nicht um Recht oder Unrecht, sondern darum, die Unterleutner Heimat vor dem Zerfall zu bewahren.

Als Gombrowski diesen Satz auf der Informationsveranstaltung sagte, setzte Applaus ein. Mitten in den Applaus erhob sich Kron. Er sah mit seinen fünfzig Jahren noch immer aus wie ein junger Mann, und er war noch immer Kommunist. Er zeigte auf Rack, der möglichst unauffällig in einer Ecke der Kantine saß, und nannte ihn einen Besatzer aus dem Westen. Die Wiedervereinigung bezeichnete er als Kolonisierung und sagte, dass man sich hier versammelt habe, um dabei zuzusehen, wie der Kapitalismus seine Zähne in den Leib der »Guten Hoffnung« schlage. Im peinlichen Schweigen erklang eine weitere Stimme. Ausgerechnet Hildes Mann Erik kam Kron zu Hilfe. Erik war kein politischer Mensch, sein Tonfall war gelassener. Von Kapitalismus oder Kommunismus wollte er nichts wissen. Stattdessen fragte er die Versammlung, ob es die Bedeutung der Sache nicht verlange, über Alternativen zu sprechen. Ob keiner der Landeinbringer in den letzten Jahren davon geträumt habe, seinen eigenen Grund und Boden wiederzubekommen, um selbst eine Wirtschaft zu führen, wie es für ihre Eltern und Großeltern selbstverständlich gewesen sei. Im Saal entstand Unruhe. Die Anwesenden begannen untereinander zu diskutieren, einige murrten.

Gombrowski und Hilde tauschten einen Blick. Erik stammte nicht aus einer Familie, die gezwungen worden war, ihr Land an die LPG abzutreten. In diesem Spiel hatte er absolut nichts zu gewinnen. Aber seine Frau verbrachte seit Monaten fast jeden Tag im Haus der Gombrowskis, während sich Elena so viel wie möglich in der Nachbarschaft herumtrieb. In den vergangenen Jahren war Erik immer wieder durch Eifersüchteleien aufgefallen. Anscheinend war der Punkt gekommen, an dem er zum Gegenschlag ausholte.

Als Kron hinzufügte, dass Gombrowski nichts anderes im Sinn habe, als sich einen Betrieb unter den Nagel zu reißen, der ihnen allen gehöre, kippte die Stimmung. Gombrowski wurde laut. Er bezeichnete Kron als Randalierer und Erik als Idioten und bat alle anderen inständig, bei Verstand zu bleiben. Es gebe nur einen Weg in die Zukunft, und den werde er, Gombrowski, für sie alle gehen, so wie er in den vergangenen Jahrzehnten mit seiner ganzen Kraft dafür gesorgt habe, dass Unterleuten trotz der schwierigen Bedingungen ein lebenswerter Ort geblieben sei.

Rack ging dazwischen und vertagte die Versammlung, bevor die Lage eskalieren konnte. Er und Hilde nahmen Gombrowski in die Mitte und führten ihn aus der Kantine, über den Hof und zu seinem Auto. Gombrowski blickte starr vor sich hin, als wäre er ganz woanders, in einer anderen Zeit oder an einem anderen Ort.

In den folgenden Wochen führte er Gespräche. Nicht mehr im Landmann oder auf der Straße nach Groß Väter, sondern im Vorstandsbüro der »Guten Hoffnung«. Er lud die LPG-Mitglieder einzeln ein. Schenkte Kaffee und Bromfelder aus. Wiederholte Argumente. Leistete Überzeugungsarbeit. Betonte die Wichtigkeit einer gemeinsamen Kraftanstrengung. Bat um Unterstützung. Vor allem erklärte er immer wieder, dass die »Gute Hoffnung« am letzten Tag des Jahres um 24 Uhr ganz von selbst zu existieren aufhören werde, wenn es nicht gelinge, ihr eine neue Form zu geben.

Die Gespräche liefen gut. Jeder der Eingeladenen sagte Gombrowski seine Stimme in der Vollversammlung zu, die im November stattfinden sollte. Gleichzeitig aber gingen in schneller Folge vier Austrittserklärungen ein, alle von Landeinbringern. Die Erklärungen waren wortgleich verfasst und die Fristen korrekt berechnet, woraus Rack folgerte, dass auch Kron und Erik Gespräche führten und sich nach juristischem Beistand umgesehen hatten.

Gombrowski verhandelte mit den Austrittswilligen. Machte Angebote für den Fall, dass die Kündigungen zurückgezogen würden. Warb für Verständnis, dass allzu hohe Abfindungszahlungen die »Gute Hoffnung« ruinieren konnten.

Was er auch tat, er verlor weiter an Boden. Weitere Austrittserklärungen landeten auf seinem Tisch. Als ihm zu Ohren kam, dass Kron ein Gegenkonzept entwickelte, nämlich die Gründung einer eingetragenen Genossenschaft unter dem Namen »Agrar Unterleuten e.G.«, wurde es Zeit für ein Gipfeltreffen.

Sie wählten den Märkischen Landmann, weil Kron auf neutralem Gebiet bestand. Kron kam mit Erik, Gombrowski mit Rack. Hilde blieb zu Hause, weil sie, seit sich Erik auf Krons Seite geschlagen hatte, bei jedem Wort explodierte, das ihr Mann von sich gab.

Gombrowski redete vernünftig, Rack ebenso. Aber schon nach fünf Minuten begann Kron zu schreien. Er warf Gombrowski Betrug vor. Die Satzung der Ökologica hatte er bis ins Detail studiert, in jedem Wort fand er Hinweise auf Gombrowskis Niedertracht. Die Prokura, dazu siebzig Prozent der Geschäftsanteile. Dabei gehöre doch alles, formell wie moralisch, den Genossen, das Land, die Maschinen, die vollen Getreidespeicher. Er, Kron, werde niemals zulassen, dass sich ein habgieriger Kapitalist alles unter den Nagel reiße.

Der Fanatismus malte rote Flecken auf seine Wangen. Jeder wusste, dass Kron den Zusammenbruch der DDR nicht verkraftet hatte. Seit Wochen wurde Hilde nicht müde zu wiederholen, dass es nicht lohne, sich über einen Verrückten aufzuregen. Trotzdem spürte Gombrowski, der Krons Theater mit starrer Miene über sich ergehen ließ, wie wachsende Wut ihm den Magen umgrub. Er hatte den Mann, der einst Feuer an sein Zuhause gelegt hatte, zwanzig Jahre lang gefördert und unterstützt. Jetzt stieg ein Wort in ihm auf und wollte an die Oberfläche, und schließlich sagte er es laut, mitten in Krons Tiraden hinein:

»Verräter.«

Kron griff einen Aschenbecher vom Tisch und zielte auf Gombrowskis Kopf. Er war zu aufgebracht, um gut zu werfen; der Aschenbecher zerschellte hinter Gombrowski an der Wand. Noch bevor die Scherben ruhig am Boden lagen, hatte Kron die Tür erreicht und war aus dem Landmann gerannt. Auch Erik, der die ganze Zeit geschwiegen hatte, stand auf und ging Richtung Tür. Bevor er die Kneipe verließ, sagte er:

»Du denkst, dir gehört hier alles, Gombrowski, aber dieses Mal bist du zu weit gegangen. Wir verklagen dich. Wir machen dich fertig. Davon wirst du dich nie mehr erholen.«

Dann war auch er verschwunden. Es war der Abend des 31. Oktober 1991 und ungewöhnlich warm, sowohl für die späte Stunde wie auch für die Jahreszeit.

Gombrowski und Rack blieben im Landmann sitzen und berieten das weitere Vorgehen. Die »Gute Hoffnung« würde Kron ein letztes Angebot machen. Wenn er seinen Widerstand aufgab und die LPG ohne weitere Agitation verließ, würde er als Abfindung ein dreißig Hektar großes Waldstück erhalten, auf das der Betrieb nicht lebensnotwendig angewiesen war. Sie setzten ihm eine Frist von fünf Tagen,

Rack schrieb alles auf und überbrachte das Dokument noch in derselben Nacht.

Hilde war überzeugt, dass sich ein Fanatiker wie Kron nicht kaufen lasse. Gombrowski sah die Lage optimistischer. Hinter Fanatismus, meinte er, verberge sich Neid, und dreißig Hektar würden Kron zu etwas machen, das er vermutlich von Kindesbeinen an hatte sein wollen: ein kleiner Großgrundbesitzer.

Bis heute wussten sie nicht, wer recht behalten hätte. Weil niemand sagen konnte, wie Krons Entscheidung ohne die Ereignisse vom 3. November ausgefallen wäre. Jedenfalls bildete der Knall, mit dem der tonnenschwere Ast vom Baum brach, den Startschuss zur Gründung der Ökologica GmbH. Noch aus dem Krankenhaus ließ Kron seine Kapitulation überbringen. Zudem schien Eriks Tod auch die anderen Unterleutner zur Vernunft zu bringen. Die meisten Austrittswilligen nahmen ihre Kündigungen zurück, bis auf Wolfgang, Heinz, Norbert, Ulrich, Jakob und Björn, die zu Krons engsten Anhängern zählten. Doch auch diese machten keinen ernsthaften Ärger mehr, erklärten sich auf Gombrowskis Verlangen mit einer symbolischen Abfindung einverstanden und traten geräuschlos aus der LPG aus. Niemand sprach mehr von Betrug, Klage oder alternativen Gesellschaftsformen. Am zweiten Jahrestag des Mauerfalls bestätigte die Vollversammlung ohne Gegenstimme die Umwandlung der »Guten Hoffnung« in die Ökologica GmbH und verabschiedete die geplante Satzung. Bei einer Enthaltung, weil Kron noch immer im Krankenhaus lag.

Nicht Kron persönlich, sondern seine jugendliche Tochter Kathrin forderte die dreißig Hektar Wald aus Racks Angebot, und Gombrowski sorgte dafür, dass Kron das Land so schnell wie möglich bekam. Das war Ehrensache. Danach stürzte er sich in die Arbeit. Endlich konnte er den Grund

und Boden seiner Väter so bewirtschaften, wie es Erfahrung und Fachwissen befahlen. Die Umstrukturierung der Ökologica GmbH machte weniger Schwierigkeiten als erwartet. Die Agrarfunktionäre, mit denen er schon zu DDR-Zeiten erfolgreich zusammengearbeitet hatte, saßen jetzt im Landwirtschaftsministerium oder im Vorstand des Bauernverbands. Die Treuhand und ihre Nachfolgerin BVVG verkauften oder verpachteten das ehemals volkseigene Land bevorzugt an ihn, weil seine Bilanzen vielversprechender waren als jene der wenigen neuen Kleinbauern in der Region. Frühzeitig stellte Gombrowski auf Bio-Anbau um; auf jeden Hektar gab es Subventionen. Binnen weniger Jahre wurde die Ökologica ein in jeder Hinsicht sauberer und gesunder Betrieb. Die Probleme, die Gombrowski heute das Leben schwer machten, hatten nichts mit der Vergangenheit zu tun, sondern mit der Zukunft. Altlasten gab es keine. Außer Kron.

Mit einem Knall, der Gombrowski auffahren ließ, schlug die Tür gegen die Wand, als Betty eintrat. Es gehörte zu ihren Eigenarten, für jeden Handgriff etwas zu viel Kraft aufzuwenden. Sie hatte weder die Zierlichkeit noch die geringe Körpergröße ihrer Mutter Hilde geerbt. Böse Zungen behaupteten, dass sie mit kompaktem Oberkörper, stämmigen Beinen und einem großflächigen Gesicht, das sich darauf vorbereitete, in einigen Jahren das Kinn auf dem Brustbein abzulegen, viel eher Gombrowski ähnlich sehe. Ihr voluminöser Körper steckte in einem grauen Overall mit dunkelblauem Besatz an Knien und Ellenbogen, wie ihn auch die Feldarbeiter trugen. Das stumpfblonde Haar hatte sie zu einem Pferdeschwanz gebunden.

»Was machst du denn hier?«, fragte sie.

»Ich dachte, das wäre mein Büro.«

»So früh am Morgen?«

»Ich suche…«

»Hier.«

Betty zog ein paar gefaltete Blätter aus der Cargotasche ihres Overalls und glättete sie vor Gombrowski auf dem Tisch. Es waren Kopien der Arbeitsfolien, die der Vento-Knabe während der Dorfversammlung gezeigt hatte. Gestrichelte Linien markierten die geplanten Eignungsgebiete.

»Wo hast du die her?«

»Die brauchen wir.«

Gombrowski lächelte, er liebte ihre Art zu antworten. Mit siebzehn Jahren war Betty als Auszubildende in die Ökologica gekommen, hatte drei Jahre später den Abschluss als Landwirtin erworben und war seitdem mit dem Betrieb verheiratet. Wenn Gombrowski der Kopf der Ökologica war und Hilde die Seele, dann war Betty Arme, Beine und Verdauungsapparat. Seine eigene Tochter Püppi hätte sich eher den Arm abgehackt, als einen Finger in der Landwirtschaft krumm zu machen. Mit zigtausend Euro hatte er ihr jene Bildung gekauft, die sie brauchte, um ihn und seine Arbeit lächerlich zu finden. Betty hingegen fungierte seit zehn Jahren als seine rechte Hand. Fehlende Beweglichkeit im Denken glich sie durch minutiöse Kenntnis der Betriebsabläufe aus. Dass nicht Püppi, sondern Betty eines Tages die Ökologica übernehmen würde, war ein offenes Geheimnis. Auch wenn sie mit Nachnamen Kessler hieß und allen Gerüchten zum Trotz nicht seine außereheliche Tochter war. Gombrowski war der letzte Vertreter der Gombrowski-Dynastie in Unterleuten. Sein großes Lebensprojekt, die Unterleutner Landwirtschaft in den Familienbesitz zurückzuholen, erschien angesichts dieser Tatsache so gehaltvoll wie eine hohle Nuss.

Nachdenklich beobachtete Gombrowski, wie Betty in den Unterlagen auf ihrer Schreibtischseite zu kramen begann.

Während sie Aktenordner öffnete und schloss, murmelte sie leise vor sich hin. Es gab Tage, an denen ihn die Frage, wofür er sich in den letzten Jahrzehnten abgerackert hatte, regelrecht lähmte. Dann brauchte er Betty, nicht nur als Mitarbeiterin, sondern als Antwort. Wenn er sie anschaute, den gebeugten Nacken, den heiligen Ernst auf ihrer Stirn, während sie sich mit den Belangen der Ökologica beschäftigte, wusste er, dass es sich irgendwie doch gelohnt hatte. Er mühte sich ab, um Hildes Tochter eines Tages eine gesunde Wirtschaft hinterlassen zu können. In letzter Zeit hatte dieses Vorhaben angesichts der ökonomischen Lage immer unrealistischer gewirkt. Aber seit gestern Abend wusste er, wie es funktionieren konnte: mit zehn Windrädern, die Jahr für Jahr eine anständige Rendite abwarfen.

»Hier.«

Betty hatte die richtige Flurkarte gefunden und entfaltete das quadratmetergroße Dokument auf dem Tisch. Es kostete sie nur Sekunden, die schlampig gezeichneten Eignungsgebiete mit dem amtlichen Plan zu vergleichen. Jeweils einen Zeigefinger legte sie auf die betreffenden Stellen. Den einen auf die Schiefe Kappe, unweit der Landstraße, die nach Plausitz führte. Den anderen an den Rand des Unterleutner Walds. Gombrowski beugte sich vor.

»Und wem gehören die Gebiete?«

»Willst du einen Kaffee?«, fragte Betty.

13 Fließ

Er war nicht aufs Land gezogen, um zu erleben, wie der urbane Wahnsinn die Provinz erreichte. Er verzichtete nicht auf Theater, Kino, Kneipe, Bäcker, Zeitungskiosk und Arzt, um durchs Schlafzimmerfenster auf einen Maschinenpark zu schauen, dessen Rotoren die ländliche Idylle zu einer beliebigen strukturschwachen Region verquirlten. Gerhard war ein Exilant, geflohen vor dem Gespinst aus Belästigungen, zu dem das moderne Leben geworden war. Größenwahnsinnige Arbeitgeber, unfreundliche Verkäuferinnen, Dauerbaustellen auf Hauptverkehrsstraßen, stundenlange Parkplatzsuche, Kinderwagen in überfüllten U-Bahnen. Überall Werbung, die den Verstand beleidigte. Nachbarn, die am Samstagmorgen Regale an die Wände schraubten. Kinder, die in der Wohnung oben Fangen spielten. Leute, die nicht wussten, dass es zum Musikhören Kopfhörer gab. Zehn verschiedene Paketdienste, die alle zwanzig Minuten klingelten, um eine Sendung für die Nachbarn abzugeben. Zugeschissene Bürgersteige. Überwachungskameras und flimmernde Monitore an jeder Ecke. Unternehmensberater am Arbeitsplatz. Berufsverkehr, Rollschuh-Demos, neurotische Hunde, überquellende Mülltonnen und Menschen, die den lieben langen Tag auf ihre Smartphones starrten, um jene ungesunde Mischung aus Panik und Langeweile nicht zu spüren, die für den aktuellen Zeitgeist typisch war.

Die Welt wurde in Städten erfunden, verwaltet, regiert und dekoriert. Also sollten die Irren mit ihrem Irrsinn auch in den Städten bleiben. Kein Schwein interessierte sich für Unterleuten, wenn es darum ging, Breitbandkabel zu verlegen, verarmte Rentner zu unterstützen oder eine Arztpraxis zu eröffnen. Dann sollten sie gefälligst auch ihre Windräder im Berliner Tiergarten errichten.

Unterleuten bedeutete Freiheit, Symbol der Freiheit war ein unverstellter Horizont. Unverstellte Horizonte gehörten zu Gerhards Job.

Mit Grauen dachte er daran, dass moderne Windkraftwerke die Höhe des Kölner Doms erreichten. Als wären Schaller und seine Müllverbrennungsanlage nicht Strafe genug. Der alte Kron mit seiner Krücke mochte nicht ganz bei Trost sein, aber seine Worte vor dem Märkischen Landmann hatten ins Schwarze getroffen.

Wenn auf der Anhöhe im Westen ein Windpark stünde, wäre Gerhards Haus, für dessen Sanierung er sich bis an sein Lebensende verschuldet hatte, keinen Pfifferling mehr wert. Das würde bedeuten, dass sie nicht wegziehen konnten, selbst wenn sie es wollten. Und Jule wäre bestimmt niemals in der Lage, sich mit dem Anblick der drehenden Rotoren zu arrangieren.

Mal abgesehen von ihrer persönlichen Betroffenheit, machte schon die Existenz der Kampfläufer das Vorhaben zur Farce. Man investierte doch nicht Millionen in ein EU-finanziertes Naturschutzgebiet, um es dann durch das Aufstellen von Windrädern in sein Gegenteil zu verkehren. Das Vogelschutzreservat Unterleuten lag auf dem Gebiet von drei benachbarten Gemeinden und war mit knapp 200 Hektar eines der größten in Europa. Gemeinsam mit vier Kollegen bewachte Gerhard auf diesem Territorium eine Population von 16 Brutpaaren. Gemäß Anlage 1 zur Bundesartenschutzverordnung gehörten die Kampfläufer zu den streng geschützten Vögeln. Sie waren 30 Zentimeter hoch, graufleckige Vögel von Größe und Statur einer kleinen Mülltüte, allerdings mit erstaunlicher Flugfähigkeit. Im Balzkleid präsentierten die Männchen einen weißen oder orangefarbenen Kragen. Traditionell besaßen die Vögel sogenannte Arenen, in denen sie ihre Werbungsläufe aufführten, während die Weibchen am Rand standen und sich ein Männchen für die Paarung aussuchten.

Den Winter verbrachten die Vögel in Westafrika. Von Anfang März bis Ende August wurde das Reservat abgeriegelt, damit die Kampfläufer bei Brut und Aufzucht ihrer Jungtiere nicht durch Spaziergänger gestört wurden. Aus ganz Europa reisten Ornithologen zur Beobachtung an. Sie kletterten auf einen der speziell errichteten Holztürme und richteten ihre Objektive auf die weiten Grasflächen der Unterleutner Heide. Meist stellten die Kampfläufer die Geduld ihrer Besucher auf eine harte Probe. Zeigte sich eine Gruppe in einiger Entfernung, die Männchen womöglich im Prachtkleid, mit gerecktem Kopf und gespreiztem Kragen ihre komplizierten Schleifen trippelnd, ratterten die Auslöser der Kameras, als liefe die Besetzung eines Hollywoodfilms über den roten Teppich.

Allein die Vorstellung, am Rand dieser Idylle einen Windpark zu errichten, löste bei Gerhard einen Lachreiz aus, der in Grauen überging, wenn er sich klarmachte, dass es sich nicht um einen Witz handelte.

Nach dem Abend im Märkischen Landmann hatte er noch lange mit Jule am Küchentisch gesessen. Er hatte sie zu einem Glas Wein genötigt und den Rest der Flasche allein getrunken. Sie redeten, wie sie schon lange nicht mehr miteinander geredet hatten. Über den tollwütigen Fortschrittsdrang der kapitalistischen Gesellschaft. Über die Idiotie der Politik. Über die Egozentrik und Aggressivität der modernen Welt, für die auch die brennenden Autoreifen des Tiers von nebenan ein gutes Beispiel abgaben. Selbstverständlich war Gerhard als Umweltschützer der ersten Stunde ein leidenschaftlicher Befürworter der Energiewende. Auch Jule vertrat die Auffassung, dass die Zukunft der Menschheit von der Umstellung auf erneuerbare Energien abhing. Aber alles mit Augenmaß.

Fuhr man von Berlin Richtung Unterleuten, überquerte man auf dem letzten Streckenabschnitt die Plausitzer Platte, eine in der letzten Eiszeit entstandene Hochfläche, auf der links und rechts der Straße rund 180 Windkraftanlagen standen. Bei Tag verbreitete die träge Bewegung der Rotoren einen schwer beschreibbaren Weltschmerz. Bei Nacht erzeugte das rhythmische, aber niemals synchrone Blinken der Warnleuchten hypnotische Zustände.

Jule hatte ihren Laptop geholt und zu googeln begonnen, während Gerhard ihr über die Schulter sah. Der Albtraum auf der Plausitzer Platte hatte auch nur mit acht Windrädern begonnen; in Unterleuten waren zehn geplant. Unter Jules flinken Fingern kam die Wahrheit nach und nach ans Licht. Windkraftanlagen zerstörten nicht nur die Landschaft, töteten Vögel und beeinträchtigten die Gesundheit der Anwohner. Sie waren auch unwirtschaftlich und ergaben in ökologischer Hinsicht überhaupt keinen Sinn. Da sich Strom nicht effizient speichern ließ, führte die Unzuverlässigkeit des Windes zu einer miserablen Energiebilanz. Außerdem war der CO_2-Ausstoß bei Herstellung der Anlagen enorm. Offensichtlich dienten die Propeller weniger dem Erzeugen von umweltfreundlicher Energie als dem Abgreifen von Steuergeldern.

Als das Baby zu schreien begonnen hatte, war Jule ins Schlafzimmer gegangen und nach dem Stillen zu Gerhard zurückgekommen. Seit Monaten hatte er seine Frau nicht so entspannt erlebt. Sie war keine narkotisierte Mutter mehr. Jeden Gedanken, den er formulierte, erfasste sie sofort und spann ihn weiter. Er genoss es, sie anzusehen. Wie sie nickte, während er sprach. Ihr konzentriertes, vom Schein des Monitors beleuchtetes Gesicht. Fast kam es ihm vor, als wäre sie monatelang verreist gewesen und heute überraschend nach Hause zurückgekehrt. Bei aller Wut über die Pläne des Bürgermeisters – das Zusammensein mit Jule machte ihn glücklich. Es war weit nach Mitternacht, als sie endlich zu Bett gingen.

Jetzt zeigte die Uhr neun am Morgen und das Thermometer im Arbeitszimmer bereits 32 Grad. Die Sehnsucht danach, ein Fenster zu öffnen, fühlte sich an wie Durst. Im Nebenzimmer schrie Sophie, während Jule sie zu stillen versuchte.

Gerhard ging über den Flur ins Wohnzimmer, wo Jule auf der Couch saß und ihn müde anlächelte. Er hatte nicht gefragt, wie viele Stunden sie geschlafen hatte. Er wollte die Antwort nicht hören.

»Ich würde jetzt den Anruf machen. Könntest du Sophie …«

»Ist gut.«

Das Weinen des Babys wurde leiser, während Jule über den Flur ging, die Küche betrat und die Tür hinter sich schloss.

Gerhard setzte sich wieder an den Schreibtisch und nahm das Telefon zur Hand.

Uwe Kaczynski leitete die Naturschutzbehörde in Plausitz. Er war ein kleiner, tonnenförmiger Mann, der nach Kaffee und kaltem Zigarettenrauch roch. Er besaß weder

Studium noch Abitur, war fünfzehn Jahre jünger als Gerhard und trotzdem sein Vorgesetzter. So gut es ging verbarg Gerhard seine Schwierigkeiten, Kaczynski ernst zu nehmen. Im Gegenzug behandelte Kaczynski ihn mit ausgesuchtem Respekt, war rund um die Uhr für ihn zu erreichen und begrüßte ihn am Telefon jedes Mal fröhlich mit »Na, Herr Professor«.

»Na, Herr Professor. Was kann ich für Sie tun?«

Die Dorfversammlung vom Vorabend schilderte Gerhard auf eine Weise, als könne es sich nur um einen Irrtum handeln.

Er wollte es Kaczynski leicht machen zu sagen, dass Unterleuten in Wahrheit gar nicht betroffen sei. Dass es die Leute von der Vento Direct eben überall versuchten, in diesem Fall aber ohne Chance. Brandenburg war schließlich groß genug.

Kaczynski hörte schweigend zu, bis Gerhard zu Ende gesprochen hatte. Dann ließ er noch ein paar Sekunden verstreichen, seufzte und setzte zu einem längeren Vortrag an. Plötzlich entbehrte die Professor-Anrede jeden Humors.

Es tue ihm leid, aber Professor Fließ müsse wissen, dass es sich hier nicht um eine kommunale Angelegenheit, sondern letztlich um große Politik handele. Brandenburg habe sich in der Energiestrategie 2020 verpflichtet, die durch Windkraft erzeugte Leistung innerhalb der nächsten zehn Jahre um das Fünffache zu steigern. Ob Professor Fließ sich das vorstellen könne: das Fünffache? Auf zwanzig Prozent des Energiebedarfs! Gleichzeitig werde die Inbetriebnahme des neuen Flughafens in Schönefeld den CO_2-Ausstoß beträchtlich erhöhen. Das werde denen die Energiebilanz versauen, sagte Kaczynski, wenn sie sich nicht ranhielten. Der Ministerpräsident habe ausdrücklich klargestellt, dass neue Windparks kämen, ob das den Leuten gefalle oder nicht.

Weil Gerhard einhaken wollte, erhöhte Kaczynski das Sprechtempo.

Dieser Tanz finde auf einem anderen Parkett statt, da seien sie, nämlich Professor Fließ und Kaczynski, mit ihrem Naturschutz nur ein paar Sandkörner unter den Schuhsohlen. Leider sei die Vento Direct keine dahergelaufene Räuberbande, sondern ein offiziell anerkannter Partner des Ministeriums im Rahmen der Energiestrategie. Da wolle er lieber gleich sagen, wie die Aktien in Unterleuten stünden. Nämlich schlecht. Zwar seien die Gemeinden über das Bauplanungsrecht an der Projektierung beteiligt. Nur gehe es dabei nicht mehr um die Frage, ob die Propeller gebaut würden. Sondern nur noch darum, ob sie einen Kilometer weiter links oder rechts zu stehen kämen. Die Vento Direct grase das gesamte Umland ab, die seien schon überall gewesen, um ihre Wunschstandorte vorzustellen. Natürlich rege sich Widerstand. Schließlich wolle jeder Windkraft, nicht wahr, aber bitte nicht vor der eigenen Haustür.

Gerhard wollte protestieren, aber Kaczynski redete einfach über ihn hinweg.

Ein Satz noch, um die Sache zu Ende zu bringen, das sei vielleicht auch für Professor Fließ interessant. Deren Strategie bestehe in Schnelligkeit. Die Planung werde mit einem Affenzahn durch die Gemeinderäte gepeitscht, bevor die Leute richtig aufwachten. Viele Dörfer versuchten, sich zu wehren. Aber die meisten würden verlieren. So sei das eben.

»Und wer gewinnt?«, fragte Gerhard.

»Der Stärkere«, sagte Kaczynski.

Nachdem das Gespräch beendet war, ließ Gerhard das Telefon fallen wie einen schmutzigen Gegenstand. Der Deckel vom Akkufach sprang ab und rutschte klappernd über den Tisch. Er ging zu Jule in die Küche, stützte die Hände auf die Fensterbank und sah hinaus. Die aufgeklappte Allee lag friedlich in der Morgensonne. Sanft stiegen die Felder zum Waldrand hinauf. Weil Gombrowskis Bio-Betrieb keinen Unkrautvertilger verwendete, war die gelbe Fläche des Weizens bepudert vom Rot und Blau der Mohn- und Kornblumen. Gerhard versuchte, die Windräder zu sehen, zehn an der Zahl. Es gelang ihm nicht. Er schlug eine Faust auf das Fensterbrett.

»Was hat Kaczynski gesagt?«, fragte Jule.

»Den haben sie gekauft«, antwortete Gerhard.

14 Schaller

»He, Schaller. Kannst du dich an mich erinnern?«

Zwei Jahre nach dem Unfall geschah es immer noch, dass Menschen oder Dinge aus der Vergangenheit plötzlich an die Oberfläche seines Bewusstseins drangen, ein wahres Störfeuer verursachten und wieder verschwanden, wenn er sie zu begreifen versuchte. Er hatte festgestellt, dass es kaum eine Rolle spielte, ob er sich tatsächlich erinnerte. Die meisten Menschen waren so einfach gestrickt, dass ein Blick genügte, um das Wichtigste über sie zu wissen.

Der magere Rothaarige mit der körnigen Haut zum Beispiel war ein kleiner Gauner, der sich für clever hielt, wenn es ihm gelang, andere Menschen über den Tisch zu ziehen. Schaller hoffte, dass er in seinem früheren Leben vernünftig genug gewesen war, mit dieser Pfeife nicht zusammenzuarbeiten. Vermutlich war der Kerl ein Handlanger des Russen. Mit seinem quadratköpfigen Kumpel, der gerade vom Beifahrersitz des Transporters sprang, verständigte er sich durch Handzeichen und ein paar Brocken slawischen Kauderwelschs.

Schaller musste sich nicht erheben, um zu erkennen, dass es sich bei den Eisenteilen, die der Pritschenwagen geladen hatte, nicht um seine Hebebühne, sondern um einen Haufen Altmetall handelte. Mit baumelnden Beinen saß er auf der Bank und sah zu, wie Rothaariger und Quadratkopf auf die Ladefläche ihres Fahrzeugs kletterten und begannen, den Schrott mit großem Radau in den Hof zu werfen. Schaller blieb sitzen. Auch das hatte ihn sein gebrochenes Genick gelehrt: Viele Probleme erledigten sich von selbst, wenn man nicht aufstand. Die nächste Metallplatte fiel mit ohrenbetäubendem Scheppern in den Hof. Den Wert des Altmetalls schätzte Schaller auf dreihundert Euro. Der Russe ließ sich sein Statement etwas kosten. Es ging nicht nur darum, dass sie die gestohlene Hebebühne nicht zurückgeben wollten. Sie wollten zeigen, was für Schwergewichte sie waren. Eine Episode, die sie beim Bier im Landmann zum Besten geben konnten. Wie sie dem Schaller, der glaubte, einfach so ins Geschäft wiedereinsteigen zu können, einen Haufen Schrott in den Hof geworfen hatten.

»He, Schaller«, rief der Rothaarige. »Ich hab gehört, dass deine Birne jetzt wieder einigermaßen funktioniert. Weißt du dann auch noch, was Autotausch ist?«

Jeder wusste das. Zwei Besitzer von etwa gleichwertigen, fabrikneuen Limousinen wurden an unterschiedlichen Orten Opfer von Autodieben. Etwas später »kaufte« der eine bei einem kleinen Autohändler den Wagen des anderen und umgekehrt. Gleichzeitig wurden beide Versicherungssummen in voller Höhe fällig. Das Geschäft brachte eine anständige Provision für den Vermittler. Trotzdem glaubte Schaller nicht, jemals in eine so abgegriffene Gaunerei verwickelt gewesen zu sein. Aber sicher sein konnte er nicht.

»Dann schlage ich vor, du freust dich über unsere kleine Aufmerksamkeit und lässt in Zukunft die Latten am Zaun. Andernfalls kannst du deinen Freunden von der Bundespolizei erklären, wie viel Spaß der Autotausch immer gemacht hat.«

Derart lange Sätze hätte Schaller dem Rothaarigen nicht

zugetraut. Vielleicht hatte der Russe ihn gezwungen, seine dämliche Ansage auswendig zu lernen. Während der leere Pritschenwagen mit pfeifendem Keilriemen vom Hof schlingerte, wuchs Schallers Ärger. Die Belästigungen gingen einfach immer weiter. Die Menschen konnten ihn nicht in Ruhe lassen. Egal, wo er wohnte, was er machte, mit wem er sprach – sofort fingen die anderen an, ihm übel mitzuspielen. Das zu wissen war schlimmer als die Tatsache, dass er sich jetzt mit der Sache befassen musste. Er brauchte seine Hebebühne so dringend, dass sich irgendeine Lösung finden würde. Ob mit Gombrowski oder dem Knüppel, konnte er später entscheiden.

15 Kron

Ausgerechnet in dem Moment, als er auf Hildes Schwelle stand, die Klingel drückte und dabei wie ein Komödien-Kavalier einen Strauß Rosen hinter dem Rücken versteckte, fuhren Malte und Wojtek mit dem Pritschenwagen vorbei. Malte, der am Steuer saß, ging vom Gas, hupte zum Gruß und lehnte sich halb aus dem offenen Fenster, um lachend auf die Rosen in Krons Hand zu zeigen. Dann beschleunigte der Pritschenwagen und verschwand am Ende des Beutelwegs im Wald.

Es gab nicht viele Situationen, in denen Kron nicht gesehen werden wollte, aber diese gehörte dazu. Unterleuten war das reinste Panoptikum. Wenn sich Datenschützer in der Zeitung wegen Überwachung im Internet ereiferten, musste Kron regelmäßig lachen. Man musste nur ein handelsübliches Dorf besuchen, um zu verstehen, was der gläserne Mensch tatsächlich war.

Kron klingelte noch einmal und hörte Schritte im Flur. Als sich die Tür einen Spalt öffnete, streckte er schnell die Hand mit dem Blumenstrauß hindurch, um zu verhindern, dass Hilde die Tür sofort wieder schloss.

»Was willst du?«, fragte sie.

»Mich entschuldigen.«

»Die Rosen hast du doch in meinem Garten abgerissen.«

Weil Kron nicht widersprechen konnte, schwieg er. Sein Lächeln war ein wenig eingerostet, er spürte es, als er die Wangen breit zog. So freundlich er konnte, blickte er auf Hilde hinunter. Seit Eriks Tod färbte sie sich die Haare schwarz. Der Streifen heller Kopfhaut im Scheitel hatte etwas Rührendes. Auch wenn sie ihm blond besser gefallen hatte, übten ihre hellen Augen und die winzigen Hände noch die gleiche Wirkung auf ihn aus wie vor dreißig Jahren.

»Darf ich reinkommen?«

Sie verzog keine Miene und trat nicht zur Seite, protestierte aber auch nicht, als er die Tür vorsichtig aufdrückte und an ihr vorbei in den Flur trat. Überall Katzen. Drei saßen hinter Hilde am Boden und sahen ihn an, eine weitere schlief kissenförmig auf dem Telefontischchen, die fünfte floh durch eine angelehnte Tür.

Kron hasste dieses Haus. Gombrowski hatte es gekauft, Gombrowski hatte es saniert, Gombrowski hatte Hilde hier hineingepflanzt wie eine verkümmerte Pflanze in einen neuen Topf.

»Wollen wir uns setzen?«, fragte er.

Hilde reagierte nicht. Kron ging voran und machte eine einladende Geste, als wäre er hier zu Hause.

Das kleine Wohnzimmer war mit zwei Sofas, mehreren Sesseln und einer Unmenge von Stühlen vollgestellt. Die Einrichtung wirkte zusammgewürfelt, als hätte Gombrowski einige Stücke aus der alten LPG-Ausstattung mit alten Möbeln von Püppi kombiniert. Nur einen Augenblick fragte sich Kron, wozu Hilde so viele Sessel und Stühle brauchte – natürlich handelte es sich um Liegeplätze für die Katzen. Kron hatte nichts gegen Katzen, aber hier befanden sich so viele von ihnen, dass er sich ekelte wie vor einer Ansammlung Insekten.

Die Möbel waren von Katzenkrallen ramponiert, Teppiche und Polster von einer dichten Schicht Haare überzogen. Es roch. Kron suchte nach einem halbwegs sauberen Stuhl, fand keinen und setzte sich trotzdem. Hilde blieb stehen. Auf diese Weise waren sie etwa gleich groß. Den Anblick des Mullverbands auf Hildes Stirn fand Kron so beschämend, dass er den Blick zu Boden richtete. Dort saß das silberne Kätzchen und legte den Kopf in den Nacken, um ihn anzusehen. Der kleine Körper schwankte, als wollte das Tierchen vor lauter Konzentration im nächsten Moment hintenüberkippen. Krons Beschämung wandelte sich in Wut. Das war eine Erleichterung. Er zeigte auf das kleine Tier.

»Ich dachte, die Katze ist vergeben.«

»Die Familie holt das Kätzchen am Wochenende, Kron. Warum hältst du immer alle außer dir für Lügner und Betrüger?«

»Weil ihr alle welche seid.«

Obwohl Kron den Kopf nicht hob, wusste er, dass Hilde ihn ansah.

»War das jetzt deine Entschuldigung?«, fragte sie.

Das Kätzchen duckte sich, rüttelte mit dem Hinterteil und setzte auf Krons Schnürsenkel an. Hilde bückte sich und nahm das Tier auf den Arm. Kron hatte wirklich vorgehabt, ihr ein paar freundliche Worte zu sagen und gleich wieder zu gehen, aber nun musste er loswerden, was ihm auf der Zunge lag.

»Das Windmühlentheater ist doch wieder ein neues Verbrechen aus dem Hause Gombrowski«, sagte er.

»Wovon redest du?«

»Und Arne sitzt natürlich mit im Boot. Geht's der Ökologica so schlecht, dass der fette alte Hund auch noch den Wind bestehlen muss?«

»Du bist paranoid, Kron.«

»Schallers Unfall vor zwei Jahren. Das hab ich damals nicht begriffen. Wer hatte es plötzlich auf Schaller abgesehen? Nach so langer Zeit?«

»Hör auf damit.«

»Fast zeitgleich hat ein Geldsack aus dem Westen den halben Landkreis gekauft. Ich konnte den Zusammenhang nicht erkennen. Seit gestern verstehe ich alles. Geschickt eingefädelt, das muss ich schon sagen.«

»Geh jetzt nach Hause, Kron.«

»Ihr wusstet damals schon von den Windmühlenplänen, stimmt's? Aber euch hat das nötige Kleingeld gefehlt, um das Land selbst zu kaufen. Also habt ihr einen Investor gesucht. Und Schaller, der alte Idiot, sollte beiseitegeräumt werden, damit er euch nicht mit alten Geschichten dazwischenfunken kann. Zu blöd, dass diese Fleischmaschine sogar einen Genickbruch überlebt.«

»Hau ab!«, schrie Hilde.

Erschrocken wand sich das Kätzchen aus ihren Armen und sprang auf den Boden.

Hilde zitterte, ob vor Wut, Angst oder Scham, konnte Kron nicht entscheiden. Er stand auf und ging zurück in den Flur.

»Dieses Mal mache ich ihm einen Strich durch die Rechnung«, sagte er, die Türklinke schon in der Hand. »Das kannst du dem fetten alten Hund ausrichten.«

Sie stand auf der Schwelle und wirkte in ihrer Fassungslosigkeit wie ein Kind, das sich verlaufen hat. Glasklar erkannte Kron, dass sie unschuldig war. Nicht sie, sondern Gombrowski besaß ein schwarzes Herz. Hilde hatte in den langen Jahren der Abhängigkeit nur aufgehört, zwischen gut und böse zu unterscheiden. Sie war in alle Pläne eingeweiht – das bedeutete aber nicht, dass es ihre Pläne waren. Und wie Kron sie so stehen sah, ein alt gewordenes Mädchen, wich die Wut mit einem Mal doch wieder dem schlechten Gewissen.

»Dass ich dich geschlagen habe, tut mir wirklich leid«, sagte er.

Wenn Hilde lächelte, erschienen in ihren Mundwinkeln zwei Grübchen, die sonst völlig unsichtbar waren.

16 Fließ-Weiland

Es war eine Wiedergeburt. Der Himmel blau, die Gärten grün, die Luft schwanger vom Geruch nach Staub, Kiefernnadeln und heißem Asphalt. Der Boden unter Jules Füßen schien zu federn wie ein Trampolin. Sie sah sich selbst in Zeitlupe, sie sah ihr eigenes Gesicht in Großaufnahme, entschlossen und voller Lebenskraft. Sie sah sich selbst von oben, wie sie in langem Rock und Sandalen die Dorfstraße entlanglief, mit einer Hand den Kopf ihres Babys stützend, das im Tragetuch vor ihrem Bauch schlief. Eine Frau mit einer Mission.

Die Idee war ihr gekommen, während Gerhard von seinem Scheitern bei Kaczynski berichtete. Frustriert hatte er am Küchenfenster gestanden und nicht weitergewusst. Mit einem Mal hatte Jule begriffen, dass sie gar nicht zu Hause herumsitzen und darauf warten musste, was ihr das Schicksal als Nächstes antun würde. Sie war keine Gefangene des Tiers von nebenan. Sie konnte sich Sophie vor den Bauch binden und gehen, wohin sie wollte. Im Gegensatz zu Gerhard arbeitete sie nicht bei einer Behörde und unterlag keinen Einschränkungen in Bezug auf politisches Engagement. Und sie hatte eine Verpflichtung gegenüber dem Dorf, das spürte sie jetzt deutlich. Seit ihrem Umzug hierher genoss sie das Gefühl, von einer langwierigen Krankheit genesen zu sein. Sie war der uneigentlichen Welt entkommen. Das Dorf war ein Lebensraum, den sie überblickte und verstand. Die Unterleutner lasen keine Zeitungen, sahen wenig fern, benutzten das Internet nicht. Dass sie alle vier Jahre ihren Arne zum Bürgermeister wählten, war Ehrensache; den Namen des Bundespräsidenten kannten sie vermutlich nicht. Die Politik interessierte sich nicht die Bohne für Unterleuten – warum sollte sich Unterleuten für Politik interessieren? Im Dorf gab es keine Geschäfte, keinen Arzt, keinen Pfarrer, keine Post, keine Apotheke, keine Schule, keinen Bahnhof – es gab nicht einmal Kanalisation. Es gab den »Märkischen Landmann«, an dessen Außenwand ein Briefkasten neben einem Zigarettenautomaten hing. Einige Kilometer außerhalb des Dorfs befand sich ein Horizontalfilterbrunnen, auf den der Bürgermeister unendlich stolz war, weil er die Gemeinde von der Trinkwasserversorgung des Zweckverbands unabhängig machte. Ein weiterer Schritt, der Unterleuten von aller Staatlichkeit entfernte. In den Gärten wuchs Gemüse, nicht, weil sich ein paar Öko-Aussteiger im nachhaltigen Ackerbau übten, sondern weil man den Keller vor dem Winter mit Kartoffeln füllen musste. Wer keinen Kartoffelkeller besaß, züchtete Hühner oder mästete Enten, konnte Stromleitungen verlegen, wusste, wie man billig an Dachziegel herankam oder fuhr alle zwei Wochen zum Zigarettenholen nach Polen. Tagsüber arbeiteten die Leute in Gombrowskis Ökologica oder schuppten Fische in einer Plausitzer Touristenküche. Abends speisten sie Waren und Dienstleistungen in die Tauschgesellschaft ein. Weil niemand Geld hatte, war wenig davon im Umlauf. Man tapezierte bei Silke und Sabine das Wohnzimmer und nahm dafür eine fette Gans mit nach Hause. Aufgeschrieben wurde nichts. Unterleutner besaßen einen sechsten Sinn dafür, wer wem einen Gefallen schuldete. Es war wichtig, nicht zu weit in Rückstand zu geraten.

Vor Sophies Geburt hatten Jule und Gerhard halbe Nächte damit verbracht, über das Unterleutner Soziotop zu reden. Über das Phänomen der Tauschgesellschaft konnten sie sich begeistern wie Naturforscher, die unverhofft einen neuen Käfer entdeckt hatten. Wenn Jule allerdings ihren Berliner Freunden davon erzählte, schüttelten diese ungläubig die Köpfe. Sie konnten nicht glauben, dass es in Deutschland Menschen gab, für die das Anbauen von Gemüse kein Hobby war. Was Jule erzählte, klang für sie nach Weißrussland oder Kasachstan. Wenn sie dann noch behauptete, dass sich ihre Nachbarn selbst gar nicht als arm bezeichnen würden; dass sie, im Gegenteil, zufriedener wirkten als manch ein Bewohner des Prenzlauer Bergs; dass sie die Abende nicht biertrinkend vor dem Fernseher, sondern mit Gartenarbeit, Nachbarschaftshilfe oder Informationsaustausch am Gartenzaun verbrachten, weil die Tauschgesellschaft sie ständig auf Trab hielt, runzelten die Freunde misstrauisch die Stirn. Spätestens wenn Jule den Gartenzaun scherzhaft das Dorf-Internet nannte und von »Fencebook-Profilen« sprach, stiegen die Zuhörer aus. Sie warfen ihr Sozialromantik vor und dass sie ihre Zivilisationsflucht hinter Provinzverklärung verberge.

Die Verabredungen wurden seltener. Die Berliner Freunde hatten wenig Zeit für Landbesuche, und Jule fing an, die Stadt als Vergangenheit zu betrachten. Unterleuten war ihr neues Leben, die Erde, auf der sie mit beiden Beinen stand.

Alles das galt es nun zu verteidigen. Die Zeit drängte. Jule musste loslegen, bevor die Strippenzieher anfingen, Unterleuten das Gehirn zu waschen. Das hatte sie Gerhard erklärt und sich über seine Verwunderung gefreut. Er hatte sie in den Arm genommen und gesagt, wie stolz er auf sie sei. Dann hatten sie sofort begonnen, die Einzelheiten zu klären. Trotz des Gestanks hatte Jule ihn zum Auto begleitet und die Feuer an der Grundstücksgrenze keines Blickes gewürdigt. Noch durchs offene Fahrerfenster hatte Gerhard letzte Anweisungen erteilt und dabei ihre Hand gehalten.

»Schaffst du das?«, hatte er gefragt. »Auch mit Sophie?«

Und ob sie das schaffte. 122 Haushalte gab es in Unterleuten, an zwanzig Türen hatte sie bereits geklingelt. Unter dem Arm trug sie ein Klemmbrett mit einer Unterschriftenliste, die sie selbst am Computer erstellt hatte. »Gegen Windkraft in Unterleuten« stand in großen Buchstaben am oberen Rand, darunter eine Tabelle, in der sich bereits elf Unterschriften befanden, jeweils mit vollständiger Adresse der Unterzeichner. Neun Familien waren nicht zu Hause gewesen, da konnte sie es am Abend noch einmal versuchen. Niemand hatte sie weggeschickt. Natürlich nicht. Auch die anderen sahen, was Jule selbst spürte. Sie war eine Ikone des Gemeinschaftssinns. Eine junge Mutter, die ihren Säugling mit auf die Straße nahm, um sich politisch zu engagieren. Ein älterer Mann hatte ihre Hand genommen und ihr gedankt. Dass es noch Menschen gibt, die sich wehren! Eine nette Frau wie Sie! Dabei sind Sie gar nicht von hier.

Jule verstand nicht mehr, was in letzter Zeit mit ihr los gewesen war. Jetzt war der Knoten geplatzt. Sie wusste wieder, dass Unterleuten tatsächlich existierte. Nicht irgendwo, sondern direkt vor der Tür, als ihr persönlicher Lebensraum. Als der Ort, an dem Sophie groß werden sollte. Ebenso wirklich wie das Dorf war die Bedrohung des Dorfs durch die Pläne einer sich selbst subventionierenden Gutmenschenbürokratie. Es würde schwierig werden, sich dagegen zu wehren. Seit die Wirtschaft gelernt hatte, die Sprache der Moral zu sprechen, lag das politische Engagement im Koma. Das hatte sie heute Morgen zu Gerhard gesagt, woraufhin er ihr Gesicht in beide Hände genommen und sie auf die Stirn geküsst hatte.

Jule passierte die Mauer des Märkischen Landmann und dachte an die blonde Frau, die gestern dem alten Krawallbruder seine Grenzen gezeigt hatte. Mutig war sie gewesen, hoch aufgerichtet und förmlich bebend von einem kompromisslosen Willen. Diese Linda war nicht älter als Jule selbst, eher ein paar Jahre jünger. Trotzdem schien das Material, aus dem man sie hergestellt hatte, aus einer anderen Kiste zu stammen. Wäre Jule ein Mann gewesen, hätte sie sich in diese Frau verliebt. Nicht das Gespräch mit Gerhard, sondern Lindas Anblick hatte sie aus ihrer geistigen Umnachtung gerissen. Linda stand am Tor zur Welt und machte eine einladende Geste, und Jule freute sich jetzt schon darauf, mit ihrer Unterschriftenliste in die Villa Kunterbunt zu gehen.

Aber erst einmal war das Haus mit dem blauen Dach an der Reihe. Die Sonne brachte die glasierten Dachziegel zum Leuchten und ließ sie aussehen wie aus buntem Plastik gemacht. Es war nicht nur das größte, sondern auch das scheußlichste Gebäude im ganzen Beutelweg.

Im Lauf des Vormittags hatte Jule ein Spiel daraus gemacht, anhand der Außenansicht eines Hauses zu erraten, ob man ihr Bier, Zigaretten, Kaffee oder Bromfelder anbieten würde. Die meisten Treffer erzielte sie, wenn sie auf Bromfelder tippte, aber das Haus mit dem blauen Dach war eindeutig ein Kaffee-Haus. Es thronte auf einem weitläufigen Grundstück. Mehrere Rasensprenger vereinten ihr rhythmisches Zischen zu einem melancholischen Lied; wo sie nicht hinreichten, war das sauber gestutzte Gras von der Hitze gelb verfärbt. Zwei Gipslöwen bewachten die Treppe zur Eingangstür. Eine Klingel gab es außerhalb des Zauns nicht. Als Jule gerade das Gartentor öffnen wollte, hörte sie ein Geräusch auf dem Nachbargrundstück und hielt inne. Nebenan ging die Tür auf, ein Mann trat aus dem kleinen

Häuschen. Ein paar Rosen flogen an seinem Kopf vorbei, dann fiel die Tür ins Schloss.

Ein Moment der Stille. Langsam drehte sich der Mann zu Jule um, als hätte er schon gewusst, dass sie dort stand und die Szene beobachtete. Es war der Alte, mit dem Linda am Vorabend aneinandergeraten war. Sein Name fiel Jule nicht ein. Obwohl sie schon zwei Jahre in Unterleuten lebte, kannte sie wenig Leute. Oma Rüdiger und Opa Margot sowie Arne, den Bürgermeister. Kathrin, von der Jule zunächst geglaubt hatte, dass sie Arnes Tochter, dann, dass sie seine Geliebte sei, bis sie begriff, dass es sich nur um Nachbarschaft handelte.

»Was machst du da?«, fragte der Alte.

Die Frage traf Jule unvorbereitet. Sie war noch bei der Überlegung, ob sie den Mann grüßen sollte oder nicht.

»Unterschriften sammeln«, sagte sie schließlich.

»Was?«

»Gegen Windkraft.«

»Was?«

»Wollen Sie vielleicht unterschreiben?«

»Was?«

Sie überlegte, ob er nicht ganz richtig im Kopf war. Oder vielleicht schlecht hörte. Er verließ das Nachbargrundstück und kam zu ihr auf die Straße.

»Zeig her.«

Ein paar Meter vor ihr blieb er stehen und streckte die Hand aus, so dass sie zu ihm gehen musste, um ihm die Liste zu geben. Mit schnellem Blick überflog er Überschrift und Namen.

»Hat sich jemand geweigert?«

»Ein paar waren nicht zu Hause.«

»Ob sich jemand geweigert hat!«

»Bis jetzt nicht.«

Der Alte nickte und gab ihr das Klemmbrett zurück.

»Unterschreiben Sie jetzt? Die Windkraftanlagen bedrohen nicht nur die landschaftliche Schönheit der Region, sondern auch …«

»Schätzchen.« Der Alte streckte die Hand aus und tätschelte Jules Wange. »Das Einzige, was ich in diesem Leben noch unterschreiben werde, ist mein Testament.«

Plötzlich hielt er inne und sog Luft durch die Nase.

»Du stinkst«, sagte er. »Nach verbranntem Gummi.«

Jule spürte, wie sie rot anlief.

»Das liegt an …«

Der Alte griff ihr ins Haar und roch an einer Strähne.

»Bei Schaller steigt seit ein paar Tagen Rauch auf«, sagte der Alte.

»Wir wohnen nebenan«, erwiderte Jule vorsichtig.

»Der räuchert euch ein?«

Jule antwortete nicht. Noch einmal roch der Alte an ihrem Haar, ohne dass sie sich gewehrt hätte. Seine Dreistigkeit machte sie hilflos.

»Interessant«, sagte er. »Sehr interessant.«

Damit drehte er sich um und hinkte den Beutelweg hinauf Richtung Wald.

Jule sah ihm eine Weile nach, bevor sie sich wieder dem Haus mit dem blauen Dach zuwandte. Sie trat durchs Gartentor und stieg die Stufen zur Eingangstür hinauf. Als sie die Klingel drückte, schlug drinnen ein Hund an. Fast alle Dörfler besaßen Hunde, die an den Zäunen entlangrannten, wenn sie nicht in Zwingern eingesperrt waren. Bei Nacht stimmten die Köter wahre Wolfskonzerte an. Mit einer Einzelstimme nahm das Geheul seinen Anfang und breitete sich aus, bis das ganze Dorf im Mondlicht tönte wie ein unheimliches Rieseninstrument. Jule hatte sich oft gefragt, wie es den Leuten gelang, von ihren eigenen Hunden nicht genervt zu sein. Was sie bislang noch nicht gesehen hatte, war ein Hund, der im Haus lebte. Schon gar nicht so ein Riesentier. Durch das Türfenster konnte sie verfolgen, wie der Hund mit langen Sätzen den Flur herunterkam. Er war so groß, dass seine Bewegungen wie Zeitlupe wirkten. Er bremste und schlitterte den letzten Meter bis zur Tür, wo er sich auf die Hinterbeine stellte und die Pranken gegen die Scheibe stemmte. So standen sie Auge in Auge, gleich groß, getrennt durch das Glas. Jule hatte Hunde nie besonders gemocht. Seit Sophie auf der Welt war, vertrat sie die Auffassung, dass diese überflüssigen Monster verboten gehörten.

»Fidi, aus!«

Eine etwa sechzigjährige Frau mit kurzen grauen Haaren und biederem Rock packte den Hund am Halsband, zerrte ihn mit ganzer Kraft von der Haustür weg und schob ihn in eins der angrenzenden Zimmer. Erst dann öffnete sie die Tür.

»Entschuldigung«, sagte die Frau. »Der Hund gehört meinem Mann.« Sie sandte ein schüchternes Lächeln aus, als wäre sie auf der Suche nach einer Verbündeten. »Wie kann ich Ihnen helfen?«

»Ich bin Jule Fließ. Ich sammele Unterschriften gegen den Bau von Windkraftanlagen in Unterleuten.«

Die Frau reagierte nicht. Ihr Blick wanderte zwischen Jules Augen hin und her, als suchte sie Antwort auf eine Frage. Vielleicht hatte sie nicht verstanden, worum es ging.

»Das Kapital unserer infrastrukturell schwachen Region liegt in den Naturschönheiten, in der Unberührtheit der Landschaft und im reichen Artenbestand. Deshalb wäre es ein unverzeihlicher Fehler ...«

Jule verstummte. Das Gesicht der Frau hatte einen gehetzten Ausdruck angenommen.

»Was ist denn in Sie gefahren?«, fragte sie. »Wenn der Hund da ist, ist auch mein Mann zu Hause.«

Darauf fiel Jule keine Erwiderung ein. Sie wippte ein wenig auf den Fersen, um die schlafende Sophie zu schaukeln. Die Rasensprenger brachten die nächste Umdrehung hinter sich, ein kühler Luftzug war zu spüren, wenn das Wasser in die Nähe kam. Die Frau blickte über die Schulter in den Flur. Sie schien vor irgendetwas Angst zu haben. Gerhard hatte mehrmals betont, dass es bei solchen Aktionen vor allem darauf ankam, sich nicht abwimmeln zu lassen.

»Außerdem wird der Wert unserer Grundstücke sinken«, versuchte Jule es noch einmal. »Das ist Enteignung.«

»Gehen Sie jetzt bitte. Sofort.« Die Frau sprach schnell und leise. »Sie kommen von außerhalb. Sie wissen gar nicht, wo Sie sind.«

Dann schlug die Tür zu.

17 Meiler

Eigentlich hatte er schon beschlossen gehabt, dem Dreck-nest für immer den Rücken zu kehren, den albernen Namen »Unterleuten« zu vergessen und den gestrigen Tag aus dem Gedächtnis zu streichen. Selbst die Lust darauf, die ganze Bande zu verklagen, war mit dem Verrauchen des Ärgers auf null gesunken.

Aber dann war sein Mittagstermin in Berlin überraschend geplatzt, und die nächste Verabredung stand erst für 15 Uhr im Kalender. Konrad Meiler saß am Rand eines Abgrunds aus unverplanten Stunden. Freizeit hasste er fast ebenso sehr wie Zeitverschwendung. Eine Weile saß er auf der Kante des Hotelbetts und starrte ins Leere. Dann holte er, einem spontanen Impuls folgend, das Handy hervor und rief Mizzie an.

In der Regel musste er es mehrmals versuchen, wenn er sie persönlich erreichen wollte. Oft begnügte er sich mit der Mailbox, sprach aufs Band, wie es ihm ging und was er in letzter Zeit gemacht hatte, oder erzählte einfach nur, was er sah, wenn er aus dem Fenster schaute. Auch jetzt war er auf einen Monolog eingestellt und erschrak, als sich Mizzies Stimme meldete.

»Hallo, Konrad«, sagte sie freundlich. »Wie geht es dir?«

Auf die Schnelle fiel ihm kein sinnvoller Anfang ein. »Mizzie, wie findest du Windräder?«, fragte er schließlich.

Es entstand eine Pause. Im Hintergrund hörte er die Lautsprecheransagen des Münchner Hauptbahnhofs.

»Diese kleinen, die man in der Hand hält und pustet? Die hat Philipp geliebt, als er ein Kind war.«

»Ich meine die großen. Mit denen man Windenergie erzeugt.«

»Ach so.« Mizzie schien zu überlegen. »Die erinnern mich an die kleinen. Ich denke, die großen mag ich auch.«

»Willst du einen Windpark?«

»Wie bitte?«

»Ob du dir einen eigenen Windpark wünschst.«

»Warum nicht.« Mizzie lachte. »Bist du betrunken?«

»Noch nicht.« Auch Meiler lachte. Eine weitere Pause entstand. »Ist Philipp bei dir?«

»Wir sind verabredet.« Mizzies Stimme war die Freude über Meilers Frage anzuhören. Normalerweise vermied er es peinlich, sich nach seinem Sohn zu erkundigen.

»Wie geht es ihm?«

»Oh, zurzeit richtig gut. Wir suchen gerade eine Wohnung für ihn. Vielleicht kann ich ihn auch überreden, es noch einmal in Grafrath zu versuchen. Ich bin ganz optimistisch, dass wir bis Ende September ...«

»In Ordnung, Mizzie«, sagte Meiler.

Grafrath war eine Fachklinik für Suchtkranke, in der Philipp bereits mehrere Entzugsversuche hinter sich gebracht hatte; Meiler wusste nicht mehr, wie viele. Das Thema ertrug er nicht. Er hielt es nicht aus, seine Frau das Wort »Optimismus« gebrauchen zu hören.

»Ich muss jetzt Schluss machen«, sagte er. »Grüß ihn von mir, ja?«

»Mach ich«, sagte Mizzie glücklich. »Da wird er sich freuen.«

Das kurze Gespräch hatte Meiler angestrengt wie ein

Langstreckenlauf. Er schob es auf die Entscheidung, die er währenddessen gefällt hatte. Sofern eines der Eignungsgebiete zu seinem Besitz gehörte, würde er den Windpark in Unterleuten errichten lassen. Nicht für sich, sondern für seinen Sohn. Den jährlichen Pachtertrag von 150000 Euro würde er auf Philipps Konto überweisen, treuhänderisch verwaltet durch Mizzie.

Jahrelang hatte Meiler es abgelehnt, seinen Sohn finanziell zu unterstützen, solange er das Geld für die Beschaffung von Drogen ausgab. Dabei wurde Mizzie nicht müde, ihm zu erklären, dass Philipp bei Verwendung von sauberem Stoff ein langes und gesundes Leben führen könnte. Aber Meiler verabscheute Schwäche, und die Vorstellung, Philipps Kapitulation vor der Sucht zu finanzieren, bereitete ihm Übelkeit. Dass er jetzt plötzlich von seinem Grundsatz abrückte, hatte weniger mit Philipp als mit Mizzie zu tun. Es würde sie überglücklich machen, mit dem Geld für ihren geliebten Sohn sorgen zu können. Ihrer Meinung nach wusste niemand so gut wie sie, was das Richtige für Philipp war. Wenn Meiler selbst nichts mehr tun konnte, um zu Mizzies Glück beizutragen, dann sollte eben der Unterleutner Wind ihr den größten Wunsch erfüllen. Schließlich hatte er die Ländereien genau für solche Fälle ersteigert – Umgehungsstraße, Supermarktfiliale, Outletcenter oder eben Windkraft. So machte man Geld, und beim Geldmachen hatte er immer in erster Linie an seine Familie gedacht.

Meiler erhob sich von seinem Kingsize-Bett im Berliner Adlon, wo er abzusteigen pflegte, wenn er sich in der Hauptstadt aufhielt, nahm den Autoschlüssel vom Tisch und fuhr mit dem Aufzug in die Tiefgarage.

Eine knappe Stunde später stand er vor einem Neubau im Zentrum der Kreisstadt Plausitz und stemmte sich vergeblich gegen die Glastür. Noch einmal kontrollierte er die Öffnungszeiten: Montag bis Freitag, 8 bis 12 Uhr. Es war Freitag, der 16. Juli 2010, 11:45 Uhr. An einem leisen Surren erkannte er schließlich, dass sich die Glastür sehr wohl bewegte. Sie öffnete sich automatisch, mit einer unfassbaren Langsamkeit, die Meiler für Stillstand gehalten hatte.

Im vierten Stock belegten die Bausachen mehrere Büros. Auf gut Glück klopfte Meiler an die erste Tür. Frau Liebkind war höchstens dreißig und von Kopf bis Fuß kariert. Sie saß in einer Kammer, die den Schreibtisch eng umschloss. An der Wand ein selbstgebastelter Kalender mit Katzenphotos. Nach einer einladenden Handbewegung ihrerseits kauerte sich Meiler auf ein Stühlchen und betrachtete die Rückseite des Monitors.

»Dann wollen wir mal sehen«, sagte Frau Liebkind. »Schiefe Kappe auf der Plausitzer Höhe, südlich der Unterleutner Landstraße. Das sind die Flurstücke 27/3 und 27/4 sowie die 28/1. Insgesamt etwa zwanzig Hektar. Was wollen Sie wissen?«

»Ich möchte wissen, ob ich auf der Schiefen Kappe Land besitze.«

»Das tun Sie, Herr Meiler, und zwar das Flurstück 28/1. Acht Hektar.«

»Das reicht nicht.«

Frau Liebkind lachte.

»Ich meine, es reicht nicht für das Vorhaben.«

»Windkraft?« Sie nickte, ohne den Blick vom Monitor abzuwenden. »Dafür brauchen Sie zehn Hektar, und zwar zusammenhängend. Am besten, Sie kaufen das mittlere Flurstück dazu. Zwei Hektar.«

»Wer ist der Eigentümer?«

»Die Datensätze sind leider vertraulich. Aber wenn Sie ein Kaufinteresse anmelden wollen, kann ich den Eigentümer für Sie kontaktieren. Dann müssen Sie warten, ob sich der Betreffende bei Ihnen meldet. Kann natürlich dauern.«

Frau Liebkinds Fingernägel waren orange lackiert, dazu passte ihr Lippenstift. Meiler lehnte sich zur Seite, um ihr in die Augen zu sehen und herauszufinden, ob sich der Bildschirm darin spiegelte. Unmöglich, etwas zu erkennen. So etwas funktionierte nur in Filmen.

»Es sind insgesamt drei Eigentümer auf der Schiefen Kappe?«

Frau Liebkind nickte und lächelte.

»Außer Ihnen noch zwei.«

»Wohnen die beiden anderen in Unterleuten?«

Frau Liebkinds Lächeln vertiefte sich.

»Das darf ich Ihnen eigentlich nicht sagen.«

Verzweifelt sah Meiler sich in dem winzigen Raum um. Ein Kaufinteresse anzumelden, einfach ins Blaue hinein, konnte einen unverzeihlichen Fehler bedeuten. Er überlegte, eine Frage zu den Katzenphotos zu stellen, um etwas Zeit zu gewinnen. Frau Liebkind lächelte noch immer. Sie war halb so alt wie er und blickte ihn an wie eine nachsichtige Mutter, die sich heimlich über die Seelennöte ihres Kinds amüsiert. Dann stand sie auf.

»Herr Meiler, ich gehe jetzt kurz raus und hole mir einen Kaffee.« Mit dem Zeigefinger strich sie über die obere Kante des Bildschirms und drehte ihn wie zufällig ein Stück in Meilers Richtung. »Bis gleich.«

Ihr bezauberndes Lächeln blieb noch eine Weile im Raum, nachdem sie schon verschwunden war.

18 Fließ-Weiland

»Haben Sie Probleme mit den Nachbarn?«, fragte Jule.

»Wie bitte?«

Alleine hatte Jule dem Bürgermeister noch nie gegenübergesessen. Zum ersten Mal fiel ihr auf, dass er ihrem ehemaligen Geschichtslehrer ähnelte. Allerdings ein wenig schlaff, als wäre er einst ein stattlicher Mann gewesen, der in kurzer Zeit viel Gewicht verloren hat.

»Das macht sehr viel Lärm«, sagte Jule.

»Ach, das.« Arne schloss das Fenster. Das Knattern des Rasentraktors wurde leiser, war aber immer noch deutlich zu hören. »Das ist Herr Hübschke von nebenan.«

»Wenigstens müssen Sie das nur einmal die Woche ertragen.«

»Er mäht täglich.«

»So schnell wächst Gras doch gar nicht.«

»Er mäht zur Entspannung. Stundenlang.«

Arne Seidel setzte sich hinter den Schreibtisch, legte die Hände vor sich auf die Filzunterlage und lächelte Jule auffordernd an. Offensichtlich wollte er, dass sie jetzt zur Sache kam, aber der Rasenmäher bannte ihre Aufmerksamkeit.

»Das heißt, Sie wohnen und arbeiten hinter geschlossenen Fenstern?«

»Meistens.«

»Und können auch im Sommer nicht lüften?«

»Nur kurz.«

»Das muss doch furchtbar sein.«

»Frau Fließ.« Arne Seidel kniff die Augen zusammen. Das hatte der Geschichtslehrer, dessen Name Jule nicht einfallen wollte, auch immer getan, wenn ihm etwas nicht gefiel. »Kann ich Ihnen etwas anbieten? Wasser? Tee?«

Er war der Erste, der Kaffee oder Alkohol gar nicht erst vorschlug.

»Nein, danke.«

»Braucht das Baby etwas?«

Er war auch der Erste, der sich nach Sophie erkundigte, die schon wieder schlief, als wollte sie die letzten vier Nächte nachholen. Wenn Jule ans Schlafen dachte, wurde ihr schwindlig. Der Besuchersessel war so bequem, dass sie ihn kaum spürte. Ein Gefühl, als säße sie auf einer Wolke. Jule fixierte das Kinn des Bürgermeisters, bis das Zimmer zu schwanken aufhörte.

»Ein schönes Glas Milch für die Kleine?«

Höflich lachte sie über seinen Witz. Sie hatte Arne Seidel immer gemocht. Am Anfang, als Gerhard und sie in Unterleuten einfach alles gut fanden, pflegten sie einander nach jeder Begegnung mit Arne zu versichern, das Dorf habe den Bürgermeister, den es verdiene. Ein außergewöhnlich nettes Dorf mit einem außergewöhnlich netten Bürgermeister. Sie beugte sich vor und legte ihm die Unterschriftenliste auf den Tisch. Er nahm sich Zeit, Titel und Namen in Ruhe zu mustern.

»Hören Sie, Frau Fließ.« Bei der Tatsache, dass er sie ständig mit Namen ansprach, musste es sich um eine Berufskrankheit handeln. »Ich freue mich, wenn sich die Bürger engagieren. Gerade bei Zugezogenen. Das ist ein Zeichen von Gemeinschaftssinn. Aber ich kann das nicht unterschreiben.«

Er schob das Klemmbrett bis an den äußersten Rand der Tischplatte. Gewiss hätte Jule sich erheben sollen, um es an sich zu nehmen. Aber sie konnte nicht. Sophies Gewicht drückte schwer auf ihre Brust, die regelmäßigen Atemzüge der Kleinen wirkten wie ein Schlafmittel.

»Als Gemeindevorsteher muss ich in dieser Angelegenheit neutral bleiben. Dafür haben Sie sicher Verständnis.«

Jules Konzentration glitt an seinen Worten ab. Der Rasentraktor schrie und nörgelte. Jule glaubte, das fette Tier von nebenan geduckt auf der Maschine kauern zu sehen, wie es mit höhnischem Grinsen seine Runden zog.

»Wann bekommen wir unsere Baugenehmigung?«, hörte sie sich murmeln. »Für die Mauer.«

Überrascht blickte Arne auf. »Das Verfahren geht seinen gewöhnlichen Gang.«

Der Bürgermeister verschwamm an den Rändern. Der Geschichtslehrer hatte Herr Hoppe geheißen. Es war eine Erleichterung, sich daran erinnern zu können. Jule spürte, wie sich ihre Lippen zu einem Lächeln verzogen, obwohl das eigene Gesicht nicht mehr zu ihr gehörte.

»Das Tier macht uns fertig«, flüsterte sie.

»Frau Fließ?«

Das Geräusch des Rasenmähers verlor sich in der Ferne. Schwoll an, schwoll ab. Menschen besaßen kein Recht, einander zu quälen. Das wollte sie Arne sagen.

»Frau Fließ?«

19 Seidel

Es polterte an der Tür wie bei einem Auftritt Knecht Ruprechts.

»Da ist er ja«, sagte Arne leise zu sich selbst.

Soeben hatte er die schlafende Frau Fließ samt Baby aus dem Besuchersessel gehoben und ins Wohnzimmer getragen, wo er sie aufs Sofa bettete. Er legte sie auf den Rücken und stabilisierte ihren Körper mit einem Kissen, um zu verhindern, dass sie im Schlaf das Baby unter sich begrub. Dann lockerte er den Stoff des Tragetuchs, damit kein Hitzestau entstand, und beugte sich vor, um am Hinterkopf der schlafenden Kleinen zu riechen. Der Geruch war so intensiv, dass er beschämt zurückzuckte, als hätte er versucht, etwas zu stehlen, das ihm nicht gehörte.

Das Poltern an der Tür steigerte sich zu einem regelmäßigen Wummern. Jemand schlug mit der flachen Hand gegen das Holz und rüttelte mit der anderen am Knauf. Arne hatte diesen Auftritt vorhergesehen. Seit der Versammlung am Vorabend wartete er auf das Erscheinen seines Freundes. Er wäre nicht einmal überrascht gewesen, wenn ihn das Hämmern an der Tür mitten in der Nacht aus dem Bett geholt hätte. Gombrowski kam, wann er wollte, und benutzte grundsätzlich keine Klingeln.

Als Arne die Tür öffnete, walzte Gombrowski ohne ein

Wort des Grußes an ihm vorbei und strebte schnurstracks ins Arbeitszimmer, wo er schnaufend stehen blieb. Arne folgte gemächlich und setzte sich hinter den Schreibtisch. Er hatte nicht nur geahnt, dass Gombrowski kommen, sondern auch, wie sich die Situation abspielen würde. Und er behielt recht. Von der ersten Sekunde an lief Gombrowskis Besuch wie auf Schienen. Arne bot ihm etwas zu trinken an und wusste, dass er ablehnen würde. Er forderte ihn auf, sich zu setzen, und wusste, dass er stehen bleiben wollte. Gombrowski begann, vor dem Schreibtisch auf und ab zu laufen und eine Ansprache zu halten, der Arne nicht zuhörte, weil er sich jedes Wort selbst denken konnte. Entspannt lehnte er im Schreibtischstuhl und bewunderte Gombrowskis Stimme, die in wütenden Stößen dröhnte wie eine Tuba.

Weil der Bürgermeister von Unterleuten kein Amtszimmer zur Verfügung gestellt bekam, hatte Arne sein ehemaliges Esszimmer zum Büro umfunktioniert. Von hier aus besaß man den besten Blick in den Garten, der ab der Mitte zunehmend von großen Kiefern dominiert wurde, als versuchte der angrenzende Wald, sich ans Haus heranzupirschen. Nach hinten hin wurde der Rasen löchrig und kümmerlich und ging schließlich in eine Sandfläche über, weil das Gras kein Licht mehr bekam.

Bevor Kathrins nichtsnutziger Ehemann auf die Idee mit dem Rasentraktor gekommen war, hatte Arne viel Zeit damit verbracht, am Fenster zu sitzen und hinauszusehen. Tagsüber hatte er Spechte, Hasen, Eichelhäher und Bussarde beobachtet. Inzwischen trauten sich nur noch Nachttiere in den Garten. In der Abenddämmerung kamen Fledermäuse, Waschbären, Füchse und Marder. Manchmal zog eine Eule ihre lautlose Bahn, oder ein Reh wagte sich nah ans Haus heran, um das gut gedüngte Gras im vorderen

Teil zu fressen. Arne freute sich über jedes Tier. Nur wenn Wildschweine auftauchten, rannte er schreiend hinaus und schwenkte ein Handtuch über dem Kopf.

Leider half das Handtuch nicht gegen Wolfi. Während Gombrowski weiter hin und her lief und dabei schimpfte, sah Arne zu, wie Wolfi immer wieder möglichst dicht am Zaun entlangfuhr, weil er sich einen Sport daraus machte, einzelne Grashalme im direkten Umfeld der Zaunpfosten zu erwischen. Gemocht hatte Arne den hageren Möchtegern-Schriftsteller noch nie, aber inzwischen konnte sich seine Genervtheit in veritablen Hass verwandeln, wenn er die leicht gekrümmte Gestalt auf dem knatternden Traktor betrachtete. Besonders hasste er den runden Kopf, von dem sich das Haar bereits zurückzog und an dem seitlich die Micky-Maus-Ohren eines Lärmschützers saßen, mit dem sich Wolfi gegen jenen Krach abschottete, der Arne in den Wahnsinn trieb. Er würde nie verstehen, was Kathrin an diesem Dünnbrettbohrer fand. An Werktagen lag Wolfi bis zehn in den Federn, weil er angeblich nachts an seinen Theaterstücken arbeitete. In Wahrheit guckte er auf seinem Computer Filme, sobald Kathrin zu Bett gegangen war, was Arne am bunt flackernden Widerschein an den Wänden von Wolfis Arbeitszimmer erkennen konnte. Statt sich wenigstens anständig um Krönchen zu kümmern, die ein immer größerer Quälgeist wurde, hätschelte Wolfi seine Neurosen und ließ sich das schriftstellerische Versagen seelenruhig von seiner Frau finanzieren.

Einmal hatte Arne Kathrin am Gartenzaun gefragt, warum sie kaum noch Kontakte im Dorf pflege und nicht einmal zum Osterfeuer oder Erntedankfest erscheine. Erst hatte sie sich auf ihre Arbeit herausgeredet und darauf, dass Krönchen sie ständig auf Trab halte. Weil Arne das nicht gelten ließ, sagte sie schließlich:

»Du musst das verstehen. Wolfi kommt nicht aus Unterleuten. Er ist nur meinetwegen hier.«

Übersetzt hieß das: Er hält sich für etwas Besseres und hat keine Lust auf euch Dörfler.

Für Arne stand fest, dass Kathrin einen besseren Mann verdiente. Einen, der sie ernst nahm und der ihr zuhörte. Der arbeiten ging und die schweren Tätigkeiten im Haushalt erledigte. Manchmal fühlte sich Arne wie ein eifersüchtiger Vater. Er musste erleben, wie ihm ein minderwertiger Schwiegersohn die Ersatztochter wegnahm und ihm dann noch die Tage mit seinem knatternden Hobby vergällte.

Plötzlich trat Ruhe ein. Wolfi leerte den Fangkorb. Arne breitete die Arme aus und dehnte den schmerzenden Rücken. Langsam begannen ihm Gombrowskis Tiraden auf die Nerven zu gehen. Warum Arne ihm nicht rechtzeitig von der Windkraftoption erzählt habe. Dass sie gemeinsam ein besseres Eignungsgebiet ausgesucht hätten. Auf der Schiefen Kappe besitze er, Gombrowski, nur acht Hektar, für den Windpark brauche er aber mindestens zehn, und zwar zusammenhängend. Wie Arne ganz genau wisse, gehe es der Ökologica nicht besonders gut, sie sei aber immerhin der größte Arbeitgeber in der Region, und die Propeller könnten sie retten. Da capo, da capo.

Natürlich war ein Bürgermeister immer auch Prügelknabe für alle Frustrierten. Ein Großteil des Jobs bestand darin, an allem schuld zu sein. Trotzdem hatte Arne mit einem Mal keine Lust mehr, sich beschimpfen zu lassen. Der alte Hund hatte genug Zeit bekommen, um sich abzureagieren.

»Einigt euch«, sagte Arne.

Gombrowski blieb so abrupt stehen, dass Arne schon dachte, er müsse stürzen. Aus schweren Augen blickte er Arne an. In der plötzlichen Stille traf Arne eine Entscheidung. Er würde Wolfis Treiben ein Ende setzen. Alle Versuche, mit Kathrin über den Rasenmäher zu reden, waren erfolglos geblieben. Jetzt würde er die Sache selbst in die Hand nehmen, und er wusste auch schon, wie. Nur weil er versuchte, ein guter Bürgermeister zu sein, musste ihm nicht das ganze Dorf auf der Nase herumtanzen.

Einstweilen hatte Gombrowski die Sprache wiedergefunden.

»Willst du mich verarschen?«

»Du wirst doch wohl in der Lage sein, das mittlere Stückchen dazuzukaufen.«

»Es gibt aber noch einen dritten Eigentümer auf der Schiefen Kappe! Wenn der das mittlere Stückchen kauft, hat er ebenfalls genug Platz für den Windpark. Weißt du, was für eine beschissene Verhandlungssituation das ist?«

»Und weißt du, wem das andere Eignungsgebiet gehört?«, gab Arne zurück. »Das schmale Stück direkt am Waldrand?«

Statt einer Antwort schnaufte Gombrowski, wie er es tat, wenn er sich beim Skat verrechnet hatte. Arne hatte trotzdem Lust, den Namen zu sagen.

»Es gehört Kron. Ich kann dafür sorgen, dass er den Zuschlag bekommt. Wäre dir das lieber?«

Gombrowski starrte ihn an.

»Die Auswahl der Eignungsgebiete läuft unter Beteiligung der Landesregierung«, sagte Arne. »Mehr konnte ich nicht für dich tun. Kommst du am Montag zum Skat?«

Lächelnd schaute er dem breiten Rücken nach; Gombrowski kannte den Weg hinaus.

Die Haustür war noch nicht ins Schloss gefallen, als ein Baby zu schreien begann. Der Schreck hob Arne vom Stuhl. Die junge Frau Fließ hatte er vollständig vergessen. Fast im selben Moment erschien sie auf der Bildfläche, das Baby im Arm, und sah sich verschlafen um. Eine Sekunde hoffte Arne, Gombrowski wäre bereits gegangen und hätte die Tür ausnahmsweise geräuschlos ins Schloss gezogen. Unruhe im Dorf würde sich bei dieser Sache nicht vermeiden lassen. Was Arne allerdings nicht brauchte, waren streitende Parteien, die gleich in seinem Hausflur aneinandergerieten. Aber schon dröhnte die Stimme des alten Hunds durchs Haus, das Babygeschrei mühelos übertönend.

»Was machen Sie denn hier?«

»Unterschriften sammeln«, antwortete Frau Fließ.

»Wofür denn?«, polterte Gombrowski. »Oder wogegen?«

20 Wachs

»Bleib auf deiner Spur, verdammt!«

Auf dem Weg von Plausitz nach Unterleuten durchquerte man ein Waldstück, in dem die Bäume so dicht an der Straße standen, dass sie kleine Bugwellen in den Asphalt drückten. Die weißen Linien der Fahrbahnbegrenzung waren verschwunden, die Straßenränder halb in den Waldboden gesackt. Wer die Anordnung der Schlaglöcher nicht kannte und keinen Geländewagen fuhr, tat gut daran, die Geschwindigkeit auf 40 km/h zu begrenzen. Linda fuhr grundsätzlich 120 km/h. In Dörfern ging sie zähneknirschend und nur deshalb vom Gas, weil sie schlecht über Autofahrer schimpfen konnte, die ungebremst durch Unterleuten bretterten, wenn sie es selbst in Käffern wie Seelenheil, Wassersuppe oder Mantel nicht anders machte.

Es wäre Frederik wesentlich lieber gewesen, selbst am Steuer zu sitzen. Aber Linda konnte auf dem Beifahrersitz den Mund nicht halten, und auch Frederiks Geduld kannte Grenzen. Fahr schneller, halt Abstand, schalt doch mal runter, da vorn kannst du überholen. Das führte über kurz oder lang zum Krieg. Ein ungeschriebenes Gesetz ihrer Beziehung sah vor, dass Linda den Wagen fuhr.

Mitten im Wald krümmte sich die Straße zu einer scharfen Linkskurve. Auf beiden Seiten versperrten Bäume die

Sicht. Wie immer ließ Linda den Frontera nach rechts treiben, bis der Schotter vom Straßenrand gegen den Unterboden prasselte, zog vor dem Scheitelpunkt nach links, suchte die Ideallinie und durchquerte die Kurve ohne Abbremsen auf der Gegenfahrbahn. Frederik hasste es, wenn sie das tat. Er wusste, dass sie sich heimlich darüber amüsierte, wie seine Hand den Griff der Beifahrertür umklammerte und der rechte Fuß ins Leere bremste. Als das Heck ausbrach, juchzte sie wie ein Kind in der Achterbahn. Sie steuerte leicht gegen und beschleunigte, bis der schwer beladene Wagen seine Stabilität wiederfand. Im Kofferraum lagerte eine Schleifmaschine für die Dielen, die sie im Baumarkt ausgeliehen hatten, ein Gerät von der Größe eines Kinderwagens und dem Gewicht eines Kühlschranks.

»Wenn hier einer entgegenkommt, sind wir tot.«

»Man sieht, wenn einer kommt.«

»Im Winter vielleicht, wenn die Bäume kahl sind. Jetzt sieht man überhaupt nichts.«

»Man sieht es zwischen den Bäumen flimmern. Vor allem bei roten Autos.«

Sie machte sich über ihn lustig. Jedes weitere Wort hätte nur als Steilvorlage für ihren Lieblingsmonolog zum Thema »Frederik ist ein Feigling« gedient. Um sich zu beruhigen, wandte er den Kopf zum Fenster. Der Birkenwald, den sie gerade passierten, war sein Lieblingsabschnitt auf der Fahrt von Plausitz nach Unterleuten. Er mochte es, wie das Gras den Boden zwischen den Stämmen polsterte. Langsam ließ der Wunsch nach, Linda vom Fahrersitz zu zerren und ihr ein paar Ohrfeigen zu verpassen. Frederik hätte gern gewusst, ob es normal war, dass große Liebe nur durch eine dünne Membran von großem Hass getrennt wurde. Leider konnte er niemanden fragen, weil er niemanden kannte, der seine Freundin aufrichtig liebte.

Ein paar hundert Meter voraus standen mehrere Autos am Fahrbahnrand, gesäumt von einer Reihe Schaulustiger.

»Da ist ein Unfall passiert«, sagte Frederik. »Fahr langsamer!«

»Kampfläufer«, antwortete Linda, ohne vom Gas zu gehen.

Es dauerte ein paar Sekunden, bis er begriff, dass sie nicht von den Schaulustigen, sondern von Vögeln sprach. Jetzt erkannte er auch, dass die Menschen am Straßenrand mit Ferngläsern und Photoapparaten bewaffnet waren und in den Wald schauten, alle in dieselbe Richtung. Frederik kannte die Stelle. Zwischen den Bäumen standen auch in Trockenzeiten flache Tümpel. Für einen Augenblick sah er drei schuppenartig gemusterte Vögel im Gras. Schon war der Frontera mit unverminderter Geschwindigkeit vorbeigebraust.

»Das wird dem Fließ gefallen, wenn er nachher hier vorbeikommt«, sagte Linda. »Hast du sein Lächeln gesehen? Falls das ein Lächeln sein sollte. Schwer zu sagen, bei diesem quadratischen Mund.«

Sie hatten den Vogelschützer in der Holzabteilung des Baumarkts getroffen. Mit dem Stapel Vierkanthölzer, der auf seinem Wagen balancierte, hätte er um ein Haar Linda gerammt, die vor dem Regal mit Hartölen meditierte. Als er sie erkannte, war er über die Begegnung in helle Aufregung geraten.

»Ach, Frau Franzen, wie gut, Frau Franzen, was für ein schöner Zufall.«

Seit sie wieder im Auto saßen, um vom Baumarkt nach Hause zu fahren, vertrieb sich Linda die Zeit damit, Fließ zu imitieren. Jetzt drehte sie den Innenspiegel zu sich und überprüfte, ob sie ihrem Mund eine quadratische Form geben konnte. Den nörgelnden Tonfall des Vogelschützers traf sie schon ziemlich genau.

»Frau Franzen, wir müssen uns unterhalten. Kräfte bündeln, Allianzen schmieden, Synergien bilden.«

Wider Willen musste Frederik lachen. Fließ hatte alles darangesetzt, Linda zu einem Treffen zu überreden. Je kühler sie sich gab, desto aufgeregter geriet seine Charmeoffensive. Offensichtlich begriff er nicht, dass er für Linda nicht einfach ein beliebiger Dorfnachbar war, sondern ein feindlicher Kombattant. Er versuchte, ihr etwas zu verbieten, und zwar nicht irgendetwas, sondern Bergamottes Koppelzäune. Damit hatte er eine Todsünde begangen. Vor jeder weiteren Begegnung musste der Kriegsrat tagen. Der Kriegsrat befand sich in Lindas Kopf. Frederik kam Beobachterstatus zu. Die Sitzung begann.

»Ich kapiere nicht, was der will«, sagte Linda. »Klar sucht der Verbündete wegen der Windkraft-Geschichte. Aber wie der sich vorhin an mich rangeschmissen hat, das war nicht normal. Weiß der etwas, das ich nicht weiß? Was kann das sein?«

Natürlich waren solche Fragen rhetorisch gemeint. Linda wollte nicht, dass Frederik antwortete. Sie brauchte ihn nur als Zuhörer, vor dem sie ihre Überlegungen ausbreiten konnte. Er rutschte tiefer in den Sitz, streckte die Beine und überließ Linda ihrer Analyse des Vogelschützers. Seine Wut war verflogen. Linda sprach in heiligem Ernst, und er fand es rührend, wie sie beim Reden die Fäuste auf dem Lenkrad ballte.

Langsam breitete sich die angenehme Erkenntnis in ihm aus, dass ihn der Vogelschützer samt Freizeithemd, grauen Professorenschläfen und leichtem Schweißgeruch nichts anging. Sollte Linda doch ihr Dorf-Spielzeug in die Luft werfen und herausfinden, ob es beim Herunterfallen zerbrach oder ihr die Finger zerquetschte. Er konnte sie ohnehin nicht davon abhalten. Letztlich war sie eine erwachsene Frau, auch wenn es nicht immer den Anschein hatte. Anders als am Vortag schien es ihm nicht mehr so wichtig, ihrem Fanatismus entgegenzuwirken. Sie würde sich immer wieder ein neues Schlachtfeld suchen. Im Rossfrauen-Forum hatte Frederik gelernt, dass jeder Versuch, die Partnerin zu ändern, ins Unglück führte. Ändere dich selbst oder lerne, mit den Problemen zu leben, lautete die Devise.

Während vor den Fenstern das Niemandsland vorbeizog und Linda über Dorfpolitik sprach, dachte Frederik an die Glas-und-Steine-Welt Berlins. An Straßen, auf denen sich Unmengen von Menschen bewegten, und an den Lärm, den diese Bewegung verursachte. Er dachte an die Firmenräume von *Weirdo* mit ihren bunt gestrichenen Wänden, mit den vielen Sitzecken, Spielecken, Chill-Ecken und Yoga-Ecken, mit Monitoren, auf denen die Entwürfe für ein neues Traktoria-Level liefen, und mit Kühlschränken auf allen Fluren, die täglich mit Magnum-Eis und Bionade gefüllt wurden. Vermutlich würde sich Frederik an keinem anderen Ort auf dem Planeten jemals so zu Hause fühlen wie in der *Weirdo*-Welt. Spontan beschloss er, am Abend nach Berlin zu fahren und die nächsten Tage in der Firma zu arbeiten, umgeben von Leuten, deren Lebenssinn darin bestand, sich mit möglichst intelligenten Maschinen zu verbinden, auf hochauflösende Monitore zu starren und ihre Handys zu streicheln.

Wurde Timo von Journalisten gefragt, ob es ihn glücklich mache, mit 25 Jahren über ein Privatvermögen von 50 Millionen Euro zu verfügen, pflegte er zu antworten, dass er schon mit vierzehn und null Euro glücklich war, als er sein erstes Jump ’n’ Run programmierte, auch wenn die Figuren wie Klorollen mit Beinen ausgesehen hatten. Menschen wie Frederik und Timo hatten keine Meinung zu Windrädern. Politischen Protest fanden sie peinlich, es sei denn, er passierte im Internet und sah so schick aus wie Ronnys kleine Animation zur Vorratsdatenspeicherung, die ein Renner auf YouTube geworden war.

Wenn es Frederik nicht gelungen wäre, Linda zu erobern, hätte sich sein gesamtes Leben zwischen Bildschirm, Späti, Eckkneipe und Dachwohnung über dem Landwehrkanal abgespielt. Inzwischen wusste er, dass das ein verfehltes Leben geworden wäre. Sosehr ihm die Freundlichkeit, der Erfolg und die verblüffende Totalabwesenheit von Problemen in Timos Universum gefielen – nach ein paar Tagen wurde ihm langweilig. Dann sehnte er sich nach dem Holz- und Farbgeruch von Objekt 108 und nach Lindas Art, das Leben mit beiden Händen zu würgen – so wie er sich jetzt nach der Berliner Uneigentlichkeit sehnte. Frederik konnte sich in der Großstadt vom Land und auf dem Land von der Stadt erholen. Sein persönlicher Luxus bestand nicht darin, in einer Welt alles zu erreichen. Sondern darin, zwischen verschiedenen Welten hin- und herwechseln zu können.

Der Frontera schoss aus dem Wald. Linda ließ das Gaspedal los, weil der Schwung ab jetzt ausreichen würde, um mit gut 60 km/h am Ortsschild von Unterleuten anzukommen, weiter auszurollen und an der Kirche mit 30 km/h abbiegen zu können, ohne einmal auf Gas oder Bremse treten zu müssen. Frederik fand es unheimlich, dass Linda über solche Dinge nachdachte und daran arbeitete, ihre Technik zu verbessern.

Immerhin konnte er bei abnehmender Geschwindigkeit die Anfahrt aufs Dorf genießen. Die Allee mit den schräg nach außen wachsenden Birnbäumen, die satt gelben Weizenfelder, der dunkelgrüne Saum des Waldes und der makellos blaue Himmel darüber, alles sauber abgegrenzt und eingeteilt wie der Bildschirmhintergund einer alten Windows-Oberfläche. Ein paar Windräder würden das Panorama in seinen Augen eher perfektionieren als stören, aber diese Auffassung behielt er lieber für sich.

»Was will der denn?«

Sie hatten den Stichweg erreicht, der zu Objekt 108 führte, und näherten sich dem gekiesten Vorplatz. Dort stand ein klobiger Range Rover, an dessen Fahrertür ein nicht weniger klobiger Mann lehnte, in die Betrachtung seiner Stiefelspitzen versunken.

»Das ist der Ökologica-Chef«, sagte Linda. »Heute habe ich irgendetwas an mir, das Groupies anlockt.«

Sie bremste, dass Kies unter den Reifen aufspritzte. Der Ökologica-Chef schaute nicht einmal auf, als hätte er den ankommenden Frontera gar nicht bemerkt. Beim Anblick der stoischen Gestalt wurde Frederik mulmig zumute.

»Sei vorsichtig, ja?«, bat er leise.

Linda löste mit einer Hand den Gurt, zog mit der anderen die Handbremse an und schob mit dem Fuß bereits die Fahrertür auf, als sie sich noch einmal zu ihm herüberbeugte und ihn küsste.

21 Gombrowski

»Womit kann ich dienen?«

Er mochte ihren Tonfall nicht. Frau Franzen klang, als würde sie sich über ihn lustig machen, wozu wahrlich kein Anlass bestand.

»Guten Tag erst mal«, sagte Gombrowski.

Statt den Gruß zu erwidern, stand sie einfach vor ihm und sah ihn an. Vielleicht war sie nicht ganz richtig im Kopf; immerhin war sie eine Frau. Gombrowski verstand nicht, wie Frauen funktionierten. Erst vor einer knappen Stunde war in Arnes Hausflur die rothaarige Kleine vom Vogelschützer aufgetaucht wie eine Geistererscheinung, und als Gombrowski fragte, warum sie mit einer Unterschriftenliste herumlaufe, statt ihn, wenn ihr etwas nicht passe, einfach mal im Büro zu besuchen, hatte sie fast zu heulen begonnen. Weil er trotz allem ein Gentleman war, machte er sie nicht zur Schnecke, sondern fuhr sie und ihr Baby nach Hause. Ihre Überraschung darüber, dass er in ganzen Sätzen sprechen konnte, hatte sie nicht einmal zu verbergen versucht.

Das war typisch Frau und typisch Wessi. Seit zwei Jahren lebte die Rothaarige im Dorf und war kein einziges Mal auf ein Schwätzchen in die Ökologica gekommen. Ihr Mann hatte sich bei seinem Antrittsbesuch als neuer Obervogel vorgestellt und trat seitdem vor allem in Form von Briefen in

Erscheinung, mit denen er ankündigte, das eine oder andere Vorhaben der Ökologica aus Naturschutzgründen verbieten zu wollen. Gombrowski hielt sich nicht für einen Umweltschützer, aber er war grundsätzlich bereit, über Bedenken jeder Art zu reden. Bei einem Bier im Landmann oder einer Tasse Kaffee im Büro. Man sprach miteinander, fand eine Lösung. Man gab sich die Hand und ging als Freunde auseinander. In der Welt von Frauen und Westdeutschen kam ein solches Verhalten nicht vor. Sie schickten Briefe oder gleich den Anwalt oder fingen an zu schreien und zu heulen und wunderten sich hinterher, wenn man ihnen nur mit äußerster Vorsicht begegnete.

Die Blonde kam ebenfalls aus dem Westen und besaß dementsprechend keine Manieren. Auch sie lebte schon geraume Weile im Dorf und hatte sich nie bei ihm vorgestellt. Statt ihn jetzt hereinzubitten und ihm etwas zu trinken anzubieten, stand sie da wie eine Statue und glotzte ihn an. Zu allem Überfluss war sie ziemlich groß, und Gombrowski konnte große Frauen nicht ausstehen. Elena reichte ihm kaum bis zur Schulter, und Hilde war sogar noch ein gutes Stück kleiner. Nach vierzig Jahren Ehe geriet Gombrowski noch immer ins Staunen, wenn er Elenas Schuhe im Flur stehen sah, so winzig, dass sie nicht für einen Menschen mit eigenem Konto und eigener Meinung gemacht schienen. Als er Elena noch berühren durfte, hatte es ihn glücklich gemacht, sie in den Arm zu nehmen und festzuhalten. Ihr zierlicher Körper hatte seiner eigenen Massigkeit Berechtigung gegeben. Bei ihr war Gombrowski ein Gehäuse, ein Futteral für eine viel zu zarte Person, und für ein paar Augenblicke spielte es keine Rolle mehr, dass er in einer Welt lebte, deren Kleidungsstücke, Möbel, Türen und Fahrzeuge nicht für ihn gemacht waren.

Eine wie die Blonde würde sich niemals von ihm festhalten lassen. Die gehörte zu einer neuen Art, genau wie Püppi. Immer dieser herausfordernde Blick. Immer voller Vorwürfe. Das kochte Männer weich, bis solche Typen herauskamen wie Wolfi, der es zuließ, dass Kathrin Kron seine Rechnungen bezahlte, während er auf dem Rasenmäher hockte. Oder wie der langhaarige Versager, der zur Blonden gehörte und sich im Hintergrund hielt, während seine Frau Standbild spielte.

»Kann man hier vielleicht irgendwo sitzen?«

Frau Franzen zögerte einen Moment, bevor sie sich in Bewegung setzte, allerdings nicht zum Eingang der Villa, sondern außen herum in den Garten. Am liebsten wäre Gombrowski gleich wieder gegangen. Normalerweise machte er keine Hausbesuche. Dass er überhaupt durch den verwahrlosten Garten der elenden Villa Kunterbunt stapfte, war einer Ausnahmesituation geschuldet, die ihm gehörig auf die Nerven ging. Aber Geschäft war Geschäft. In diesem Fall eine Bagatelle, die sich mit Geld erledigen ließ. In zehn Minuten würde er wieder in seinen Range Rover steigen und die fünfhundert Meter zurück zu seinem Haus fahren, welches von gepflegtem Rasen umgeben war und nicht von einer ungemähten Wiese, die einem in die Hosenbeine kroch. Wildwuchs in der Nähe von menschlichen Behausungen machte Gombrowski nervös. Er kannte die Natur gut genug, um zu wissen, dass es auf saubere Grenzen und klare Verhältnisse ankam.

»Setzen Sie sich doch«, sagte Frau Franzen und deutete auf einen klapprigen Gartenstuhl unter den Robinien. Mit äußerster Vorsicht ließ Gombrowski sich nieder, während Frau Franzen ihm gegenüber Platz nahm und die langen Beine von sich streckte. Kurze Hosen, Arbeitsstiefel, blonde Haare und Puppengesicht, dazu Schultern wie ein Mann.

»Ziemlich heiß heute.«

Darauf ging Frau Franzen nicht ein. Auch kam sie weiterhin nicht auf die Idee, ihm etwas zu trinken anzubieten, obwohl er gegen ein kühles Bier nichts einzuwenden gehabt hätte. Ihre verächtliche Miene kannte er zu Genüge. Die Blonde hielt ihn, genau wie Püppi, für einen dummen Bauern. Immer der gleiche Weiberdünkel: Wer nicht ins Theater ging und keine Romane las, war nichts wert. Als ob das Leben in der Stadt die Leute besser machte. Als ob eine Stadt mehr wäre als eine Ansammlung von haushoch gestapelten Heimatlosen. Frau Franzen wäre gewiss nicht nach Unterleuten gezogen, wenn sie die Stadt so toll gefunden hätte. Woher sie trotzdem das Recht nahm, auf jemanden herabzusehen, der hier aufgewachsen war, blieb schleierhaft.

Gombrowski hätte viel darum gegeben, die anstehende Verhandlung mit einem normalen Menschen führen zu können. Außerdem fand er es schwierig, über Geschäfte zu reden ohne ein Glas in der Hand, mit dem man am Ende auf das erzielte Ergebnis anstoßen konnte. Wer beim Verhandeln nicht trinkt, will sich nicht einigen, pflegte Gombrowskis Vater zu sagen. Es war traurig zu sehen, dass die Welt, zu der solche Weisheiten gehörten, nicht mehr existierte. Gombrowski gab sich einen Ruck.

»Ich möchte Ihnen ein Geschäft anbieten.«

Die Blonde schwieg.

»Kauf oder Tausch, was Ihnen lieber ist.«

Keine Reaktion.

»Ich bin bereit, den besonderen Umständen Rechnung zu tragen. Überhaupt lebe ich nach dem Motto: Wenn jeder bekommt, was ihm zusteht, ergibt das auf lange Sicht für alle Beteiligten die größte Menge Glück.«

Sie wartete. Gombrowski holte Luft.

»Fünfzehntausend pro Hektar.«

Das war ein gesalzener Preis; der Bodenrichtwert lag bei

knapp über fünf. Die Miene der Blonden blieb unverändert. Fast hätte Gombrowski gelacht; fast begann die Sache ihm Spaß zu machen. Keiner seiner Skatfreunde, kein Großkunde und kein Politiker hatte ihm jemals ein solches Pokerface gezeigt wie dieses blonde Miststück. Jetzt galt es, schnell zu entscheiden, ob er sofort erhöhen oder lieber nach Hause gehen und sein Angebot wirken lassen sollte.

Darüber dachte Gombrowski nach, als ihn die Erkenntnis traf wie ein Schlag. Seit er seinen Preis genannt hatte, wanderte der Blick der Blonden unablässig zwischen seinen Augen hin und her. Plötzlich begriff er, warum: Frau Franzen machte gar kein Pokerface. Sie hatte schlicht keine Ahnung, worum es ging.

Die Wut trieb Gombrowski den Schweiß auf die Stirn. Statt gleich einen astronomischen Preis zu bieten, hätte er damit rechnen müssen, dass die Blonde ahnungslos war. Bei Städtern hatte er das schon öfter erlebt: Sie kauften ein Anwesen auf dem Land, waren aber nicht in der Lage, das Grundbuch zu lesen. Anschließend wussten sie gar nicht, was ihnen gehörte, oder wo sich der Besitz, den sie erworben hatten, genau befand. Zwei Hektar irgendwo auf der Schiefen Kappe – das ließ sich leicht übersehen. Immerhin hatte er selbst erst einmal die Flurkarten einsehen müssen, um die Lage zu klären.

Die zwei Hektar der Blonden lagen genau zwischen zwei größeren Flurstücken von jeweils rund acht Hektar, von denen das westliche Gombrowski und das östliche einem gewissen Konrad Meiler gehörte. Über Letzteren wusste Gombrowski, was man wissen musste. Konrad Meiler hatte die halbe Gemeinde aufgekauft und danach in der Ökologica angerufen, um mitzuteilen, er werde das Auslaufen der Pachtverträge für eine Erhöhung der Preise nutzen. Dass es sich bei den Ländereien in der Gegend von Unterleuten um kargen Boden handelte, den die Ökologica mit minimalen Gewinnspannen bewirtschaftete, interessierte den Superkapitalisten nicht. Vier Prozent Rendite, hatte Meiler am Telefon erklärt, könne er legitimerweise erwarten.

Die Flurstücke von Meiler, Gombrowski und Frau Franzen bildeten zusammen das Eignungsgebiet, welches sich die Vento Direct für den Bau ihres Windparks auserkoren hatte. Da mindestens zehn zusammenhängende Hektar benötigt wurden, musste einer der beiden großen Eigentümer das kleine Mittelstück kaufen. Genauer gesagt: Frau Franzen, deren Flurstück in der Mitte lag, musste an Gombrowski verkaufen, bevor Meiler den Braten riechen und ein konkurrierendes Angebot abgeben konnte. Mit etwas Geschick und einer rührseligen kleinen Geschichte hätte Gombrowski sie vielleicht gleich hier auf dem Klappstuhl zu einem Vorvertrag nötigen können. Stattdessen hatte er das Schnäppchen übersehen und durch sein plumpes Angebot klargemacht, dass es etwas zu holen gab. Wäre er sein eigener Angestellter gewesen – Gombrowski hätte sich entlassen.

Seine Fußknöchel juckten vom hohen Gras, das ihn unter den Hosenaufschlägen kitzelte. Eine Gruppe Spatzen zwitscherte hysterisch in der Robinie über seinen Kopf. Ein weiterer Fehler bestand darin, Fidi nicht mitgebracht zu haben. Sie hätte im Garten der Villa Kunterbunt herumgestöbert, und Gombrowski hätte etwas Zeit gewinnen können, indem er aufstand, um nach dem Hund zu sehen.

Wenigstens gehörte die Blonde nicht zu den Menschen, die unentwegt reden mussten. Sie saß einfach da und wartete, was er als Nächstes tun oder sagen würde. Unangenehm war nur, wie sie jeder seiner Regungen mit Blicken folgte. Gombrowski versuchte, sich auf dem Stuhl zurückzulehnen, und sah an Frau Franzen vorbei zu den Gebäuden hinüber. Die Stirnseite des ehemaligen Schweinestalls war eingestürzt. Das Dach des Getreidespeichers bestand fast nur noch aus Löchern, und an der rückwärtigen Fassade der Villa bröckelte der Putz. Direkt nach der Wende hatte ein Aussteigerpaar das Anwesen erworben und war noch vor dem Reparieren der ersten Zaunlatte in Gombrowskis Büro erschienen, um ihm eine Mitnutzung seiner Vertriebswege für jenes nachhaltige Gemüse abzuschwatzen, das sie auf ihrem Handtuch von Land zu produzieren gedachten. Wenige Monate später stand das Anwesen wieder zum Verkauf, die Frau hatte eines Morgens tot im Bett gelegen. Die nächsten Käufer brachten Geld mit, zwei Architekturdiplome und den Plan, die Villa in ein Vorzeigeprojekt für ländliches Wohnen zu verwandeln. Sie begannen mit der Sanierung, wobei der Mann einen Schlaganfall erlitt und von der Leiter stürzte. Auch tot. Der letzte Eigentümer vor Frau Franzen und ihrem langhaarigen Freund war bei Gombrowski erschienen, um ihn zu einem Aufrollen der mafiösen Strukturen auf dem Spargel-Markt zu überreden. Der Kerl erhängte sich, bevor die Gasheizung eingebaut war.

Mit einem Mal war Gombrowskis Wut verraucht. Die Blonde brauchte Hilfe. Sie wusste nicht, dass zum Haus zwei Hektar Land auf der Schiefen Kappe gehörten, und sie wusste nicht, was für ein absurdes Bauprojekt sie sich mit diesem Anwesen aufgeladen hatte. Die Villa hatte drei erwachsenen Menschen den Garaus gemacht, und die Blonde war noch ein halbes Kind. Der langhaarige Versager würde ihr nicht zur Seite stehen. Gombrowski hingegen konnte helfen. Er besaß alles, was sie benötigte. Maschinen, Arbeitskräfte und Beziehungen zu den Behörden.

Der größte Vorteil entsteht, wenn jeder bekommt, was er sich wünscht – dieser Satz war für Gombrowski keine Masche, sondern eine Philosophie. Trotz seinem tölpelhaften Einstieg gab es eigentlich keinen Grund, daran zu zweifeln, dass die Blonde an ihn verkaufen würde. Er hatte sich wie ein Anfänger benommen, aber er konnte seine Strategie anpassen. Als väterlicher Freund würde er sie über die Lage aufklären, und als solcher konnte er ihr bei ihrem Sanierungsprojekt helfen. Letztlich ein Glücksfall. Eine überrumpelte junge Frau war besser als eine, die das ultimative Pokerface beherrschte. Man musste die Überrumpelung nur geschickt zu nutzen wissen.

»Frau Franzen«, sagte Gombrowski.

Obwohl sie ihn die ganze Zeit angesehen hatte, schaute sie jetzt ein wenig verwirrt, wie aus dem Schlaf geschreckt. Er konnte es drehen und wenden, wie er wollte – er wurde nicht schlau aus ihr.

»Ich glaube, ich muss Sie erst mal über ein paar Details in Kenntnis setzen.«

Er verlagerte das Gewicht nach vorn, zog ein gefaltetes Blatt aus der Gesäßtasche und glättete es auf dem Gartentisch. Eine Kopie der Flurkarte. Linda Franzen beugte sich vor.

22 Kron-Hübschke

Niemand ging zum Spaß in den Wald. Für die Unterleutner war der Wald kein Naherholungsgebiet, sondern ein Arbeitsplatz, und zwar ein gefährlicher. Kein Mensch konnte sich die steigenden Gas- und Ölpreise leisten. Deshalb kaufte man bei Kathrins Vater ein paar Bäume, schlug sie selbst, sägte sie klein und schob sie im Lauf eines langen Winters in den Ofen. Die meisten männlichen Dorfbewohner konnten verheilte Knochenbrüche oder Narben von Kettensägenverletzungen vorweisen. Der Wald hatte Erik umgebracht und Kron ein Bein zertrümmert. Der Wald war kein Ort, an dem man sich freiwillig aufhielt. Man fuhr in den Wald, um Holz zu machen. Oder man suchte Pfifferlinge, für die es in Plausitz gutes Geld gab. Oder beteiligte sich an einer Treibjagd und nahm ein halbes Wildschwein mit nach Hause. Freie Zeit verbrachten die Unterleutner lieber woanders.

Kathrin stellte eine Ausnahme dar. Wann immer sie konnte, unternahm sie einen Spaziergang in den Wald. Aus ihrer Sicht war der Wald etwas Magisches: ein Lebewesen, in dem man herumlaufen konnte. Er brachte alle Fragen zum Schweigen. Um etwas über den Sinn des Lebens, die Bedeutung des Todes oder die Ursache des Seins zu erfahren, genügte es, in die Hocke zu gehen und den Waldboden in Augenschein zu nehmen. Wer einen Ameisenstaat bei der

Besiedelung eines Baumstumpfs beobachtete; wer sah, wie Grashalme auf einem Felsblock wuchsen; wer Pilze kannte, die in Grüppchen beisammenstanden wie dünnbeinige Partygäste und gemeinsam einen fauligen Ast verdauten – der wusste, dass die Antwort auf alle Fragen »Stoffwechsel« lautete. Kathrin empfand dieses Wissen als beruhigend. Ihr gefiel die Vorstellung, dass die Stoffe, aus denen sie bestand, eines Tages in die Blüte einer Blume oder das glänzende Gefieder eines Vogels eingehen würden.

Kron hatte ihr beigebracht, den Wald zu lesen, lange bevor er selbst Waldbesitzer geworden war. »Du musst vor nichts Angst haben, meine Kleine«, hatte er gesagt, wenn sie wegen eines toten Maulwurfs am Wegrand in Tränen ausgebrochen war. »Im Wald geht nichts und niemand verloren.« Jedes Wochenende war er ihr voran durchs Unterholz gestiefelt und hatte ihr gezeigt, was den menschlichen Willen von dem der Natur unterschied. Während es im Mischwald auf allen Ebenen krabbelte, wucherte und flatterte, regte sich zwischen den geraden Linien der Kiefernplantagen kein Vogel, keine Ameise, kein Käfer.

»Hier«, sagte Kron, im Mischwald stehend, »wird gelebt, und dort«, sein Arm zeigte auf die angrenzende Monokultur, »wird gedient.«

Ihre Beziehung hatte sich rapide verschlechtert, als Kathrin alt genug war, um zu fragen, wie er mit dieser Einstellung ausgerechnet Kommunist hatte werden können. Immerhin teilten sie trotz aller Differenzen bis heute die Liebe zum Wald.

Meistens führten Kathrins Spaziergänge am Jagdhaus vorbei, wo sie bei Kron nach dem Rechten sah, bevor sie ihren Weg fortsetzte. Das spitzgiebelige Gebäude stand einsam auf einer Lichtung und hätte in jedem Märchenfilm als Hexenhaus Verwendung gefunden. Kathrin war dort aufgewachsen und liebte das Haus.

Kurz nach der Wiedervereinigung war sie mit 16 Jahren in einen Zug gestiegen und nach Düsseldorf zu ihrer Mutter gefahren, getrieben von dem Entschluss, Unterleuten und dem Krieg ihres Vaters gegen Gombrowski den Rücken zu kehren. Dass sich die geplante Auswanderung in einen Kurzbesuch verwandelte, lag nicht an der fremden Frau, die sie auf dem Düsseldorfer Bahnsteig abholte. Auch nicht an dem gesichtslosen Mann am Steuer eines Sportwagens, auf dessen Rückbank Kathrin mit angezogenen Knien kauerte. Schuld trug das hellgrüne Reihenhaus in einer Vorortsiedlung, das auf einem mit Buchsbaum bepflanzten Handtuch stand. Kathrin brauchte keinen Farbfernseher, keine gepflasterten Bürgersteige und letztlich auch keine Mutter, an die sie keinerlei Erinnerungen besaß. Was sie brauchte, waren das Jagdhaus und der Wald. Als sie nach Unterleuten zurückkehrte und ihrem Vater vom Düsseldorfer Reihenhaus erzählte, war er aus dem Sessel gesprungen und rief: »Danke, du verdammte Hütte. Hast mir meine Kathrin wiedergebracht.« Obwohl sein Mund zu einem Grinsen verzogen war, sah Kathrin, dass er weinte.

Auch heute hatte Kathrin auf ihrem Spaziergang im Jagdhaus vorbeigeschaut, und sie hatte Kron in desolatem Zustand vorgefunden. Er lief im Zimmer hin und her, schlug an die Wände und ließ Tiraden gegen Gombrowski vom Stapel, die sie an die schreckliche Zeit nach seinem Unfall erinnerten, als ihn nur der Hass auf seinen Widersacher am Leben hielt. Vor allem die Verwirrtheit seiner Rede hatte sie erschreckt. Kron stellte Zusammenhänge her, die keinen Sinn ergaben, als hätte der Abend im Märkischen Landmann einen Kurzschluss zwischen Vergangenheit und Gegenwart erzeugt. Die LPG-Umwandlung, Eriks Tod, Schallers Unfall, eine Versteigerung, ein Investor, Hildes Kätzchen, Vogelschützer, brennende Autoreifen.

Um den Ausbruch in vernünftige Bahnen zu lenken, hatte Kathrin gefragt, ob es stimme, dass Kron eins der Eignungsgebiete gehöre. Die Frage hatte sich als Fehler erwiesen, sie verwandelte Kathrin in das Ziel seiner Wut. Ob sie wirklich zu blöd sei, um zu verstehen, dass Arne und Gombrowski unter einer Decke steckten. Er, Kron, könne so viele Eignungsgebiete besitzen, wie er wolle, er würde niemals bei einem Vorhaben berücksichtigt werden, solange Arne im Sattel saß.

Kathrin sagte, dass sie keine Windräder in Unterleuten wolle, ganz egal, auf wessen Land sie stünden.

Da steigerte sich Krons Litanei zu wahrem Gebrüll. Es gehe doch gar nicht um Windräder, sondern darum, dass Gombrowski schon wieder ein mieses Ding durchziehe. Gombrowski, der Hund, der Arsch, das Schwein.

Nach fünf Minuten hatte Kathrin die Raserei nicht länger ertragen und war gegangen. Der Plattenweg verließ den Wald und führte durch ein ausgetrocknetes Stück Heidelandschaft, in dem die Grillen einen elektrischen Lärm erzeugten, als stünde der Boden unter Hochspannung. Das Ortsschild von Unterleuten warf einen scharfen Schatten, schartiger Beton ging in beuliges Kopfsteinpflaster über. Kathrin folgte dem leicht abschüssigen Beutelweg, bis sie linker Hand in die Waldstraße einbiegen musste. Sie kam an vier Häusern vorbei, die genauso aussahen wie ihr eigenes. Die kleine Siedlung war in den fünfziger Jahren für die Familien der Waldarbeiter erbaut worden und bestand aus schmucklosen Gebäuden, die angenehm weit auseinanderstanden und die richtige Größe besaßen. Die Räume waren hell, gut geschnitten und problemlos zu heizen. Am besten gefiel Kathrin, dass der Wald seine Ausläufer bis in die Gärten streckte. Auf ihrem Grundstück standen 14 Kiefern, die Wolfi als seine persönlichen Feinde betrachtete, weil er sie beim Rasenmähen umfahren musste. Trotzdem hätte Kathrin niemals erlaubt, einen der Bäume zu entfernen.

Einziger Pferdefuß war die unmittelbare Nachbarschaft zu Arne. Als kleines Mädchen hatte Kathrin viel Zeit bei ihm und Barbara verbracht. Alle Häuser in der Waldstraße waren baugleich und besaßen denselben Grundriss. Egal, ob Kathrin kochte, duschte oder sich die Zähne putzte – in Arnes Haus hätte sie dabei an der gleichen Stelle gestanden. Ihr Gästeklo konnte sie nicht betreten, ohne daran zu denken, wie sie früher halbe Nachmittage mit einem Buch auf Arnes Toilette gesessen hatte. Selbst ihr Ehebett stand genauso wie das von Arne und Barbara. Der Zuschnitt der Räume sorgte dafür, dass sie häufiger an ihn dachte, als sie wollte.

Schon auf halbem Weg sah sie den großen Tankwagen, der quer in der schmalen Straße stand. Das Hinterteil mit dem aufgerollten Schlauch stieß fast an den Gartenzaun. In der Luft hing jener Schwefelgeruch, der das Fahrzeug der Plausitzer Klärwerke begleitete. Jeden zweiten Freitag kam es am frühen Abend vorbei, um die Ausscheidungen der Familie Kron-Hübschke abzusaugen. Zu diesem Zweck musste der Tankwagen rückwärts in einen grasbewachsenen Weg einscheren, denn der Zugang zur Sammelgrube lag hinter dem Haus.

Kathrin beschleunigte ihre Schritte. Etwas musste schiefgegangen sein. Der Motor lief, neben dem Trittbrett der Kabine stand Wolfi und redete auf den Fahrer ein, der am Steuer saß und immer wieder den Kopf schüttelte. Gerade fasste Wolfi nach oben, um den Mann am Ellbogen zu berühren. Mit wütender Geste wehrte dieser ihn ab.

»Dann sorgen Sie verdammt noch mal dafür, dass die Zufahrt frei ist!«

Der Tankwagen ruckte an, so dass Wolfi zur Seite springen musste. Gemeinsam sahen sie dem großen Fahrzeug beim Rangieren zu. Mehrmals setzte es vor und zurück, um wieder vollständig auf die Straße zu gelangen. Genau gegenüber der Einfahrt zum Grasweg parkte ein alter Passat, der es dem Tankwagen unmöglich gemacht hatte, in den schmalen Weg einzuschwenken. Kathrin kannte das Auto. Es gehörte Arne. Wie alle Anwohner der Waldstraße besaß Arne einen befestigten Stellplatz auf dem eigenen Grundstück. Nie zuvor hatte er den Passat an der Straße geparkt. Dass es sich hierbei nicht um ein Versehen handelte, lag auf der Hand.

Unter dem Scheibenwischer klemmte ein Zettel. Während Wolfi hinüberging, um das Papier in Augenschein zu nehmen, setzte Kathrins Kopf die Bestandteile der Situation in Sekundenschnelle zu einem unerfreulichen Bild zusammen. Wenn die Sammelgrube nicht geleert wurde, dauerte es keine zwei Tage, bis sich das Wasser in sämtlichen sanitären Einrichtungen rückstaute. Dusche und Badewanne, Waschbecken und Toiletten wurden unbenutzbar, ebenso Geschirrspüler und Waschmaschine. Kathrin sah sich mit Wolfi und Krönchen vor der Tür des Jagdhauses stehen und ihren Vater um Asyl bitten, bis das Problem gelöst war. Wie Kron reagieren würde, stand fest. Er würde völlig ausrasten. Sie konnte ihn jetzt schon brüllen hören: »Was hab ich gesagt, Arne hängt mit drin! Das geht gegen mich! Sie schaden euch, um mich zu erpressen!«

Wolfi kam zu ihr und trug den Zettel vor sich her wie das Beweisstück in einem Mordfall.

»Guck.«

Der Tankwagen hatte die Kurve gekriegt, bog in den Beutelweg ein und verschwand. Kathrin nahm das Papier und strich es glatt. Kein Zweifel, das war Arnes Handschrift. Seit sie als Mädchen zugesehen hatte, wie er Einträge im ledergebundenen Veterinärprotokoll anfertigte, hätte sie die kleinen, in sich selbst verbissenen Buchstaben überall erkannt. Was da stand, machte sie traurig. Um Arnes willen, weil er von der Plattform seiner Gutmütigkeit herabstieg. Um Wolfis willen, der sich ohnehin nicht akzeptiert fühlte im Dorf. Um Krons willen, weil er alles auf sich beziehen würde. Um ihrer selbst willen, weil sie auf die ganze Geschichte keine Lust hatte. Wortlos gab sie Wolfi den Zettel zurück, sie wusste nicht, was sie dazu sagen sollte.

»Rasenmähen nur einmal die Woche«, stand auf dem Papier.

23 Franzen

»Dann würde ich mal sagen, weil ich der Alterspräsident bin …«

Lachend hob Fließ sein Glas und blickte seine Frau von der Seite an, als läge ungeheure Komik darin, dass er eine Generation nach unten geheiratet hatte.

»Also: Ich bin der Gerhard.«

»Jule.«

»Linda.«

Mit dumpfem Klacken trafen sich die Gläser über dem Couchtisch. Das selbstgemachte Ginger Ale schmeckte nicht schlecht, aber Linda ekelte sich vor den Ingwerstücken, die wie gedunsene Schwämme in der trüben Flüssigkeit schwammen. Außerdem war es unerträglich heiß im Raum. Sämtliche Fenster waren hermetisch verschlossen, die Luft verbraucht, die Wände hatten die Hitze des Hochsommers gespeichert. Man saß wie in einem Backofen. Zu allem Überfluss lag ein Geruch nach verbranntem Gummi in der Luft, der sich in der Nase festsetzte. Das Abendessen hatte nach Müllverbrennungsanlage geschmeckt; es lag Linda wie ein Stein im Magen. Die physische Erinnerung an ein Gratin, unter dessen Käsekruste dicke Kohlrabistücke im Hirse-Fundament steckten, würde sie vermutlich noch ein paar Tage begleiten.

Am Nachmittag hatte Jule plötzlich auf dem Kiesplatz vor Objekt 108 gestanden, ausgestattet mit Klemmbrett und unsicherem Lächeln. Noch bevor sie mit ihren Sprüchen zu Vogelschutz und Landschaftsschutz fertig war, hatte Linda bereits die Liste an sich genommen und unterschrieben. Trotzdem machte Jule keine Anstalten zu gehen. Von einem Bein aufs andere tretend, begann sie eine hilflose Plauderei. Wie es Linda in Unterleuten gefalle. Was sie beruflich mache. Ihre Verlegenheit war unerträglich. Als Linda unumwunden fragte, was Jule von ihr wolle, lief diese rot an. Ihr Mann habe sie geschickt. Nach der Begegnung im Baumarkt habe er sie genötigt, Linda von Frau zu Frau zu einem Treffen zu überreden, am besten noch am selben Abend. Immerhin wusste Linda seit Gombrowskis Besuch, warum sie mit einem Mal so viele Fans besaß.

Wortreich hatte Jule versucht, der Einladung noch schnell eine persönliche Note zu verleihen. Nicht dass Linda sie falsch verstehe, sie sei nicht nur im Auftrag ihres Mannes hier, sondern habe schon lange vorgehabt, Linda einmal einzuladen, schließlich sei es in einem kleinen Dorf wichtig, sich gut zu verstehen, und man habe vieles gemeinsam, sie kämen beide aus dem Westen, aus der Stadt und seien etwa gleich alt, da wäre es doch schön …

Jules Gefühl für die eigene Peinlichkeit erwies sich als ansteckend, zumal Linda ohnehin keine Emotionen mochte, jedenfalls nicht die von anderen Leuten. Schließlich betonte Jule, dass das Verbot von Koppelbau und Stallsanierung allein Sache ihres Mannes sei, dass sie selbst damit überhaupt nichts zu tun habe. An dieser Stelle horchte Linda auf. Eine Freundin wollte sie nicht, aber Verbündete konnte sie gebrauchen, vor allem, wenn sie aus dem engsten Kreis ihres Gegners stammten. Obwohl Jule einen Hirseauflauf androhte, willigte Linda ein, am Abend zum Essen vorbeizukommen.

Jetzt saßen sie erschöpft von Hitze und Hirse auf der Rattan-Sitzgruppe im Wohnzimmer und warteten darauf, was Fließ nach seiner Duz-Offensive als Nächstes tun würde. Während des Essens hatte er die Unterhaltung allein bestritten. Ausführlich hatte er geschildert, was ihn und Jule nach Unterleuten verschlagen hatte. Wie er vom Menschenforscher zum Vogelschützer geworden war. Er lobte das Landleben und ließ einen langen Monolog gegen Wachstumswahn und Veränderungssucht folgen. Eine Mischung aus Kapitalismuskritik, Entschleunigungsromantik und Infrastrukturfeindlichkeit. Während Linda Hirse schluckte, fragte sie sich, ob er ihr zwischen den Zeilen mitteilen wollte, dass ihre Pferdekoppeln etwas mit Bankenkrise, Burn-out und schwindenden Rohstoffreserven zu tun hatten.

In »Dein Erfolg« von Manfred Gortz wurden Leute wie Fließ als Killjoys bezeichnet. Killjoys verdarben anderen den Spaß, den sie selbst nicht hatten. Ein Killjoy suchte die Gründe für eigenes Versagen grundsätzlich bei anderen, vornehmlich bei der Gesellschaft. Zu diesem Zweck erstellte der Killjoy aufwändige Analysen, welche ihm den Ruf eintrugen, »intellektuell« zu sein. Auf diese Weise konnte er sich etwas auf seine Klugheit einbilden, während er komplizierte Argumentationen entwickelte, um eigene Defizite dem System anzulasten. Häufig firmierten Killjoys als Philosophen, Schriftsteller oder Feuilletonjournalisten. Sie scheuten alles, was anstrengend war, zum Beispiel ehrliche Arbeit, Sport oder gesunde Ernährung. Menschen, die ihr Leben der Aufgabe widmeten, sich selbst zu verbessern, überzogen sie mit Verachtung. Ein Killjoy, der den Anforderungen seines Jobs nicht gewachsen war, verteufelte die Leistungsgesellschaft. War er alkohol- oder zigarettenabhängig, warf er allen anderen Gesundheitswahn vor. Litt er an Potenzproblemen, sprach er von der sexualisierten Gesellschaft, und als armer Schlucker beklagte er die Ökonomisierung sämtlicher Lebensbereiche.

Im Kapitel »Das F-Kriterium« gab es einen Satz, den Linda besonders schätzte: »Unsere Umgebung spiegelt, was wir sind.« Angesichts des quadratischen Lächelns und der vergilbten Haare des Vogelschützers konnte sie sich mühelos vorstellen, wie dieser Mann sein halbes Leben in einem besenkammergroßen Büro an der Humboldt-Universität gesessen hatte, im Sommer von Sonneneinstrahlung, im Winter von einer unregulierbaren Heizungsanlage gegrillt. Sie fand, dass er dorthin besser passte als in diese etwas zu niedliche Bauernstube mit ihren etwas zu großen Möbeln aus dem Asien-Kontor. Seine junge Frau, das Baby, das sanierte Haus – das alles war bloße Dekoration, die verschleiern sollte, dass es der Vogelschützer in der echten Welt zu nichts gebracht hatte. Während er seine Weltanklage mit der Gabel in der Luft dirigierte, hatte sich Linda immer tiefer über ihren Teller gebeugt. Vor Versagern ekelte sie sich wie vor Käfern, die auf den Rücken fallen und nicht in der Lage sind, sich allein umzudrehen. Sie selbst verkörperte das Gegenteil eines Killjoys. In der Gortz-Terminologie war sie ein »Mover«, also ein Mensch, der auf der Welt war, um sich und andere zu bewegen. Wie Gortz schrieb: »Wer sitzt, wird zurückgelassen. Nur wer läuft, hält mit.« Oder: »Macht ist die Antwort auf die Frage, wer wen bewegt.«

Für eine Moverin war es schwer erträglich, in den Kissen einer Sitzgruppe zu versinken und darauf zu warten, dass ein Killjoy seinen ersten Schachzug machte. Das Schweigen zog sich in die Länge. Immer wieder wandte Jule den Kopf und lächelte Linda an, als würden sie sich aus einem früheren Leben kennen. Fließ beugte sich vor und schenkte Ginger Ale nach, wobei drei Ingwer-Stücke in Lindas Glas fielen, so dass Flüssigkeit auf die Glasplatte schwappte. Es wurde Zeit, den Abend voranzubringen.

Obwohl Linda normalerweise nicht rauchte, steckte in der Tasche ihres Hosenrocks ein Päckchen Zigaretten. Rauchen gehörte zu den Dingen, die man können musste, aber nicht müssen durfte. In vielen Situationen brachte eine Zigarette bessere Ergebnisse als tausend Worte. Wenn man zum Beispiel herausfinden wollte, welchen Marktwert man in einem Öko-Haushalt besaß.

Als sie sich zurücklehnte und die Zigaretten zutage förderte, riss Jule die Augen auf, als hätte sie einen Totschläger hervorgeholt.

»Eigentlich ist hier ...«

Sofort fiel Fließ ihr ins Wort.

»Lass doch. Zur Feier des Tages.«

Er sprang auf, um einen Aschenbecher zu holen, während Jule, noch immer irritiert, mit einer vollgesogenen Papierserviette zwischen den Ginger-Ale-Gläsern herumwischte. Zufrieden nahm Linda den ersten Zug. Die Reaktionen waren angenehm eindeutig gewesen. Jule wollte nicht, dass im Haus geraucht wurde, und hegte in Bezug auf Linda keinerlei Hintergedanken. Fließ hingegen hatte etwas vor und ging davon aus, dass Linda am längeren Hebel saß. Übersetzt bedeutete das: Er wollte etwas von ihr, war aber nicht willens oder in der Lage, eine angemessene Gegenleistung zu erbringen. Linda blies Rauch in Jules Richtung und schenkte dem Vogelschützer ein aufmunterndes Lächeln.

»Dein Auftritt bei der Dorfversammlung war toll«, sagte Fließ. »So spontan und authentisch.«

»Nicht so laut«, sagte Jule. »Wegen Sophie.«

»Jule und ich sind froh, Leute wie dich hierzuhaben. So nett die Unterleutchen sind – im Ernstfall braucht man Menschen, die wissen, wie der Hase wirklich läuft.«

Linda achtete darauf, keine Zeichen von Zustimmung oder Einverständnis zu senden, und startete stattdessen den nächsten Versuchsballon.

»Können wir bitte ein Fenster aufmachen?«

Wieder sprang Fließ auf, ein bisschen zu eifrig, als hätte er einen Befehl von einem Vorgesetzten bekommen. Aber er ging nicht zum Fenster, sondern zur Musikanlage, wo er eine CD einlegte. Flüchtig registrierte Linda, dass sie schon länger keine CD mehr gesehen hatte. In ihrem Haushalt unterhielten sich die Computer kabellos mit den Boxen und spielten Musik direkt aus dem Internet. Ein Mann mit hoher Stimme sang vom »Next Big Thing«.

»Nicht so laut«, sagte Jule.

Fließ regelte die Lautstärke herunter.

»Das Fenster?«, beharrte Linda.

»Geht leider nicht«, sagte Fließ und setzte sich wieder hin.

»Warum nicht?«

»Unser Nachbar ...«, begann Jule und verstummte, als Fließ ihr einen warnenden Blick zuwarf.

Gombrowski hatte also recht gehabt. Nach dem Gespräch im Garten hatte er Linda kräftig die Hand gedrückt und ihr zu allem Überfluss auch noch auf den Rücken geklopft.

»Das mit Ihrem Pferdestall kriegen wir hin«, hatte er gesagt. »Und um die Vogelschützer machen Sie sich mal keine Sorgen. Die habe ich im Griff.«

Den Zusammenhang hatte Linda nicht gleich verstanden. Gombrowskis Überrumpelungstaktik hatte ihre Wirkung nicht verfehlt. Als er die Schiefe Kappe erwähnte, wurde Linda von einer Art Lampenfieber erfasst, das ihr Herz schneller schlagen, die Gedärme rumoren und das Gehirn aufgeregt von einem Gedanken zum nächsten springen ließ. Die zwei Hektar im Nirgendwo waren gemeinsam mit Objekt 108 veräußert worden, als kläglicher Rest eines Grundbesitzes, der einst zur Villa gehört haben mochte. Ein »Gimmick«, wie der Makler es genannt hatte, zu weit weg vom Dorf, um Pferde darauf zu weiden. Offensichtlich war Gombrowski klug genug gewesen, um zu ahnen, dass sie von ihrem eigenen Besitz nichts wusste. Er hatte ihr eine Kopie der Flurkarte mitgebracht. Die Grundstücke auf der Schiefen Kappe sahen aus wie ein eckiger Schmetterling, in dessen linkem Flügel, handschriftlich vermerkt, der Name »Meiler« und im rechten »Ökologica« stand. Der Schmetterlingskörper in der Mitte war so schmal, dass jemand das Blatt gedreht hatte, um »Franzen/Wachs« in das mittlere Flurstück zu schreiben.

Windräder. Meiler. Gombrowski. Der Ökologica-Chef hatte dreißigtausend Euro für das kleine Flurstück geboten. Bei aller Verwirrung war Linda wenigstens geistesgegenwärtig genug gewesen, um sich jede Reaktion zu verbieten. Nur langsam hatte sie begriffen, dass Gombrowski auf die zwei Hektar in der Mitte zwingend angewiesen war, um die für den Windpark nötige Fläche zusammenzubekommen. Dasselbe galt für Meiler, falls er auf die Idee verfallen sollte, in erneuerbare Energien zu investieren. Lindas Verstand war mit der Frage beschäftigt, was das genau für sie bedeute, als Gombrowski plötzlich auf die Nebengebäude zeigte und fragte, was sie damit vorhabe. Sie erzählte von der geplanten Pferdezucht und erwähnte den Baustopp, den die Naturschutzbehörde verhängen wollte. Daraufhin war Gombrowski aufgestanden und mit schweren Wiegeschritten um Getreidespeicher und Schweinestall herumgegangen. Währenddessen hatte er ununterbrochen geredet. Rückwand abreißen, Fundament unterschieben, neu aufmauern. Ringanker setzen. Balken laschen. Fassade rekonstruieren, wegen der Optik. Das mit der Baugenehmigung gehe schon klar. Vier Männer könne er freistellen, vor dem Winter sei das noch zu schaffen. Wenn alle zufrieden seien, sagte Gombrowski, hätten am Ende auch alle den größten Nutzen. Das sei das Schöne an Unterleuten. Man schaffe es immer, sich gütlich zu einigen. Und die Vogelschützer, die solle sie ruhig ihm überlassen, die habe er schon im Griff.

Jetzt lagen die Zusammenhänge auf der Hand. Die stinkenden Feuer im Hof des Automechanikers hatte Linda schon vor der Dorfversammlung bemerkt. Was bedeutete, dass Gombrowski eine gut präparierte Strategie fuhr. Weil er etwas von Linda wollte, hatte er rechtzeitig begonnen, ihre Widersacher unter Druck zu setzen. Im Kapitel »Strategische Allianzen« schrieb Gortz: »Liebe die Feinde deines Gegners wie dich selbst.« Ein genialer Satz.

Innerlich verneigte sie sich vor so viel taktischer Professionalität und nahm sich vor, Gombrowski in Zukunft mit äußerster Vorsicht zu begegnen. Vor allem durfte sie nicht von ihm abhängig werden, was wiederum hieß, dass sie ihre Karten gegenüber den Vogelschützern möglichst geschickt spielen musste.

»Ich habe mich informiert.« Fließ hatte sich wieder hingesetzt und wischte sich mit einem Taschentuch über die Stirn. »Gombrowski legt ein gewaltiges Tempo vor. Anscheinend will er die Sache in trockene Tücher bringen, bevor das Dorf richtig weiß, wie ihm geschieht. Er hat bereits Kontakt mit den Baubehörden aufgenommen und sich der Vento Direct als Partner vorgestellt.«

Jule stand auf und drehte die Lautstärke der Musik noch ein Stück herunter. Keiner von beiden hielt es länger als ein paar Minuten auf seinem Platz aus. Sie schienen ständig davonzulaufen, vor sich selbst, vor dem anderen, vor der unerträglichen Hitze und dem Gummigestank in ihrem Haus.

»Mit der Ökologica steht es nicht zum Besten. Die Pachtpreise steigen, die EU-Subventionen werden zurückgefahren.

Manche glauben, dass Gombrowski schon seit Jahren eine Insolvenz verschleppt. Die Erträge des Windparks könnten ihm etwas Beinfreiheit verschaffen.«

Mit stolzer Geste legte Fließ die Arme auf die Rückenlehne der Couch, wobei er Jule versehentlich am Kopf traf. Sie rückte ein Stück von ihm ab. Das rote Haar hatte sie zu einem Dutt gebunden, der ihr hübsches Gesicht zur Geltung brachte und sie älter wirken ließ. Wieder sandte sie ein Lächeln aus; dieses Mal ging es auf Gerhards Kosten. Linda lächelte zurück, und plötzlich glaubte sie, dass Jule vielleicht doch ihre Freundin werden könnte. Sie stellte sich vor, wie sie gemeinsam unter den Robinien hinter Objekt 108 sitzen und einen Tee mit kompliziertem Namen trinken würden, den Jule mitgebracht hatte. Sophie würde im Garten spielen und für Linda wie eine kleine Nichte sein, und vielleicht würde das Mädchen eines Tages auf Bergamotte reiten lernen. Linda hatte keine Freundinnen. In der Schule waren ihr die anderen Mädchen zu albern gewesen, und später hatte sie immer zu viel gearbeitet, um Leute kennenzulernen. Außerdem war ihr Frederiks Freundschaft im Grunde genug. Aber Jules Anblick weckte Sehnsucht nach friedlichem Zusammensein, ohne Kampf, ohne Sex, ohne Vergangenheit oder Zukunft. Nur Sonne, Tee, Reden und der Geruch von Gras. Jules Lächeln war ein großes Angebot. Vielleicht konnte Linda sie eines Tages sogar dazu bringen, den Killjoy zu verlassen und ein echter Mensch zu werden.

»Meine Kontaktleute sagen, dass juristisch nicht viel dagegen zu machen sei. Die Eignungsgebiete wurden sorgfältig geprüft und sind politisch gewollt. Meine Kontaktleute sind der Meinung, dass die erforderlichen Genehmigungen mit großer Sicherheit erteilt werden.«

Wieder wechselten Jule und Linda einen Blick. Seine Kontaktleute. Dazu die selbstgefällig gerunzelte Stirn. Ganz klar spielte Fließ den Leitungsoffizier eines Planungsstabs, der sich mit einer brenzligen politischen Affäre befasste. Vor seinem geistigen Auge sah er sich vermutlich nicht von Rattanmöbeln, sondern von spiegelnden Konferenztischen umgeben.

Linda war sicher, dass der Vogelschützer in seinem früheren Leben viel Zeit damit verbracht hatte, in Berliner Kneipen über Klimaerwärmung, Ölkriege und die unbedingt notwendige Energiewende zu dozieren. Mit Sicherheit wählte er die Grünen. Vor der Tür stand ein Kleinwagen, der sich dafür schämte, dass Elektroautos noch in der Entwicklung waren. Und hier saß Leitungsoffizier Fließ und plante einen Feldzug zur Verhinderung von Windkraftanlagen. Schon jetzt freute sich Linda darauf, Frederik von der Szene zu erzählen.

Als sie die Einladung zum Essen angenommen hatte, war sie nicht sicher gewesen, was sie bei den Vogelschützern wollte. Jetzt wusste sie es. Blitzschnell entschied sie sich für eine Strategie und fühlte sofort, dass es die richtige war. In seinen Schriften empfahl Gortz immer wieder, sich mit Kairos vertraut zu machen, dem Gott des richtigen Moments. »Gebrauche die Vernunft. Aber wenn der Augenblick gekommen ist, triff deine Entscheidungen schnell wie der Blitz.« Der Hinterkopf der Kairos-Gottheit war kahl geschoren. Das sollte die Menschen daran erinnern, dass sich eine Gelegenheit, wenn sie einmal vorbei war, nicht mehr am Schopfe packen ließ.

»Der Rechtsweg ist ausgeschlossen«, sagte Fließ. »Wir müssen anders vorgehen.«

Wir.

»Unsere Unterschriftenaktion kennst du ja schon, sie läuft sehr erfolgreich. Außerdem könnte über diesen Kron etwas zu machen sein, er scheint einigen Einfluss im Dorf zu besitzen. Da muss man Synergieeffekte nutzen.«

Fließ holte Luft für den nächsten Satz und bemerkte erstaunt, dass die Sprechmaschine keinen Nachschub lieferte. Anscheinend war ihm nach »Synergieeffekte« der Text ausgegangen. Er hob den Ginger-Ale-Krug und stellte ihn wieder ab, weil alle Gläser noch voll waren. Ein ringförmiger Abdruck blieb auf dem Couchtisch zurück. Linda beugte sich vor, tupfte den Zeigefinger in die Nässe und malte einen eckigen Schmetterling. Fließ fragte nicht, was das sei. Er wusste es. Mit zwei raschen Bewegungen strich Linda die Schiefe Kappe durch.

»Ich werde nicht an Gombrowski verkaufen«, sagte sie.

Der Kopf des Vogelschützers hob sich wie bei einem Fluchttier, das ein Geräusch vernimmt. Auch Jule straffte den Rücken. Auf dem Gesicht ihres Mannes wechselten die Mienen mit atemberaubender Geschwindigkeit.

»Das ist …«, sagte Fließ. »Die Vento braucht zehn zusammenhängende Hektar. Ohne Sie«, in der Aufregung entglitt ihm das frisch vereinbarte Du, »ohne Sie kann Gombrowski gar nicht …«

»Ich verkaufe nicht an Gombrowski«, wiederholte Linda.

Der Vogelschützer sprang von der Couch.

»Wunderbar! Ich meine, das ist bestimmt nicht das Ende vom Lied, Gombrowski wird politisch agitieren, er wird … Aber immerhin – eine harte Nuss. Die muss er erst mal knacken.«

Fließ stand strahlend im Raum, als wollte er auf ein neues Jahr anstoßen. Linda blieb sitzen.

»Mensch, Linda. Leute wie du. Er hat dir bestimmt eine Menge Geld geboten. Und du … Das ist großartig. Danke.«

Linda bemerkte, dass Jule sie ansah. Ihr Lächeln war unverändert, aber die Augen blickten nachdenklich, als fragte sie sich nach Lindas Motiven. Gemeinsam warteten sie darauf, dass auch Fließ zu dieser Frage vordrang.

Als es so weit war, setzte sich Fließ wieder hin und legte einen Finger an die Nase, als wäre ihm plötzlich etwas eingefallen.

»Übrigens, du«, sagte er. »Die Sache mit deinen Pferden.«

»Ja?«, fragte Linda freundlich.

»Die Genehmigungspflicht deiner Bauvorhaben. Die Sanierung der Nebengebäude und die Errichtung von Koppelzäunen.«

»Was ist damit?«

»Vielleicht liegt da Geringfügigkeit vor. Das müsste ich noch mal genauer überprüfen. Am besten, wir legen das Verbotsverfahren erst mal auf Eis.«

»Na dann«, sagte Linda und lächelte.

24 Kron

Das Alter hatte jedem eine Karikatur seiner selbst ins Gesicht geschnitzt. Björns Grinsen, das früher einen ganzen Raum erhellen konnte, ließ sich nicht mehr abstellen. Norberts Augenbrauen waren oberhalb der Nase zu einem grimmigen Balken verwachsen. Wolfgangs Mundwinkel hatte der Spott nach unten gezogen. Die Augen von Heinz standen so weit hervor, als wollten sie den Schädel verlassen. Seit Jakob das Trinken offiziell zum Hobby erklärt hatte, war seine Burgundernase auf doppelte Größe angeschwollen. Der dicke Ulrich musste von innen mit Haaren ausgestopft sein, jedenfalls quollen sie aus Ohren, Nasenlöchern und Hemdkragen.

Normalerweise glaubte Kron von sich selbst, ganz der Alte geblieben zu sein. Zwar schlief er seit Langem nur noch auf der rechten Seite und kaute auf der linken. Die Rückenschmerzen stellten keinen Zustand mehr dar, sondern waren selbst zu einem Körperteil geworden, und bei Wetterwechsel brachte ihn das kaputte Bein schier um den Verstand. Auch kam ihm in letzter Zeit das Körperfett abhanden, weshalb Kathrin ständig Auskunft darüber verlangte, was er im Lauf des Tages gegessen hatte. Weil ihn der Anblick der eigenen Rippen erschreckte, zog er sich nicht mehr vor dem Spiegel aus.

Trotzdem erschien ihm das Alter noch immer als Horizont, auf den man zuging, ohne ihn jemals zu erreichen. In Krons Kopf hatten sich die verschiedenen Versionen seiner selbst über die Jahre zu einer leidlich friedlichen Gruppe versammelt. Der sechzehnjährige Kron lebte genauso weiter wie der fünfunddreißig-, sechzig- und siebzigjährige. Sie saßen beisammen, schwiegen oder unterhielten sich. »Das hättest du damals nicht gedacht«, sagten die Alten. »Guck nur, was aus dir geworden ist«, sagten die Jungen. »Mehr gelitten als ich hat keiner von euch«, sagte der Mittlere. Sie stritten selten; im Grunde mochten sie sich. Kron war nicht älter, sondern zahlreicher geworden.

Wenn er sich aber mit den Veteranen traf, wenn er sah, was das Alter aus ihnen gemacht hatte – Komödianten, die sich selbst spielten –, dann erkannte er mit Grauen, dass er einer von ihnen war. Sie alle standen auf dem Horizont. Erik Kessler war bereits dahinter verschwunden.

Eigentlich kannte Kron keine Angst vor dem Tod. Er hatte genug Zeit im Wald verbracht, um von den Bedingungen biologischer Existenz zu wissen. Die Sonne war ein Dauerbefehl zum Leben. Unter ihrer Einwirkung drehte sich ein Reigen aus wachsenden, blühenden, fliegenden, schwimmenden und laufenden Gebilden, von denen Kron eines darstellte. Die Formen lösten einander ab, während die Substanz gleich blieb. Es war kein Grund ersichtlich, warum ausgerechnet der Kron-Form Ewigkeit zukommen sollte. Er spazierte pfeifend über Friedhöfe, aß Fleisch mit Appetit und streichelte die sonnenbleichen Schädel von Wildschweinen, die er im Unterholz fand.

Allein, die Treffen mit den Veteranen waren etwas anderes. Er mochte jeden Einzelnen von ihnen, aber gemeinsam erzählten sie etwas über das Leben, das er nicht wissen wollte.

Er hatte sie ins Hinterzimmer des Landmanns bestellt, und sie waren vollzählig erschienen. So war es immer: Die Veteranen kamen, wenn er sie rief. Vielleicht um der guten alten Zeiten willen, die in Wahrheit weder gut noch alt, sondern einfach nur vorbei waren. Vielleicht weil sie einander lange genug kannten, um zu einer Familie geworden zu sein, in der man – wie in allen Familien – Dinge tat, ohne die Gründe zu kennen. Die beste Erklärung bestand wohl darin, dass sich zwischen Menschen niemals etwas änderte. Kron war erst ihr Vorarbeiter, dann Brigadeführer gewesen, und in gewissem Sinne war er das immer noch. Sie saßen rund um den Tisch, jeder mit einem Bierglas vor sich, und schauten ihn erwartungsvoll an.

Er war vorbereitet. Er hatte lang genug über Gombrowskis Plan nachgedacht, um zu wissen, dass er sich nicht irrte. Ein Puzzleteil hatte sich zum nächsten gefügt; gemeinsam ergaben sie ein stimmiges Bild. Kron nahm einen Schluck Bier.

»So, ihr Säcke.«

Danach erläuterte er das Windmühlenkomplott. Bereits vor zwei oder drei Jahren habe Gombrowski von einem seiner politischen Freunde erfahren, dass die Unterleutner Region ins Visier der Energiewende-Abzocker geraten sei. Mit dieser Information sei er zu Arne gelaufen und habe ihm das Vorliegen einer Win-win-Situation auseinandergesetzt.

»Wind, Wind?«, fragte Ulrich.

»Win-win sagen die Abzocker, wenn mehr als ein Schwein Platz am Trog findet«, erklärte Kron.

Arne sollte die Gewerbesteuer kassieren und Gombrowski die fette Pacht für das Land, auf dem die Windmühlen standen. Fehlten nur noch die geeigneten Flächen sowie eine Strategie, die dem Dorf weismachte, es handele sich um höhere Gewalt und nicht etwa um Gombrowskische Habgier.

Weil abzusehen gewesen sei, dass es Widerstand gegen das

Projekt geben würde, habe Gombrowski bei Schaller angefragt, ob der ein weiteres Mal die Drecksarbeit für ihn erledigen wolle. Aber irgendetwas sei wohl schiefgegangen. Vielleicht habe Schaller ein größeres Stück vom Kuchen gewollt und sei dumm genug gewesen, Gombrowski zu drohen. Jedenfalls habe Gombrowski versucht, ihn loszuwerden, was, wie man wisse, nur zur Hälfte geklappt habe. Immerhin zeige sich die verbliebene Hälfte nun wieder kooperativ. Gombrowski habe ihm das Haus direkt neben den Vogelschützern besorgt, und Schaller habe bereits mehrere Tage vor der offiziellen Verkündung des Windmühlenkomplotts begonnen, seine Nachbarn einzuräuchern. Das werde er gewiss auch weiterhin tun, bis diese zusagten, jeden Widerstand gegen die Windmühlen einzustellen.

»Und was hat der Schnösel aus Ingolstadt damit zu tun?«, fragte Norbert. »Dem du gleich ein paar mitgeben wolltest?«

Darüber hatte Kron lange nachgedacht. Feststand, dass es zwischen dem Schnösel und Gombrowski eine Verbindung geben musste. Auf der Versteigerung war der Schnösel bereit gewesen, jeden beliebigen Preis für das Land zu zahlen. Also hatte er bereits gewusst, dass sich die Ausgabe rentieren würde. Zudem sorgte die Beschaffenheit der Schiefen Kappe dafür, dass nur Gombrowski oder der Schnösel einen Windpark bauen konnten. Darauf hätte sich der alte Hund niemals eingelassen, wenn er nicht in Wahrheit mit dem Schnösel unter einer Decke steckte. All das konnte nur eins bedeuten: Hier lief eine noch viel größere Sache, als es auf den ersten Blick den Anschein hatte. Arne und Gombrowski planten ein Geschäft, für das ihnen das nötige Kleingeld fehlte. Und für das sie einen Sündenbock brauchten. Der Schnösel investierte, Gombrowski sorgte dafür, dass die Unterleutner den sauren Apfel verzehrten, Arne erledigte den Verwaltungskram. Der böse Investor aus dem Westen war schuld, und am Ende teilte man sich die Rendite.

Das erklärte Kron den Veteranen.

»Das ist erst der Anfang, versteht ihr? Der Schnösel aus Ingolstadt hat über 200 Hektar gekauft. Da werden sich mit Arnes Hilfe noch ein paar weitere Eignungsgebiete finden lassen. Bis es hier irgendwann aussieht wie auf der Plausitzer Platte. Bei Nacht ein Meer aus roten Blinklichtern, bis zum Horizont. Als lebte man im Inneren einer riesigen Maschine.«

Kron fühlte sich berauscht von der Logik seiner Ausführungen. Was den Menschen vom Tier unterschied, war die Fähigkeit, im Angesicht der Katastrophe »Siehste!« zu denken. Er gönnte sich das Gefühl. Vor zwanzig Jahren hatte ihm das Dorf nicht geglaubt, dass Gombrowski ein Teufel war. Dieses Mal würden sie nicht darum herumkommen. Sie würden zusehen, wie Gombrowski versuchte, ganz Unterleuten an die Vento Direct zu verkaufen. Und wie Kron das verhinderte. Wie er Rache nahm für die gestohlene Ökologica, für die korrumpierte Hilde und ein zertrümmertes Bein. Alle würden die perfide Raffinesse von Gombrowskis Plänen erkennen und einsehen, dass Kron kein verblendeter Kommunist war, sondern nur ein Mensch, der sein Gerechtigkeitsgefühl nicht gegen einen Internetanschluss eingetauscht hatte.

Bis dahin lag allerdings noch ein Weg vor ihm, dessen Länge und Beschwerlichkeit er an den Mienen der Veteranen ablesen konnte. Sie hatten seiner Ansprache in vollständiger Reglosigkeit gelauscht, nicht einmal gemurrt, gelacht oder auch nur scharf Luft geholt. Ihre Biergläser hatten sie ausgetrunken; ansonsten saßen sie unverändert. Es war unmöglich zu beurteilen, ob sie auch nur ein Wort verstanden hatten von dem, was er sagte. Sie warteten einfach ab, was als Nächstes folgte.

»Den Zahn werden wir dem fetten alten Hund ziehen«, sagte Kron. »Der denkt, das Dorf ist sein persönlicher Fleischknochen, an dem er nagen kann, so viel er will. Er denkt, er kann hier Löcher graben und in jede Ecke scheißen. Aber diesmal werden wir ihm eins überbraten, dass er den Schwanz einklemmt und hinter dem Ofen verschwindet.«

Björn grinste, Heinz glotzte, Wolfgang zog spöttisch die Mundwinkel herunter. Die Hundemetapher gefiel ihnen. Sabine brachte sieben Bier auf einem Tablett; unter der weich hängenden Haut ihrer Oberarme spannte sich der Bizeps.

»Mir scheint, ihr habt die Moral von der Geschichte noch nicht richtig begriffen. Wie hoch ist deine Rente, Jakob?«

»Ist doch egal, Kron.«

»Sag schon. Sag die Zahl«.

»380 Euro.«

»Kriegt hier irgendjemand mehr als 500 Euro?«

Norbert schaute grimmig, Ulrich zupfte an den Haaren in seinen Ohren, Jakob befingerte die Burgundernase.

»Die Pacht für zehn Windräder beträgt 150000 im Jahr. Jetzt rechnet mal aus, was das bei hundert Windrädern wäre. Was für eine Rente das ergibt.«

Jeder der Veteranen verkaufte etwas am Straßenrand, Kartoffeln, Eier, Kürbisse, weil das Geld zum Leben nicht reichte. Ohne Krons Zuwendungen, die aus den Erträgen des Waldes stammten, wären sie nicht in der Lage gewesen, Weihnachtsgeschenke für ihre Enkel zu kaufen. Trotzdem hatten sie das Gefühl, ganz gut zurechtzukommen, hätten sich niemals als arm bezeichnet und blickten neidlos auf einen wie Gombrowski, der sich alle zwei Jahre einen neuen Range Rover anschaffte. Für Kron waren sie wie Kinder, die ihn zugleich rührten und zur Verzweiflung trieben.

Zu allem Überfluss interessierten sie sich nicht für Windräder. Ihre Häuschen lagen im Ortskern oder im südöstlichen Teil hinter der Kirche, wo man keinen Blick auf die Schiefe Kappe hatte. Kron war darauf eingestellt gewesen, dass es nicht einfach werden würde. Er hieb die flache Hand auf den Tisch und erhob sich halb vom Stuhl.

»Gombrowski will Unterleuten vernichten!«

»Ich weiß nicht.« Ulrich verlagerte seine behaarte Fettmasse, um auf dem Holzstuhl eine bequeme Haltung zu finden. »Du machst hier ganz schön, also, Wind.«

»Hast du nicht selbst ein Eignungsgebiet?«, fragte Norbert.

Das stimmte, und in einer ruhigen Minute hatte sich Kron durchaus gefragt, ob er einen Windpark errichten würde, wenn er die Möglichkeit dazu hätte. Die Wahrscheinlichkeit, dass sein Gebiet den Zuschlag bekäme, lag aber so nah am absoluten Nullpunkt, dass er die Frage gleich wieder beiseitegeschoben hatte.

»Darum geht's doch gar nicht«, schnauzte er. »Vor zwanzig Jahren hat Gombrowski euch die LPG gestohlen und ist damit davongekommen. Jetzt will er sich das Letzte holen, was euch und euren Enkeln noch bleibt. Die Unberührtheit der Natur. Die Schönheit und den touristischen Wert der Unterleutner Heide.«

»Es gibt hier doch gar keine Touristen«, sagte Björn.

»Gombrowski ist ein fetter alter Köter«, sagte Heinz.

»War er schon immer«, sagte Norbert.

»Lass ihn laufen«, sagte Wolfgang und leerte sein Bier.

»Wisst ihr nicht mehr, was wir uns damals versprochen haben?« Kron schaute ihnen der Reihe nach in die Gesichter. »Eines Tages kriegen wir ihn dran. Für die Gerechtigkeit.«

Ulrich und Jakob blickten betreten in ihre Gläser. Heinz rieb sich die Augen.

»Ganz schön lange her«, sagte Wolfgang.

»Was regst du dir auf«, murmelte Norbert.

»Ich weiß nicht, Kron«, wiederholte Ulrich.

Mit Wucht ließ Kron beide Fäuste auf die Tischplatte fallen, so dass die Veteranen erschrocken nach ihren wackelnden Gläsern griffen.

»Ihr Lahmärsche«, brüllte er. »Kapiert ihr nicht, was das alles bedeutet? Seid ihr wirklich so blöd, wie ihr ausseht?«

Wenn er schrie, kriegte er sie. Krons Geschrei schallte direkt aus den guten alten Zeiten zu ihnen hinüber, als sie noch keine Karikaturen, sondern kräftige Männer gewesen waren, die wussten, dass man gut daran tat, einen schreienden Kron ernst zu nehmen. Sie hielten sich an ihren Gläsern fest und sahen ihn an.

»Was bedeutet es denn?«, fragte endlich Björn.

Kron entspannte sich und hob sein Glas; sie stießen an.

»Gombrowski macht die Ökologica dicht. Braucht er nicht mehr. Schluss, aus, Ende.«

Das wirkte. Kron schnitt das aufkommende Gemurmel mit einer Handbewegung ab.

»Überlegt doch mal. Die Ökologica ist schon lange unrentabel geworden. Warum ist denn Gombrowski so heiß auf den Windpark? Weil das eine hübsche Altersvorsorge ergibt.«

Jetzt ließ er sie murmeln. Bis auf Ulrich hatten sie alle Verwandte, die in der Ökologica arbeiteten; Tochter, Neffe, Sohn und Schwiegersohn; Björns Enkelin hatte gerade eine Ausbildung zur Landwirtin begonnen. In Unterleuten den Job zu verlieren, kam einem beruflichen Todesurteil gleich. Keiner der Veteranen war in der Lage, seine Angehörigen zu unterstützen. Sie würden zusehen, wie ihre Lieben verarmten oder wegzogen, um Arbeit zu finden. Für jeden Einzelnen bedeutete das die größte denkbare Katastrophe.

»Ein Betrieb wie die Ökologica interessiert außerhalb von Unterleuten keine Sau. Das ist ein steuerfinanziertes Museum ohne Besucher. Warum sollte sich Gombrowski den Stress weiter antun? Der schlachtet die Kuh und trägt die Filetstücke nach Hause. Wie das geht, habt ihr vor zwanzig Jahren schon einmal gesehen. Sabine, noch eine Runde, dazu sieben Bromfelder, alles auf mich.«

Bis die Schnäpse kamen, war alles besprochen. Sie waren näher an den Tisch gerückt und hatten die Köpfe zusammengesteckt. Kron hatte geredet, die anderen zugehört. Jetzt richteten sie sich auf und nickten weiter vor sich hin, während Sabine den Bromfelder verteilte. Krons Trinkspruch war kurz.

»Auf geht's«, sagte er und warf den Kopf in den Nacken.

Alle tranken. Maschinenöl mit Eukalyptusgeschmack.

Teil III

Falsche Freunde

Liebe die Feinde deiner Gegner wie dich selbst.
Manfred Gortz

25 Meiler

Sie stürmte herein mit der Selbstverständlichkeit eines Naturereignisses, die Haare tropfnass vom Regen. Einen Schirm hatte sie nicht dabei, auch keine Mütze oder Kapuze; im Gehen hielt sie den Kopf schräg, um den Pferdeschwanz mit beiden Händen auszuwringen. Zielstrebig kam sie auf ihn zu, und Meiler fragte sich, wie es ihr gelungen war, ihn in der unübersichtlichen Lobby sofort zu entdecken. Nicht die geringste Unsicherheit war ihr anzumerken; auch zeigte sie kein Interesse für die demonstrative Pracht der Räumlichkeiten. Entweder ging sie in Luxushotels ein und aus – was Meiler bezweifelte – oder die Generation, zu der Franzen gehörte, war dermaßen unfähig zur Demut, dass sie die vergoldeten Einschüchterungsgesten einer Prunklobby gar nicht zur Kenntnis nahm. Franzen trug die Uniform der Abgebrühten; die Beine steckten in abgewetzten Röhrenjeans, die Füße in grünen Lederstiefeln. Dazu eine knappe Jacke, den Reißverschluss bis unters Kinn geschlossen. Nichts erinnerte an das romantische Kleid, in dem sie in Unterleuten aufgetreten war. Meiler ging davon aus, dass der Kostümwechsel weniger mit dem Wetter zu tun hatte als mit ihrer neuen Verhandlungsposition. Sie verwirrte ihn. Gegen ihre Jugend half nicht einmal der berühmte Satz, nach dem sie seine Tochter hätte sein können. Diese junge Frau konnte nicht seine Tochter sein. Sie stammte von einem anderen Planeten. Aus einem Sonnensystem, in dem zwanzigjährige Frauen klitschnass in teure Hotels stiefelten, um Geschäfte mit sechzigjährigen Männern abzuschließen.

Franzen kam heran, sagte »Hallo« und hatte sich bereits in einen Sessel fallen lassen, während Meiler noch dabei war, sich umständlich aus der viel zu tiefen Couch zu erheben. Weil sie keine Anstalten machte, ihm die Hand zu reichen, sondern nur die Beine übereinanderschlug und die Arme auf den Sessellehnen ausbreitete, stand Meiler inmitten der Sitzgruppe wie ein Vollidiot und hatte keine andere Wahl, als sich unverrichteter Dinge wieder zu setzen. Franzen starrte ihn an. Was für eine Schnapsidee, sich mit ihr im Adlon zu treffen. Er schämte sich für die alberne Kassettendecke, für die übertriebenen Blumenbuketts an jeder Ecke, für den säulenförmigen Brunnen und die gusseisernen Frösche, die rings um das weiße Marmorbecken saßen. Unzählige Treffen mit Kunden hatte er in dieser Sitzgruppe absolviert und dabei stets darauf geachtet, sich ein paar Minuten zu verspäten, damit seine Gesprächspartner sahen, dass er nicht von der Eingangstür, sondern von den Fahrstühlen kam. Franzens Gleichgültigkeit verwandelte das gesamte Adlon in eine Kulisse und ihn selbst in einen mittelmäßigen Wichtigkeitsdarsteller. Rings um ihre Ellenbogen breiteten sich dunkle Wasserflecken auf dem Stoffbezug des Sessels aus. Sie saß viel zu weit weg. Meiler wusste nicht, warum das Adlon glaubte, es gehöre zum guten Ton, die Möbel so weit auseinanderzustellen, dass man sich nicht unterhalten konnte.

»Sie haben mich angerufen«, eröffnete Franzen, als das Schweigen unerträglich wurde. »Sie wollten mich sprechen.«

Das stimmte. Nach dem Besuch im Plausitzer Bauamt am vergangenen Freitag hatte Meiler seine restlichen Berlin-Termine absolviert und war noch am gleichen Nachmittag ins

Auto gestiegen, um nach Ingolstadt zurückzufahren. Einen Tag später hatte er Franzen auf dem Handy angerufen und um ein zeitnahes Treffen gebeten. Heute hatte er wieder den halben Tag auf der A9 verbracht, um jetzt, Montag, 19. Juli 2010, mit ihr im Berliner Adlon sitzen zu können. Die Frage, wer in dieser Angelegenheit etwas von wem wollte, ließ sich leicht beantworten.

»Es geht um die vier Hektar hinter Ihrem Haus, die Sie so gern für Ihre Pferde hätten«, sagte Meiler und freute sich beinahe, als sich der Anflug eines Lächelns auf ihrem Gesicht zeigte.

»Nein«, sagte sie. »Das glaube ich nicht.«

Mehr nicht. Danach schwieg sie wieder.

»Frau Franzen«, begann Meiler noch einmal. »Lassen Sie uns ganz entspannt miteinander reden. Letzten Donnerstag habe ich gesagt, dass ich das Land hinter Ihrem Haus auf keinen Fall verkaufen werde. Dass ich nicht tausche, habe ich nicht gesagt.«

Der freundliche kleine Scherz zerplatzte an dem Felsen, in den sich ihr Gesicht verwandelt hatte. Meiler überlegte, ob er anbieten sollte, ihr an der Bar einen Kaffee zu holen. Aber er wusste, dass sie ablehnen würde. Vermutlich würde sie nicht einmal »nein, danke« sagen, sondern nur stumm den Kopf schütteln. Er versuchte sich zu erinnern, wie er sich dieses Treffen vorgestellt hatte. Trotz allem hatte er sich darauf gefreut, sie wiederzusehen. Vielleicht war er dumm genug gewesen zu glauben, sie würde sich in der Lobby mit großen Augen um die eigene Achse drehen und das Dekor bestaunen. Vermutlich wollte er ihr nach erfolgreich beschlossenem Deal vorschlagen, woanders noch eine Kleinigkeit zu essen. Im »Borchardt«. Und dann? Zu Meilers Prinzipien gehörte es, wenigstens sich selbst gegenüber ehrlich zu sein, wenn schon die Welt zu fast hundert Prozent aus Heuchelei bestand. Franzen gefiel ihm, und selbstverständlich wollte er mit ihr ins Bett wie mit fast jeder anderen Frau auch. In erster Linie aber wollte er etwas anderes von ihr, und erst jetzt, während sie ihm gegenübersaß, dämmerte ihm langsam, was das war. Er wollte sehen, wie sie den Blick senkte. Und sei es nur, um ihren Borchardt-Hauptgang zu betrachten, der Zutaten enthielt, von denen sie noch nie etwas gehört hatte.

Aber Franzen war weit davon entfernt, den Blick zu senken. Sie starrte ihn an. Meiler seufzte lautlos. Jetzt wollte er einfach nur das Geschäft abschließen, so schnell wie möglich. In fünfzehn Minuten konnte er wieder im Auto sitzen und nach Hause fahren. Das Zimmer, das er aus unerfindlichen Gründen reserviert hatte, ließ sich problemlos stornieren. Franzen ließ sich problemlos vergessen. Er war zu alt für Spielereien. In seinem Leben ging es um völlig andere Dinge. Nicht um Franzen.

»Also, Frau Franzen«, sagte er. »Zwei Hektar am Waldrand gegen vier Hektar direkt im Dorf. Eigentlich müssten Sie mir den Wertunterschied ausgleichen, aber ich weiß ja, wie stark Sie mit der Sanierung Ihres großen Hauses belastet sind. Was sagen Sie?«

»Fünfzigtausend.«

»Wie bitte?«

»Sie übertragen mir die vier Hektar hinter meinem Haus und zahlen außerdem fünfzigtausend Euro. Dafür bekommen Sie das Flurstück auf der Schiefen Kappe, das Sie für die Errichtung Ihres Windparks brauchen.«

Meilers Handflächen begannen zu kribbeln, dann flutete das Adrenalin seinen gesamten Körper. Vor Wut wurden seine Ohren heiß wie die eines Schuljungen. Er ärgerte sich nicht über Franzens Unverschämtheit, sondern darüber, dass er diese Unverschämtheit nicht vorhergesehen hatte. Normalerweise hielt er in Geschäftsverhandlungen mindestens eine alternative Strategie in der Hinterhand, falls der erste Ansatz versagte. Heute war er blank. Er hatte geglaubt, das Tauschangebot ohne Ausgleichszahlung sei mehr, als Franzen sich erhofft habe. Eine sichere Bank.

»Hören Sie, Frau Franzen«, sagte er. »Es gefällt mir, dass Sie verhandeln wollen. Man sollte immer verhandeln. Aber die zwei Hektar auf der Schiefen Kappe sind laut Gutachterausschuss kaum 8000 Euro wert. Sie bekommen dafür die doppelte Fläche in bester Dorflage. Das ist mehr als fair. Finden Sie nicht?«

Eine halbe Minute verging, während Franzen mit dem rechten Zeigefinger ihren linken Daumennagel säuberte. Als sie fertig war, stand sie zu Meilers Überraschung auf.

»Jetzt gehe ich mich frisch machen«, sagte sie, »und bin in fünf Minuten wieder da. In der Zwischenzeit bitte ich Sie, zu einem Ergebnis zu kommen. Als kleine Entscheidungshilfe möchte ich daran erinnern, dass 50000 Euro nicht mehr als ein Drittel der Summe darstellen, die Sie mit dem Windpark bereits im ersten Jahr verdienen werden. Die Investition hat sich also binnen vier Monaten amortisiert. Ihre unternehmerische Vernunft wird Ihnen bestätigen, dass das ein erträgliches Opfer ist.«

Damit marschierte sie los, und zwar, wie Meiler bemerkte, nicht zur Rezeption, um zu fragen, wo sich die Waschräume befanden, sondern gleich in die richtige Richtung, an den Fahrstühlen vorbei und links um die Ecke in den Gang, der zu den Toiletten führte. Dass sie sich in der Lobby des Adlons auskannte, irritierte ihn noch mehr als ihr Auftreten. Er hatte Lust, ihr ein paar Sätze nachzuschleudern wie eine Handvoll Kieselsteine. Dass sie gerade aus reiner Dummheit die Erfüllung ihres Lebenstraums vermassele. Dass er, Meiler, es nicht nötig habe, sich auf diese Komödie einzulassen.

Dass Reichtum die Freiheit mit sich bringe, eigene Interessen zu ignorieren, wenn man Lust dazu verspüre. Aus purer Gehässigkeit konnte er auf den Windpark-Deal verzichten und noch per testamentarischer Verfügung dafür sorgen, dass Franzen ihre bescheuerten Pferdekoppeln bis ans Ende aller Tage nicht bekam.

Aber seit dem Wochenende war die Schiefe Kappe mehr als ein gewöhnliches Geschäft. Sie war ein Versprechen.

Als der Roadster am Freitag gegen 22 Uhr den von Kastanien gesäumten Privatweg zur Ingolstädter Villa hinaufgeglitten war, hatte in der Bibliothek Licht gebrannt. Da Einbrecher für gewöhnlich nicht die Deckenbeleuchtung einschalteten, konnte das Strahlen der Art-déco-Lampen nur bedeuten, dass Mizzie zu Hause war.

Noch in Mantel und Schuhen war Meiler über den Flur geeilt, durch das seit Monaten unbenutzte Esszimmer bis zur Bibliothek, in die seit einer halben Ewigkeit niemand außer der Putzfrau einen Fuß gesetzt hatte. Er hatte die Tür geöffnet und sich einer Szene gegenübergesehen, die er nicht verstand. Vor der Bücherwand stand Mizzie, ein Glas Wein in der Hand, und blickte ihm entgegen. Auf dem Chesterfield-Sofa saß ein junger Mann, in dem Meiler erst auf den zweiten Blick seinen Sohn erkannte. Um Philipps Mundwinkel spielte ein freundliches, geradezu mildes Lächeln, als hätte gerade jemand etwas Amüsantes gesagt. Trotz der Sommerwärme trug er einen moosgrünen Pullover mit V-Ausschnitt und ein gestreiftes Hemd darunter, in dem er aussah wie ein Collegestudent. Die schwarzen Bundfaltenhosen waren eine Spur zu feierlich und die braunen Lederschuhe ein wenig zu neu. Aber alles in allem wirkte Philipp auf verblüffende Weise normal.

»Hallo, Papa«, sagte er.

Mizzie sagte nichts und lächelte, eine Mutter, die sich über die gelungene Präsentation einer Überraschung freut.

Im ersten Moment empfand Meiler Glück beim Anblick seines Sohns, aber gleich darauf hellen Schmerz, als ihm klar wurde, dass eine verkleidete Puppe vor ihm hockte. Er hasste es, in einer Welt zu leben, in der erfolgreiche Unternehmer mit Vollbart und löchrigen Stiefeln herumliefen, während Penner Anzüge trugen. Am Bahnhof musste man heutzutage genau hinsehen, um zu unterscheiden, ob ein Mann etwas in eine Mülltonne hineinwarf oder herausnahm. Ganz gleich, wie gut geputzt Philipps Schuhe, Zähne und Fingernägel waren – sie brachten die hässlichen Fragen nicht zum Schweigen. Wann hatte er sich den letzten Schuss gesetzt? Wo hatte er vergangene Nacht geschlafen? Mit welcher Kreatur hatte er das Fixerbesteck geteilt, und wie sahen seine Fußknöchel unter den dunkelblauen Merino-Socken aus? Der Schmerz wuchs und schnürte Meiler die Kehle zu. Sein Philipp war seit zehn Jahren tot, und die Anwesenheit eines Gespenstes, das behauptete, Philipp zu sein, holte den Verlust auf grauenvolle Weise ins Hier und Jetzt. Er zitterte am ganzen Körper, als er sich in einen Sessel setzte.

Mizzie öffnete eine Holzklappe in der Bücherwand und schenkte drei Gläser Highland Park 18 ein. Dann begann sie mit Konversation. Wie ein Zuschauer im Theater bestaunte Meiler ihr Talent, eine Unterhaltung in Gang zu bringen. Sie wandte sich abwechselnd Philipp und Meiler zu, lachte hell und verteilte mit gepflegten Fingern Klapse auf Handrücken und Knie. Ehe Meiler es sich versah, beantwortete er Fragen, erzählte, wo er gewesen war und was er gemacht hatte, beschrieb Unterleuten und die absurde Dorfversammlung. Er stand auf, um Whisky nachzuschenken, und imitierte dabei Krons übertrieben hinkenden Gang, während sich Philipp und Mizzie vor Lachen bogen. Selbstverständlich war die ganze Situation nicht mehr als eine sentimentale Filmszene, aber eine, die Meiler zu gefallen begann.

Gegen Mitternacht schlug Mizzie eine Partie Schach zwischen Vater und Sohn vor, während sie schon zu Bett gehen wollte. Meiler winkte ab, aber als Philipp fragte, ob er Angst habe zu verlieren, war das Brett in Sekundenschnelle aufgebaut. Meiler nahm sich vor, seinem Sohn mindestens zwanzig Züge zu geben, bevor er ihn vernichtete, und musste beim fünfzehnten Zug feststellen, dass er selbst in Bedrängnis geriet. Sie kämpften schweigend. Philipp spielte ohne Dame, dafür mit sämtlichen Offizieren; Meiler wehrte sich wie ein Löwe. Während Philipps schwarze Springer den weißen König in die Ecke trieben, dehnte sich etwas in Meilers Brust, machte das Atmen schwer und drohte zu platzen. Beim Schachmatt kamen die Tränen. Es waren Tränen der Freude über Philipps Sieg, Tränen der Verzweiflung über gnadenlos vergangene Jahre, und schließlich lagen sie sich in den Armen, und Meiler schlug mit der Faust auf den Rücken seines Sohns und stammelte Unsinn, du dummer Bengel, die Dame gegen Läufer und Bauern zu tauschen, was für ein Bengel, und Philipp weinte auch und wiederholte immer nur den Satz: »Ich bin noch da, Papa, ich bin doch noch da.«

Kurz darauf kroch Meiler zu Mizzie ins Bett. Sie sprachen nicht länger als fünf Minuten. Meiler würde sich um alles kümmern, die Verhandlungen mit der Vento Direct führen, die Errichtung des Windparks überwachen. Die Grundstücke auf der Schiefen Kappe würde er Mizzie überschreiben, so dass der Erlös aus der Windpacht direkt auf ihr Konto floss. Er erklärte es, so gut er konnte: Nur auf diese Weise sei es ihm möglich, Philipp zu unterstützen. Unterleuten sei Zufall, der Windpark ebenfalls. Das Geld stamme gewissermaßen nicht von ihm persönlich, sondern sei ein Geschenk des Schicksals, das er an Mizzie weiterleite. Was sie damit anstelle, sei ihre Sache. Mizzie küsste sein Gesicht. Hand in Hand schliefen sie ein.

Am nächsten Morgen waren Mizzie und Philipp verschwunden, als Meiler gegen zehn in die Küche taumelte. Auf dem Tisch lag ein Zettel; die Handschrift hatte er seit Jahren nicht gesehen.

»Nächsten Samstag um acht zum Schach, und streng dich gefälligst etwas mehr an. P.«

Franzen kam zurück. Ihr Haar war nicht mehr nass; sie musste die Zeit auf der Toilette damit verbracht haben, es unter dem Handtrockner zu fönen. Meiler fragte, ob sie eine Anzahlung auf die Fünfzigtausend wolle; Franzen schüttelte den Kopf. Er versprach, sich so schnell wie möglich um einen Notartermin zu kümmern.

Es deprimierte ihn, dass sie ihren Triumph nicht einmal auszukosten schien. Sie blickte starr und kalt wie einer der Frösche auf dem Rand des Marmorbeckens. Zum Abschied erhob er sich; wieder gab sie ihm nicht die Hand. Da erst begriff Meiler, dass sie ihn hasste. Er schaute ihr nach, während sie mit schnellen Schritten zum Ausgang lief, und fragte sich, was ihr das Recht gab, ihn für ein Schwein zu halten. Auf dem Sessel markierten Wasserflecken die Stelle, an der Franzen eben noch gesessen hatte.

26 Wachs

»Guck mal«, sagte Ronny, »ein nasses Ding.«

In der Tat war Linda von Kopf bis Fuß durchnässt. Sie lachte trotzdem und flog Frederik geradewegs in die Arme, so dass er gar nicht anders konnte, als sie hochzuheben und im Kreis zu schwenken.

»Ich hab es«, sang Linda. »Ich hab es, ich hab es.«

»Was hat sie?«, fragte Ronny.

»Vermutlich ein Stück Steppe«, sagte Frederik.

»Ah«, nickte Ronny. »Dorfkram.« Und ließ sie allein.

Frederik setzte Linda ab. Sie standen in der Chef-Küche der Firma. Groß wie ein mittlerer Tanzsaal, mit Kochinsel, Frühstücksbar, Besprechungstisch sowie wandausfüllenden Bildschirmen und sündhaft teurer Ledergarnitur. Das Ganze umgeben von einer Aura des Unbenutzten.

Wenn es nach Timo gegangen wäre, hätten die Mitarbeiter von *Weirdo* immer noch zusammengepfercht zwischen Bergen von Altglas und Altpapier gesessen. Enge und Chaos standen für ihre gemeinsame Jugend, sie standen für die Anfangsjahre der Firma und das damit verbundene Lebensgefühl, und Timo war ein Mensch, der gerne alles so ließ, wie es war. Mit Händen und Füßen hatte er sich dagegen gewehrt, »Chef«, »Arbeitgeber« oder sogar »mittelständischer Unternehmer« zu sein. Aber der Erfolg von Traktoria hatte keine Zeit für Identitätskrisen gelassen. Timo und Ronny waren 21 Jahre alt gewesen, als *Weirdo* zum Marktführer für Browser-Games aufstieg. Binnen weniger Monate war die Lage in den viel zu engen Oldenburger Firmenräumen unhaltbar geworden. *Weirdo* brauchte mehr Platz, eine professionelle Infrastruktur und viele neue Mitarbeiter für Presse, Support, Buchführung, Sekretariat und Akquise.

Obwohl Frederik als Entwickler angestellt war, machte ihn das Organisationsversagen von Timo und Ronny zu einer Art Firmengouvernante. Frederik führte das Siezen von Fremden am Telefon ein. Frederik verlangte die Bereitstellung eines Etats für Büroeinrichtung und verbot Timo, sich ständig bei den Sekretärinnen für das Verursachen von Arbeit zu entschuldigen.

Die neuen Räume glichen eher Ateliers als Büros und waren ausbaufähig, so dass die Firma mit den Jahren immer tiefer in das Gebäude hineinwachsen konnte. Inzwischen waren am Berliner Stammsitz 250 Angestellte beschäftigt; insgesamt verfügte *Weirdo* an den Standorten Berlin, Paris und Seattle über rund 600 Mitarbeiter. Allem Erfolg zum Trotz waren Timo und Ronny miserable Manager geblieben. Sie delegierten das gesamte operative Geschäft. Dieses kindliche Vertrauen wurde von den Mitarbeitern mit Loyalität belohnt. Jeder bei *Weirdo* wusste, was Timo und Ronny konnten. Sie konnten mit blinder Treffsicherheit voraussagen, was die Menschen auf der ganzen Welt als Nächstes spielen wollten. Alles andere nahm man ihnen ab.

»Willst du einen Kaffee?«

Auf einem der weißen Sideboards stand eine professionelle Siebträger-Espressomaschine, teuer wie ein Kleinwagen. Während es auf den unteren Stockwerken von Nespresso-Automaten nur so wimmelte, hatte die Chefetage traditionell nur über eine alte Filtermaschine verfügt, die sich in der modernen Chef-Küche prähistorisch ausnahm. Das neue Wundergerät hatte Frederik bei einem Potsdamer Fachgeschäft bestellt, in dem über Kaffeesorten und Kaffeemaschinen so blumig geredet wurde wie andernorts über moderne Kunst. Als er die alte Filtermaschine wegwerfen wollte, wäre es um ein Haar zu einer ernsten Auseinandersetzung mit Timo gekommen. Jetzt stand das kleine blaue Plastikgerät neben dem glänzenden Chromriesen und hielt mit treuherzigem Zischen eine Kanne nachtschwarzer Filterbrühe bereit, während bislang weder Timo noch Ronny wussten, wie man die neue Maschine bediente. Da Frederik selbst kein großer Kaffeetrinker war, bestand die Aufgabe des Wunderapparats vor allem darin, gut auszusehen.

»Lieber Tee.«

Frederik seufzte, durchsuchte die Küchenschränke, fand schließlich in einer Kiste zwischen uralten Milchdöschen und bunten Plastikstrohhalmen einen Teebeutel, stellte fest, dass die Espressotassen zu klein waren, und borgte sich Timos Kindertasse mit dem abgebrochenen Henkel und einem verblassten Bild vom Drachen Poldi. Das heiße Wasser aus dem Milchaufschäumer verbrühte ihm die Fingerknöchel.

Linda, zu deren Gewohnheiten es gehörte, jede seiner Bewegungen zu beobachten, verkniff sich eine Bemerkung. Dummerweise konnte Frederik ihre Gedanken lesen: Gott, bist du umständlich. Niemand auf der Welt braucht länger, um einen Teebeutel aufzugießen.

Seit Beginn ihrer Beziehung versuchte Linda erfolglos, ihn zu beschleunigen. Einmal hatte sie mit einer Stoppuhr an der Wohnungstür gestanden und gemessen, wie lange Frederik brauchte, um sich Schuhe und Jacke anzuziehen. Eine Minute dreißig. Ihm kam das nicht besonders lang vor. Linda hingegen benötigte, wie sie bereits überprüft hatte, für den gleichen Vorgang zwanzig Sekunden. Aus solchen Informationen baute sie ihr Weltbild, was Frederik vollkommen sinnlos erschien. Anders als Gortz verlangte, hatte er nicht vor, sich in irgendeiner Weise zu optimieren. In seinem Leben bildeten Gegenstände wie Reißverschlüsse, Schnürsenkel, Schraubenzieher oder Schneebesen eine feindliche Partisanenarmee, die aus dem Hinterhalt operierte. Es brachte nichts, dagegen anzukämpfen. Dafür konnte er Algorithmen lesen wie andere Leute Einkaufszettel. Manchmal dachte er, dass das Internet von Menschen wie ihm für Menschen wie ihn erfunden worden war.

»Ausgerechnet im Adlon!« Linda saß auf einem der Hocker an der Frühstücksbar, schaute in ihre Teetasse und fand keine Zeit, den ersten Schluck zu nehmen, weil sie vollauf mit der Beschreibung ihres Abenteuers beschäftigt war. »Und hockt ohne Jacke in der Lobby, damit ich auf jeden Fall kapiere, dass er dort wohnt. Wahrscheinlich in der Junior-Suite, auf Kosten seiner Kunden.«

»Dann muss er gut sein.«

»Interessiert mich nicht. Das ist eine Frage des Stils.«

Frederik hatte nichts gegen das Adlon; im Gegenteil, eigentlich mochte er Leute mit Geld. Sie konnten es sich leisten, freundlich zu sein. Aber das spielte in Lindas System keine Rolle. Sie teilte Menschen in zwei Kategorien ein: Freunde und Feinde. Freunde taten, was sie wollte; Feinde widersetzten sich. Ein Übergang von der ersten in die zweite Kategorie war jederzeit möglich. Meiler hatte sich durch seinen Auftritt in Unterleuten als Todfeind qualifiziert, und ein Hotel, in dem Todfeinde abstiegen, war ein böses Hotel. Nach Lindas Laune zu urteilen, hatte heute allerdings das Gute gesiegt, also sie selbst. Eines Tages wollte Frederik ein Computerspiel entwickeln, in dem eine Frau wie Linda die Hauptrolle spielte. Eine, die allen Ernstes glaubte, Gerechtigkeit sei ein anderes Wort dafür, dass sie ihren Willen bekam.

»Hast du dich schön teuer zum Essen einladen lassen?«

»Nix da. Ich war keine zehn Minuten drin. Rein, klarmachen, raus. So geht das.«

Jetzt nahm sie den ersten Schluck von ihrem Tee. Pustete auf die Oberfläche, schlürfte geräuschvoll.

»Fünfzigtausend.« Mit einem schnellen Blick prüfte sie seine Reaktion.

»Fünfzigtausend was?«

»Fünfzigtausend Euro.«

»Wofür?«

»Er bekommt die zwei Hektar auf der Schiefen Kappe, ich die vier Hektar hinter dem Haus. Fünfzigtausend zahlt er obendrauf.«

Frederik erschrak, wozu er mehrere Sekunden brauchte. Kein Schock, sondern ein langsam heraufziehendes Unbehagen. Linda stellte die Tasse ab, stützte die Ellenbogen auf die Knie und lehnte sich vor, bis ihr Gesicht nah vor seinem stand. Die grünen Augen wirkten hell wie von innen beleuchtet. Sie lächelte so breit, dass das Grübchen über ihrer linken Braue erschien, ein seltener Gast, den außer Frederik niemand zu sehen bekam. Jedenfalls glaubte er das.

»Stell dir mal vor.« Sie packte ihn am T-Shirt. »Was wir damit alles machen können. Zäune bauen. Luxusausstattung für die Pferdeboxen.«

Sie küsste ihn. Er strich ihr übers Haar, schob sie ein Stück weg, sie küsste ihn wieder.

»Das ist viel Geld. Bist du sicher, dass ...?«

»Mit den Windrädern verdient er das Dreifache schon im ersten Jahr.«

»Mag schon sein, aber ...«

»Sprich deine Sätze zu Ende.«

Er sah sie an. Freund. Feind. Freund.

»Ich weiß nicht, Linda. Ich hab ein komisches Gefühl dabei.«

»Du bist Spezialist für komische Gefühle.«

»Solche Geschäfte sind nicht deine Liga.«

»Frederik Wachs, komische Gefühle zu jedem Anlass, buy one, get one free.« Sie lachte, trank Tee und lachte immer noch, als sie die Tasse wieder auf die Bar stellte. »Als wir Objekt 108 kaufen wollten, hattest du auch komische Gefühle, weißt du noch? Dann noch komische Gefühle in Bezug auf Unterleuten und auf das Landleben im Allgemeinen. Was andere Menschen Entscheidung nennen, heißt bei dir komisches Gefühl.«

Wie immer, wenn sie einen Hauch Kritik spürte, versuchte sie, Frederiks Äußerungen in einen Vorwurf gegen ihn selbst zu verwandeln. Aber diesmal ließ er sich nicht beirren.

»Auf der Dorfversammlung hast du eine flammende Rede gegen Windräder gehalten.«

»Weil ich Windräder scheiße finde.«

»Aber du hilfst Meiler, welche zu bauen.«

Ungläubig blickte Linda ihn an.

»Weißt du, warum Fließ gegen die Windräder ist? Weil er die Schiefe Kappe von seinem Haus aus sehen kann. Das ist der einzige Grund. Gombrowski ist dafür, weil er einen Haufen Geld damit verdienen würde. Der durchgeknallte Kron ist dagegen, weil er mit Gombrowski eine Rechnung offen hat. Und so weiter. Jeder Spinner auf der Welt geht seinen Interessen nach. Nur ich muss den Moral-TÜV bestehen, oder wie?«

»Was hast du diesem Fließ erzählt?«

»Warum kannst du nicht einfach mal sagen: gut gemacht? Ich habe gerade fünfzigtausend Euro verdient, die gehören uns gemeinsam!«

»Linda, was hast du den Vogelschützern erzählt? Als du da zum Essen eingeladen warst?«

Sie griff nach der Teetasse und rückte von ihm ab. Eine Fliege stieß in sturem Rhythmus gegen die Fensterscheibe. Im Nebenzimmer lachte Ronny am Telephon.

»Wo ist Timo?«

»In Paris. Warum?«

»Schade.« Linda verzog den Mund. »Dein Bruder hätte sich mit mir gefreut.«

Frederik schüttelte den Kopf, um anzuzeigen, dass dieses Spiel nicht funktionierte.

»Ich will wissen, was du zu Fließ gesagt hast.«

»Die Wahrheit.« Fast schrie sie. »Dass ich nicht an Gombrowski verkaufe.«

»Aber jetzt verkaufst du an Meiler.«

»Danach hat er nicht gefragt.« Sie sah auf und lächelte schon wieder. »Fließ hat mir sein Ehrenwort gegeben, dass er das Verbotsverfahren ruhen lässt. Dass er nichts gegen die Koppelzäune unternimmt.« Mit einem Mal beugte sie sich vor und streckte eine Hand aus, die Frederik automatisch ergriff. »Wir kriegen das Land, Gombrowski besorgt eine Baugenehmigung und saniert die Nebengebäude, Meiler zahlt die Zäune. Bevor irgendjemand merkt, wie der Hase läuft, steht Bergamotte schon hinter dem Haus. Alles perfekt.«

»Ist das nicht – eine Art Betrug?«

Sie warf seine Hand fort, als hätte sie in etwas Schmutziges gegriffen.

»Das glaub ich jetzt nicht«, sagte sie.

»Ich habe einfach Angst.«

»Du bist nicht nur ein Spielverderber, sondern auch noch ein Feigling.«

»Du hättest mich fragen können. Das Land auf der Schiefen Kappe gehört uns gemeinsam. Ohne meine Unterschrift kannst du gar nicht an Meiler verkaufen.«

Mit einem Knall setzte Linda die Teetasse auf den Couchtisch und sprang auf.

»Du fällst mir in den Rücken?«

»Ich habe nichts dergleichen gesagt.«

»Dann äußere dich deutlich!« Jetzt schrie sie wirklich. »Hast du vor, mir die Unterschrift zu verweigern?«

Eine Weile starrten sie einander an, schweigend, heftig atmend wie Kombattanten. Frederik wartete auf weitere Beleidigungen. Aber Linda tat etwas Schlimmeres. Sie fing an zu weinen.

»Ich bin hergekommen«, schluchzte sie, »weil ich mit dir feiern wollte.«

Das war keine Strategie. Das konnte keine Strategie sein. Frederik schämte sich, dass er sich diese Frage überhaupt stellte. Linda stand vor ihm wie ein Kind, das voller Stolz mit einem selbstgemalten Bild zu den Eltern gelaufen ist und mit einem kritischen Vortrag über die Ausführung des Kunstwerks belohnt wird. Frederik spürte seinen Magen, die Stelle, an der das Gewissen saß. Im Grunde wusste er doch, dass hinter Lindas kaltschnäuziger Fassade ein kleines Mädchen kauerte und verzweifelt die Fäuste ballte. Der Grund für ihren verbohrten Ehrgeiz lag im Entsetzen über die Erkenntnis, dass die Welt einen Ort darstellte, an dem Dinge ohne Rücksicht auf den menschlichen Willen geschahen. Gepaart mit der Angst, für ihren Feldzug gegen diese Tatsache nicht gelobt zu werden. Was sie brauchte, war jemand, der zu ihr hielt.

»Richtig feiern«, schluchzte sie an seiner Schulter. »Essen gehen. Sekt trinken.«

Das Gefühl, alles falsch gemacht zu haben, war für Frederik ein alter Bekannter, allerdings keiner von der angenehmen Sorte. Aus Erfahrung wusste er, wie man ihn loswurde: durch sofortige Korrektur. Mit beiden Armen drückte er Linda an sich, bis irgendein Gelenk in der Tiefe ihres Körpers knackte. Dann griff er nach seiner Jacke und manövrierte Linda zur Tür.

»Wir gehen ins Borchardt«, sagte er.

Im Fahrstuhl küssten sie sich. Draußen brach die Sonne durch. Der Gewerbehof stand unter Wasser und spiegelte die ziehenden Wolken. Lachend und rufend wie Kinder sprangen sie mitten in die Wolkenspiegelbilder und rannten Hand in Hand durch das aufspritzende Wasser.

27 Gombrowski, geb. Niehaus

Es war kurz nach fünf am Dienstagmorgen, als Elena Gombrowski, eine Tasse Earl Grey in der Hand, die Terrassentür aufschob und ins Freie trat. Sie bemühte sich, möglichst wenig Lärm zu verursachen, um Fidi nicht zu wecken, die im oberen Stockwerk auf dem Teppich neben Gombrowskis Bett schlief. Über die Terrassenstufen ging sie hinunter zum Gartenteich.

Der Wind hatte aufgefrischt, und die Luft roch nach feuchter Erde, obwohl die Farbe der Dachziegel auf dem Geräteschuppen anzeigte, dass in der Nacht kein Tropfen gefallen war. In Groß Väter und Beutel hatte es mit Sicherheit geregnet, in Berlin und Plausitz sowieso. Unterleuten lag am Rand einer Wetterscheide. Es konnte passieren, dass man, von Plausitz kommend, im strömenden Regen durch den Wald fuhr, um dann auf Höhe der Schiefen Kappe einen Wasservorhang zu durchqueren, hinter dem die Straße plötzlich trocken war. Nicht selten stand rings um die Unterleutner Heide eine Regenwand, während im Dorf Tag und Nacht die Rasensprenger liefen, um inmitten staubiggelber Trockenheit ein paar grüne Rechtecke zu schaffen.

In einer guten Stunde würde Gombrowski durchs Schlafzimmerfenster auf das Dach des Geräteschuppens schauen, um abzulesen, ob Regen gefallen war. Waren die Ziegel hellrot wie heute, fluchte er, weil der Weizen zu trocken stand. Hatte es ausnahmsweise geregnet, lagen die Kartoffeln nass, was ebenfalls Grund zum Fluchen war. Seit die Menschen nicht mehr an Gott glaubten, beschwerten sie sich ständig über das Wetter. Und einem Landwirt konnte man es in meteorologischer Hinsicht sowieso nicht recht machen.

Leise vor sich hin pfeifend trat Elena an den Rand des Gartenteichs. Wie jeden Morgen war sie hier, um eine Aufgabe zu erfüllen. Die Sonne hatte es gerade über den Horizont geschafft und tauchte den Giebel von Hildes Häuschen in goldenes Licht. Auf diesem Giebel saß der Graureiher und schaute zum Gartenteich herüber. Der frühe Morgen war seine bevorzugte Jagdzeit. Seit er und seine Kollegen unter Naturschutz standen, kamen sie ohne Scheu in die Gärten, um die Teiche zu plündern. Netze über dem Wasser hatten die Vogelschützer verboten, weil sich die Vögel darin verfangen könnten. Gombrowski wurde nicht müde, über die Verrücktheit von Leuten zu schimpfen, die sich solche Vorschriften ausdachten. Elena hingegen fand es nicht überraschend, dass Tiere in der neuen Bundesrepublik besser geschützt wurden als Menschen. Irgendwie hatten es die Tiere mehr verdient.

Sie ging in die Hocke und zählte die Kois. Acht Stück, alle da. Nach Gombrowskis Aussage war jeder Fisch an die tausend Euro wert. Wichtiger als der Preis war die Tatsache, dass Gombrowski die Fische liebte. Die Vorstellung, einer der bunten Karpfen, auf die er so stolz war, könnte als Vogelfutter enden, schnitt Elena ins Herz. Es gab so wenig, an dem sich Gombrowski erfreute. Den frühmorgendlichen Wachdienst hatte sie freiwillig übernommen.

Während sie am Rand des Gartenteichs ihren Tee trank, bildeten die Kois einen bunten Wirbel zu ihren Füßen, wälzten die Leiber übereinander und hoben bettelnd die kreisrunden Mäuler. Am liebsten mochte sie den Tancho. Sein Körper war von einem rosa getönten Weiß, das ihn durchsichtig machte. Links und rechts des roten Flecks auf seiner Stirn konnte man die Schädelknochen sehen, in denen Augen und Kiemen eingebettet lagen. Verletzlich wirkte der Tancho, fast wie ein Wesen ohne Haut. Jeden Morgen brachte Elena eine Handvoll Brotkrumen mit und achtete darauf, dass der Tancho die besten Stücke fraß.

Das Wohlergehen der Fische war nicht der einzige Grund für ihr frühes Aufstehen. Elena ging gern zu Bett, während Gombrowski noch wach war, und stand auf, während er schlief. Seit Püppi nicht mehr im Haus wohnte, hatte sie sich angewöhnt, leise vor sich hin zu pfeifen. Irgendetwas saß in ihrem Kopf und erzeugte eine endlose Melodie, und mit jedem Atemzug kam ein Stück davon heraus. Gombrowski hasste das Pfeifen. Er hielt es für einen gezielten Angriff auf seine geistige Gesundheit. Wenn er in der Nähe war, versuchte Elena, sich zu beherrschen. Gerade morgens war das eine Tortur. Wenn Elena nach Sonnenaufgang ein wenig im Garten werkeln und ihre Melodien trällern konnte, ertrug sie anschließend das Schweigen beim Frühstück besser. Erst wenn die Haustür hinter Gombrowski zuschlug, begann ihr eigentliches Leben, welches pro Tag ein paar Stunden währte, nämlich so lange, wie sich ihr Mann in der Ökologica aufhielt. Leider verkürzte sich die tägliche Zeitspanne bedrohlich, seit Gombrowski Stunden abbaute. Elenas größte Angst richtete sich nicht auf Krankheit oder Tod, sondern auf Gombrowskis Ruhestand.

Als der Tee ausgetrunken war, stellte sie die Tasse beiseite und hob einen der faustgroßen Steine auf, die sie auf ihren Spaziergängen sammelte und im Schilf versteckte. Eigentlich war sie nie eine besonders gute Werferin gewesen, aber das tägliche Training machte sich bemerkbar. Der Stein flog in hohem Bogen über die Grundstücksgrenze, gewann an Höhe, verfehlte den Reiher um mehrere Meter und landete auf Hildes Dach, wo er laut rumorend abwärtsrollte und in der Regenrinne liegen blieb. Elena warf einen zweiten Stein. Unbeeindruckt blieb der Reiher sitzen; er hatte längst begriffen, dass nicht auf ihn gezielt wurde. Elena traf jene Stelle des Dachs, unter der sich Hildes Schlafkammer befand. Sie liebte die Vorstellung, wie Hilde aus dem Schlaf fuhr. Vielleicht lag sie anschließend noch eine Weile zitternd im Bett und zog sich die Decke über den Kopf. Vor lauter Freude schleuderte Elena noch einen dritten Stein.

Als das erledigt war, klopfte sie sich die Hände ab und ging zum Geräteschuppen, um einen Eimer zu holen; sie wollte zwischen den Rosen Unkraut jäten. Sie hatte den Schuppen noch nicht erreicht, als sie etwas Merkwürdiges hörte. Ein mechanisches Sirren, begleitet durch leises Flattern wie von dünnem Papier. Das Geräusch schien ihr seltsam vertraut, es schwoll an und ab mit dem Wind. Schnell lief Elena um die Hausecke herum, dann sah sie und verstand.

Am gusseisernen Zaun entlang der Straße drehten sich Windrädchen, zehn an der Zahl, in regelmäßigen Abständen an den Lilienspitzen befestigt. Jetzt kam die Erinnerung: Wie die kleine Püppi an Sommernachmittagen durch den Garten gerannt war, die Hand mit einem Windrädchen hoch über den Kopf gereckt. Oder wie sie an Regentagen im Haus gesessen und so lange in den kleinen Propeller geblasen hatte, bis Elena ihr das Spielzeug wegnehmen musste, weil sie zu hyperventilieren begann. Noch immer hätte Elena so ein Rädchen im Schlaf basteln können. Die Ecken eines quadratischen Papiers einschneiden und lochen, dann zur Mitte biegen und auf eine Beutelklammer stecken. Fertig. Auch die Rädchen am Zaun waren selbstgebastelt. Im leichten Wind drehten sie sich so schnell, dass sie wie bunte Scheiben aussahen. Elena ging hin, hob den Zeigefinger und berührte ein Rädchen, dass es stoppte. Als sie den Finger zurückzog, drehte es sich weiter.

Sie genoss einen Moment geistiger Umnachtung. Vielleicht war Püppi zu Besuch gekommen und hatte sich mit den Windrädern eine hübsche Überraschung ausgedacht. Vielleicht hockte sie hinter Gombrowskis Range Rover, würde gleich hervorstürmen und ihrer Mutter um den Hals fallen.

Der Augenblick ging vorbei. Püppi lebte in Freiburg und machte keine Überraschungsbesuche, nicht um halb sechs Uhr morgens und ganz sicher nicht in Unterleuten. Die Windräder hatten nichts Gutes zu bedeuten. Auf der anderen Seite des Beutelwegs stand Björns alter DDR-Zaun, aus schlichten Drahtfeldern zusammengesetzt. An diesem Zaun hingen Transparente. »Gombrowskis Windkraft versaut uns die Landschaft«, stand auf dem ersten. Das zweite verkündete: »Der fette alter Hund frisst sich an uns gesund.« Und das dritte hielt nur ein Wort bereit, dafür mit Ausrufungszeichen versehen: »Ausbeuter!«

Elena spürte, wie ihr das Blut in die Füße sackte. Ihre Wangen wurden kalt; für einen Moment glaubte sie, ein Kind hinter ihrem Rücken weinen zu hören. Sie packte das erstbeste Windrad und riss es vom Zaun. Der dünne Holzstab knickte, das abgebrochene Stück fiel zu Boden. Sie rannte zum nächsten Rädchen und riss es ab, dann zum übernächsten. Als sie das Gartentor öffnete, hielt sie einen ganzen Strauß Windräder in der Hand.

Björns Klingel ließ sie erst wieder los, als er vor ihr stand, in Jogginghosen und mit nacktem Oberkörper, die Augen gegen das Morgenlicht zusammengekniffen. Als er Elena erkannte, schluckte er ein paar Flüche hinunter, ließ die Schultern sinken und kratzte sich am Rücken. Obwohl er gleich gegenüber wohnte, hatten sie seit einer halben Ewigkeit nicht miteinander gesprochen. Björn hatte damals zu den Gegnern der LPG-Umwandlung gehört, er war ein Freund von Kron. Ebenso gut hätte er mit der Pest infiziert sein können.

Sein maskenhaftes Grinsen war schwer zu ertragen. Aber auch das verklebte Brusthaar und die an der Taille in breiten Falten liegende Haut wollte Elena nicht sehen. Sie schaute auf die Windrädchen in ihrer Hand, und weil auch dieser Anblick sie anwiderte, warf sie Björn den Strauß vor die Füße. Jetzt blickten sie beide zu Boden, auf die Fußmatte zwischen ihnen, wo das Spielzeug lag wie ein kleiner bunter Scheiterhaufen.

»Kron?«, fragte Elena.

»Was glaubst du?«

»Die Transparente kommen sofort runter.«

Björn blinzelte.

»Das mit dem fetten alten Hund fand ich auch ein bisschen heftig. Aber andererseits«, jetzt grinste Björn wirklich, »irgendwie ist er schon ein Hund, dein Mann, ein fetter alter, was, Elena?«

»Ausbeuter?« Ihre Stimme kippte. Björns Miene wurde weich.

»Du weißt doch, was er gemacht hat.«

»Er gibt dem halben Dorf Arbeit!«

»Du weißt, was er vorhat.«

»Nein! Ich bin nicht Hilde!«

Björns Augen schauten traurig über dem Grinsen. Die Zehen seines rechten Fußes schoben ein Windrad am Boden hin und her.

»Dann sag ich's dir. Er macht die Ökologica dicht und zahlt eure Brötchen in Zukunft von der Windkraft. Wird locker reichen.«

»Wer erzählt so einen Unsinn? Kron?«

Schweigend zuckte Björn die Achseln.

»Die Ökologica ist Gombrowskis Leben«, sagte Elena. »Das Erbe seiner Familie.«

»Musst selbst wissen, was du glaubst, Elena. Am Ende kennst du ihn besser als wir.«

Fieberhaft versuchte sie, im Kopf die Fakten zusammenzusetzen, kam aber auf die Schnelle zu keinem Ergebnis. Es konnte stimmen. Vorruhestand, vergoldet durch einen letzten Coup. Der vorzeitige Eintritt der Katastrophe. Björn streckte die Hand aus, um sie an der Schulter zu berühren. Als sie zurückzuckte, ließ er den Arm wieder sinken.

»Willst du vielleicht reinkommen?«

Elena zeigte auf die Transparente.

»Du kennst Gombrowski«, sagte sie leise. »Er wird toben.«

»Es ist dein Leben, Elena«, sagte Björn.

Sie rannte zum Zaun. Kabelbinder und Leintücher. Sie griff in den Stoff, der Ausbeuter wurde unleserlich. Mit einem Ruck riss sie daran, ohne Erfolg. Das Leinen war stabil. Sie nahm die zweite Hand zu Hilfe, zog und zerrte mit ganzer Kraft. Es war nicht der Stoff, der nachgab, sondern der Zaun. Björn rief etwas, das sie nicht verstand, aber da kamen die Gitterfelder schon auf sie zu. Das Scheppern war ohrenbetäubend, als sie unter dem Zaun zu Boden ging. Elena wusste, dass sie verloren hatte, in jeder Hinsicht.

Auf der anderen Straßenseite begann Fidi wie besessen zu bellen. Erst gedämpft, dann lauter, dann sehr laut. Elena hörte, wie Björns Tür ins Schloss fiel. Sie hörte Fidi näher kommen. Sie blieb einfach liegen, unter dem Zaun.

28 Gombrowski

»Wer?«, brüllte Gombrowski.

Kaffee hatte für Betty, wenn sie morgens ins Büro kam, oberste Priorität. Nachdem sie den Filter der blauen Maschine bis zum Rand mit Kaffeepulver gefüllt und in die rote zwei magere Löffel geschaufelt hatte, setzte sie beide Maschinen in Gang, schloss die Kaffeedose, legte den Löffel weg und drehte sich zu Gombrowski um. Lächelnd.

»Guten Morgen«, sagte sie.

Bettys wichtigste Eigenschaft bestand darin, keine Angst vor Gombrowski zu haben. Das hatte sie von Hilde geerbt.

»Guten Morgen«, sagte er. »Also. Wer?«

Nur ein Idiot konnte glauben, dass Betty eine Gombrowski-Tochter sei. Aus ihren Augen schaute eindeutig Erik heraus: ruhig, abwartend. Dazu die breiten Schultern, der leicht mahlende Kiefer. Leider bestand das halbe Dorf aus Idioten.

»Verena«, sagte Betty. »Ingo, Patricia, Angela, Lutz.«

Das hätte er sich selbst denken können. Verena war Tierärztin und die Tochter des glotzäugigen Heinz. Ingo, der Lagerarbeiter, hatte in Jakobs Familie eingeheiratet. Björns Enkelin Patricia befand sich im ersten Jahr ihrer Ausbildung zur Landwirtin. Angela war Norberts Nichte und nur glücklich, wenn sie eine Maschine von der Größe eines Einfamilienhauses fahren konnte. Und Lutz war Wolfgangs Sohn. Veteranenkinder, alle fünf. Heute nicht zur Arbeit erschienen.

»Hast du angerufen?«

»Das lag im Briefkasten.«

Betty reichte Gombrowski einen roten Zettel und ging auf Abstand. Sie kannte ihn besser als jeder andere. Er warf nur einen kurzen Blick auf das Flugblatt und stützte die Hände auf den Tisch, um besser schreien zu können.

»Ich habe den Scheißladen in der Scheiß-DDR geführt. Ich führe den Scheißladen in der Scheiß-BRD. Seit vierzig Jahren wühle ich in der gleichen beschissenen Erde unter dem gleichen beschissenen Himmel. Aber so eine Scheiße ist mir noch nicht untergekommen!«

»Denk an deinen Blutdruck«, sagte Betty.

Aber er wollte nicht an seinen Blutdruck denken, obwohl es hörbar in den Ohren rauschte.

»Streik« stand in Großbuchstaben auf dem Papier. Darunter ein kurzer Text, in dem Begriffe wie »Ausverkauf«, »Windkraft-Schwindel« und »Schließung der Ökologica« vorkamen. Gombrowski hieb die Faust auf den Tisch, gleich mehrmals, bis das Kästchen mit Büroklammern zu Boden fiel.

»Streik ist nicht, wenn ein paar Holzköpfe beschließen, zu Hause zu bleiben. Wie blöd muss man sein, um so einen Wisch zu verfassen? Das ist ein hieb- und stichfester Kündigungsgrund. Fristlos. Du schickst die Briefe raus.«

»Du willst fünf Leute feuern? In der Erntezeit?«

Betty wusste, wie man Gombrowski provozieren konnte. Alle Frauen wussten das: Hilde, Elena, Püppi, Betty, manchmal sogar Fidi. Sie sahen ihn an mit diesem spöttischen Blick, der besagte: »Na, Gombrowski, du bist groß und stark, aber was machst du jetzt?« Und saßen lächelnd daneben, während er versuchte, die Kontrolle zu behalten. Frau-Sein bedeutete nichts weiter als die Erlaubnis, sich jederzeit für unzuständig zu erklären. Egal, ob es um das Wechseln einer Glühbirne, das Töten eines Tiers oder die Entsorgung eines Querulanten ging. Die Weiber riefen »Kann ich nicht!«, versteckten das Gesicht zwischen den Händen und sahen später wieder hin, um mit Vorwürfen anzufangen, angesichts dessen, was der Mann getan hatte. Trotzdem liebte Gombrowski seine Frauen, jede einzelne, so verschieden sie waren. Männer besaßen keine Persönlichkeit, sie waren alle gleich. Wer echtes Leben wollte, musste sich mit Frauen umgeben.

Er stapfte zur Anrichte und füllte seine Tasse aus der blauen Kanne. Natürlich hatte Betty recht. Er konnte niemandem kündigen, nicht jetzt und nicht innerhalb der kommenden acht Wochen. Der Winterweizen ging in die Casino-Phase, in der jeder Tag eine Spekulation auf das Wetter darstellte; spätestens nächste Woche war er fällig. Die Frühkartoffeln mussten dringend raus, außerdem war ein ganzer Stapel Subventionsanträge liegen geblieben. Wenn die fünf Spinner tatsächlich beschlossen, der Arbeit dauerhaft fernzubleiben, hatte Gombrowski ein Problem. Wenn sie es schafften, noch ein paar andere auf ihre Seite zu ziehen, konnte er die Ernte abschreiben. Nicht alles ließ sich mit Polen machen.

»Vielleicht sollten wir erst mal mit den Leuten reden.«

»Reden?« Gombrowski ging auf Betty zu, die einfach stehen blieb. »Vielleicht darüber, dass Elena heute früh fast von Björns Zaun erschlagen wurde?«

»Wie bitte?«

»Ich dachte, die ist tot!«

Das stimmte nur halb. Sie hatte gezappelt und panisch versucht sich zu befreien, konnte also nicht schwer verletzt sein. Gerade noch hatte Gombrowski gesehen, wie Björn im Haus verschwand.

»Elena hat versucht, die Transparente zu entfernen. Da muss Björn aus dem Haus gestürmt sein, um sie davon abzuhalten. Hat sie gepackt und zu Boden geworfen, bis im Gerangel der Zaun umgekippt ist.«

»Onkel Björn soll Elena umgeworfen haben?«

»Das Arschloch ist nicht dein Onkel.«

»Was sagt Elena?«

»Elena nimmt ihn in Schutz. Aber die würde selbst den Teufel in Schutz nehmen.«

»Der Zaun von Onkel Björn war schon immer ziemlich wackelig.«

Gombrowski ging auf seine Seite des Tischs und ließ sich in den Stuhl fallen. Kaffee schwappte aus der Tasse und verbrannte ihm den Handrücken. Er fluchte. Elena am Boden. Die Szene hatte ihn erschreckt. Er hatte sie schon öfter so gesehen, damals, als Püppi noch bei ihnen lebte, und stets war nicht Björn, sondern er selbst der Schuldige gewesen. Wenn es Ärger in der LPG gab und sich Püppi zu Hause wie eine Geisteskranke aufführte und Elena nicht einsehen wollte, dass Kinder klare Grenzen brauchten. Jedes Mal hatte es ihm unendlich leidgetan, jedes Mal hatte er Elena unendlich geliebt in dem Moment, da sie plötzlich vor ihm lag. Jedes Mal hatte er sich bei ihr entschuldigt, und sie hatte die Entschuldigung angenommen. Trotzdem war immer etwas zurückgeblieben, etwas Schmerzhaftes, das tief in der Brust saß. Heute spürte er es wieder, ein Stechen in der Brust, das in den linken Arm ausstrahlte. Wenn er jetzt einen Herzanfall bekam, hatte Kron erreicht, was er wollte; also würde er keinen Herzanfall bekommen. Kron keinen Gefallen zu tun war ein guter Grund, am Leben zu bleiben. Anstiftung zur Arbeitsverweigerung. Langsam war das Maß voll.

»Ist da eigentlich was dran?« Betty hielt den roten Zettel mit beiden Händen, ihre Kiefer mahlten, während sie las. »Schließung der Ökologica? Windbezahlter Ruhestand?«

»Kindchen, glaubst du nicht, dass du es als Erste erfahren würdest, wenn ich das Handtuch werfe?«

Betty griff nach dem Locher, führte den Zettel ein und schlug zu. Krons Kampfschrift verschwand in einem Aktenordner.

29 Seidel

Glück bestand aus wenigen Zutaten: ein offenes Fenster, der Geruch von sonnenwarmem Gras und die Abwesenheit von Lärm. Kein Laut war zu hören. Nur die Empörung eines Rotschwänzchens, das unermüdlich eine im Schatten dösende Katze beschimpfte. Dazu flüsterte die Stimme von Pilz in Arnes Schoß. Das Telefon lag mit dem Lautsprecher nach unten auf seinem Oberschenkel. Angeblich hatte Pilz ihn sprechen wollen, um, wie er sagte, den Informationsstand abzugleichen. Stattdessen spulte er schon wieder sein Regenerative-Energien-Programm ab. Dafür brauchte er keinen Zuhörer.

Arne blickte hinaus in den friedlichen Garten und lächelte. Als Glücksbedingung wurde die Abwesenheit von Lärm notorisch unterschätzt. Die meisten Menschen hatten vergessen, dass Stille die Wirkung einer inneren Dusche besaß. Reinigend, beruhigend und belebend zugleich. Niemand konnte inmitten von Lärmverschmutzung glücklich sein. In amerikanischen Lagern wurden die Häftlinge mit Lärmbeschallung gefoltert. Die CIA wusste, was sie tat.

Arne genoss die Früchte seiner Gegenwehr, was eine neue Erfahrung für ihn darstellte. Normalerweise ließ er sich alles gefallen, weniger aus Gutmütigkeit als aufgrund der Erkenntnis, dass man sich gegen wirklich schlimme Dinge ohnehin nicht verteidigen konnte, während alles, was Gegenwehr erlaubte, nicht wirklich schlimm war. Jetzt aber hatte er gekämpft und gewonnen. Der Nachbargarten war verwaist. Krönchens Puppen lagen wie Leichen nach einem Luftangriff über den Rasen verstreut. Der schweigende Rasenmäher glich zurückgelassenem Kriegsgerät. Arne fühlte sich als Sieger, die Stille war seine Hymne.

Kurz hob er das Telefon ans Ohr, um zu prüfen, ob der Junge von der Vento Direct immer noch im Grundsätzlichen steckte. Das war der Fall. Arne sagte einmal »ja« und einmal »gewiss« und ließ das Telefon wieder auf den Oberschenkel sinken.

Am meisten erstaunte ihn, wie wenig er für den Sieg über Wolfi hatte tun müssen. Nicht mehr, als sein Auto an einer bestimmten Stelle der Straße zu parken. Dort hatte der Wagen ganz legal gestanden. Sollte es nötig werden, konnte Arne ihn jederzeit wieder dort abstellen. Selbst wenn Wolfi oder Kathrin auf die Idee kämen, die Polizei zu verständigen, wären sie nicht berechtigt, den Passat abschleppen zu lassen. Die Zufahrt zu ihrer Sammelgrube war keine offizielle Straße, auch kein Privatweg, der zum Grundstück der Kron-Hübschkes gehört hätte. Häuser und Sammelgruben stammten aus Zeiten der DDR, als offizielle Erschließung keine Rolle spielte. Arnes eigene Grube erreichte der Tankwagen durch den Wald, auf einem Weg, der ansonsten nur gelegentlich von Holzarbeitern benutzt wurde.

Aber es stand ohnehin fest, dass Arne die Aktion nicht wiederholen musste. Als echte Unterleutnerin wusste Kathrin, wie man Angelegenheiten regelte: Der Verlierer gab nach. Krons lästige Angewohnheit, auf verlorenem Posten zu kämpfen, hatte sie glücklicherweise nicht geerbt.

Anfangs war es ihm unangenehm gewesen, Kathrin durch seine Aktion mitzubelasten. Er wollte Wolfi erpressen, nicht sie. Aber dann, als es so einfach ging, als er den Passat schon am nächsten Tag zurück auf sein Grundstück holen konnte, weil Wolfis Rasenmäher schwieg, stellte sich ein merkwürdiges Gefühl der Genugtuung ein, das gerade durch den Gedanken an Kathrin ausgelöst wurde. Für eine Minute erlaubte sich Arne die Vorstellung, er würde den Passat am kommenden Freitag wieder an die Ecke stellen, mit einem neuen Zettel unter dem Scheibenwischer: »Heute 18h Schwätzchen am Gartenzaun.« Der nächste Zettel würde lauten: »Samstag Kaffeetrinken bei mir um drei.« Als Nächstes sollte der Passat dafür sorgen, dass Krönchen zu ihm zum Spielen kam, statt durchs Dorf zu laufen oder ständig mit dem alten Kron in den Wald zu gehen. Er konnte der Kleinen so viel beibringen, genau wie er Kathrin die Welt gezeigt hatte, als sie noch ein Mädchen war. Außerdem wurde es Zeit, dass jemand die kleine Prinzessin auf den Teppich holte.

Wieder hob er das Telefon; Pilz war noch dran. Arne sah vor sich, wie der Junge seine Brille mit dem Mittelfinger auf der Nase zurechtrückte. In seiner langen Amtszeit als Bürgermeister hatte er gelernt, dass gelungene Kommunikation meist darin bestand, den Gesprächspartner reden zu lassen. Wichtig war, die Gedanken in der Zwischenzeit auf etwas Angenehmes zu richten, so dass am Ende des Gesprächs beide Seiten zufrieden auseinandergingen – der eine, weil er reden durfte, der andere, weil er nicht zuhören musste. Im Grunde glich menschliches Sprachverhalten dem Zwitschern der Vögel. Es ging ums Revier oder um Balz, weshalb sich 95 Prozent der gesprochenen Worte auf die Bedeutungen »Das gehört mir« oder »Liebe mich« reduzieren ließen. Nur die verbleibenden fünf Prozent enthielten echte Informationen. Meistens fanden sie sich am Ende einer Tirade. Ein Profi wusste, wenn es so weit war.

»… bereits ausgearbeitet und uns zur Abgabe eines Angebots aufgefordert«, sagte Pilz gerade.

»Entschuldigung, wer?«, fragte Arne schnell.

»Gom …« Deutlich war zu hören, wie Pilz in irgendwelchen Unterlagen blätterte. »Rudolf Gombrowski. Er hat sogar schon Vorschläge für einen Zeitplan eingereicht. So schnell war noch keiner.«

»Wir sind hier eben eine flotte Truppe.«

»Ohne Zweifel, Herr Bürgermeister.« Amtsbezeichnungen waren erfunden worden, damit man sich den Namen seines Gegenübers nicht merken musste.

Die entscheidende Information hatte Arne im Grunde schon erhalten: Offensichtlich war es Gombrowski gelungen, sein Zehn-Hektar-Problem so weit in den Griff zu bekommen, dass er sich sicher genug fühlte, um die Vento Direct zur Abgabe eines Angebots aufzufordern. Das bedeutete, dass sich möglicherweise schon im Sommer nächsten Jahres die ersten Rotoren über Unterleuten drehen würden. Damit wäre der Gemeindehaushalt bis ans Ende von Arnes bescheidenem Leben saniert. Alles lief nach Plan. Mit minimalem Aufwand wurde maximaler Erfolg erzielt, ganz so, wie Arne es mochte. Er hatte Lust, das Telefon fallen zu lassen, aus dem Haus zu laufen und das Rotschwänzchen oder die Katze zu küssen. Aber offensichtlich hatte Pilz noch etwas für ihn. Das Rascheln von Dokumenten war am anderen Ende der Leitung nicht verstummt, sondern lauter geworden.

»Über … mangelndes Engagement der … Unterleutner«, sagte Pilz, unterbrochen von kleinen Pausen, während deren er etwas in seinen Unterlagen suchte, »kann ich mich … wirklich nicht beklagen. Ah, hier. Es ist noch eine zweite Kontaktaufnahme erfolgt.«

»Von Herrn Kron?«

»Gestern hat mich ein Herr Meiler angerufen.«

»Entschuldigung, wer?«, fragte Arne schon wieder.

»Konrad Meiler.«

»Gibt's hier nicht.«

»Er lebt in Ingolstadt, wenn ich es richtig verstanden habe.«

»Was wollte der?«

»Er wollte der Vento Direct ein Stück Land zur Pacht anbieten.«

»Im Eignungsgebiet?«

»Sicher. Ebenfalls auf der Schiefen Kappe.«

»Das ist rein rechnerisch unmöglich. Das Eignungsgebiet umfasst nicht genügend Hektar für ein konkurrierendes Angebot.«

»Interessant«, sagte Pilz in jenem speziellen Tonfall, der anzeigte, dass etwas ganz und gar nicht interessierte. »Sie kennen Herrn Meiler nicht persönlich?«

»Nein.«

»Und Rudolf Gombrowski ... Kann die Vento Direct davon ausgehen, dass es sich bei diesem Herrn aus Ihrer Sicht um den Wunschpartner für unser gemeinsames Projekt handelt?«

»Gombrowski ist langjähriger erfolgreicher Unternehmer«, sagte Arne, während er sich fragte, was diesen Meiler bewogen hatte, bei Pilz anzurufen. »In ihm hat die Vento Direct einen zuverlässigen Partner und beteiligt sich zudem an der Sicherung von Arbeitsplätzen in der Region.«

»Prachtvoll«, sagte Pilz, als handelte es sich bei dieser Antwort um einen farbenfrohen Sonnenaufgang. »Unterleuten ist für die Vento Direct kein Großprojekt, aber es könnte Vorzeigecharakter haben. Wie steht es mit den Protesten?«

»Sind angelaufen.«

»In welcher Form?«

»Unterschriftensammlung, Transparente. Wie ich heute Morgen hörte, auch eine Art Streik.« Gombrowski hatte getobt am Telefon.

»Das ist völlig normal. Menschen werden immer nervös, wenn sich etwas ändert. Damit haben wir reichlich Erfahrungen und nur in Ausnahmefällen ein Problem. Sind erst die Vorteile spürbar, verstummen die letzten Zweifler.«

»Ich kenne meine Leute«, sagte Arne. »Wir sind eine friedliche Gemeinschaft. Über kleine Aktionen wird der Protest nicht hinausgehen.«

»Wunderbar.« Pilz schlug deutlich hörbar einen Aktenordner zu. »Wir bleiben in Kontakt. Einen schönen Tag wünsche ich. Meiner ist es schon.«

Grammatisch nicht ganz korrekt, aber eine nette Abschiedsformel, dachte Arne, erwog kurz, sie ins Repertoire aufzunehmen, und entschied sich dagegen. Zu geleckt für die hiesigen Verhältnisse.

30 Fließ-Weiland

»Gombrowski ist ein Mörder und kommt in einer halben Stunde vorbei.«

Mit diesem Satz war Gerhard zur Tür hereingestürmt, gegen zwölf am Mittag, obwohl sein Dienst offiziell erst um fünf endete. Er brachte Hitze, Gummigestank und Aufregung mit herein, rannte vom Wohnzimmer in die Küche und zurück, als gälte es, für die Bewirtung des Mörders besondere Vorkehrungen zu treffen. Jule wollte eigentlich um halb eins mit Stillen fertig sein und Sophie ins Bett bringen, damit sich die Kleine endlich an feste Mittagsschlafzeiten gewöhnte. Was sie dabei überhaupt nicht gebrauchen konnte, war ein hektisch herumrennender Gerhard.

»Kannst du dich nicht hinsetzen?«

»Ein mutmaßlicher Mörder! Hörst du nicht, was ich sage?«

Sie hörte ihn gut, verstand aber kein Wort. Er redete schnell. Anscheinend hatte er am Vormittag die Arbeit in der Vogelschutzwarte ruhen lassen, um den Ökologica-Streikenden reihum einen Besuch abzustatten. Es sei darum gegangen, den moralischen Schulterschluss zu vollziehen und nach möglichen Synergien Ausschau zu halten. Dabei hatte er einen gewissen Heinz kennengelernt, der ihm eine verrückte Geschichte erzählte. Irgendetwas mit LPG-Umwandlung und politischem Protest; am Ende war ein Mann gestorben. Heinz war anscheinend davon überzeugt, dass Gombrowski für den Todesfall verantwortlich zeichnete.

Mörder. Der Begriff stand im Raum wie ein Gegenstand, der keine Funktion besaß. Er löste nichts aus. Er bedeutete nichts. In Jules Welt besaß »Mörder« keine Entsprechung. Gerhard hingegen schien genau zu wissen, wovon er sprach. Er lief weiter aufgeregte Kreise und blieb zwischendurch stehen, um Jule an den Oberarmen zu packen.

»Verstehst du, Jule? Der Tote war im Widerstand gegen ein Gombrowski-Projekt! Vielleicht ist es gefährlich, was wir tun. Viel gefährlicher, als wir uns vorstellen können.«

Dabei sah er nicht verängstigt, sondern begeistert aus. Seine Augen strahlten wie die eines kleinen Jungen, der seinen Freunden mitteilt, dass sich die feindliche Bande gerade am Waldrand zu sammeln beginnt.

Jule ließ ihn stehen und schloss die Schlafzimmertür hinter sich, um Sophie im großen Doppelbett zu stillen und anschließend, hoffentlich schlafend, in ihre Babywiege zu legen. Während sie die Kleine an der Brust hielt, versuchte sie, den Namen Gombrowski und das Wort »Mörder« zu einer Einheit zu verbinden, die Sinn ergab.

Zwei Jahre lang hatte Jule den Chef der Ökologica immer nur aus mittlerer Entfernung gesehen. Am Steuer seines Geländewagens. Auf dem Parkplatz vor dem Baumarkt. Am Skattisch im Hinterzimmer des Märkischen Landmann. Bis sie ihm letzte Woche im Haus des Bürgermeisters in die Arme gelaufen war. Sie war in einem Raum erwacht, den sie nicht kannte, war verschlafen und desorientiert auf den Flur getorkelt, und da hatte er vor ihr gestanden, groß und breit wie ein Berg, und seine dröhnende Stimme hatte sie so erschreckt, dass sie fast in Tränen ausgebrochen wäre.

Was sie hier verloren habe. Was für eine Unterschriftensammlung das sei.

Es war dann nicht Jule, sondern Sophie, die zu weinen begann. Im selben Augenblick war der Berg zu einem Häufchen zusammengeschmolzen.

Gombrowski hatte die Hände auf die Knie gestützt und seinen massigen Körper zusammengefaltet, um das Baby anzusehen.

»Mäuschen«, sagte er. »Was hat das Mäuschen denn? War ich zu laut? Das tut mir leid.«

Er zog einen Autoschlüssel aus der Tasche, an dem ein grauer Gummihund hing. Sofort verstummte Sophie, streckte die Händchen nach dem Spielzeug aus und gluckste vergnügt, als sie es halten durfte.

Jule dachte flüchtig, dass das traurige Hundegesicht Gombrowski ähnlich sehe. Als sie aufschaute, um den Eindruck zu prüfen, ruhte der Blick des großen Mannes versonnen auf der kleinen Sophie. Ein Lächeln stemmte sich gegen die schwere Visage, als wären es die Hängebacken nicht gewohnt, auf diese Weise angehoben zu werden. Für einen Augenblick schien sein ganzes Wesen von tiefer Zufriedenheit erfüllt, ausgelöst von der Tatsache, dass es ihm gelungen war, einem Baby eine Freude zu machen.

In diesem Gesicht konnte Jule lesen wie in einem offenen Buch.

Sie sah einen unglücklichen Menschen. Einen Mann, der zeit seines Lebens missverstanden worden war. Dessen Grobheit die Leute dazu brachte, ihn als Grobian wahrzunehmen, während sein ganzes Streben allein darauf gerichtet war, es allen recht zu machen. Jule hatte keine Angst mehr vor ihm, im Gegenteil, sie schaute ihn gerne an. Ein Mann, der ein Baby mit solcher Hingabe betrachten konnte, wollte nichts Böses.

Gombrowski hatte einen wurstigen Zeigefinger ausgestreckt und Sophie das Köpfchen gestreichelt.

»Kommen Sie. Ich fahre Sie nach Hause.«

Im Auto entwand er den Babyhänden vorsichtig das Spielzeug, löste den Schlüssel aus dem Ring, um ihn ins Zündschloss zu schieben, und gab den Hund zurück.

»Das ist Fidi«, sagte er. »Kann Ihr Baby behalten.«

»Mögen Sie Kinder?«, fragte Jule.

»Ich mag alles, was das Dorf am Leben erhält«, erwiderte er.

Während der kurzen Fahrt erzählte er Dinge, die Jule nachdenklich stimmten. Dass er seit Jahrzehnten seine ganze Kraft der Aufgabe widme, Unterleuten als lebenswerten Ort zu bewahren. Wie er Dorf und Betrieb erst gegen die Dummheit des Kommunismus, dann gegen die Gier des Kapitalismus verteidigt habe. Dass die Feuerwehr heutzutage ohne die Spenden der Ökologica kein betriebsbereites Fahrzeug besäße. Dass der Kindergarten, in den auch Sophie bestimmt bald gehen solle, nur durch Unterstützung der Ökologica existiere. Dass sich Gombrowski gemeinsam mit Arne bemühe, einmal pro Woche einen Arzt aus Neuruppin nach Unterleuten zu holen, damit die Alten ihre Rezepte und die Kinder ihre Impfungen erhielten.

»Da beklagen sich die Politiker über sterbende Regionen und nehmen die Schließung von Arztpraxen und Kindergärten in Kauf. Alles muss man selbst machen.«

Jule nickte vor sich hin, während der große Geländewagen vor ihrem Haus ausrollte und bremste. Gombrowski blieb noch einen Moment hinter dem Steuer sitzen.

»Die Gemeinde ist pleite, und auch die Kräfte der Ökologica sind erschöpft«, sagte er langsam. »Wenn Unterleuten überleben soll, braucht es einen Weg in die neue Zeit. Daher die Idee mit der Windkraft. Wissen Sie, schön finde ich die

Propeller auch nicht. Aber wenn es heißt: Kinderbetreuung oder Zugvögel, dann werde ich mich für die Kinderbetreuung entscheiden.«

Er stieg aus und kam um den Range Rover herum, um Jule die Tür zu öffnen. Als sie zögerte, weil sie nicht wusste, wie sie mit Sophie im Arm über das Trittbrett aus dem hohen Wagen klettern sollte, fasste er sie kurzerhand um die Taille und hob sie herunter, als wäre sie mit Federn gefüllt.

Jule hatte ihn angelächelt und sich bedankt. Er hatte zurückgelächelt. Sie schämte sich, dass sie ihn für einen stumpfen Bauern gehalten hatte.

»Wenn Sie mehr wissen wollen über das Engagement der Ökologica, kommen Sie doch einfach mal im Büro vorbei.«

Dann fuhr er mit seinem großen Auto davon.

Mit geübtem Griff nahm Jule ihre Tochter an die andere Brust und überlegte, warum sie Gerhard nichts von der Begegnung erzählt hatte. Den Gummihund hatte sie unter den Windeln versteckt und holte ihn nur hervor, wenn ihr Mann nicht zu Hause war. Fast kam es ihr vor, als hätte sie Gerhard betrogen. Sie hatte gern neben Gombrowski gesessen und sich gern von ihm aus dem Auto heben lassen. Das war ungewöhnlich. Normalerweise fand Jule die körperliche Anwesenheit anderer Menschen unangenehm. Als sie noch in der Stadt lebte, hatte sie in der U-Bahn stets einen Platz gesucht, der sich in größtmöglicher Entfernung zu den anderen Fahrgästen befand. Musste sie jemanden begrüßen, gab sie schnell die Hand und zog sie gleich wieder zurück. Warum es unter Studenten üblich geworden war, selbst flüchtige Bekannte wie beste Freunde zu umarmen, hatte sie nie verstanden. Glücklicherweise gab es auf dem Land wesentlich weniger Gelegenheit, andere Menschen anzufassen. Oft genug empfand es Jule schon als Belastung, den eigenen Ehemann zu küssen.

Wenn es nach ihr gegangen wäre, hätte man auf körperliche Liebe ganz verzichten können, wenn nicht gerade die Zeugung eines Kinds auf der Agenda stand. Während ihrer jahrelangen Suche nach dem Richtigen hatte sie gelernt, dass weibliche Lust nichts war, auf das man warten konnte. Man musste dafür trainieren. Mit Gerhard hatte sie im Bett eine solide Verbindung von Freundschaft und Technik entwickelt. Der Sex gelang wie viele andere Dinge auch. Mehr als über eigene Höhepunkte freute sie sich über Gerhards Stolz. Als sie sich kennenlernten, hatte Gerhard unter etwas gelitten, das er »Probleme bei der Sache« nannte. Was derartige Komplikationen für einen Mann bedeuteten, konnte Jule nicht nachfühlen, aber Gerhards Schilderungen legten nahe, dass es sich um die Hölle auf Erden handeln musste. Jule fand es nett, einen Menschen, den sie mochte, gesund und glücklich zu machen.

Sophies Saugbewegungen wurden langsamer. Ein gutes Zeichen. Jule schaukelte die Kleine in den Armen, um ihr über die letzte Einschlafhürde hinwegzuhelfen. Das Thermometer zeigte 28 Grad Raumtemperatur, hinter der geschlossenen Jalousie wütete die Mittagssonne, der giftige Rauch war auch im Schlafzimmer deutlich zu spüren. Obwohl sich an der Lage nichts geändert hatte, schlief Sophie in letzter Zeit ruhiger, und Jule fühlte sich weniger gestresst. Plötzlich interessierte sie sich für andere Menschen, erst für Linda Franzen, dann für Gombrowski.

Vielleicht, dachte Jule, sind die Windräder ein Segen. Unterleutens Weg in die Zukunft und mein Weg nach Unterleuten. Vielleicht werden wir später auf diese Tage zurückschauen und denken, dass mit dem Windkraftstreit etwas Gutes begonnen hat.

Sie legte Sophie in die Wiege und ging auf Zehenspitzen zur Tür. Jetzt galt es erst einmal, den mutmaßlichen Mörder zu besichtigen. Jule lächelte. Gerhard mochte klug sprechen und doppelt so alt sein wie sie; in vielerlei Hinsicht aber war er ein kleiner Junge. Für ihn gab es die Guten und die Bösen. Weil er keinerlei Menschenkenntnis besaß, blieb ihm nur blühende Phantasie, um zwischen diesen beiden Kategorien zu unterscheiden. Jule nahm sich trotzdem vor, noch einmal genau hinzusehen. Ihr Instinkt würde ihr ohne Zweifel mitteilen, woran sie bei Gombrowski war. Einen schlechten Menschen würde sie niemals in Sophies Nähe dulden.

Er war schon da. Saß im Wohnzimmer und füllte den Rattansessel mit seiner Körpermasse komplett aus. Vor ihm stand eine Flasche Bier ohne Glas.

Sofort registrierte Jule, dass er seine Schnürstiefel nicht ausgezogen hatte; auf dem Bastteppich lagen viereckig gepresste Erdstücke, die aus dem Profil der Sohlen gefallen waren. Im Flur waren laute Kratzgeräusche zu hören. Offensichtlich saß Gombrowskis Hund vor der Haustür und wollte herein.

Als Gerhard sie im Türrahmen entdeckte, warf er Jule einen glühenden Blick zu und machte eine Handbewegung, die genauso gut »komm schnell herein« wie »geh schnell weg« bedeuten konnte. Sie betrat das Zimmer und setzte sich nicht neben Gerhard auf die Couch, sondern in den zweiten Sessel. Gombrowski warf ihr einen müden Blick zu und nickte kurz, ohne durch eine Regung erkennen zu lassen, dass sie erst kürzlich miteinander gesprochen hatten. Dann setzte er seinen Monolog über das Wetter fort, den er vermutlich als Smalltalk verstanden wissen wollte. Wenn er gerade nicht sprach, saugte er an seinen Zähnen, was schmatzende Geräusche erzeugte, vor denen sich Jule eigentlich hätte ekeln müssen. Stattdessen freute sie sich, ihn zu sehen.

Was gesprochen wurde, bekam sie nicht mit. Auch als Gerhard anfing, Gombrowski ins Wort zu fallen, mit zu hoher Stimme, die nicht nach Kämpfer, sondern nach Verlierer klang, verstand sie kaum, worum es ging. In Gedanken sagte sie »Mörder« zu Gombrowski und wartete auf Antwort. Da kam nichts. Gerhard würde enttäuscht sein. Gombrowski war kein Mörder, er war nicht einmal ein Feind. Wahrscheinlich würde es ihm gar nicht gelingen, die Windmühlen zu bauen, die Sophies Kindergartenplatz sichern sollten. Weil ihm niemals etwas gelang. Weil er ein Mensch war, der beim Versuch, alles richtig zu machen, nichts als Verheerungen anrichtete.

Jule musste an den Goethe-Satz denken, der seine wahre Tragik erst erreichte, wenn man ihn falsch zitierte. Ich bin ein Teil von jener Kraft, die stets das Gute will und stets das Böse schafft. Das war Gombrowski. Er verdiente keine Gegenwehr, sondern Mitgefühl. Dieser Mann hatte niemanden umgebracht und würde niemanden umbringen, höchstens sich selbst.

Gombrowski redete. Wenn Jule richtig verstand, ging es um Kraniche. Er rieb sich das Gesicht, wobei die Haut verrutschte, als wäre sie dem Schädel nur übergezogen wie eine zu große Kapuze. Er patschte sich auf den Oberschenkel, weil er glaubte, etwas Witziges gesagt zu haben. Jules Herzschlag wechselte die Gangart. Sie konnte sich vorstellen, ihn in den Arm zu nehmen. Sein strähniges Haar zu streicheln, die hängenden Wangen zu küssen. »Ist nicht so schlimm«, wollte sie sagen. »Mein Mann meint es gar nicht so. Wir meinen es alle nicht so.«

»Das reicht jetzt«, sagte Gerhard gerade. Jule hörte, wie er die Kiefer zusammenpresste.

»Ihr Vogelmenschen!«, polterte Gombrowski. »Ihr glaubt wirklich, ihr habt immer recht, was?«

Alles war falsch. Die Art, wie miteinander gesprochen wurde. Gerhards Glaube, gegen Windräder protestieren zu müssen, die ihnen in Wahrheit nützen würden. Gombrowskis fester Entschluss, sich von Gerhard nicht ausbremsen zu lassen, während es sein Schicksal war, nichts zu erreichen. Gerhards Sehnsucht nach einem Feind. Gombrowskis Versuch, Jule zu ignorieren, als hätte es zwischen ihnen keinen besonderen Moment gegeben. Mit einem Mal hielt Jule die ganze Szene nicht mehr aus. Die beiden Männer blickten ihr nach, als sie aufsprang und den Raum verließ.

31 Fließ

»Ihr Vogel-Heinis!«, rief Gombrowski. »Ihr denkt wirklich, ihr seid immer im Recht, was?«

Schon das endlose Gerede über das Wetter war nur dazu gedacht gewesen, Gerhard auf die Nerven zu gehen. Erst recht das ostentative Gejammer über die »Horden« von Kranichen, die demnächst wieder in Unterleuten einfallen und schlimme Schäden auf den Feldern anrichten würden, »bis zu 3000 Euro pro Hektar«, wie Gombrowski behauptete, obwohl die Vogelschutzwarte längst nachgewiesen hatte, dass diese Beträge nicht stimmten.

Das Problem war nicht neu. Im Herbst machten Kranichschwärme in Rekordgröße auf dem Weg von Skandinavien nach Afrika in der Unterleutner Heide Station. Gerhard und seine Leute hatten zuletzt fast 100 000 Tiere gezählt. Neben den Kampfläufern waren die Kraniche das große Ereignis der Region. Parkende Autos reihten sich an der Unterleutner Landstraße wie bei einem Open-Air-Festival, sogar Reisebusse waren dabei. Die Menschen kamen aus Berlin und Hannover, Hamburg und Frankfurt am Main, Nürnberg und München, manche Ornithologen sogar aus dem Ausland. Alle trugen bunte Funktionsjacken, luden ihre Fotoausrüstung aus, justierten Stative, auf die sie teure Kameras mit enormen Objektiven schraubten. Die Körper der Kraniche schwärzten die Felder, ihr Geschrei brachte die Luft zum Schwirren, ein verstörendes, irgendwie elektrisches Geräusch. Für die Vogelschutzstation bedeuteten die Kraniche Hochsaison – Führungen, Vorträge sowie die Bewachung der gesperrten Brutgebiete, rund um die Uhr. Aber auch Silke und Sabine vom Märkischen Landmann berichteten, dass sie zur Kranichzeit mehr verdienten als sonst in einem halben Jahr. Auf www.maerkischer-landmann-unterleuten.de waren jedes Jahr spezielle Kranich-Wochenenden mit Kranich-Menüs und Kranich-Zimmerpreisen angeboten.

Alle freuten sich über das Schauspiel, nur die Bauern jammerten. Sie verlangten noch mehr Geld vom Staat, zum Ausgleich ihrer angeblichen Schäden. Dass ihre geschäftlichen Risiken von der Allgemeinheit getragen wurden, fanden sie völlig normal. Im vergangenen Jahr war Gombrowski so weit gegangen, den Abschuss der Vögel zu verlangen. Mit dieser absurden Forderung hatte er es sogar bis in die überregionale Presse geschafft.

Dass er das Thema jetzt auf den Tisch brachte, war pure Provokation. Was, wie Gerhard zugeben musste, ziemlich gut funktionierte. Er war schon auf 180, obwohl sie noch gar nicht bis zu den Windrädern gekommen waren.

In diesem Augenblick stand Jule auf und verließ wortlos den Raum. Nach einem Moment der Verblüffung begann Gerhard zu lächeln. Während Gombrowski sprach, hatte er den Widerwillen seiner Frau wachsen sehen. Er hatte gesehen, wie sie Gombrowski beobachtete, wie ihre Miene nachdenklich wurde, wie sie schließlich vor Ärger die Farbe wechselte. Dann der starke Abgang. Deutlicher hätte sie kaum zeigen können, was von einem wie Gombrowski zu halten war.

Gerhard war stolz auf seine Frau. Ebenso stolz war er auf sich selbst, weil er sitzen blieb und sich um die öffentlichen Angelegenheiten kümmerte, bereit, das Dorf gegen Gombrowskis Zugriff zu verteidigen. In wichtigen Fragen teilten Jule und er eine stumme Übereinkunft. Jule stand hundertprozentig hinter ihm, und das, dachte Gerhard, würde ihm die Kraft geben, es mit Gombrowski aufzunehmen.

»Ihre Frau hat recht«, sagte Gombrowski, als Jules Schritte im Flur verklungen waren. »Es ist wirklich zu warm hier. Reden wir doch draußen weiter.«

Noch eine Unverschämtheit, allein dazu gedacht, Gerhard auf die Palme zu bringen. Wenn jemand wusste, warum sie trotz der Hitze drinnen saßen, dann war das Gombrowski.

»Das geht leider nicht«, erwiderte Gerhard so ruhig wie möglich. »Der Garten ist derzeit unbenutzbar.«

Gombrowski schlug sich auf die Oberschenkel und lachte, bis ihm die Tränen kamen.

»Unbenutzbar«, keuchte er, sich die Augen wischend, »ihr Bürokraten seid einmalig. Für jeden Mist habt ihr einen sprachlichen Gummihandschuh.«

Mit einer Behändigkeit, die man ihm nicht zugetraut hätte, sprang er aus dem Sessel. Gleich darauf hatte er Gerhard von der Couch gezerrt und auf die Füße gestellt, stieß ihn über den Flur und aus der Tür. Seine Kraft wirkte maschinell, eine Einwirkung, der organische Materie nichts entgegenzusetzen hatte. Als Gerhard in den Garten taumelte, registrierte er, dass Gombrowskis monströser Hund das sorgfältig restaurierte Holz der Eingangstür zerkratzt hatte. Gerhard dachte, dass er Gombrowski eine Rechnung schicken werde. Er dachte, egal, was als Nächstes passiert, nicht schreien. Er dachte, hoffentlich wacht Sophie nicht auf, hoffentlich schaut Jule nicht aus dem Fenster. Instinktiv hob er die Hände, um sich gegen den ersten Schlag zu schützen.

Aber Gombrowski schlug nicht. Er breitete die Arme aus, legte den Kopf in den Nacken und drehte sich wie die Karikatur eines Touristen um sich selbst.

»Atmen Sie, Fließ!«, rief er. »Atmen Sie tief. Ist die Landluft nicht herrlich?«

Gerhard starrte ihn an. Der Mann war nicht nur ein mutmaßlicher Mörder, sondern offensichtlich geisteskrank. Möglicherweise hingen beide Phänomene zusammen. Heinz hatte zu dieser Frage nichts sagen wollen. Er hatte überhaupt keine Fragen beantwortet, sondern nur zornige Sätze ausgestoßen, während seine Tochter Verena, die zu den Streikenden gehörte, beschwichtigende Handbewegungen machte. Dass der alte Hund über Leichen gehe. Bei der LPG-Umwandlung zum Beispiel, als der Erik keine Ruhe geben wollte. Das sei doch alles anders gewesen, als man es der Polizei erzählt habe. In Wahrheit sei der Erik, als Kron bei diesem furchtbaren Gewitter auf die Lichtung gekommen sei, schon tot gewesen. Erschlagen.

»Papa«, hatte Verena an dieser Stelle gerufen, »halt jetzt bitte den Mund.«

Was das im Einzelnen bedeuten sollte, konnte Gerhard noch nicht erfassen; er war noch nicht zum Nachdenken gekommen. Er wusste nur, dass er vorsichtig sein musste. Sehr vorsichtig. Gleichzeitig durfte bei Gombrowski nicht der Eindruck entstehen, dass er leichtes Spiel mit ihm habe. Psychopathen brauchten Grenzen.

»Kaum unterhält man sich mit dem alten Gombrowski, schon ist die Luft rein. Toll, was?«

Jetzt erst begriff Gerhard, was Gombrowski meinte. Die Luft roch nach Hortensien und nach einem Hauch von Jauche, den der Wind über die Felder herantrug. Gerhard sog Luft durch die Nase. Keine Spur von verbranntem Gummi. Friedlich lag der Garten im Licht der Mittagssonne. Schaller musste die Feuer mit Wasser gelöscht und die glimmenden Reste vergraben haben. Der Effekt glich einem Wunder. Gombrowski freute sich.

»Wie gefällt es Ihnen eigentlich bei uns, Fließ?«

Auf die Schnelle wusste Gerhard nichts zu sagen, aber Gombrowski rechnete auch gar nicht mit einer Antwort. Er sprach einfach weiter.

»Ist ja eine Seltenheit, dass wir mal miteinander reden. Sie sind nicht der Typ, der schnell rumkommt auf einen Kaffee, was? Sie schicken lieber Briefe. In denen steht dann, was Ihnen alles nicht passt. Was wir anders machen sollen, jetzt, wo Sie da sind.«

Mit leichtem Kopfschütteln blickte Gombrowski zum Graben hinüber, musterte den Erdwall, auf dem Gras und Robiniensprösslinge wuchsen.

»Den Wiederaufbau der Mauer haben Sie auch gleich in Angriff genommen. Was man im Kopf hat, soll auch im Garten stehen, wie?«

»Ich verbitte mir ...«, begann Gerhard.

Gombrowski winkte ab.

»Die Transparente vor meinem Haus waren nicht von Ihnen. Darin erkenne ich meinen Freund Kron. Aber die niedlichen Windrädchen – doch nicht etwa Ihre Frau?«

Auf einmal hatte Jule nicht mehr mitmachen wollen. Ich weiß nicht, hatte sie gesagt, mach du mal selbst. Er hatte sich eine Bastelanleitung aus dem Internet heruntergeladen und selbst mit Papier und Schere hantiert. Das Schweigen deutete Gombrowski richtig.

»Frauen sind einfach klüger«, sagte er.

»Wenn Sie glauben, Sie könnten mir politische Meinungsäußerungen verbieten ...«

Gerhard verstummte, weil er feststellen musste, dass er den Satz begonnen hatte, ohne das Ende zu kennen. Verlegenheit wärmte ihm Stirn und Handflächen. Mit seinem aufbrausenden Tonfall klang er wie ein Schuljunge. Dabei war Gombrowski nicht älter als er, und schon gar nicht intelligenter. Er war einfach nur dicker, reicher, brutaler und länger in Unterleuten.

»Äußern Sie sich nur«, sagte Gombrowski. »Das ist völlig legitim. Überdenken Sie vielleicht bei Gelegenheit die Wahl Ihrer Verbündeten. Hinter der Sache mit Kron steckt eine jahrzehntelange Geschichte. Das ist nichts, was Sie verstehen können.«

»Versuchen Sie nicht, den Konflikt zu privatisieren!« Das klang schon besser, souverän und ein wenig von oben herab. »Es geht darum, dass Sie die Lebensqualität im Dorf zerstören. Nicht aus Not, sondern zu Ihrem persönlichen Vorteil.«

Gombrowskis monströser Hund war um die Ecke verschwunden und kehrte mit einem beindicken Ast zurück, den er aus dem Stapel Feuerholz gezogen haben musste. Im Schatten einer Robinie begann das Vieh genüsslich, seine Beute zu verzehren.

»Der Widerstand richtet sich nicht nur gegen Windkraftanlagen in Unterleuten«, fuhr Gerhard fort, »sondern gegen ein Grundübel des Kapitalismus: Der Einzelne bereichert sich auf Kosten der Gemeinschaft.«

Jetzt gehörte die Bühne ihm. Gombrowski lehnte an der Hauswand, sah zu Boden und hatte beide Hände in den Hosentaschen. Wenn ein Auto vorbeifuhr und kurz hupte, sah er auf und hob zwei Finger zum Gruß.

»Leute wie Sie sehen nur ihren eigenen Nutzen, und das System gibt ihnen recht. Wir leben in einer Welt, in der Ärzte das Gesundheitswesen zerstören. Universitäten zerstören das Wissen, Regierungen die Freiheit und Banken die Wirtschaft. Und Bauern die Natur. Aber die Menschen werden sich diese Ungerechtigkeit nicht länger gefallen lassen.« Krachend biss Gombrowskis Hund in den Ast. »Der Kampf hat begonnen.«

Auf Gerhards Schlusssatz folgte Schweigen. An der Grundstücksgrenze regte sich etwas. Ein silbernes Kätzchen durchquerte den Graben, setzte tastend eine Pfote vor die andere, als könnte es sich nicht auf die Tragfähigkeit des Bodens verlassen. Als das Kätzchen den Hund entdeckte, machte es kehrt und verschwand in Bocksprüngen zwischen den Schrotthaufen auf Schallers Grundstück.

»Jemineh«, sagte Gombrowski schließlich. »Sie klingen wie Kron. Dabei kommen Sie aus dem Westen. Wahrscheinlich wissen Sie gar nicht, was für einen Schwachsinn Sie da reden.«

»Mit Kron habe ich nichts gemeinsam.«

»Außer dass Sie glauben, ihn im Kampf gegen mich unterstützen zu müssen.«

»In der Politik streiten Menschen aus unterschiedlichen Gründen für dieselbe Sache.«

»Gute Antwort«, sagte Gombrowski. »Richtige Antwort. Es ist Ihr Recht, das so zu sehen. Ich habe nichts gegen Auseinandersetzungen. Jeder folgt seinem eigenen Interesse. Man streitet, aber man respektiert sich. Bin da vielleicht etwas altmodisch.«

»Nein«, sagte Gerhard, »das ist schon ...«

»So habe ich es immer gehalten. Fairer Kampf und fairer Sieg.«

»Nur dass Sie dieses Mal nicht siegen werden.«

Gombrowski kniff die Augen zusammen und sah an Gerhard vorbei, als beobachtete er etwas, das sich am Horizont bewegte.

»Ich versuche, Ihnen zu erklären, dass Sie die hiesigen Verhältnisse nicht kennen.«

»In manchen Punkten vielleicht besser als Sie.«

»Sie mischen sich in Angelegenheiten, die Sie nichts angehen.«

»Sie meinen: in *Ihre* Angelegenheiten.«

»Möglicherweise meine ich das.«

Jetzt richtete Gombrowski den Blick direkt auf Gerhard, die Augen weiterhin zusammengekniffen.

»Sie wollen hier leben, Fließ. Friedlich leben. Wissen Sie, was die Übersetzung von ›friedlich‹ ist? Man lässt sich gegenseitig in Ruhe.«

»Dann sollten Sie Ihre eigene Regel beherzigen und uns mit Ihren Windmühlen in Ruhe lassen.«

»Ich baue gern, Sie verbieten gern. Da werden wir niemals beste Freunde, was?«

»Schauen Sie mal da rüber.« Mit langem Arm zeigte Gerhard die Unterleutner Landstraße entlang, die sich in sanftem Schwung die Anhöhe Richtung Wald hinaufzog. Da die Luftfeuchtigkeit an diesem Tag etwas höher war, wirkte der Waldrand zum Greifen nah. »Das ist die Schiefe Kappe. Die Bäume sind etwa 10 Meter hoch. Die Nabenhöhe einer Windkraftanlage beträgt 120 Meter. Dazu kommen Rotorblätter von 40 Metern Länge. Können Sie sich das vorstellen?«

Gombrowski schaute in eine andere Richtung. Sein Hund hatte die Überreste des Astes großflächig über den Rasen verteilt und entfernte sich, um zwischen die Himbeersträucher zu scheißen.

»Ersparen Sie sich den Ärger«, sagte Gombrowski. »Die Windräder kommen so oder so.«

Er zog ein Stofftaschentuch von der Größe eines Handtuchs aus der Tasche und trocknete sich sorgfältig das Gesicht.

»Wir sind hier gleich fertig, Fließ. Bitte merken Sie sich, dass ich Sie gewarnt habe. Ich bin ein ruhiger Typ, mir macht der Mist keinen Spaß. Aber jeder entscheidet selbst, in welcher Gangart er fährt.«

»Ihre lächerlichen Drohungen beeindrucken mich nicht«, sagte Gerhard, was nicht ganz der Wahrheit entsprach.

Gombrowski winkte ab und brachte ein Lächeln zustande, das beinahe freundlich aussah.

»Kennen Sie Linda Franzen?«

»Selbstverständlich. Frau Franzen ist auf unserer Seite.«

»Neulich erzählte mir Frau Franzen von den Problemen mit dem Bau ihres Reitstalls. Anscheinend mögen Vögel keine Koppelzäune.«

»Frau Franzen und ich haben die Unstimmigkeiten aus der Welt geschafft.«

»Das glauben Sie.«

Gombrowski lachte, aber nicht übertrieben und aufbrausend, sondern wie ein normaler Mensch, der sich über etwas Nebensächliches amüsiert. Alles Drohende war einer netten Plauderei gewichen.

»Frau Franzen besitzt einen teuren Deckhengst, wussten Sie das? Von der Idee, in Unterleuten Pferde zu züchten, ist sie geradezu besessen.«

Langsam begann Gerhard zu ahnen, worauf Gombrowskis Erfolg beruhte. Er war nicht nur dick, reich, brutal und schon ewig in Unterleuten. Er war auch schlau. Bei dem fetten Hundekörper handelte es sich um Tarnung. Dahinter verbarg sich eine Fähigkeit zu blitzschnellen Manövern. Mit wenigen Sätzen hatte er einen Zustand der Ablenkung erzeugt, der immer neue Ablenkungen hervorbrachte, und als Gerhard das erkannte und sich erschrocken aufs Wesentliche zu konzentrieren versuchte, hörte er sich plötzlich eine Frage stellen, auf die es Gombrowski vermutlich ankam, weil sie ihm die Möglichkeit gab, noch ein wenig länger in der gewählten Tonart zu spielen. Eine schwindelerregende Sekunde lang dachte Gerhard, dass er gegen einen solchen Mann nur verlieren konnte.

»Was zum Teufel«, fragte Gerhard, »haben Sie mit der Pferdezucht von Linda Franzen zu tun?«

Gombrowski unterdrückte ein Rülpsen.

»Ich mag Menschen, die etwas auf die Beine stellen. Außerdem ist es gut für die Region. Leute wie Franzen sorgen dafür, dass hier in fünfzig Jahren noch irgendetwas *ist.* Ich möchte ihr helfen.«

Als Gerhard begriff, wohin Gombrowskis Geschichte steuerte, riss etwas in ihm, wahrscheinlich das, was man gemeinhin den Geduldsfaden nannte. Gombrowskis arrogante Durchtriebenheit, sein ebenso unverhohlener wie felsenfester Glaube daran, jemandem wie Gerhard in allen Punkten überlegen zu sein, trieb ihm den Blutdruck hoch. Er brauchte einen Triumph. Dringend. Der Wunsch, Gombrowski einen Schuss vor den Bug zu setzen, war stärker als der Vorsatz, sich nicht in die Karten schauen zu lassen.

»Nein«, sagte Gerhard und wiederholte die Silbe gleich mehrere Male, »nein, nein, nein. So läuft das nicht. Linda Franzen wird nicht an Sie verkaufen. Haben Sie verstanden, Gombrowski? Sie bekommen das Land nicht. Franzen verkauft nicht an Sie. Fertig, aus.«

Gombrowskis Gesicht blieb ausdruckslos. Er glotzte. Völlig unmöglich zu erraten, was hinter der Hundevisage vor sich ging. Vielleicht überlegte er, ob der Weizen noch zehn oder besser zwölf Tage auf den Feldern blieb. Oder er dachte an Fleischknochen. Angesichts dieser Demonstration schierer Gleichgültigkeit wollte sich kein Triumphgefühl einstellen.

»Schminken Sie sich Ihre Windräder ab«, fügte Gerhard hinzu.

Traurig hob Gombrowski die leeren Hände.

»Eine Baugenehmigung für die fleißige Frau Franzen kriege ich so oder so«, sagte er. »Wenn Ihr Vogelbrüder

Ärger macht, kann das die Sache bestenfalls um ein paar Wochen verzögern. Ich bin nicht hier, um zu bitten. Ich will Ihnen einen Rat geben. Verschwenden Sie Ihre Zeit nicht mit Kriegsspielen. Genießen Sie lieber die frische Luft in Ihrem Garten.«

»Verschwinden Sie«, schrie Gerhard. »Hauen Sie ab!«

Kopfschüttelnd wie ein Lehrer, der von seinem Lieblingsschüler enttäuscht wird, wandte Gombrowski sich ab und pfiff nach dem Hund. Gemeinsam verließen sie Gerhards Garten. Gingen am Zaun entlang, schauten nicht zurück und würdigten Schallers verdreckten Hof keines Blickes. Als ein Auto vorbeifuhr und hupte, hob Gombrowski zwei Finger zum Gruß.

32 Schaller

Der Tag hatte gut angefangen. Schaller war dabei, sein Frühstück im Hof einzunehmen – schwarzer Kaffee und Würstchen aus dem Glas –, als das Telefon klingelte. Er hörte zu, sagte nichts, legte auf und ging mit dem Gartenschlauch zur Grundstücksgrenze, um die Feuer zu löschen.

Danach begann er in aller Ruhe, einem VW-Bus den kaputten Katalysator rauszuschlagen. Von außen würde der Eingriff nicht zu sehen sein, und in einer freien Werkstatt schaffte der Wagen die Abgasuntersuchung auch ohne Kat. Die eingesparten Kosten des Ersatzteils konnte Schaller zur Hälfte für sich verbuchen. Das nannte er ein Geschäft.

Um elf setzte er sich zum zweiten Frühstück auf die Bank, trank einen weiteren Kaffee und löffelte Pressfleisch aus der Dose. So liebte er die Arbeit: ohne Hektik, ganz für sich, nur er und die Autos und der Geruch von Schmieröl. Wenn die Arbeit stimmte, dann stimmte das ganze Leben.

Gegen halb eins klingelte das Handy erneut. Schaller hörte zu, sagte »geht klar« und ging in die Scheune, um einen vollen Benzinkanister zu holen. Er trug Autoreifen zur Grundstücksgrenze, legte jeweils einen auf die Feuerstellen und goss einen ordentlichen Schwung Benzin darüber. Wenige Minuten später zog der giftige Qualm wieder zu den Vogelschützern hinüber.

»Dein Zeug wird dann gebracht«, hatte Gombrowski am Telefon gesagt. Natürlich wusste Schaller, was Gombrowski vermochte und dass er hundertprozentig zu seinem Wort stand. Trotzdem war er überrascht, als bereits zwei Stunden später ein Pritschenwagen vor dem Tor hielt und hupte. Damit stand fest, dass dieser Dienstag, 20. Juli 2010, nicht nur gut, sondern hervorragend werden würde.

Am Steuer saß der magere Rothaarige und schaute starr geradeaus, während Schaller das Tor mit übertriebener Verbeugung öffnete und dem einfahrenden Pritschenwagen salutierte. Ein Blick genügte, um zu wissen, dass sie dieses Mal tatsächlich seine entführte Freundin dabeihatten, die er so schmerzlich vermisste. Als der Rothaarige die Seitenwände herunterklappte, sah Schaller die kräftigen, rot lackierten Hubsäulen auf der Ladefläche liegen. Daneben vier Tragarme, die sie bald wieder nach ihm ausstrecken würde. Da waren die Rohre der mechanischen Gleichlaufüberwachung. Dicke Kabelstränge sowie der einfache Bedienkasten mit einem Drehschalter für »an« und Knöpfen für »hoch« und »runter«. Es war, als käme sein altes Leben zu ihm zurück, gebraucht und in Einzelteilen, aber voll funktionsfähig und zum Wiederaufbau bereit.

»Gabelstapler?«, fragte der Rothaarige.

»Träum weiter, Arschloch«, erwiderte Schaller.

Der Rothaarige bellte seinen quadratköpfigen Kumpel an, bis dieser widerwillig aus der Fahrerkabine kletterte. Schaller machte ein Bier auf, telefonierte kurz mit Miriam, die er um einen Gefallen bitten wollte, und sah feierlich zu, wie die beiden sich mit dem Ausladen mühten. Wie sie fluchten und stöhnten, wie ihre Hemden dunkle und die Gesichter rote Flecken bekamen. Erst bei den Hubsäulen fasste er mit an, um die Beine seiner Freundin vor einem Sturz in den Hof zu schützen. Als der letzte Karton mit Schrauben auf dem rissigen Beton stand, saß der Quadratschädel schon wieder auf dem Beifahrersitz. Auch der Rothaarige strebte der Fahrerkabine zu.

»Hiergeblieben«, sagte Schaller. »Aufbauen.«

Eine gute Stunde später gelang es ihnen, die erste Hubsäule im Inneren der Scheune mithilfe von Zugseilen aufzurichten. Sie waren gerade dabei, den Fuß am Boden zu fixieren, als auf der Unterleutner Landstraße das vertraute Röhren des MG erklang. Schaller ging hinaus, als der Wagen in den Hof einbog. Miriam band das Tuch los, das ihre Haare gegen den Fahrtwind schützte. Sie trug eine Sonnenbrille, etwas Lippenstift und eine Bluse, in der sie so erwachsen aussah, dass Schaller eine Faust im Magen spürte. Das war nicht seine kleine Tochter, sondern eine fremde junge Frau, eine von der Sorte, die Schaller Angst machte, weil sie so schön war, dass es keine Stelle an ihrem Körper gab, die man ansehen durfte.

Aber dann kam Miriam mit ihren schlenkernden, irgendwie jungenhaften Schritten auf ihn zu, ignorierte den Ellbogen, den er ihr entgegenstreckte, und griff seine ölverschmierte Hand. Plötzlich stellte es kein Problem mehr dar, sie in den Arm zu nehmen und ihr einen Kuss auf den Scheitel zu drücken. Dabei blickte er über Miriams Kopf hinweg so finster in Richtung Scheune, dass keiner der beiden Männer, die im Türrahmen lehnten, einen Pfiff von sich zu geben wagte.

»Hey, Paps«, sagte Miriam. »Mission accomplished.«

Seit dem Unfall hatte Schaller oft Schwierigkeiten, ihr zu folgen, was nicht nur an seiner notorischen Verwirrung lag. Wenn Miriam von sich und ihren Freundinnen sprach, klang das für Schaller, als beschriebe sie Lebewesen auf einem anderen Planeten. Warum sie es hassten, Barockgedichte zu interpretieren. Was eine Bad-Taste-Party war. Wie viele Stunden sie bei Frau Kamp in Beutel verbrachten, die ein Pilgerziel darstellte, weil sie künstliche Fingernägel aufbringen und mit Glitzersteinchen bekleben konnte.

Schaller erinnerte sich an ein kleines Mädchen, das sich in der Küche an seinem Hosenbein festklammerte oder sich juchzend auf einem Miniaturfahrrad von ihm schieben ließ. Diese Bilder gehörten zum Kostbarsten, was er besaß. Als Nächstes präsentierte ihm sein Gedächtnis eine ernste junge Frau, die im Krankenhaus an seinem Bett saß und ihm die Hand hielt. Alles, was sich dazwischen befand, lag unter schwerem Nebel verborgen. Er wusste nicht, was aus dem kleinen Mädchen geworden war und woher die junge Frau mit einem Mal kam.

Das Krankenhaus hatte er selbst als Kleinkind verlassen, das sich in einer feindseligen Welt zurechtfinden musste. Zu Beginn seines neuen Lebens war Miriam wie eine Mutter gewesen, die ihm Schutz und Anleitung bot. Schaller hatte sich nach Kräften bemüht, so schnell wie möglich erwachsen zu werden, aber seine Tochter holte er nicht mehr ein. Beim Bier hatte er sie einmal gefragt, wann sie sich ihren ersten Freund zulegen wolle, und als sie lachte und ihn in den Oberarm kniff, hatte er sich tagelang für seine Dummheit geschämt. Wenn er versuchte, Miriam zu verstehen, wurde er schier verrückt. Am liebsten war es ihm, wenn sie gemeinsam Motorrad fuhren, einen Ölwechsel durchführten oder einfach nur zusammensaßen und schwiegen.

»Verrätst du mir, wofür du das Zeug brauchst?«, fragte Miriam.

»Meister, machen wir hier weiter, oder was?«, rief der Rothaarige.

Auf dem Beifahrersitz des MG standen leere, ineinandergestapelte Kartons. Auch auf der schmalen Rückbank türmten sich Kartons; in den Fußräumen steckten gefaltete Pappstücke. Miriam öffnete den Kofferraum; er war bis zum Rand mit Stapeln alter Zeitungen gefüllt.

»Ich hab beim Baumarkt die Papiercontainer geleert.«

Sie lachte.

»Hilf mir«, sagte Schaller.

Sie nahmen von den Kartons, so viel sie tragen konnten. Schaller ging voran zur Grundstücksgrenze und warf den ersten ins Feuer. Erst sah es aus, als würden die Flammen ersticken, sie duckten sich, wurden bläulich, leckten unwillig an der Pappe. Eine Rauchwolke stieg auf; Miriam wedelte sich mit der Hand vor dem Gesicht herum. Dann fing der Karton Feuer. Schaller versorgte die anderen Brandstellen, holte Nachschub und stapelte das Altpapier auf dem Boden.

»Sei so lieb und mach hier weiter«, sagte er. »Ich muss mich um die beiden Knallköpfe kümmern.«

»Was soll das?«, fragte Miriam.

»Immer schüren, damit es nicht ausgeht.«

Er ging zurück in die Scheune. Sie befestigten die Zugseile an der zweiten Hubsäule. Schaller und der Rothaarige zogen; der Quadratschädel versuchte, den Standfuß auf dem glatten Beton zu sichern. Schwerfällig richtete sich die Stahlsäule ein Stück auf und krachte ihnen wieder vor die Füße, als der Rothaarige das Gleichgewicht verlor. Schaller beugte sich über das Bein seiner Hebebühne; an mehreren Stellen war die rote Farbe abgeplatzt.

»Ich will wissen, was das soll, Paps.«

Unbeeindruckt vom Fluchen der Männer stand Miriam direkt hinter Schaller und verlangte Aufmerksamkeit.

»Warte kurz, Schätzchen«, sagte Schaller. »Wir trinken gleich ein Bier zusammen. Muss hier nur schnell fertig machen.«

»Du lässt mich einen Haufen Altpapier holen, und dann

verbrennst du das Zeug? Das ist verrückt. Außerdem weht der Wind die ganze Asche zu den Nachbarn rüber.«

»Lass gut sein, Liebes.«

»Erklär mir, was das soll.«

»Ich arbeite!«

Schaller war laut geworden. Schweiß rann ihm von der Stirn in die Augen. Er wischte ihn mit dem Handrücken ab, obwohl er wusste, dass er sich dabei schwarzes Altöl im Gesicht verteilte. Mit einer Kopfbewegung signalisierte er dem Rothaarigen, das Zugseil zu spannen, ein zweites Mal richtete sich die Hubsäule auf, schwankte, fand ihr Gleichgewicht. Der Quadratschädel setzte den Schlagbohrer an, um den Fuß am Boden zu verschrauben.

»Du kommst jetzt raus und siehst dir das an«, sagte Miriam. »Es sieht aus wie im Winter, nur dass der Schnee schwarz ist.«

»Geh zur Seite, verdammt!«, schrie Schaller.

»Papa!«

Miriam hatte seinen Arm gepackt und zog. Angst vor den Maschinen, mit denen er arbeitete, hatte sie noch nie gekannt. Seelenruhig sah sie dem Sturz der Hubsäule zu, wich Schaller aus, der zurücksprang, zuckte mit keiner Wimper angesichts des ohrenbetäubenden Lärms, den der aufschlagende Stahlträger verursachte.

»Bist du wahnsinnig?«

Schaller atmete schwer, weniger von der Anstrengung als vom Stress. Er liebte seine Hebebühne und er liebte Miriam, aber beide zusammen waren zu viel für ihn. Sie ergaben eine »Situation«, und Situationen hatte er schon immer gehasst. Er konnte eine Kardanwelle mit verbundenen Augen abschmieren. Er konnte aus zwei verreckten Corsas einen lebendigen machen. Er konnte eine halbe Flasche Bromfelder trinken und danach besser Auto fahren als die meisten nüchternen Menschen. Was er nicht konnte, war, sich auf mehrere Dinge gleichzeitig konzentrieren.

Miriam gewann. Sie starrte ihn so lange an, bis er sich schuldig fühlte und ihr aus der Scheune in den Hof folgte. Mit ausgestrecktem Finger zeigte sie zum Haus der Vogelschützer hinüber. Schaller sah die Prinzessin am Fenster stehen. Sie hielt das Baby auf dem Arm und sah zu, wie über den Feuerstellen große schwarze Flocken kreiselnd in die Höhe stiegen, über den Graben getrieben wurden und auf ihrem Rasen landeten. An vielen Stellen war das Grün bereits von Asche bedeckt. Miriam hatte recht, es sah ein bisschen aus wie schwarzer Schnee. Als die Prinzessin bemerkte, dass Schaller und Miriam in ihre Richtung blickten, verschwand sie.

»Mach die Feuer aus«, sagte Miriam.

»Fahr einfach nach Hause«, sagte Schaller. »Wir trinken das Bier ein anderes Mal.«

»Jetzt soll ich wieder heimfahren?« Spöttisch blickte Miriam ihn an. »Mit dem ganzen Papier im Auto?«

Schaller rannte über den Hof, riss die restlichen Kartons aus dem MG und warf sie auf den Boden. Miriam folgte ihm und blieb neben ihm stehen.

»Du kannst rumrennen und Sachen rumwerfen und von mir aus auch rumschreien. Aber ohne eine Erklärung werde ich nicht verschwinden.«

»Meister«, rief der Rothaarige, »wenn das hier nicht weitergeht, hauen wir ab.«

»Schraubt schon mal die Aufnahmestempel an die Tragarme!«, rief Schaller zurück.

Der Rothaarige verdrehte die Augen, setzte sich auf eine Europalette und zündete eine Zigarette an. Miriam hatte sich vor Schaller aufgebaut, glatt und weich und doch ein unverrückbares Hindernis mit ihren verschränkten Armen und der senkrechten Falte über der Nasenwurzel.

»Und was sind das für Typen? Warum bringen sie dir eine Hebebühne?«

»*Eine* Bühne? Das ist meine! Hochheben musste ich dich früher, damit du die Knöpfe drücken konntest!«

Das Bild stand Schaller plötzlich klar vor Augen, und es war wunderschön: Wie er die zweijährige Miriam auf dem Arm hielt, damit sie an den Schaltkasten herankam.

»Darum geht's nicht«, sagte die achtzehnjährige Miriam.

Schaller ließ den letzten Zeitungsstapel fallen. Das Papier rutschte auseinander und verteilte sich im Hof. Ein leichter Wind blätterte die Seiten um, als wäre er auf der Suche nach einer bestimmten Information. Der Tag kippte. Er kippte wie das Bein der Hebebühne, und Schaller fürchtete, dass er ihm gleich mit noch schrecklicherem Lärm vor die Füße fallen würde. Weil er nicht wusste, was er sonst tun sollte, griff er einen Arm voll Zeitungspapier und lief zu den Feuerstellen, Miriam hinter sich.

»Ist das eine Gombrowski-Scheiße?«

Schaller blieb stehen.

»Du weißt nichts von Gombrowski.«

Sein Tonfall ließ sie verstummen. Es entstand ein kurzer Moment der Unsicherheit, als zögerte Miriam an der Schwelle eines Raums, den sie eigentlich nicht betreten durfte.

»Mama sagt, Gombrowski ist dein Fluch. Sie sagt, wenn er jemals wieder bei dir aufkreuzt, soll ich zur Polizei gehen.«

Damit konnte Schaller nicht umgehen. Es gab eine ungeschriebene Vereinbarung zwischen ihnen, die besagte, dass sie so wenig wie möglich von Susanna sprachen, gar nicht über Gombrowski und nicht über bestimmte Teile von Schallers Vergangenheit. Als Schaller im Krankenhaus gelegen hatte und wieder lernen musste, was »ich« bedeutete, war Miriam zur Regisseurin jenes Films geworden, den er heute sein Leben nannte. In diesem Film kam vor, dass er vor seinem Unfall jahrelang für Gombrowski gearbeitet hatte. Er war schon zu LPG-Zeiten als Automechaniker mit der Wartung des landwirtschaftlichen Maschinenparks betraut gewesen und hatte nach der Wende die Fahrzeuge der Ökologica freiberuflich gepflegt.

Jenseits dieser simplen Fakten existierte ein Gefühl, über das Schaller nicht mit Miriam gesprochen hatte. Das Gefühl besagte, dass Gombrowski ihm etwas schuldete. Aufgrund dieser Ahnung war Schaller zum Haus mit dem blauen Dach gegangen und hatte prompt den Hof in Unterleuten geschenkt bekommen.

Manchmal, wenn die Erinnerung ihr Haupt aus dem Nebel hob, hörte Schaller das Krachen eines infernalischen Gewitters. Er spürte, wie ihm nasse Kleidung am Körper klebte, und sah seine schwangere Frau, die das blasse Gesicht zu ihm aufhob und fragte: »Wo bist du gewesen?«

Ob sie diesen Satz wirklich zu ihm gesagt hatte oder ob es sich um eine Einbildung handelte, konnte er nicht entscheiden. Wenn er länger darüber grübelte, schien es ihm, als hätte sie diesen Satz nicht nur einmal, sondern unzählige Male wiederholt, jahrelang, ein Leben lang, als hätte ihre Ehe nur noch aus diesem Satz bestanden, wo bist du gewesen, und dann begannen seine Ohren zu klingen, und es wurde ihm klar, dass es nichts brachte, zu viel wissen zu wollen. In der Vergangenheit lag keine Wahrheit, die es zu ermitteln, kein Schatz, den es zu heben galt. Sondern nur ein Irrgarten aus Trugbildern, in dem er sich rettungslos verlief. Die Vergangenheit war ein Ort, an dem der Wahnsinn wohnte. Schaller durfte niemals dorthin zurückkehren, nicht in Gedanken und schon gar nicht mit Worten.

»Deine Mutter weiß nichts«, sagte er zu Miriam, die auf eine Antwort wartete.

»Warum arbeiten diese Typen für dich? Wer hat ihnen gesagt, dass sie dir helfen sollen?«

»Bitte, Miriam.«

»Dieser Gombrowski hat dir ein Haus geschenkt. Das ist doch nicht normal.«

»Ich hab mein halbes Leben für ihn gearbeitet.«

»Trotzdem. Da muss noch etwas gewesen sein.«

»Davon weiß ich nichts. Lass mich jetzt in Ruhe!«

»Hast du ihm was versprochen?« Miriam zeigte zu den Vogelschützern hinüber. »Sollst du die Leute da drüben quälen? Was sind das für Leute? Was haben sie getan?«

»Halt's Maul!«, brüllte Schaller.

Aus den Augenwinkeln sah er, wie Rothaariger und Quadratschädel kopfschüttelnd ihre Zigaretten wegwarfen, aufstanden und zum Pritschenwagen schlenderten. Ihm fiel nichts ein, um sie aufzuhalten. Auch zu Miriams erschrockenem Gesicht fiel ihm nichts ein. Überhaupt verstand er nicht, wie sich dieser Tag mit freundlicher Miene nähern und ihm dann mit solcher Wucht vors Schienbein treten konnte. Miriams Augen glänzten, als würde sie gleich zu weinen beginnen. Sie meinte es nicht böse. Sie hatte überhaupt keine Ahnung; sie war jünger als die Frage, wo Schaller in einer bestimmten Nacht gewesen sei.

Miriam machte sich Sorgen um ihn, und sie hatte recht. Sie musste sich um ihn sorgen. Er war ein halber Mann, ein Mann mit einem halben Leben, und vor nichts hatte er so viel Angst wie vor der unbekannten Hälfte.

Der Drang, sich zu bewegen, wurde übermächtig. Er musste Miriams Blick ausweichen. Außerdem hielt er immer noch alte Zeitungen im Arm, die es loszuwerden galt. Er begann, das Papier ins Feuer zu werfen, knüllte hastig einzelne Seiten zusammen, die die Flammen sofort verschlangen, auflodernd, als bettelten sie um Nachschub.

»Sieht wirklich aus wie Schnee, was?«, rief er. »Guck mal, wie schön es schneit!«

Über den Feuern stieg die Luft mit hoher Geschwindigkeit empor, riss brennende Papierstücke mit sich, die im Flug verloschen. Bald war der Rasen der Vogelschützer von einem Teppich aus Asche bedeckt. Asche hing in den Himbeeren, in der Glyzinie, bildete eine Schicht auf der Sitzfläche der Gartenbank. Schaller holte Kartons. Wind fuhr in die Flammen, drückte sie für einen Moment zu Boden, ließ sie anschließend zwei Meter in die Höhe schlagen, fast unsichtbar im Sonnenlicht und doch so heiß, dass er zurückweichen musste. Der Motor des Pritschenwagens sprang an. Miriam weinte. Der Rothaarige hupte, weil der MG die Ausfahrt versperrte, hupte zwei Mal, drei Mal, ließ die Hupe nicht mehr los. Schaller zerriss Pappe. Sah nicht über die Schulter, schaute nur auf seine Füße und Hände. Die Reifen des MG quietschten, die Hupe verstummte, der Pritschenwagen fuhr aus dem Tor. Beide Fahrzeuge entfernten sich in verschiedene Richtungen. Schaller machte weiter, bis der letzte Karton verbrannt war.

Er hatte geglaubt, inmitten eines großen Lärms zu kämpfen; jetzt war es merkwürdig still. Nichts regte sich im Hof. Das einsame Bein seiner Hebebühne stand aufrecht wie ein Denkmal im Inneren der Scheune. Schaller ging hinein, setzte sich auf die zweite, liegende Hubsäule und betastete die abgeplatzten Stellen im Lack. Auf seinen Armen klebte ein schwarzer Film. Eben noch hatte er Lust auf eine Zigarette gehabt, jetzt vergaß er, sie anzuzünden. Kein einziger Gedanke belebte seinen großen, leeren Kopf.

Teil IV

Nachts sind das Tiere

Jeder sitzt auf seiner Beute und schlägt nach den anderen.
Bodo Schaller

33 Kron-Hübschke

Als sich Kathrin dafür entschieden hatte, tote Menschen aufzuschneiden, statt lebende zusammenzuflicken, war es ihr vor allem um die Abende gegangen. Leichen besaßen einen eklatanten Vorteil gegenüber Patienten: Sie konnten bis zum nächsten Morgen warten. Kathrin wollte ein Leben ohne Nachtschichten, ohne Visiten, überfüllte Notaufnahmen und Bereitschaftsdienst. Ihre Kundschaft wartete in Kühlfächern geduldig darauf, dass sie zur Arbeit kam. Wenn keine Kunden da waren, verbrachte sie ihre Zeit vor dem Mikroskop bei der Untersuchung von Gewebeproben. Anders als ihre Kollegen fuhr sie um fünf nach Hause, konnte mit Wolfi zu Abend essen, das plappernde Krönchen zu Bett bringen und danach mit einem Buch im Sessel versinken, während aus der angelehnten Tür des Nebenzimmers das Klappern der Computertastatur drang, anheimelnd wie Regen auf einem Zeltdach.

Für Kathrin waren die Abende Zeiten des Glücks. Sie liebte Bücher, besonders Romane, und unter den Romanen vor allem die dicken. In allen Büchern, die Kathrin kannte, war die Welt auf wunderbare Weise in Ordnung. Selbst wenn das Leben der Figuren auf katastrophale Weise schiefging, selbst wenn nach allen Regeln der Kunst gequält und gelitten wurde, so besaßen Qual und Leiden doch immer einen Sinn, und wenn keinen Sinn, dann immerhin Zusammenhang und folglich Bedeutung. Kathrin hatte schon als Kind verstanden, dass allein der Mensch in der Lage ist, Ordnung zu erzeugen, und dass Bedeutung nur innerhalb von Ordnungen entsteht. Die ersten Ordnungsgeber und Bedeutungserzeuger im Leben waren die Eltern. Wenn Eltern allerdings ihr Kind im Stich ließen, um aus dem Kommunismus in den Kapitalismus zu fliehen, oder wenn sie ihre Zeit damit vergeudeten, den längst verreckten Kommunismus gegen den Kapitalismus zu verteidigen, dann mussten Bücher diese Funktion übernehmen. Kathrins Lesen war eine Form von Selbstverteidigung gegen Sinnlosigkeit und Chaos. Als Kind hatten ihr die Bücher dabei geholfen, eine abwesende Mutter und einen Vater zu ertragen, dem es bei aller Liebe nie gelungen war, ein Bollwerk gegen die Zumutungen der menschlichen Existenz darzustellen. Heute las sie, weil Kron schon wieder und Krönchen noch immer in der Trotzphase waren und weil ihr Job täglich davon erzählte, dass auf Erden völlig willkürlich gelebt, gelitten und gestorben wurde.

Vermutlich war es kein Zufall, dass Kathrin einen Schriftsteller geheiratet hatte. Die Tatsache, dass Wolfi schrieb, auch wenn es keine Romane, sondern Theaterstücke waren, übte eine beruhigende Wirkung auf sie aus. Er war in der Lage, jene Zusammenhänge hervorzubringen, die Kathrin dringend brauchte. Dass sich dieses Ordnungstalent ausschließlich aufs Schreiben und mitnichten auf die Bewältigung des Alltags bezog, machte Kathrin nichts aus. Sie war bereit, den Familienunterhalt zu verdienen und sich um die häuslichen Abläufe zu kümmern, solange sie dadurch einem Schriftsteller das Schaffen ermöglichte. Wolfi kaufte ein, holte Krönchen vom Kindergarten ab und fuhr einmal im Jahr das Auto in die Werkstatt, wenn Kathrin ihn daran erinnerte. Den Rest des Tages verbrachte er damit, die Arbeit vor sich herzuschieben, so lange, bis das schlechte Gewissen zu einem quälenden Selbsthass geworden war, den Wolfi brauchte, um mit Schreiben zu beginnen. Meistens war dieser Punkt gegen acht Uhr abends erreicht. Wenn Kathrin das Kinderzimmer verließ, hörte sie an guten Tagen schon das Klappern der Tastatur.

Die zurückliegende Woche hatte allerdings nur aus schlechten Tagen bestanden. Falls es Kathrin noch nicht restlos klar gewesen war, dass die Schreibfähigkeit ihres Mannes und damit der Familienfrieden von einem roten Rasentraktor abhingen – jetzt wusste sie es. Wolfi hatte sich daran gewöhnt, die zähen Stunden inneren Ringens durch Rasenmähen zu überbrücken. Auf Premierenfeiern erntete er große Lacherfolge mit der Beschreibung, wie er seinen inneren Schweinehund so lange im Kreis fuhr, bis der ihn vor lauter Schwindel in Ruhe arbeiten ließ.

Aber dieser Strategie hatte Arnes Passat ein Ende gesetzt. Arne hatte sich Kathrins Argumente angehört und keinerlei Verhandlungsbereitschaft gezeigt. Über die Erklärung, dass Wolfi ohne Rasenmäher nicht schreiben könne, hatte er nur gelacht. Hinter seinem Lachen stand der Satz: »Hättest du mal einen anständigen Mann geheiratet, dann bräuchten wir diese alberne Diskussion nicht zu führen.« Kathrin kannte Arne gut genug, um zu wissen, was er dachte. Wolfi gegenüber verhielt er sich wie ein Vater, der den Ehegatten der Tochter aus Prinzip nicht leiden kann. Jedes weitere Gespräch war überflüssig. Kathrin war nach Hause gegangen und hatte Wolfi erklärt, dass er sich eine andere Übersprungshandlung suchen müsse. Kein Mensch konnte mit überlaufenden Toiletten leben.

Gerade hatte Wolfi ein neues Theaterstück begonnen. Es sollte »Fallwild« heißen, ein Begriff, den er einmal von Kron gehört hatte. In der Forstsprache bezeichnete »Fallwild«

Tiere, die ohne jagdliche Einwirkung zu Tode gekommen waren. Auch über die Formulierung »ohne jagdliche Einwirkung« war Wolfi in Begeisterung geraten. Schon lange wollte er sich mit dem Mikrokosmos Unterleuten auseinandersetzen, und der Titel bildete die entscheidende Inspiration.

»Irgendwie sind hier doch alle Fallwild«, hatte er zu Kathrin gesagt, ohne dass diese auch nur im Ansatz verstanden hätte, was er damit meinte. Das schadete nicht. Schreiben war Wolfis Metier, und Kathrin hatte mit den Jahren gelernt, dass es auf deutschen Bühnen nicht darauf ankam, ob eine Formulierung Sinn ergab. Mehr Sorgen als eine schiefe Metapher machte ihr der Verdacht, dass von Wolfis neuem Stück bislang nicht mehr als der Titel existierte. In dieser Lage stellte das von Arne erzwungene Rasenmäherverbot ein schöpferisches Armageddon dar. Wolfi befand sich im Ausnahmezustand.

Weil heute Samstag war und Kathrin nicht zur Arbeit musste, hatte sie das Schauspiel in allen Einzelheiten verfolgen können. Seit dem Mittagessen, welches für Wolfi, der spät aufstand, das Frühstück darstellte, tigerte er ziellos durchs Haus. Er setzte sich auf die Couch und erhob sich gleich wieder. Er nahm ein Buch zur Hand und legte es weg. Er begann einen Rundgang durch den Garten, besuchte den Rasentraktor in der Garage und floh vor dem nachwachsenden Gras zurück in die Küche, wo er sich ein Käsebrot machte, das er gar nicht essen wollte. Immer wieder fragte er, ob er irgendwie helfen könne, und als Kathrin ihn anwies, eine Maschine Wäsche aufzusetzen, fand sie ihn wenig später in der Waschküche, wie er, den vollen Wäschekorb im Arm, sehnsüchtig durch das Kellerfenster ins Freie starrte. Mit seiner fahrigen Art machte er Krönchen nervös, die ohnedies schlechte Laune hatte, weil Kathrin sie ständig ermahnte, im Garten nicht so laut zu sein. Den ganzen Nachmittag zischte die Kleine wie eine wütende Katze, wenn Kathrin versuchte, in ihre Nähe zu kommen. Irgendwann verkroch sie sich in einem Winkel hinter dem Haus, wo sie vermutlich »Hinrichtung der Eltern« mit ihren Puppen spielte.

An die Zubereitung des Abendessens klammerten sie sich wie zwei Ertrinkende an ein Floß, das nur einen tragen konnte. Wenn Kathrin zum Kühlschrank wollte, stand Wolfi bereits vor der geöffneten Tür. Ging sie zum Gewürzregal, versperrte er den Weg. Beim Versuch, einen Topf aus dem Schrank zu nehmen, stieß sie gegen Wolfi, der prüfte, ob die Mülltüten geleert werden müssten. Um ihn loszuwerden, bat sie ihn schließlich, in den Garten zu gehen und Krönchen zum Essen zu holen.

»Zieh dir Helm und Handschuhe an, wenn du sie anfassen musst«, rief sie ihm nach, aber Wolfi lachte nicht, weil ihm seit Tagen die Konzentration fehlte, um richtig zuzuhören.

Kathrin dachte, dass es manchmal schöner war, der Stimme eines fremden Schriftstellers zu lauschen, als einen real existierenden im Haus zu haben. Nach dem Abendessen würde Wolfi seinen Krieg gegen sich selbst endlich an den Schreibtisch verlegen, und Kathrin könnte sich mit einem Buch in ihren Sessel setzen und die Arbeit eines Autors genießen, von dessen Krisen sie nichts wissen musste. Der Roman, den sie gerade las, hatte begonnen, richtig spannend zu werden. Ein Kind war verschwunden, vermutlich entführt, und Kathrin konnte nicht anders, als sich in die Lage des Vaters zu versetzen, der verzweifelt auf einen Anruf der Entführer wartete. Es war schrecklich leicht sich vorzustellen, wie eine winzige Sekunde der Unaufmerksamkeit die ganze Welt aus den Angeln hob. Kurz bevor sie das Buch am Vorabend weggelegt hatte, war der kleine Sohn wieder aufgetaucht und behauptete, niemals entführt worden zu sein, so dass jetzt die geistige Gesundheit des Vaters angezweifelt wurde.

Daran dachte Kathrin, während sie Zwiebeln schnitt und sich freute, dass Wolfi für eine Minute den Raum verlassen hatte. Der verzweifelte Vater, das verschwundene Kind. Zwiebelgeruch. Geistige Gesundheit. Kathrin spürte, wie sich in ihrem Inneren der Raum öffnete, in dem die Geschichte angesiedelt war. So real, als könnte sie sich selbst darin bewegen. Die sommerliche Hitze, die Aufdringlichkeit der Natur, das ständige Vogelgezwitscher. Wolfis Stimme, die durchs offene Küchenfenster drang, mal leiser, mal lauter, je nachdem, in welcher Ecke des Gartens er sich gerade befand: »Krönchen? Krönchen!«

Kathrin legte das Messer weg und wischte sich mit dem Unterarm Schweiß von der Stirn. Ihr fiel nicht ein, wie der verschwundene Junge hieß.

»Krönchen?«

Irgendetwas mit L. Ein englisch klingender Name.

»Krönchen?«

Eben noch hatte Wolfi ganz leise geklungen, jetzt wurde er plötzlich wieder lauter. »Krönchen!«, an der Hintertür, »Krönchen?«, im Flur, und jetzt erst verstand Kathrin, dass Wolfi rannte und dass er nicht rief, sondern schrie. Seine Schritte dröhnten durchs Haus, Türen schlugen.

»Krönchen!!«

34 Fließ

Am liebsten hätte er Kathrin Kron in den Arm genommen. Ständig kämpften die jungen Frauen von heute darum, niemanden zu brauchen. Weil ihnen der Zeitgeist auftrug, nach Jahrhunderten der Ausbeutung auf einmal Mann und Frau in einer Person zu sein. Gerhard kannte das von Jule. Manchmal genügte es, ihr über den Kopf zu streichen, und schon brach sie in Tränen aus. Dann weinte sie ihr ganzes Heldentum aus sich heraus, dankbar für ein paar Minuten, in denen sie ein ganz normaler, überforderter, stets vom Scheitern bedrohter Mensch sein durfte.

Aber Kathrin Kron wollte nicht weinen. Wie imprägniert von Blässe stand sie vor ihm und brachte die Sätze nur stückweise heraus. Ihre Tochter sei weg, seit dem Abendessen vermisst, und draußen werde es dunkel.

Zuerst spürte Gerhard den absurden Impuls, sich über diesen Besuch zu freuen. Die Tochter von Kron war gekommen, um ihn, den Zugezogenen und vogelschützenden Störenfried, in einer sensiblen Angelegenheit um Hilfe zu bitten. Im Grunde war Kathrin eine Botin, die eine Einladung in den inneren Kreis der Dorfgemeinschaft überbrachte. Die örtliche Tauschgesellschaft glich einem System kommunizierender Röhren, das sich in zwei Stufen unterteilen ließ. Die erste Ebene stand jedem offen, der im Umkreis von 30 Kilometern einen Wohnsitz besaß. Hier wurden Kartoffeln, Eier, selbstgemachte Blutwurst, polnische Zigaretten und kleine Dienstleistungen gehandelt. Dahinter existierte ein zweiter, exklusiver Markt, auf dem es um Aufträge, Arbeitszeit, persönliche Gefälligkeiten und brisante Informationen ging.

Wer auf welchem Markt tauschen durfte, wurde von niemandem entschieden, stand nirgendwo geschrieben und war trotzdem jedem klar. Grundsätzlich nahmen am engeren Zirkel nur Alteingesessene teil. Weil viele Leistungen ohne direkte Gegenleistung erbracht wurden, entstanden Anwartschaften auf die Zukunft, die gesammelt und ihrerseits auf dem zweiten Markt gehandelt werden konnten. Ein geschuldeter Gefallen ließ sich weitergeben. »Geh mal zu X, der schuldet Y was, und bei Y hab ich noch was gut« – so wurde das Gefälligkeiten-Karussell in Gang gesetzt.

Jeder geleistete Gefallen stellte eine Investition in die Zukunft dar. Denn so lautete die Definition von Macht: die Möglichkeit, in Zukunft etwas von einem anderen zu verlangen. Entsprechend groß war die Hilfsbereitschaft. Menschen wie Gombrowski oder Kron hatten über die Jahre so gewaltige Gefälligkeiten-Konten angehäuft, dass sie jederzeit von jedermann fast alles verlangen konnten und folglich mehr Einfluss besaßen als jede Behörde. Bürgermeister Arne agierte in diesem Beziehungsgeflecht eher in der Rolle eines Moderators, was Gerhard beim Versuch, die Belange des Naturschutzes durchzusetzen, immer wieder schmerzlich erfahren musste. Bis vor Kurzem hatte er geglaubt, sein wichtigstes Ziel in Unterleuten bestehe darin, eines Tages in den zweiten Markt aufgenommen zu werden.

Aber jetzt stand Kathrin auf der obersten Stufe der Eingangstreppe, wahrte einen Abstand, der klar machte, dass sie unter keinen Umständen ins Haus kommen würde, und hatte die Arme um sich geschlungen, als müsste sie den eigenen Körper vor dem Zerreißen bewahren. Ihr Anblick zwang Gerhard, sich zu fragen, ob er Unterleuten jemals richtig verstanden hatte. Ob ihm sein euphorischer Wunsch, jeder staatlich-kapitalistischen Gewalt den Rücken zu kehren, nicht den Blick getrübt hatte. Vielleicht war das, was Gerhard und Jule »Freiheit« nannten, in Wahrheit nicht mehr als ein Jagdrevier für schwergewichtige Fleischfresser. Dann wäre Gombrowski kein pathologischer Einzelfall, sondern notwendiger Teil des Systems. Möglicherweise existierte hinter dem zweiten noch ein dritter Markt. Einer, auf dem es nicht um Eier und Wurst, sondern um brennende Autoreifen, verschwundene Kinder und Menschenleben ging.

»Haben Sie die Polizei informiert?«, fragte Gerhard.

Verständnislos hob Kathrin den Blick.

»Wozu?«

»Weil ein Kind vermisst wird.«

»Wir bilden eine Kette und durchkämmen den Wald.«

»Hören Sie.« Gerhard wollte einen Schritt auf sie zutreten und hielt gleich wieder inne, als sie zurückwich. »Hier tobt ein Kampf. Einige der Beteiligten sind unter Umständen gefährlich. Ihre Tochter ist die Enkelin von Kron. Vielleicht hat sie sich ja nur verlaufen, aber angesichts der Sachlage, ich meine ... die Polizei könnte ...«

Aus zu weit geöffneten Augen starrte Kathrin ihn an.

»Ich kann Sie nicht zwingen, uns zu helfen«, sagte sie und wandte sich zum Gehen.

Gerhard nickte. Er verstand. Kathrin Kron war hier aufgewachsen. So musste man sich die Galionsfigur von Unterleuten vorstellen: nicht wie Jule, die im hellen Sonnenschein mit buntem Tuch im Haar das Gras mähte und dabei möglichst viele Gänseblümchen stehen ließ. Sondern wie eine Mutter, die ihre kleine Tochter vermisste und sich nicht traute, zur Polizei zu gehen. Die lieber im Wald suchte als dort, wo sich das Kind aller Wahrscheinlichkeit nach befand.

»Natürlich helfe ich«, rief Gerhard eilig. »Was soll ich tun?«

»Ich wollte Sie bitten, bei der Suchaktion das Kommando zu übernehmen. Mein Vater steht unter Schock. Ihnen wird er am ehesten vertrauen. Sie kommen von außerhalb, und Gombrowski kann Sie nicht leiden.«

Gerhard nickte.

»Treffpunkt in einer halben Stunde.« Kathrin Kron war schon die Treppe hinunter. »Am Jagdhaus.«

Während Gerhard ihr nachschaute, schlug er rhythmisch gegen das Holz des Türrahmens. Sie tat ihm leid, so sehr, dass es schmerzte. Als der Hass die Oberhand gewann, stellte das eine Erleichterung dar. Hass klärte die Verhältnisse. Im Grunde war alles ganz einfach. Ob es »gut« gab, wusste Gerhard nicht, aber mit Sicherheit gab es »böse«. Derzeit trug das Böse die Maske eines fetten alten Hunds.

»Was ist denn los?«, fragte Jule.

Gerhard drehte sich um. In den Garten sickerte bereits Dämmerung, der Flur war hell erleuchtet. Sie standen auf der Grenze zwischen Schatten und Licht.

»Warum lässt du die Tür offen? Der Gestank kommt ins Haus.«

Erst jetzt realisierte Gerhard die giftigen Dämpfe, die er seit geraumer Zeit einatmete.

»Das Schwein hat ein Kind entführt«, sagte er.

»Welches Schwein?«, fragte Jule. »Welches Kind?«

»Gombrowski«, sagte Gerhard. »Die kleine Kron.«

»Das ist unmöglich«, sagte Jule, zog ihn in den Flur und schloss die Tür.

»Kathrin Kron war hier. Sie hat mich um Hilfe gebeten.«

»Das muss ein Missverständnis sein. Gombrowski entführt keine Kinder.«

»Hast du vergessen, was ich dir erzählt habe? Was ich von Heinz weiß?«

»Das ist alles Unsinn.«

Gerhard blickte seine Frau an. Es machte ihn glücklich, dass sie aus ihrem Dornröschenschlaf erwacht war. So viel Schlimmes die Windräder schon angerichtet haben mochten – für eins verdienten sie Dankbarkeit: Sie hatten ihm Jule zurückgebracht. Seit sie sich gemeinsam gegen Gombrowskis Pläne engagierten, war ihre Beziehung fast wie früher. Er konnte die Verbindung zwischen ihren Seelen wieder spüren. Spontan nahm er ihr weiches, reines Gesicht in beide Hände.

»Du musst keine Angst haben«, sagte er. »Ich werde dich schützen. Versprochen.«

Jule trat einen Schritt zurück, so dass er ihr Gesicht loslassen musste.

»Ich habe keine Angst. Ich sage, dass Gombrowski keinem Kind etwas zuleide tut.«

»Und woher weißt du das?«

»Das hier ist ein Dorf, Gerhard. Du musst nicht alles glauben, was die Leute erzählen.«

Er lächelte, nickte und zog sie noch einmal an sich. Dass sie partout an Gombrowskis Unschuld glauben wollte, rührte ihn. Vermutlich war es eine Form von Selbstschutz. Die einzige Möglichkeit, Unterleuten weiterhin als ihre Heimat zu betrachten.

»Du hast recht, Schatz«, sagte er. »Geh bitte in den Keller und hol mir die Taschenlampe.«

35 Schaller

Im ersten Moment glaubte Schaller, die Spaßvögel vom LKA würden mal wieder ihr Glück bei ihm versuchen. Er löschte das Licht in der Scheune, wo er mit der Verkabelung der Hebebühne beschäftigt war, und trat vor die Tür.

Ein Mann ging am Rand des Grabens entlang und versuchte, in alle Ecken des Hofs zu leuchten. Im Qualm der schwelenden Reifen zeichnete die Taschenlampe einen Stab aus Licht in die Dunkelheit. Normalerweise besaß nicht einmal das LKA die Frechheit, einfach bei Nacht auf den Hof vorzurücken, zumal Schaller nichts einfiel, womit er in letzter Zeit Anlass für einen Sondereinsatz gegeben haben könnte. Außerdem kam ein Bulle niemals allein. Der Kerl mit der Taschenlampe musste der Vogelschützer sein. Anscheinend hatte er endgültig den Verstand verloren.

Der Lichtkegel erfasste die aus Ölfässern zusammengesetzte Bank und verweilte ein paar Sekunden zitternd an dieser Stelle, als könnte er nicht recht glauben, dass niemand dort saß. Schaller verhielt sich ruhig. Er lehnte in der offenen Tür der Scheune und fühlte sich gut. In den letzten Tagen hatte er eigenhändig einen Flaschenzug konstruiert, mit dessen Hilfe es ihm gelungen war, das zweite Bein der Hebebühne aufzurichten. Jetzt stand er vor den beiden roten Säulen wie ein Torhüter, durchströmt von dem schönen Gefühl, dass endlich alles in Ordnung kommen würde. Mithilfe der Hebebühne würde er sein altes Geschäft wieder aufnehmen, sich nach und nach an frühere Kunden erinnern, vielleicht hier und da in den Autohandel zurückkehren. Er würde genug verdienen, um Miriams Studium zu finanzieren und ihr ein Leben zu ermöglichen, das sich in keiner Weise von dem der Stadtkinder unterschied. Er wollte, dass sie sich in Berlin eine Studentenwohnung leisten konnte, auch, damit sie nicht mehr den Geruch von Susannas Waschmittel an sich trug, wenn sie ihn besuchen kam.

Schaller hatte nachgedacht, und er hatte etwas verstanden. Wichtig war nicht, was er in der Vergangenheit getan hatte, sondern was er in Zukunft tun würde. Statt rückwärtszublicken und Fragen zu stellen, wollte er dafür sorgen, an jedem neuen Tag ein anständiger Mensch zu sein. Ein Vater, der seine Tochter unterstützte. Ein Mechaniker, der gute Arbeit machte. Ein Mann, der niemals zur Gewalt griff, es sei denn, um sich selbst zu verteidigen. Wenn Miriam das nächste Mal vorbeikam, würde er ihr alles erklären. Sie musste einsehen, dass es den vergangenen Schaller nicht mehr gab. Der neue Schaller arbeitete ausschließlich auf eigene Rechnung. Mit Gombrowski hatte er nichts zu tun.

Er öffnete die kleine Gürteltasche, nahm das Handy heraus und suchte nach der Videofunktion. Der Vogelschützer hatte den Graben durchquert, stand am Rand des Hofs und blickte sich um, ohne Schaller im Schatten der Scheune zu entdecken. Diese absurde Szene wollte er für Miriam filmen. Wenn er ihr die Aufnahme zeigte, würde sie einsehen, dass er die Feuer brauchte, um sich gegen seine durchgedrehten Nachbarn zu wehren. Über die Frage, ob es sich trotzdem um eine »Gombrowski-Scheiße« handele, hatte er nachgedacht und konnte sie guten Gewissens verneinen. Dass er die Feuer auf Gombrowskis Bitte für ein paar Stunden gelöscht und danach wieder angezündet hatte, stellte eine Nebensächlichkeit dar. Zumal der Extra-Bonus mit dem Altpapier allein seine Idee gewesen war. Das hier war sein Kampf, und er war nicht derjenige, der angefangen hatte.

Als die Displaybeleuchtung des Handys Schallers Gesicht erhellte, gefror der Vogelschützer zur Statue, die Taschenlampe erlosch. Im Schein der Feuer sah Schaller den Kerl mit eingezogenem Kopf auf der Stelle verharren. Mit seinen hageren Gliedmaßen und der unlogischen Körperhaltung wirkte er wie ein Gegenstand, der keinerlei praktischen Nutzen besaß. Eine Weile geschah nichts, dann gab sich der Vogelschützer einen Ruck und kam ein paar Schritte in den Hof hinein. Schaller beobachtete das seltsame Ballett auf dem Display seines Handys. Auch wenn in der Dunkelheit wenig zu sehen war, würde Miriam den Film lieben.

»Guten Abend«, sagte der Vogelschützer. »Wenn Sie erlauben, würde ich mich gern einmal umsehen.«

Schaller hätte ein Brecheisen oder die Rohrzange aufheben können. Das hier war ein klarer Hausfriedensbruch, und er kannte seine Rechte. Stattdessen nahm er das Telefon in die linke Hand, zündete sich mit der rechten eine Zigarette an und beschloss zu warten, was als Nächstes passierte.

»Was machen Sie mit dem Handy? Filmen Sie mich etwa?«

Dass etwas Besonderes los war, hatte Schaller bereits begriffen. Ohne Grund klingelte Kathrin Kron nicht bei den Vogelschützern, schon gar nicht am späten Abend. Sie war nur ein paar Minuten geblieben und danach so eilig zurückgerannt, als hätte sie einen Topf Milch auf dem Herd vergessen. Schaller hatte überlegt, um was für eine Angelegenheit es sich handeln könne, und schließlich beschlossen, dass ihn die Sache nichts anging. Der Hof war sein Gehäuse, in das er sich zurückziehen konnte wie eine Schnecke.

So wollte er es Miriam erklären: Nur weil er jetzt in Unterleuten lebte, hatte er noch lange nichts mit Gombrowskis Geschäften zu tun. Er und Gombrowski waren quitt, das Vergangene war vergangen und das Vergessene vergessen. Das hier, würde er mit ausgebreiteten Armen zu Miriam sagen, ist die autonome Schaller-Republik, und sie würde lachen und sich auf die Studentenwohnung in Schöneberg freuen.

»Sind Sie taub, Herr Schaller? Ich würde Ihnen gern ein paar Fragen stellen.«

Der Mann schaute eindeutig zu viel »Tatort«. Erstaunlich, wofür sich manche Leute hielten. Westdeutsche besaßen ein unvergleichliches Talent zur Selbstüberschätzung.

»Bestimmt wissen Sie, dass ein Kind verschwunden ist.«

Das war es also. Die jüngste Kron war weg, und deshalb rannte die Mama von Tür zu Tür. Na, die Kleine würde schon wieder auftauchen. Nach allem, was man hörte, war das Mädchen ein ordentlicher Wildfang, stur dazu, also ganz der Großvater. So eine Räubertochter machte eben manchmal Ärger. Miriam war immer ein wahrer Engel gewesen, ausgesprochen vernünftig, schon als kleines Kind.

»Mich würde interessieren, wann Sie das Mädchen zuletzt gesehen haben.«

Der Typ gab keine Ruhe. Stand da im Dunkeln, ohne Einladung in einem fremden Hof, und redete wie ein Fernsehkommissar. Langsam begann er Schaller auf die Nerven zu gehen.

»Vielleicht dürfte ich kurz ins Haus kommen. Auch die Nebengebäude würde ich mir gern ansehen. Wenn Sie nicht wissen, wo sich das Kind befindet, haben Sie bestimmt nichts dagegen.«

Fast wunderte sich Schaller, dass kein metallisches »Kling« ertönte, als der Groschen endlich fiel. Was der Vogelschützer ihm unterstellte, war so absurd, dass er gar nicht darauf gekommen war. Ein kleines Mädchen entführen, ausgerechnet er, der selbst eine Tochter hatte! Wenn der Typ durchs Dorf lief und solche Wahnvorstellungen verbreitete, konnte das Schwierigkeiten geben.

Schaller warf die Zigarette weg. Seine Hand fuhr in die Hosentasche und schloss sich um ein paar Schraubenmuttern.

»Mit Schweigen kommen Sie nicht weiter!« Langsam lief der Vogelschützer zu Höchstform auf. Er hatte die Taschenlampe wieder angeknipst und fuchtelte damit in der Luft herum. »Ich weiß, von wem Sie Ihre Anweisungen bekommen, ich weiß, wessen Spiel Sie spielen! Dass Sie uns vergasen, diese schäbige Erpressung, das ist schon schlimm genug. Aber ein kleines Mädchen – nein!«

Schaller betrachtete die Muttern auf seinem Handteller. 24er, elf Stück, die meisten verdreckt, zwei nagelneu. Er schaltete die Handykamera aus, speicherte die Aufnahme und verstaute das Telefon in der kleinen Gürteltasche.

»Die Scheiße hat jetzt ein Ende«, rief der Vogelschützer. »Sie haben die längste Zeit in Ihrem verdreckten Loch gesessen und Terrorist gespielt. Lassen Sie mich ins Haus!«

Schaller holte aus, die erste Mutter sauste durch die Luft. Der Kerl gab einen erschrockenen Laut von sich; ein gutes Stück weiter hinten klimperte es im Hof. Die nächsten Muttern warf Schaller in schneller Folge. Der Vogelschützer schrie vor Schmerzen auf, Schaller sah, wie er sich den Kopf hielt.

»Das werden Sie bereuen! Denken Sie an meine Worte!«

Als Schaller ein weiteres Mal zielte, drehte sich der andere um und rannte. Er wich einer Feuerstelle aus, stolperte durch den Graben und verschwand in der Dunkelheit. Es folgte ein Augenblick massiver Stille. Der Himmel über dem Hof war gesprenkelt von Sternen.

36 Fließ-Weiland

Sie kannte den Kneipen-Revolutionär mit Freude an Rotwein und Weltformeln. Sie kannte den fortschrittsmüden Melancholiker, der vor einem entkernten Altbau in Tränen ausbrechen konnte. Den Soziologiedozenten, der flammende Reden gegen die Realitätsferne der Luhmann'schen Theorie hielt. Seit Neuestem kannte sie auch den zufrieden vor sich hin werkelnden Heimgärtner, den engagierten Naturschützer und den Exil-Intellektuellen, der am Küchentisch über das völlig unerforschte Phänomen von Rousseau'schen Nischen im ländlichen Raum spekulierte und in der Lage war, Unterleuten als »anarchische Achselhöhle eines überregulierten Gesellschaftskörpers« zu bezeichnen.

Den Feldherren hingegen kannte sie noch nicht. Er war peinlich. »Hol mir mal die Taschenlampe«, hatte er mit finsteren Brauen und eckigem Unterkiefer gerufen. Anscheinend ging er davon aus, dass Jule mit dem Baby zu Hause bleiben würde, während er auszog, um die Welt zu retten.

Aber sie hatte es im Haus nicht ausgehalten. Ein kleines Mädchen war verschwunden. Wenn sich Jule vorstellte, auch nur für zehn Sekunden nicht zu wissen, wo Sophie sich befand, explodierte ihr die Panik in Kopf und Bauch. Nachdem Gerhard das Haus verlassen hatte, war sie ins Schlafzimmer gegangen, hatte Jeans und Turnschuhe angezogen, das Baby aus seinem Bettchen gehoben und im Tragetuch vor die Brust gebunden. Glücklicherweise verfügte der Haushalt über mehr als eine Taschenlampe.

Als Jule das Jagdhaus erreichte, waren auf der dunklen Lichtung bereits an die zwanzig Menschen versammelt. Der nächtliche Wald bildete eine dramatische Kulisse, die an das Geheimtreffen einer seltsamen Sekte denken ließ. Kathrin Kron hielt sich abseits, hatte die Arme um den Körper geschlungen und starrte ins Leere. Die anderen bildeten einen weiten Halbkreis um den alten Kron, dem Angst und Mondlicht tiefe Schatten ins Gesicht schnitten. Neben Kron, hoch aufgerichtet wie ein Adjutant, stand Gerhard, eine Schwellung über dem linken Auge, die sich Jule nicht erklären konnte. Vielleicht war er auf dem Weg hierher gegen einen Ast gerannt. Als er Jule bemerkte, grüßte er mit einem knappen Nicken, fast wie ein Fremder.

Seit ein paar Tagen spürte sie, wie sie innerlich von Gerhard abrückte. Der Mann, den sie geheiratet hatte, war ein Beobachter, kein Anführer gewesen. Er suchte Begriffe für das, was andere Menschen taten. Seit Neuestem aber steigerte sich Gerhard in Verschwörungstheorien hinein, träumte von Mord und Totschlag und wirkte geradezu glücklich, die große Bühne vor der eigenen Haustür zu finden. Als böten die Windmühlen seinem politischen Unbehagen endlich ein passendes Ziel.

Auch jetzt machte er Politik, während es doch nur darum gehen konnte, das kleine Mädchen so schnell wie möglich nach Hause zu bringen. Er hielt sich dicht neben Kron, als wäre er mit unsichtbaren Gummibändern an ihn gefesselt, neigte sich dem Alten zu und wechselte ein paar leise Worte mit ihm. Kron nickte und erteilte Gerhard mit ungeduldiger Geste das Wort, worauf sich dieser an die Gruppe wandte.

»Wir bilden eine Kette, die Abstände möglichst groß, aber

immer so, dass jeder seine Nebenmänner noch sehen kann. Ruft nach Krönchen, aber nicht zu oft, damit wir hören, ob Antwort kommt. Benutzt eure Taschenlampen, sie könnte etwas verloren oder ein Zeichen hinterlassen haben. Richtungsbefehle kommen von mir und werden durch die Kette weitergereicht. Wir bewegen uns zunächst ein Stück Richtung Westen und begehen einen breiten Streifen entlang des Waldrands. Danach wenden wir und ziehen eine parallele Bahn. Auf diese Weise arbeiten wir uns immer tiefer in den Wald hinein. Noch Fragen?«

»Warum schauen wir nicht mal beim Indianer vorbei?«, fragte ein junger Kerl im karierten Hemd. »Weiß doch keiner, was der so alles in seinem Tipi versteckt.«

»Oder gleich beim fetten alten Hund!«, rief ein anderer.

Jule sah, wie sich Kathrin ein wenig krümmte, als hätte sie einen Stoß in den Magen bekommen.

»Wir vermuten, dass Krönchen versucht hat, durch den Wald zu ihrem Opa zu laufen«, sagte Gerhard.

Lügner, dachte Jule. Du glaubst doch selbst nicht, dass sich das Mädchen verirrt hat. Du absolvierst hier nur eine spektakuläre Pflichtübung, um dich bei den Krons einzuschleimen. In Wahrheit bist du sicher, dass die Kleine bei Gombrowski im Kartoffelkeller sitzt.

»Wir verschwenden unsere Zeit«, rief der Karierte.

»Wir bündeln unsere Kräfte«, sagte Gerhard. »Ich bitte um Ruhe und Geschlossenheit.«

»Schnauze jetzt!«, schrie Kron. »Abmarsch!«

Endlich setzte sich der Tross in Bewegung. Taschenlampen wurden eingeschaltet, Menschen liefen hin und her und suchten ihre Position. Gerhard war überall, rannte quer über die Lichtung, gab Kommandos und organisierte die Kette. Als er an Jule vorbeikam, blieb er stehen und sah kurz über die Schulter, ganz der engagierte Verschwörer.

»Schaller hängt mit drin«, flüsterte er. »Ich war bei ihm. Er hat mich mit Metallteilen beworfen.«

Flüchtig zeigte er auf sein Gesicht, entschied sich allerdings für das falsche Auge. Bevor Jule etwas erwidern konnte, hatte er sich heruntergebeugt, das schlafende Baby auf den Hinterkopf geküsst und ihr noch einmal zugezwinkert, als teilten sie ein Geheimnis. Dann war er wieder verschwunden.

Kurz darauf rief seine Stimme in einiger Entfernung: »Los!«

Der Ruf wurde weitergegeben, »Los!«, »Los!«, und als Jule an der Reihe war, rief auch sie »Los!« und setzte sich mit den anderen in Bewegung, auf die dunkle Wand aus Bäumen zu.

Es tat gut zu gehen, die Nervosität verlangte nach einer Richtung. Jeder Schritt brachte sie der Rettung von Krönchen näher. Auch wenn Gerhard glaubte, dass es sich bei der Suchaktion nur um ein Spiel handelte, das absolviert werden musste, bevor Kathrin und ihr Vater einsahen, wo sich die Kleine tatsächlich befand – Jule war sicher, dass sie genau das Richtige taten. Krönchen lag irgendwo mit verstauchtem Fuß in einem Graben oder eingeklemmt unter einem großen Ast. Gombrowski war genauso wenig Mörder wie Kindesentführer. Schließlich ging es hier nur um zehn läppische Windmühlen. Kein Mensch entführte ein Kind, weil er einen landwirtschaftlichen Betrieb vor der Insolvenz bewahren wollte.

Als sie den Kiefernforst verließen und in den Mischwald eindrangen, erwartete sie eine neue Form von Dunkelheit. Die Baumkronen schirmten das Mondlicht ab. Jule band das Tragetuch fester und senkte den Strahl der Taschenlampe auf den Boden. Er war bedeckt von heruntergefallenen Ästen. Hier und da wuchs Gestrüpp, das umgangen werden musste; an manchen Stellen gab die Erde nach und ließ die

Füße in eine mit modrigen Blättern gefüllte Kuhle sinken. Um nicht zu stolpern, hob Jule die Knie wie ein Storch, was schon nach wenigen Schritten anstrengend wurde. Schmerzhaft drückten sich Wurzeln durch die weichen Sohlen der Turnschuhe. Zu beiden Seiten bewegten sich die Lichtkegel der benachbarten Taschenlampen, verschwanden hinter Baumstämmen, tauchten wieder auf, verwandelten den Wald in eine zuckende Geometrie aus Schatten und Licht. Die Kette ging zügig. Anscheinend bereitete das Gelände den anderen weniger Schwierigkeiten als ihr, aber die trugen auch kein Baby vor der Brust, das den Blick auf die eigenen Füße verdeckte. Die Schnürsenkel ihres Schuhs verfingen sich in einer Brombeerranke; um sich zu befreien, musste Jule in die Hocke gehen. Als sie wieder aufrecht stand, waren die anderen bereits ein gutes Stück weiter. Sie beschleunigte die Schritte, rannte fast, um die Gruppe nicht zu verlieren, bis Sophie, die im Tragetuch auf und nieder hüpfte, zu quengeln begann. Zwischen Mutter und Baby staute sich der Schweiß.

»Krönchen!«, rief Jule, so laut sie konnte, und wunderte sich, wie schwach ihre Stimme zwischen den Bäumen klang. Der Wald wies sie ab, als wollte er nichts mit ihr zu tun haben. Sie wusste nicht, wie lange sie gegangen waren, als der erste Befehl ertönte.

»Nach links wenden und hintereinandergehen«, rief die Frau zur Rechten und hatte die Anweisung auch schon ausgeführt. Jule stolperte ihr nach, dachte noch rechtzeitig daran, den Befehl weiterzugeben, und rief über die Schulter: »Nach links und hintereinander!«

Dieses Mal dauerte es nur Minuten, bis die nächste Ansage kam.

»Noch einmal neunzig Grad links und wieder geradeaus.«

Die Kette hatte sich ein Stück tiefer in den Wald geschoben und gewendet. Jule musste zugeben, dass Gerhard seine Sache nicht schlecht machte. Es passierte ihr immer wieder, dass sie ihn unterschätzte. Bei aller Liebe zur Theorie erwies er sich als erstaunlich praktisch veranlagt. Bei jüngeren Männern war es meist umgekehrt. Sie investierten gewaltige Ressourcen in souveränes Auftreten und riefen ihre Eltern an, wenn es darum ging, eine Waschmaschine anzuschließen.

Jule versuchte, stolz auf sich zu sein. Welche ihrer Berliner Freundinnen würde nachts ihr Baby aus dem Bett holen und in den Wald laufen, um einer Nachbarin bei der Suche nach einem verschwundenen Mädchen zu helfen? Zumal es kaum jemand aus ihrem Bekanntenkreis bislang zu einem Kind oder auch nur zu einer festen Beziehung gebracht hatte. Sie hingegen hatte einen tollen Mann, ein gesundes Baby und ein schönes Haus.

Alles war gut – das erzählte sich Jule seit Tagen, und trotzdem wuchs das Gefühl, auf einer schiefen Ebene langsam Richtung Abgrund zu gleiten. Daran war nicht einmal das Tier von nebenan schuld, sondern die Tatsache, dass ihrer neuen Rolle schon wieder etwas Fadenscheiniges anhaftete. Seit dem Gespräch mit Gombrowski funktionierte die aktive, politisch engagierte junge Mutter nicht mehr. Was als Nächstes kommen sollte, wusste Jule nicht. Vielleicht könnte sie sich in Linda Franzen verlieben und an dieser verborgenen Neigung auf identitätsstiftende Weise leiden.

In Wahrheit verspürte sie Lust, alle Rollenspiele auf den Müll zu werfen und sich zu einer einfachen Formel zu bekennen: Sie hatte ihren Beruf aufgegeben, ihren Freunden den Rücken gekehrt und war in ein Dorf gezogen, in dem sie ewig eine Fremde bleiben würde.

Mit jedem weiteren Schritt wuchsen Erschöpfung und Mutlosigkeit. Sie würden Krönchen nicht lebend finden.

Trotz aller Anstrengung war das bislang abgeschrittene Gebiet lächerlich klein, und die Kräfte schwanden rapide. In allen Knochen fühlte Jule, wie wenig eine Handvoll Menschen gegen die gelassene Größe des Waldes vermochte. Ihre Oberschenkel und Knie schmerzten, Sophies Gewicht wirkte auf Nacken, Schultern und Rücken, und den Augen fiel es immer schwerer, im Geflacker der Taschenlampen den Blick scharf zu stellen. Demnächst würde sie vor Entkräftung zusammenbrechen, vielleicht nur wenige Meter entfernt von Krönchen, die irgendwo im Dunkeln lag und längst aufgehört hatte zu weinen.

Kaum hatte sie diesen Gedanken gefasst, stolperte sie heftig, stürzte halb und fing sich gerade noch an einem Strauch. Dornen drangen in die Kleidung, ein Zweig ratschte durchs Gesicht. Sophie begann zu schreien. Der Wunsch, sich einfach zu Boden sinken zu lassen und liegen zu bleiben, war schier übermächtig. Aber sie hätte allein nicht mehr nach Hause gefunden; jeder Sinn für Orientierung war ihr abhandengekommen.

Gerade hatte sie es geschafft, die anderen einzuholen, als linker Hand Tumult entstand. Die Lichtkegel der Taschenlampen stellten die Vorwärtsbewegung ein, näherten sich einander, leuchteten ziellos umher. Jemand sprach aufgeregt.

Da liegt Krönchen, dachte Jule. Sie haben sie gefunden.

Ihre Füße verwuchsen mit dem Boden. Keine Macht der Welt würde sie näher an die Leiche heranbringen. Die Stimmen wurden lauter, einige der Taschenlampen flackerten dicht beieinander. Dann löste sich eine heraus und kam auf Jule zu. Der Mann, der sie trug, wählte den direkten Weg. Wie ein großes Tier brach er durchs Unterholz. Trotz Sophies Geschrei hörte Jule ihn fluchen. »Vollidioten, unfähiges Pack.« Sie wollte ihm ausweichen, konnte die Beine aber immer noch nicht bewegen. Erst als er direkt vor ihr stand, erkannte sie Kron. Er wollte zu ihr.

»Ist nicht gerade hilfreich, so ein plärrendes Balg!«, schrie er. »Was stolperst du überhaupt hier herum? Hältst du das für einen Familienausflug?«

Während Sophie im Tragetuch erschrocken verstummte, begann Jule ohne Vorwarnung zu weinen. Kein Schluchzen, kein zuckendes Zwerchfell, einfach salziges Wasser, das ihr aus den Augen lief. Kron verschwamm, das Licht seiner Taschenlampe brach sich zu großen Sternen. Eine Hand packte ihren Arm und zerrte daran. Jule schrie auf, mit der Linken presste sie Sophie an die Brust.

»Nicht auf die Füße leuchten!« Kron schüttelte Jule wie eine Puppe. »Wenn du hier irgendetwas finden willst, musst du die Lampe hochhalten. Bist du wirklich so blöd?«

Ein Schauer aus feinen Speicheltropfen traf ihr Gesicht. Im gleichen Augenblick lenkte ein Stoß den Strahl von Krons Taschenlampe ab.

»Sie fassen meine Frau nicht an!«, brüllte Gerhard. »Verstanden?«

Kron taumelte zurück, schimpfte aber ohne Unterbrechung weiter.

»Planloses Rumgeraschel im Wald. Zu große Abstände, keine Konzentration. Eher würdet ihr sie tottrampeln als finden!«

»Wir sind hier, um Ihnen zu helfen!«

»Das soll Hilfe sein?«

Kron blickte um sich wie ein gehetztes Tier zwischen Jägern. Noch nie hatte Jule einen Menschen so schwitzen sehen. Das schüttere Haar klebte an der Kopfhaut, an den Schläfen sammelten sich dicke Tropfen. Das Hemd war nass wie aus dem Wasser gezogen. Obwohl Kron vor Erschöpfung zitterte, konnte er die Füße nicht stillhalten.

»Ihr freut euch doch, dass sie weg ist! Ihr habt mich immer gehasst. Und jetzt Krönchen. Wenn sie … Oh Gott.«

Krons Stimme brach. Jule fiel auf, dass er seine Krücke nicht dabeihatte. Den kranken Fuß schien er kaum noch belasten zu können, sein Gang glich einem einbeinigen Hüpfen.

»Hören Sie«, sagte Gerhard. »Die Kette funktioniert gut. Lassen Sie uns noch eine halbe Stunde weitermachen.«

»Und dann?«, rief eine Frau aus der Dunkelheit.

Inzwischen war die gesamte Suchmannschaft herangekommen. Die meisten hatten ihre Lampen ausgeschaltet, um die Batterien zu schonen. Einige verfolgten mit verschränkten Armen den Streit, andere lehnten unbeteiligt an den Bäumen oder hatten sich auf Stümpfen niedergelassen, die Beine von sich gestreckt.

»Gehen wir zum Indianer«, rief der Junge im karierten Hemd.

»Wo ist Krönchen?«, keuchte Kron.

Als er sich nach einem langen Ast bückte, wich Gerhard zurück und hob beschwichtigend die Hände.

»Nicht anfassen«, rief Kathrin. »Lasst ihn einfach in Ruhe!«

Aber Kron beachtete weder sie noch Gerhard. Er benutzte den Stock als Krücke, rammte ihn in den weichen Boden, sprang einen Schritt und schwang den Stock nach vorn. Während er Jule passierte, sah sie sein Gesicht aus der Nähe, eine Maske der Verzweiflung. Jeder neue Schritt presste ihm einen Schmerzenslaut aus der Brust.

»Krönchen!«, schrie er zwischen den Sprüngen. »Krönchen!«

Dann fraß ihn die Dunkelheit.

»Geht zu Arne«, rief Kathrin, schon im Begriff, ihrem Vater nachzulaufen. »Habt ihr verstanden? Keiner folgt uns!«

Sekunden später war auch sie verschwunden. Die Gruppe stand wie betäubt. Niemand regte sich, niemand sprach. Als hätte das Verschwinden von Kron und Kathrin einem mehrköpfigen Wesen das Herz herausgerissen.

Jule löste sich als Erste aus der Erstarrung. Sie lief zu Gerhard und warf sich in seine Arme. Er roch gut. Nicht nach Politiker oder Feldherr, sondern wie ein Mann, der sie liebte, der stolz auf sie war, egal, was sie tat, und der sie jederzeit gegen jedermann verteidigen würde. Sie wollte nichts mehr denken und niemand mehr sein. Sie wollte stillhalten, während Gerhard ihren Rücken streichelte und Sophie im Zentrum der Umarmung wohlig seufzte.

37 Seidel

Seit Barbaras Tod hatte das Haus nicht mehr so viele Menschen gesehen. Das Krankenhaus zu verlassen, um zwischen den eigenen Wänden zu sterben, war am Ende das Einzige gewesen, das ihr zu wünschen übrig blieb. Wo heute Arnes Schreibtisch stand, hatte er seiner Frau damals das letzte Bett bereitet. Jedes Mal, wenn sie aus dem Morphiumschlaf erwachte, bat sie darum, das Fenster zu öffnen und die Gerüche und Geräusche des Waldes einzulassen. Eines späten Abends, als er wie immer an ihrem Bett saß und ihren Schlaf bewachte, griff sie plötzlich nach seiner Hand und sah ihm in die Augen, so unbeirrt, als gäbe es kein Morphium, keinen Krebs und kein gefräßiges Nichts, das sie schon fast verschlungen hatte.

»Hörst du, Arne«, sagte sie, »da läuft ein Igel durch den Garten«, und Arne stand an ihrer Stelle auf, ging zum Fenster, schaute in die Dunkelheit und log für sie:

»Es sind sogar vier Stück. Eine Mutter und drei Junge.«

Über Barbaras Gesicht breitete sich ein glückliches Lächeln, und als Arne wieder an der Bettkante saß, war sie nicht mehr da, für immer gegangen, ihren unbelebten Körper zurücklassend wie ein nicht mehr benötigtes Kleidungsstück. Noch einen Tag lang hatte sie dort unter dem Fenster gelegen, hübsch zurechtgemacht von den Mitarbeitern des Beerdigungsinstituts, und genau wie heute hatten Menschen entlang der Wände gestanden, mit hängenden Köpfen, die Hände verschränkt oder in die Taschen geschoben, sprachlos, hilflos, nutzlos, mit nicht mehr im Angebot als ihrer schieren Gegenwart.

Unfassbar, dass seitdem 20 Jahre vergangen sein sollten. Wenn Arne wollte, konnte er sich Barbaras Gesicht so deutlich vor Augen rufen, als wäre sie nur kurz aus dem Raum gegangen, um den vielen Gästen etwas zu trinken zu holen. Mit der Zeit war der Schmerz stumpfer geworden, aber der Verrat glühte noch immer grell wie am ersten Tag. Der Anblick einer betroffen schweigenden Besuchergruppe in diesem Raum brachte alles zurück, die Trostlosigkeit, die Verzweiflung, die bohrende Gewissheit von der Sinnlosigkeit allen Seins, auch wenn anstelle eines Totenbetts heute der Schreibtisch am Fenster stand und die Besucher nicht wie Trauergäste, sondern eher wie Landstreicher aussahen, schmutzig, erschöpft, mit Tannennadeln in den Haaren. Durch das offene Fenster drängte die Nacht herein und flüsterte mithilfe von Wind und Zweigen: »Was ist, wird nicht sein.« Arne ging in die Küche und stellte Schnaps und Gläser für zehn Personen auf ein Tablett.

Als er zurückkam, hatte Kathrin im Besuchersessel wieder zu weinen begonnen, während Kron in unveränderter Haltung am Schreibtisch saß und apathisch vor sich hin starrte. An den Wänden lehnte jener Teil des Suchtrupps, der sich hartnäckig geweigert hatte, nach Hause zu gehen. Gerhard und Jule Fließ mit ihrer kleinen Tochter. Björn, Heinz und Jakob, die immer zur Stelle waren, wenn der alte Kron zum Appell rief. Verena, die als Tierärztin nach der Wende Arnes Job in der Ökologica übernommen hatte. Ingo hatte das karierte Hemd in die Hose gestopft, als wollte er dem Anlass einen gewissen Respekt zollen. In der Stille erzeugten

Insekten, die unablässig durchs offene Fenster hereinkamen und sich zu Hunderten am Glas der Deckenlampe sammelten, einen elektrisch summenden Lärm.

Was fehlte, war ein Mann, der die weinende Kathrin hätte in den Arm nehmen können. Wolfi hatte sich nicht am Suchtrupp beteiligt, weil er, wie er sagte, zu Hause die Stellung halten musste, und Arne stand es nicht zu, die erwachsene Frau Kron-Hübschke zu trösten. Es brach ihm das Herz, sie in dieser Verfassung zu sehen. Als er gegen acht Uhr erfahren hatte, dass Krönchen verschwunden war, hatte er einen Satz geäußert, den sie vermutlich an vielen Haustüren zu hören bekam: »Die taucht schon wieder auf, weit kann sie ja nicht sein.« Jetzt war es zwanzig vor eins, und Arne musste sich eingestehen, dass ihm langsam mulmig wurde. Nach wie vor war er überzeugt, dass die kleine Diva davongelaufen war, um ihren Eltern eins auszuwischen. Leider hieß das nicht, dass ihr nichts zugestoßen sein konnte.

In der Stille schwang ein unheilvoller Unterton. Arne wusste, was kommen würde, er wusste nur noch nicht, wie er es verhindern sollte. Wenn nicht bald etwas geschah, würde es schwierig werden, das Dorf ruhig zu halten. Zum ersten Mal im Leben hatte er entschieden, dass es das Beste war, die Polizei anzurufen. Jetzt galt es, auf Zeit zu spielen. Die Dienststelle in Plausitz würde mindestens eine Dreiviertelstunde brauchen, um zwei Leute zu aktivieren. Bis dahin wollte er dafür sorgen, dass niemand den Raum verließ.

Er war noch mit dem Befüllen der Schnapsgläser beschäftigt, als es losging.

»Du hattest auch schon mal mehr Dampf auf dem Kessel, Kron«, sagte Ingo.

Kron blickte weiter stur vor sich hin und verriet durch kein Zeichen, ob er Ingo überhaupt gehört hatte.

»Ich denke, so langsam könnten wir mal rübergehen«, sagte Heinz.

»Oder wollen wir ewig hier rumsitzen?«, fragte Björn.

Kathrin schaute auf, die Wangen nass von Tränen.

»Ich war doch an allen Türen«, sagte sie.

»Auch beim fetten alten Hund?«, fragte Heinz.

»Natürlich«, sagte Kathrin.

»Und was meinte er?«

»Dass wir Bescheid sagen sollen, wenn er helfen kann.«

»Will der sich lustig machen?«, fragte Ingo laut.

»Warum war er dann nicht mit im Wald?« Jakob ließ die Schnapsflasche, mit der Arne hantierte, nicht aus den Augen.

»Was glaubst du denn?« Kathrin wischte sich übers Gesicht und deutete mit dem Kinn auf ihren Vater. »Der und Papa?«

Während die Stimmung immer gereizter wurde, wahrte Kron sein für ihn völlig untypisches Schweigen. Arne begann sich zu fragen, ob der Alte bei sich war, als er einen Blick auffing, den Kron seiner Tochter zuwarf, woraufhin diese warnend den Kopf schüttelte. Das war es also. Kathrin hatte sich ausnahmsweise dazu durchgerungen, ihrem Vater eine Ansage zu machen. Gutes Mädchen. Vielleicht hatte sie ihm gedroht, ihn nie wieder zu besuchen, wenn er nicht die Klappe hielt. Oder dass er nicht mehr mit Krönchen in den Wald gehen durfte. Falls die Kleine wieder auftauchte. – Natürlich taucht sie wieder auf, korrigierte sich Arne, die Frage war ja nur, wann, beziehungsweise – an dieser Stelle wollte er nicht weiterdenken – in welchem Zustand.

»Waren Sie auch bei Bodo Schaller?«, fragte Fließ gerade.

»Da hat keiner aufgemacht«, sagte Kathrin.

»Wenn ich etwas zu bedenken geben darf.« Fließ hob den Finger. »Falls Gombrowski etwas mit der Sache zu tun hat, würde er das Kind niemals bei sich zu Hause verstecken. Als ich vorhin Herrn Schaller nach Krönchen befragen wollte, hat er ausgesprochen aggressiv reagiert.«

»Oder beim Indianer!«, rief Ingo. »Vielleicht hat der alte Hund sie beim Indianer versteckt!«

»Was hast du immer mit dem Indianer?«

»Der ist ein Spinner!«

»Bist doch selbst ein Spinner!«

»Ist doch völlig klar, dass der alte Hund sie hat!«, schrie Björn, die anderen übertönend. »Keiner weiß, wo, aber irgendwo hat er sie!«

Arne atmete aus und zwang sich, so lange nicht wieder einzuatmen, bis sich sein Herzschlag beruhigte, eine Methode, die in vielen kritischen Situationen seiner Bürgermeisterlaufbahn Wunder bewirkt hatte.

»Wir trinken jetzt erst mal einen«, sagte er und machte sich daran, die Gläser zu verteilen.

Alle außer Jule griffen zu, jemand sagte »Wohlsein«, alle tranken, so dass Arne gleich mit dem Nachfüllen beginnen konnte.

»Was ist los mit dir, Kron«, fing Ingo wieder an. »Deine Enkelin ist weg, und du sitzt hier rum wie eine Kuh, wenn's donnert.«

»Lass gut sein, Ingo«, sagte Arne.

»Herr Seidel möchte eine Eskalation vermeiden.« Fließ nickte wohlwollend in Arnes Richtung, als wäre er der Chef und Arne Mitarbeiter des Monats. »Trotzdem sollten wir die Option Gombrowski nicht aus den Augen verlieren. Zumindest müssen wir ausschließen, dass er etwas weiß. Erst dann können wir sinnvoll weitersuchen.«

Die anderen sahen sich an, offensichtlich machte die Tonlage des Vogelschützers Eindruck. Sei doch einfach still, du Penner, dachte Arne. Noch eine halbe Stunde Ruhe brauche ich. Das muss doch zu schaffen sein.

»Sehr nett, dass Sie sich engagieren, Herr Fließ«, sagte er laut. »Aber ich würde Sie bitten, die Regelung der Angelegenheit mir zu überlassen.«

»Und was regelst du Tolles? Du machst doch gar nichts!«, platzte Kron heraus. Erschrocken sah er zu seiner Tochter hinüber, die ihn aber nicht zurechtwies, sondern nachdenklich Fließ betrachtete, der sich, ermutigt durch Krons Einwurf, von der Wand abstieß.

»Ich schlage vor, dass wir eine neutrale Kommission bilden. Herr Seidel und ich suchen Herrn Gombrowski auf und stellen ihn zur Rede.«

»Wir treten dem alten Hund die Tür ein und durchsuchen die Bude!«

»Da werden wir Krönchen schon finden.«

»Und wenn er nicht reden will, hauen wir ihm ein paar aufs Maul.«

»Verdient hat er es schon lange.«

»Schluss damit!« Arne hob die Stimme, um das Geschrei zu übertönen. »Wir sind hier nicht im Wilden Westen.«

»Wir sollten auch an das Kind denken«, sagte Fließ. »Sie befindet sich schon ...«, er sah auf die Uhr, »seit fünf Stunden, also, möglicherweise in Gefangenschaft.«

»Ich denke an nichts anderes!«, schrie Kathrin und fing wieder an zu weinen, dieses Mal so heftig, dass es ihren ganzen Körper schüttelte.

»Kathrin!« Kron hatte sich vorgebeugt, um seiner Tochter ins Gesicht zu sehen. »Du hast gesagt, es ist deine Entscheidung. Aber dann musst du auch was entscheiden!«

»Nicht, Kathrin«, sagte Arne bittend. »Lass mich das machen.«

Aber sie ignorierte ihn.

»Dann geht eben!«, rief sie. »Ich weiß doch auch nicht ...«

Der Rest des Satzes ging in Schluchzen unter. Kron war sofort auf den Beinen. Der ganze Raum geriet in Bewegung. Scheiße, dachte Arne. Verdammter Mist.

»Auf geht's!«

»Aber nicht mit leeren Händen!«

»Nehmt euch 'ne Schaufel mit!«

»Halt!«, schrie Arne. »Niemand geht irgendwohin!«

»Was hast du denn zu melden?«

»Die Polizei wird gleich hier sein.« Das klang schwach, brachte aber immerhin den Aufbruch aus dem Takt.

»Du hast die Bullen angerufen?«

»Aus Plausitz brauchen sie vierzig Minuten«, sagte Arne. »Mit Blaulicht dreißig.«

»Scheiß doch auf die!«, rief Heinz. »Wir gehen jetzt!«

»Wenn hier irgendwer zu Gombrowski marschiert, zeig ich ihn an«, sagte Arne. »Wegen Hausfriedensbruch, versuchter Körperverletzung und haste nicht gesehen.«

Er wusste selbst, dass solche Drohungen niemanden beeindruckten, aber er musste Zeit gewinnen. Jede Minute zählte.

»Jetzt halt mal die Luft an.« Kron baute sich vor ihm auf. Der Alte war endgültig von der Leine. Seine Stimme überschlug sich wie das wütende Bellen eines Hunds. »Du bist doch schuld, dass Krönchen weggelaufen ist! Weil sie wegen dir nicht mehr im Garten spielen darf!«

»Wie denn jetzt?« Arne wischte sich Krons Speichel aus dem Gesicht. »Weggelaufen oder entführt?«

»Erst ist sie weggelaufen, dann hat Gombrowski sie geschnappt. Weil du deinen Nachbarn wegen ein bisschen Rasenmähen und Kindergeschrei das Scheißhaus blockierst!«

»Seid ihr bald fertig?« Heinz hielt sich neben Ingo und Björn zum Aufbruch bereit, während Fließ hilflos in der Nähe des Schreibtischs stand, beide Hände erhoben und blass um die Nase, ein Zauberlehrling, dem die gerufenen Geister über den Kopf wuchsen.

Kathrin war im Besuchersessel zusammengesunken, Jule Fließ hatte sich auf den Boden gesetzt und angefangen, ihr Baby zu stillen, während sich Jakob ein Glas nach dem anderen aus der Bromfelder-Flasche einschenkte und schon nicht mehr recht mitbekam, was um ihn herum geschah. Gern hätte Arne einen Moment innegehalten und das Tableau ein wenig länger betrachtet. Der Raum wirkte wie die Bühne eines seltsamen Theaterstücks, und er fragte sich, ob Wolfi so etwas schrieb, falls er überhaupt jemals etwas zustande brachte.

»Du steckst doch mit Gombrowski unter einer Decke«, schrie Kron. »Genau wie die Polizei. Weiß doch keiner, wo der alte Hund überall Beziehungen hat!«

Das war ein guter Augenblick für den Durchmarsch. Ohne Vorwarnung schlug Arne einen Haken, stieß den glotzenden Heinz beiseite, schloss die Tür von innen ab und schob den Schlüssel in die Tasche.

»Jetzt regen wir uns alle mal ab«, sagte er.

»Du sperrst mich nicht ein, du verdammter Gombrowski-Lakai!«

Kron humpelte auf Arne zu. Als er strauchelte, nutzte Arne den Moment, um sich zwischen Schreibtisch und Fenster in Sicherheit zu bringen und den Schlüssel unbemerkt unter einen Poststapel zu schieben.

»Haltet ihn fest!«, brüllte Kron.

Björn und Heinz nahmen Arne in die Zange, während Ingo an der Türklinke rüttelte wie ein Kind unter Hausarrest. Als die beiden Alten nach seinen Armen griffen, spürte Arne, wie wenig Kraft sie noch besaßen und dass es trotzdem reichte, um einen wie ihn zu überwältigen. Drei ringende Greise, dachte er. Wenn es einen Gott gibt, holt der sich gerade die nächste Tüte Popcorn und hat schon Seitenstechen vor Lachen.

»Du gibst mir jetzt den verdammten Schlüssel.« Kron war herangehüpft und machte sich an Arnes Kleidung zu schaffen. Während seine Finger erfolglos Arnes Hosentaschen durchsuchten, hatte dieser Zeit, sich wieder einmal darüber zu wundern, dass es ihm nicht gelang, Unterleuten zu hassen. Ganz egal, was passierte, er war dazu verurteilt, dieses Dorf und seine Menschen zu lieben.

Dann schlossen sich Krons Finger um seinen Hals.

Es wurde still, als hielte jeder im Raum gemeinsam mit Arne die Luft an. Schon nach wenigen Sekunden begannen rote Sterne vor seinen Augen zu tanzen. Das glaube ich jetzt nicht, dachte er. Das erlebe ich nicht wirklich. Seine Arme begannen, unkontrolliert durch die Luft zu fahren. Björn und Heinz wurden beiseitegeschleudert, Kron ließ trotzdem nicht los.

»Gombrowski hat das Kind doch gar nicht.«

Eine bislang ungehörte Stimme, wie ein neues Instrument im Orchester, von der Partitur nicht vorgesehen.

»Ihr verdammten Idioten«, fügte Jule hinzu.

Krons Finger lösten sich, Arne sog Luft ein und massierte sich den Kehlkopf. Kron hatte sich Jule zugewandt wie ein Stier, der von einem zweiten Matador angegriffen wird.

»Was redest du da?«

»Gombrowski hat nichts damit zu tun.«

»Woher willst du das wissen?«

»Sie weiß gar nichts.« Fließ war vor Kron getreten, um klarzustellen, dass er ihn keinen Zentimeter näher an seine Frau heranlassen würde. Jule saß auf dem Boden wie die heilige Jungfrau mit dem Kinde, im Zentrum aller Aufmerksamkeit.

»Gombrowski ist ein guter Mensch.«

Der Satz schien alle Energien zu absorbieren. Ratlosigkeit flutete den Raum wie eine gasförmige Substanz. Ingo rüttelte nicht mehr an der Klinke, Jakob stand reglos mit der halb leeren Bromfelder-Flasche in der Hand. Kron war in sich zusammengefallen. Die Wut war aus ihm gewichen und hatte einen alten, tödlich überanstrengten Mann hinterlassen. Arne sah Krons gefleckte Kopfhaut zwischen den grauen Haarsträhnen. Die wie Baumrinde gefurchte Stirn. Die geröteten Augen, die sich plötzlich mit Tränen füllten. Kron schlug die Hände vors Gesicht. Sie standen betroffen. Der Anblick des weinenden Greises war schwer zu ertragen.

»Kathrin! Kathrin!«

Die Stimme kam von draußen. Arne wandte den Kopf und sah hinaus. Drüben lief eine Gestalt durch den dunklen Garten, flankte über den Zaun und kam direkt auf das offene Fenster zu. Wolfi schwenkte die Arme über dem Kopf, und als Arne sah, wie er strahlte, fiel ihm der sprichwörtliche Stein vom Herzen, groß wie ein Kinderkopf.

»Kathrin! Sie ist wieder da!«

Die Uhr auf dem Schreibtisch schlug eins. Von weit her glaubte Arne den Klang eines Martinshorns zu vernehmen, ohne sagen zu können, ob sich das Fahrzeug näherte oder entfernte.

38 Kron

Zum ersten Mal im Leben war Kron froh über die Schmerzen in seinem Bein. Während der vergangenen Stunden hatten sie ihn bis an den Rand des Wahnsinns gebracht und gerade dadurch verhindert, dass er den Verstand verlor. Jedes Mal, wenn er den rechten Fuß belastete, fuhr ihm ein Messer vom Knie hinauf bis in die Hüfte. Der Schmerz zog ihm den Magen zusammen und explodierte hinter seiner Stirn. Jeder Schritt hatte die Bilder eines von Wildschweinen zertrampelten Krönchens verdrängt und ihm den Namen jenes Mannes ins Gedächtnis gerufen, dem das kaputte Bein, obwohl es immer noch an Kron festgewachsen war, seit zwanzig Jahren gehörte: Gombrowski.

Wie ein schmutziges, kaputtes Werkzeug lehnte Kron in der Ecke von Kathrins Wohnzimmer, in dem alles aus sauberen Stoffen und glatten Oberflächen bestand. Seine Stiefel hatten erdige Flecken auf dem Teppich hinterlassen; rings um seine Hand, die sich auf das Sideboard stützte, kondensierte der Schweiß. Das Einzige, was Kron empfinden konnte, war Scham darüber, dass er Kathrins gepflegtes Haus mit seiner Anwesenheit befleckte. Er glaubte schon, ihre genervte Stimme zu hören: »Ach, Papa!« Dabei nahm sie ihn in diesem Moment gar nicht zur Kenntnis. Sie hatte nur Augen für Krönchen.

Kron war kein Mann, der sich Illusionen machte. Er wusste, dass seine Tochter ihn hasste. Im dunklen Inneren von Kathrins vermeintlicher Liebe wohnte Ungeduld, eine gnadenlose Unfähigkeit, den eigenen Vater so, wie er war, zu ertragen. Diese Ablehnung war das Ergebnis von unzähligen Verletzungen, die Kathrin im Lauf ihres Lebens hatte erdulden müssen. Sie hatte immer geschwiegen. Erst war sie lange Jahre zu jung und dann plötzlich zu alt gewesen, um Anklage zu erheben. Stumm gab sie ihm die Schuld an der Flucht ihrer Mutter, stumm würde sie ihm die Schuld an Krönchens Verschwinden geben.

Er konnte ihr das nicht einmal verdenken. Er wusste, dass es ihm trotz aller Anstrengung niemals gelungen war, ein guter Vater zu sein. Regelmäßig hatte er sich dabei zusehen müssen, wie er die Welt erklärte, statt seine Tochter in den Arm zu nehmen. Statt Vaterliebe hatte er ihr Belehrungen oder Belohnungen angeboten. Die wachsende Distanz zwischen ihnen hatte er mit den äußeren Umständen gerechtfertigt, erst mit zu viel Arbeit, dann mit dem Zusammenbruch der DDR und mit seinem Kampf gegen Gombrowski. Schließlich auch mit Kathrins naiver Bereitschaft, den Kapitalismus als Befreiung zu begreifen. Er hatte sich einzureden versucht, dass die niedergerissene Mauer zwischen Ost und West nun zwischen ihm und seiner Tochter verlaufe.

Trotz allem war sie seinetwegen in Unterleuten geblieben, hatte einen Mann geheiratet, der dumm genug war, das Landleben mit ihr zu teilen, hatte darauf verzichtet, sich einen Ort zu suchen, an dem sie aus sich und ihren Talenten etwas machen konnte. Kron stand in ihrer Schuld, und weder das Haus in der Waldstraße, das er ihr gekauft hatte, noch die Geldscheine, die er ihr manchmal zusteckte, konnten daran etwas ändern. Kathrins Hass war wie eine Seuche, mit der sie das ganze Dorf infiziert hatte. Einen Mann, der von der eigenen Tochter abgelehnt wurde, konnte auch sonst niemand lieben. Er war vogelfrei.

Was ihm blieb, war der Versuch, an seiner Enkelin etwas gutzumachen. Wenn er mit Krönchen im Wald hockte, die Betriebsabläufe eines Ameisenbaus studierte oder einen Mistkäfer bei der Arbeit beobachtete, konnte es vorkommen, dass er plötzlich aus der Zeit fiel, sich im Jahr 1980 wähnte, ein 35-jähriger Brigadeführer im Bereich Pflanzenproduktion, verzweifelt bemüht, seiner kleinen Tochter mithilfe von Ameisen und Mistkäfern die Mutter zu ersetzen. In solchen Momenten erhob er sich schnell, um den Wald nach Beweisen für die Gegenwart abzusuchen – und fand nichts. Für Bäume spielten Jahreszahlen keine Rolle. Egal, was die Menschheit veranstaltete, der Wald stand daneben und schwieg.

Noch vor wenigen Minuten hatte Kron dem Teufel seine Seele versprochen, wenn er nur Krönchen zu ihm zurückbringen würde. Jetzt stand er da und hielt den Blick gesenkt, unfähig, Krönchen ans Herz zu drücken oder auch nur mit einem Winken zu begrüßen. Er war überhaupt nicht in der Lage, sich der Couch zu nähern. Er konnte Krönchens Anblick kaum ertragen, wie sie dort saß, winzig klein und mit verheultem Gesicht, während ihre Eltern vor ihr auf dem Teppich knieten, jeder einen dünnen Arm mit beiden Händen umklammernd, als könnte ihre Tochter davonfliegen, wenn sie den Griff für eine Sekunde lockerten.

Kron erlaubte sich, keinen klaren Gedanken zu fassen. Er hätte nicht einmal sagen können, ob er sich freute. Unbeteiligt wohnte er der Szene bei, fast so, als ginge ihn das Ganze nichts an, als hätte das wiederaufgetauchte Krönchen mit dem verschwundenen Krönchen nichts zu tun. Er hörte Kathrin lachen und weinen und schließlich still werden, als Krönchen zu sprechen begann. Die Müdigkeit zog an allen Gliedmaßen, versprach Bewusstlosigkeit und Vergessen. Wie im Halbschlaf lauschte er Krönchens stockender Stimme und dem Pochen in seinem Bein. Gombrowski, klopfte es, Gombrowski.

»Ist nicht schlimm«, sagte Wolfi. »Erzähl einfach.«

»Weil ihr immer sagt, dass ich leise sein soll«, brach es aus Krönchen heraus. »Ihr habt mich gar nicht mehr lieb!«

»Wir haben dich sehr lieb«, sagte Kathrin. »Erzähl weiter.«

»Da bin ich zu den Katzen gelaufen.«

»Zu den Katzen?«, fragte Wolfi.

»Sie meint: zu Hilde«, sagte Kathrin. »Und dann?«

»Dann hab ich mit den Katzen gespielt.«

»Im Haus?«

»Bei Tante Hilde.«

»Tante Hilde war auch da?«

»Tante Hilde ist immer da.«

»Sie hat dir erlaubt, mit den Katzen zu spielen?«

»Ja.«

»Und dann?«

Krönchen schwieg.

»Sag es, Schatz. Es ist wirklich wichtig, dass du uns die Wahrheit sagst.«

»Tante Hilde hat mich nicht nach Hause gelassen.«

»Wie meinst du das?«

»Sie hat mich eingesperrt. Im Schrank. Oder in einer Kiste. Im Keller. Oder auf dem Dachboden.«

»Sie hat *was* gemacht?«

Als Kron aufsah, hatte Wolfi seiner Tochter den Finger unter das Kinn gelegt und ihr Gesicht zum Licht gehoben. Krönchen verdrehte die Augen, begann mit Armen und Beinen zu zappeln, ganz offensichtlich in Panik, und Kron schaute schnell wieder weg.

»Es war dunkel. Ich hab geschrien, aber keiner hat mich

gehört. Dann hat Tante Hilde gesagt, da sind Ratten und Spinnen, und die kommen, wenn ich Lärm mache. Da hab ich ganz still gesessen. Ich hatte solche Angst.«

»Waren da noch andere Leute?« Plötzlich klang Wolfi eiskalt. »Hast du bei Tante Hilde noch jemanden gesehen? Krönchen!«

Die Kleine fing an zu schreien, ein Ton, der Kron das Gehirn in Scheiben schnitt. Sie riss sich aus der Umklammerung ihrer Eltern, warf sich seitlich auf die Couch und versteckte den Kopf unter einem Sofakissen.

»Lass gut sein«, sagte Kathrin. »Sie steht unter Schock.«

Kron schaute zu, wie Kathrin das wimmernde Kind aus dem Zimmer trug. Die Treppe zum oberen Stockwerk ächzte unter ihren Schritten. Wolfi kniete noch immer auf dem Teppich wie zum Gebet, die Ellenbogen auf die Sitzfläche der Couch gestützt, und sah nachdenklich vor sich hin.

Gombrowski, klopfte das Bein.

Als die Türklingel ging, raffte Kron seine Kräfte zusammen, brachte alles Gewicht aufs linke Bein, stieß sich von der Wand ab und nutzte den Schwung, um hüpfend das Zimmer zu durchqueren.

»Ich mach das«, sagte er zu Wolfi. »Ich wollte sowieso gerade gehen.«

Draußen standen zwei Jugendliche in Uniform. Plausitzer Nachwuchs, glattgesichtig. Junge und Mädchen, frisch von der Polizeischule.

»Die Kleine ist wieder da.« Kron fischte in der Hosentasche nach einem Zwanzig-Euro-Schein. »Tut uns leid wegen dem Fehlalarm.«

Sie nahmen das Geld und zogen die Mützen vom Kopf.

»Kein Problem«, sagte der Junge. »Kinder machen Dummheiten.«

»Ja«, sagte Kron. »Erwachsene auch.«

39 Gombrowski, geb. Niehaus

Da saß ein Gespenst. Von den Toten auferstanden, um plötzlich mitten in der Nacht am Küchentisch zu hocken. Elena hatte Hilde eine halbe Ewigkeit nicht aus der Nähe gesehen und darüber beinahe vergessen, dass sie real existierte. Hilde war der Klang von Gombrowskis betretenem Schweigen gewesen. Ein monatlicher Eintrag in Gombrowskis Kontoauszügen und der wahre Grund von Elenas Doppelkopf-Leidenschaft. Hilde war ein Schatten hinter den Fenstern des Nachbarhauses, ein schlafendes Phantom unter einem Dach, auf das Elena morgens um fünf faustgroße Steine schleuderte. Hilde war die Sprachlosigkeit in Elenas Ehe, die unsichtbare Dritte im Doppelbett, das stumme Gelächter in ihren trostlosen Momenten. In all den Jahren war Hilde eine Menge Dinge gewesen, nur kein Mensch. Sie plötzlich vor sich zu haben, eine Frau aus Fleisch und Blut oder doch wenigstens aus Haut und Knochen, war ein Schock.

Seit Gombrowski das Hilde-Ding in die Küche geschoben hatte, konnte Elena nicht aufhören, es anzustarren. Dieses winzige Häufchen Elend mit schlecht gefärbtem Haar hatte absolut nichts mit dem blonden Lächelmädchen zu tun, das einst über die Flure der »Guten Hoffnung« getrippelt war. Hildes hübsches Gesicht hatte sich Elena immer vor Augen gerufen, wenn sie ihren Kopf mit beiden Armen gegen Gombrowskis Fäuste schützte. Durch den Gedanken an Hilde hatte sie versucht, die zärtliche Seite ihres Mannes wachzurufen.

Hilde musste geschrumpft sein. Groß war sie nie gewesen, aber an diesem Tisch wirkte sie klein wie ein Äffchen. Die faltige Haut trug dazu bei, ihr Mienenspiel ins Groteske zu steigern. Ein klaffender Mund, zusammengekniffene Augen und geballte Fäustchen vereinten sich zu einer Grimasse der Verzweiflung. Die Halogenstrahler in der Küche waren unbarmherzig; Elena verstand nicht, wie man ein Rhesusaffengesicht so stark schminken konnte. Überschüssiges Makeup sammelte sich an den Rändern des Gesichts zu dunklen Streifen. Rote Farbe war in die Lippenfurchen gesickert und ließ den Mund ausfransen. Unbeholfene Striche auf der Stirn konnten die fehlenden Augenbrauen nicht ersetzen. Nach Elenas Meinung hatte eine Frau in der ersten Lebenshälfte das Schminken nicht nötig, während es in der zweiten nicht mehr half.

Für einen Augenblick fühlte sie sich glücklich darüber, dass ihre Rivalin so wenig hermachte. Gleich darauf aber beschlich sie Bestürzung angesichts der Frage, wie abstoßend sie selbst sein musste, wenn Gombrowski ihr diesen Kobold vorzog.

Vor allem aber war der Schönheitswettbewerb der Greisinnen, den sie im Kopf veranstaltete, ziemlich lächerlich. Um sich abzulenken, stellte sie sich an den Herd und kochte Tee, den niemand trinken würde. Hinter der geschlossenen Wohnzimmertür auf der anderen Seite des Flurs winselte Fidi wie am Tag des Jüngsten Gerichts.

»Durchs Küchenfenster?«

Gombrowski wirkte neben Hilde wie ein Riese. Halslos saß er am Tisch, geduckt unter der eigenen Körpermasse, beide Ellenbogen aufgestützt.

»Sie hat das schon öfter gemacht.« Hilde schniefte. »Sie klettert am Rosengitter hoch und klopft an die Scheibe.« Noch ein Schniefen. Hilde machte keine Anstalten, sich die Nase zu putzen. »Wegen der Hitze heute stand das Fenster offen. Ich habe nicht mitgekriegt, dass sie rein ist.«

Als Hilde zum dritten Mal die Nase hochzog, verspürte Elena Lust, sie mit dem Teekessel zu schlagen. Stattdessen reichte sie ihr ein Stück Küchenpapier. Hilde nahm es, ohne aufzusehen. Im Wohnzimmer steigerte sich Fidis Winseln zu langgezogenen Tönen. Die dicken Pfoten kratzten auf den Dielen, als versuchte der Hund, sich einen Tunnel unter der Tür durchzugraben.

»Ruhe!«, brüllte Gombrowski.

Es war kaum zehn Minuten her, dass sie vom Klingeln des Telefons erwacht waren. Gombrowski hatte sich aus dem Bett gewälzt und einsilbige Antworten ins Handy gebellt. Ach. Quatsch. Gut. Tschüs. Danach war er ohne ein Wort der Erklärung in seine Hose gestiegen, hatte Fidi ins Wohnzimmer gesperrt und das Haus verlassen, um gleich darauf mit der verheulten Hilde Kessler zurückzukehren.

Es war normal, dass Gombrowski seine Entscheidungen allein fällte. Elena wurde niemals nach ihrer Meinung gefragt. Aber dass er Hilde außerhalb der verabredeten Zeiten ins Haus brachte, so dass Elena mitten in der Nacht auf eine Frau treffen musste, der sie seit zwanzig Jahren nach allen Regeln der Kunst aus dem Weg ging – das war ein starkes Stück. Es stellte einen Verstoß gegen die wichtigste Regel ihres Zusammenlebens dar. Elena verstand nicht, warum Gombrowski das tat. Für gewöhnlich hielt er sich an die häuslichen Gesetze. Er kam pünktlich zum Essen, putzte Fidis Dreck weg, ließ keine Bierflaschen herumstehen und verschwand im Arbeitszimmer, sobald Elena einen Satz mit »Ich muss jetzt mal…« begann. Das Gespräch mit Hilde in dieser

Nacht hätte er genauso gut im Nachbarhaus führen können. Es gab keinen zwingenden Grund für den Tabubruch.

Darüber dachte Elena nach, als sie bemerkte, wie die beiden sich ansahen. Sie verständigten sich durch Blicke wie über eine Funkverbindung von Kopf zu Kopf. Da begriff sie: Hilde war nicht hier, um Gombrowski zu erzählen, was vorgefallen war. Sie war hier, damit Elena es hörte.

»Du willst sagen, dass du die ganze Zeit nicht wusstest, dass sie im Haus war?«

»Sie muss sich versteckt haben. Alles war wie immer. Ich habe mir eine Suppe gemacht, Kartoffel-Lauch-Creme aus der Dose, und sie mit vor den Fernseher genommen. Das war um acht, es liefen die Nachrichten.«

Elena schauderte bei der Vorstellung, wie die hässliche kleine Frau jeden Abend vor dem Fernseher eine Dosensuppe aß, umgeben von zwanzig Katzen. Dann fiel ihr ein, wie ihr eigener Mann mit einer Schüssel Erdnüsse vor dem Fernseher kauerte, neben sich Fidi, die ihm den Kopf auf die Füße legte. Unmöglich zu entscheiden, welches der beiden Bilder schlimmer war. Vielleicht war am grauenvollsten, dass sie zusammengehörten. Zwei Einsamkeiten mit Tier, jeden Abend, in benachbarten Häusern.

Fröstelnd wickelte sich Elena fester in den verblichenen roten Umhang, dem sie seit vier Jahrzehnten die Treue hielt, einem Überlebenden aus besseren Zeiten. Gombrowski hatte noch als Betriebsleiterpraktikant in einer Milchwirtschaft in Mecklenburg gearbeitet, als er eines Nachts unter Elenas Fenster gestanden und kleine Steine an die Scheibe geworfen hatte. Ein Bekannter seines Vaters hatte sich in Berlin mit einem Verwandten aus dem Westen getroffen und von diesem etwas erhalten, das durch eine Menge Hände gegangen war, bevor es die staunende Elena entgegennehmen durfte, während der junge Gombrowski vor

Stolz strahlte. Die leuchtend rote Seide schien nicht von dieser Welt zu stammen. Auf der Haut war sie zugleich fühlbar und doch wieder nicht, eher ein Zustand als ein Stoff. Selbst wenn die Seide noch den letzten Rest ihrer roten Farbe verlöre und jede einzelne Naht zum dritten Mal nachgebessert wäre, würde Elena nicht aufhören, den Umhang zu tragen, bis zu dem Tag, an dem sie überhaupt keine Kleidungsstücke mehr bräuchte.

Sie erschrak, als sie bemerkte, dass sie sinnlos im Raum stand, wie ein Küchenroboter, dem der Stecker gezogen worden war. Sie hatte den Tee auf den Tisch gestellt und fand keine weitere Beschäftigung; gleichzeitig war es völlig undenkbar, sich zwischen Hilde und Gombrowski zu setzen. Offensichtlich bemerkte Hilde ihre Verwirrung, sie hielt den Blick direkt auf sie gerichtet. Die überraschend hellblauen Augen im bemalten Äffchengesicht waren das Einzige, was Elena wiedererkannte. Zu diesen Augen gehörten die Faltenröcke, die Hilde damals getragen hatte, die engen kurzärmeligen Wollpullover, deren bloßer Anblick im Sommer Juckreiz auslöste, und ein blonder, am Hinterkopf zur Schnecke gedrehter Zopf. Vielleicht lag darin der wahre Grund für Hildes Weigerung, das Haus zu verlassen: Nicht in der Angst davor, ein schwerer Gegenstand könne aus heiterem Himmel herabstürzen, sondern in der Scham darüber, zu einem Rhesusäffchen mit Hilde-Augen geworden zu sein. Vielleicht versteckte sie sich nicht vor dem offenen Himmel, sondern vor den Blicken der Welt.

Die Tatsache, dass niemand sprach, solange Elena unschlüssig im Raum stand, bewies endgültig, dass die Szene nur für sie stattfand. Also schön, dachte Elena. Sie trat zwei Schritte zurück und lehnte sich mit verschränkten Armen an die Spüle. Hilde musste sich auf dem Stuhl umwenden, um sie weiter ansehen zu können.

»Elena«, sagte Hilde flehentlich. »Du weißt, dass es für eine Frau und Mutter völlig unmöglich ist, einem kleinen Mädchen etwas zuleide zu tun.«

Wie lang du wohl gebraucht hast, um dir diesen Satz zurechtzulegen, dachte Elena.

»Erzähl uns, wie es weiterging«, sagte Gombrowski.

Hilde schniefte und nickte.

»Gegen neun klopfte es an der Tür. Ihr wisst, dass ich nicht aufmache, wenn ich keine Ahnung habe, wer draußen steht.«

Ihr wisst. Als ob Gombrowski und Elena eine Einheit darstellten. Nicht einmal Püppi war jemals auf die Idee gekommen, ihre Eltern gemeinsam anzusprechen. Bei Elena und Gombrowski gab es kein »ihr« oder »wir«. Nicht einmal »du« und »ich«. Eigentlich gab es nur »er« und »sie«.

»Aber das Klopfen hörte nicht auf. Es hämmerte immer weiter, das klang nach Notfall. Es war Kathrin, die fragte, ob ich Krönchen gesehen hätte. Ich sagte, nein.«

»Was der Wahrheit entsprach.«

»Sag ich doch.«

»Und du hast im Haus nichts Ungewöhnliches bemerkt?«

Fast hätte Elena gelacht. Gombrowski hörte sich an wie ein Fernsehdetektiv.

»Eben nicht! Bevor ich ins Bett ging, habe ich die Katzen gefüttert. Sie kamen alle, sogar Bernstein, der neu ist und ein bisschen schüchtern. Stockhausen und Schönberg terrorisieren ihn. Ich war froh, dass er gestern …«

»Hilde.«

Schweigen breitete sich aus. Elenas Beine begannen vom Stehen zu schmerzen; ihre Knie waren schon immer älter gewesen als sie selbst. Vorsichtig verlagerte sie das Gewicht, bemüht, kein Geräusch zu verursachen, damit Hilde nicht wieder auf die Idee käme, sie anzustarren. Aber diese schien ganz mit sich selbst beschäftigt, sie tupfte mit der Fingerspitze Wassertropfen vom Porzellan der Teekanne und malte Kreise auf den Tisch.

»Gegen zehn bin ich ins Bett gegangen. Irgendwann habe ich im Erdgeschoss etwas rumpeln gehört, aber so etwas kommt vor, wenn man mit neunzehn Mitbewohnern zusammenlebt. Ich habe mir nichts dabei gedacht und bin eingeschlafen. Dann ging plötzlich das Geschrei los. Furchterregend, als würde ein Kind abgestochen.«

»Nachts sind das meistens Tiere«, sagte Gombrowski.

»Das war kein Tier.« Hilde schüttelte den Äffchenkopf. »Auch Katzen schreien manchmal, aber nicht so. Ich bin raus aus dem Bett und die Treppe runter, so schnell ich konnte.«

Elena griff nach dem Lappen und wischte die Tischplatte ab. Für einen Moment sah es aus, als wollte Gombrowski etwas zu ihr sagen, dann überlegte er es sich anders und senkte den Blick.

»Krönchen war außer sich, nicht ansprechbar. Sie warf sich gegen die verschlossene Eingangstür, schrie wie am Spieß. Als ich sie am Arm fasste, schlug sie nach mir.«

Gombrowski nickte wie der Wackeldackel auf der Hutablage eines Mercedes. Sein rechtes Ohrläppchen knetete er zwischen Daumen und Zeigefinger, eine Geste, die Elena noch nie an ihm gesehen hatte.

»Sie war in Panik«, sagte er. »Wahrscheinlich ist sie von zu Hause weggelaufen, um ihren Eltern einen Schrecken einzujagen. Sie ist bei dir reingeklettert, hat sich im Haus versteckt und mit den Katzen gespielt. In irgendeinem Winkel muss sie eingeschlafen sein, und als sie mitten in der Nacht wieder aufwachte, wusste sie nicht, wo sie war. Alles dunkel, die Haustür verschlossen. Da ist sie ausgerastet.«

Der Fernsehdetektiv hatte den Fall gelöst, ließ sein Ohrläppchen los und lehnte sich im Stuhl zurück. Schöne Geschichte, dachte Elena. Spannend erzählt, nur leider kein bisschen glaubwürdig. Hätte sich Gombrowski jemals die Mühe gemacht, auch nur ein Minimum an Verständnis für seine eigene Tochter zu entwickeln, dann wäre ihm klar gewesen, dass kleine Mädchen vielleicht von zu Hause wegliefen, aber nicht für Stunden, und sie schliefen auch nicht inmitten eines Abenteuers versehentlich ein.

»Weil ich nicht wusste, was tun, habe ich einfach die Haustür aufgeschlossen. Sie ist an mir vorbeigeflitzt und in der Dunkelheit verschwunden. Wie wenn du ein Tier rauslässt, das sich ins Haus verirrt hat.«

»Und du?«, fragte Gombrowski. »Hast du bei Kathrin angerufen?«

»Natürlich!«, rief Hilde und klang zum ersten Mal wie ein normaler Mensch. »Aber bis ich die Telefonnummer herausgefunden hatte, sind ein paar Minuten vergangen, und als der Mann von Kathrin endlich dranging, war Krönchen schon zu Hause.«

»Sehr gut.« Gombrowski hatte das Nicken wiederaufgenommen, schlug beide Handflächen auf den Tisch und erhob sich vom Stuhl, der erleichtert ächzte. »Gut, dass du dich gleich dort gemeldet hast. Den Rest werden wir Kron schon verklickern, damit er nicht auf dumme Gedanken kommt. Jetzt bringe ich dich erst mal nach Hause.«

Auch Hilde stand auf, wodurch sie nicht wesentlich größer wurde. Sie machte einen Schritt auf Elena zu, hob das Äffchengesicht und legte ihr eine winzige Hand auf den Unterarm. Elena sah, dass die Nägel zu groß für die gekrümmten Finger waren und zu allem Überfluss rot lackiert. Sie machte einen Schritt zur Seite, um der Berührung zu entgehen.

»Elena«, sagte Hilde. »Ich weiß, dass du mich hasst. Aber dafür gibt es keinen Grund.«

»Wir gehen jetzt«, polterte Gombrowski und zog Hilde von Elena weg.

»Ich habe nie irgendetwas Böses gemacht.« Hilde schrie fast, während Gombrowski sie Richtung Küchentür dirigierte: »Niemals!« Der Äffchenkopf drehte sich auf dem dünnen Hals bis auf den Rücken, um Elena immer weiter anzusehen. »Du musst mir glauben!«

Angewidert von der Szene, wandte sich Elena so abrupt um, dass sie gegen den Obstkorb stieß, der auf der Anrichte stand. Er fiel polternd zu Boden, Früchte kullerten in alle Richtungen, ein Apfel traf Elenas nackten Fuß, eine Birne schaffte es bis über den Flur und stieß gegen die geschlossene Wohnzimmertür, hinter der Fidi sofort zu bellen begann.

»Mein Gott, Elena«, rief Gombrowski.

Verschwindet, dachte Elena und hätte den beiden am liebsten einen Apfel hinterhergeworfen. Haut bloß ab. Sie brauchte Zeit zum Nachdenken. Über die Geschichte vom versehentlich eingesperrten Krönchen, vom Fernsehdetektiv Gombrowski und der weinerlichen Hilde. Zeit, um zu überlegen, was die beiden angerichtet hatten und was das für Elena bedeutete. Zeit, um die Erinnerung an die wasserblauen Augen im bemalten Äffchengesicht aus dem Kopf zu kriegen.

Als Fidi endlich Ruhe gab, hörte Elena, wie sich Gombrowski und Hilde im Flur leise unterhielten. Dann wurde der Schlüssel in der Haustür gedreht und ein Regenschirm aufgespannt. In diesem Moment tat es einen Schlag, der die Scheibe des Küchenfensters zum Klirren brachte, gefolgt von einem Rieseln. Draußen fiel etwas zu Boden. Fidi bellte wie besessen.

»Was machst du denn?«, schrie Gombrowski.

Elena stand wie vom Donner gerührt in der Küche und konnte nicht orten, woher der Lärm gekommen war. Hilflos drehte sie sich einmal um sich selbst. Der nächste Schlag. Dann noch einer. Schwere Gegenstände krachten gegen die Außenwand des Hauses. Splitternd fiel die Terrassentür in sich zusammen; etwas Schweres rollte über das Parkett im Wohnzimmer.

Da sind sie, dachte Elena. Jetzt sind sie da.

40 Gombrowski

Wieder einmal musste sich Gombrowski fragen, wofür ihn das Schicksal bestrafte. Was er so grundlegend falsch gemacht hatte. Und wie immer gab er sich die gleiche Antwort: nichts. Er führte ein gewöhnliches Leben. Er tat Dinge, die jeder andere an seiner Stelle ebenfalls tun würde. Er hatte Spaß am Gelingen und sprach von Erfolg, wenn für alle Beteiligten der größtmögliche Nutzen entstand. Er hatte so vielen Menschen im Dorf auf so vielfältige Weise geholfen, dass St. Martin neben ihm wie ein Waisenknabe wirkte. Was er nicht für Unterleuten tat, das tat er für seine Frauen. Mit den Jahren hatte er gelernt, keine Dankbarkeit zu erwarten. Aber ihn schmerzte die Tatsache, dass man ihn zum Lohn für alle Anstrengungen auch noch drangsalierte. Nicht nur Kron, das Finanzministerium und die EU – auch Elena, Püppi, Hilde, Betty und Fidi machten ihm das Leben schwer. Für Elena hatte er das große Haus erworben und gleich nach der Wende mit allen Annehmlichkeiten ausgestattet, die der Westen zu bieten hatte. Zum Dank dafür schlich sie als stummer Vorwurf durch die Räume und tat so, als hätte sie Angst vor ihm. Püppi hatte er ein Auto gekauft, mit dem sie ihn nie besuchte, und eine Wohnung, von der aus sie niemals anrief. Betty ärgerte ihn mit ihrer stummen Besserwisserei und Fidi mit ihrem andauernden Gebell.

Für Hilde sorgte er seit Eriks Tod wie ein Vater, nur damit sie ihn bei jeder Gelegenheit ermahnte, Betty, Püppi und Elena besser zu behandeln. Überhaupt fragte Hilde ständig nach Elena, als wäre die ihre beste Freundin. Sie wusste genau, wie sehr ihn das ärgerte. Auch jetzt sprach sie allein zu Elena, als ginge es nur darum, was diese von ihr dachte, während es keine Rolle spielte, was Gombrowski von der ganzen Geschichte hielt.

Wobei er, ehrlich gesagt, gar nicht wusste, was er davon halten sollte. Eigentlich glaubte er, seinen alten Widersacher Kron bestens zu kennen. Selten überraschte ihn, was der andere tat. In Bezug auf das verschwundene Krönchen stand er jedoch vor einem Rätsel. Die Kleine bei Hilde zu verstecken, um Gombrowski wie einen Kindesentführer aussehen zu lassen, war ein genialer Schachzug. Es würde Kron helfen, das Dorf gegen Gombrowski zu mobilisieren. Aber ihm wollte partout nicht einfallen, wie Kron das gemacht hatte.

Er wusste aus eigener Erfahrung, dass die Behauptung, Kinder besäßen einen festen Schlaf, völlig aus der Luft gegriffen war. Er konnte nicht zählen, in wie vielen Nächten er die kleine Püppi auf dem Schlepper rund um die Gute Hoffnung gefahren hatte, bis er sie endlich ins Bett tragen konnte. Dass ein lebhaftes Kind wie Krönchen einfach so in Hildes Haus eingeschlafen sein sollte, hielt er für ausgemachten Unsinn. Konnte es sein, dass Kron ihr ein Schlafmittel gegeben hatte? Aber wie konnte er sicher sein, dass sie dann tatsächlich zu Hilde lief?

Unterleuten war ein Instrument, auf dem ein Virtuose jede beliebige Melodie erzeugen konnte. Gleichgültig, was in Krons Partitur gestanden hatte, die Improvisation hatte wunderbar funktioniert. Niemand würde glauben, dass Gombrowski nichts mit der Angelegenheit zu tun hatte. Das Dorf würde davon ausgehen, dass Gombrowski das kleine

Mädchen benutzt hatte, um Krons Widerstand gegen das Windkraftprojekt zu brechen. Die Wahrheit war nicht, was sich wirklich ereignet hatte, sondern was die Leute einander erzählten. In einem ruhigeren Augenblick wäre Gombrowski vielleicht sogar in der Lage gewesen, Krons Strategie Respekt zu zollen.

Jetzt aber splitterte die Terrassentür.

Als Erstes dachte Gombrowski, dass sich Fidi an den Glasscherben verletzen könnte. Als Zweites fiel ihm ein, dass er Hilde auf keinen Fall allein im Flur stehen lassen durfte. Als Drittes wollte er Elena, die in der Küche wie am Spieß schrie, mit einem der herumrollenden Äpfel das Maul stopfen.

Als wieder etwas von außen gegen die Hauswand krachte, wechselte Gombrowskis Wahrnehmung die Spur. Elenas Schreien, Hildes Wimmern und Fidis Bellen traten in den Hintergrund, dafür wurde die Sicht extrem klar. Er sah die Beine eines Dreizehnjährigen, lang und dünn, in gestreiften Pyjamahosen. Dazu Jungenhände, die ein Balkongitter umklammerten. Unter sich sah er die wilden Gesichter mehrerer Männer, flackernd erleuchtet von einem Großfeuer. Knüppel und Eisenstangen, die über den Köpfen schwangen. Verzerrte Münder. Berstende Scheiben. Der Geruch seines brennenden Zuhauses. Krons Lachen.

Noch ein Schlag gegen die Hauswand. Schmerzhaft hämmerte ihm das Herz in der Brust, er hatte Angst. Die panische Angst eines Kindes. Er glaubte, die Stimme seiner Mutter zu hören:

»Da sind sie. Jetzt sind sie da.«

Einen schrecklicheren Satz hatte noch kein Mensch gesprochen.

Als Gombrowski zu sich kam, rannte er bereits. Er sprintete über den Flur, riss die Wohnzimmertür auf. Sah Fidi inmitten von Scherben auf und ab springen. Registrierte, dass es sich bei dem Gegenstand, der das Glas durchschlagen hatte, um einen der Keramikfrösche vom Ufer des Gartenteichs handelte, auf dem Parkett in zwei saubere Hälften zerfallen. Gombrowski schrie wie ein Tier, während er die zerbrochene Tür aufriss, mit einem Satz auf die Terrasse und mit dem nächsten über die Brüstung sprang. Obwohl der Boden weich war, fuhr ihm bei der Landung ein stechender Schmerz in die Fersen. Einen Augenblick später glitt Fidi wie ein Schatten durch den Garten, ihre Tatzen schienen kaum das Gras zu berühren. Unter dem Küchenfenster stand ein junger Mann, vermutlich Ingo, den nächsten Keramikfrosch in der Hand. Einen Augenblick sah es aus, als wollte er Fidi den Frosch entgegenschleudern, aber da hatte die Hündin schon abgehoben. Ihr massiger Körper flog durch die Nacht, die ausgestreckten Vorderpfoten trafen die Schultern des Manns, der rücklings zu Boden ging. In Gedanken wünschte Gombrowski ihm viel Glück. Er selbst rannte weiter, so schnell er konnte. Die Nacht roch nach Kron.

Als er das Haus umrundet hatte und den Zaun erreichte, musste er innehalten. Er spürte Herz und Lungen, als wären sie ihm gerade erst in die Brust montiert worden. Er hielt sich am Gartentor fest und sah Gestalten den Beutelweg hinunterrennen. Nur eine floh in die andere Richtung, auf den Wald zu, in komischen Sprüngen, das eine Bein kaum belastend, aber mit erstaunlicher Geschwindigkeit.

Gombrowski trat auf die Straße, schloss das Gartentor hinter sich und wollte gerade die Verfolgung aufnehmen, als ein heftiger Aufprall den Zaun in Schwingung versetzte. Fünf Windrädchen fielen straßenseitig zu Boden. Ein zweites Mal warf sich Fidi gegen die Gitterstäbe, ihr Gebell ein heiseres Japsen. Die hüpfende Gestalt auf der Straße verdoppelte ihr Tempo. Gombrowski überlegte kurz, dann öffnete er dem Hund das Tor.

41 Wachs

»Warte mal«, sagte Linda, »der Empfang ist total schlecht. Ich geh besser vor die Tür.«

Frederik war aufgewühlt, er wollte unbedingt reden. Er hatte schon eine ganze Weile ins Telefon gesprochen, bevor ihn Lindas abgehackte Stimme darüber informierte, dass sie ihn gar nicht verstand. Zwischen den Mauern von Objekt 108 schwankte das Funknetz, es konnte vorkommen, dass man minutenlang erzählte und am Ende des Vortrags keine Antwort erhielt, ohne zu wissen, wie lange man bereits ins Leere gesprochen hatte, was ein ungutes Gefühl erzeugte, in etwa so, als trete man am Ende einer Treppe ins Nichts. Da Frederik nicht zum Monologisieren neigte, wurde normalerweise Linda zum Opfer dieses Phänomens. Sie konnte sich darüber erregen wie über eine Majestätsbeleidigung, und immer klangen ihre Tiraden vorwurfsvoll, als hätte sich Frederik mit Absicht in einem Funkloch versteckt.

In dieser Nacht aber war er es, der unter akutem Rededrang litt und sich abrupt stillgelegt fühlte, während Linda hinter einer knisternden akustischen Mauer ihre Schuhe anzog, Jacke holte, Zigaretten suchte oder was sonst an Verrichtungen notwendig wurde, wenn man sich mitten in der Nacht für ein Telefonat im Garten rüstete. Frederik fragte sich, ob er den roten Faden wiederfinden würde, sobald

Linda Empfang hatte. Ob es überhaupt einen roten Faden gab. Das Ereignis, über das er reden wollte, zeigte erhebliche Fähigkeiten im Vernichten von roten Fäden. Nicht nur im Gesprächsverlauf, sondern in Bezug auf seine gesamte bisherige Biographie.

Er hatte den Samstag in der Firma verbracht und immer noch am Rechner gesessen, als gegen 18 Uhr Timo hereinstürmte und ohne ein Wort der Erklärung den Fernseher einschaltete. Kurz darauf stand auch Ronny im Raum, noch blasser als sonst und mit einer Flasche Wodka unter dem Arm. Normalerweise wurde bei *Weirdo* während der Arbeitszeit nicht getrunken.

Während der folgenden Stunden verfolgten sie parallel die Nachrichten im Fernsehen, in Live-Tickern und auf Twitter, und ihr gemeinsames Vokabular reduzierte sich auf das Wort »scheiße«. Sie sahen die ersten verwackelten Handy-Filme. Die Bilder zeigten eine zusammengedrängte Körpermasse, die im Ausgang eines Tunnels steckte. An manchen Stellen verdichtete sich die Menge zu einem undurchdringlichen Schwarz. Jenseits des Tunnels setzte sich die Masse fort, wurde lockerer, bunter, bestand aus Menschen mit Köpfen und Armen, die sich, wie ein Schwenk über das Veranstaltungsgelände zeigte, in einiger Entfernung wieder bewegten. Auf allen Tonspuren war dieselbe Geräuschkulisse zu hören, ein dumpfes Brummen wie von einem Organismus, der kein Herz, sondern eine Induktionsspule im Leib trug. Darüber unverständlich blecherne Megaphon-Durchsagen und einige plötzlich laut erklingende Satzfragmente, aus nächster Nähe gesprochen, »ich das nicht«, »was wenn jetzt«, »immer noch besser als«, dazu im Hintergrund das Wummern von Techno-Musik. Man sah niemanden sterben. Man sah nur Masse und Verstopfung. Gestorben wurde lautlos, unsichtbar, tief im Inneren. Die vermeldete Opferzahl stieg von fünf auf neunzehn.

Frederik war 16 Jahre alt gewesen, als er im Sommer 1999 zum ersten Mal zur Loveparade nach Berlin gefahren war. Er mochte Techno und verspürte den unbestimmten Drang, zum ersten Mal im Leben an etwas teilzunehmen, das größer war als der Grundriss seines Elternhauses. Zu seiner eigenen Überraschung trat ihm das unbekannte, von jungen Leuten überflutete Berlin vertraut wie eine Heimat entgegen. In der Masse von Hunderttausenden tanzender Menschen sah er sich selbst, ein Ich, das er lieben konnte, ganz anders als das grässliche Spiegelbild, vor dem er beim Zähneputzen im Bad die Augen senkte.

Frederik hatte Timo und Timo hatte Ronny, und alle gemeinsam hatten sie Computer und das Internet. Keiner von ihnen fühlte sich einsam. Aber dass sie mit ihren nicht vorhandenen Frisuren, modefreien Klamotten und fehlenden Berufswünschen keine pubertierende Zelle, sondern das Herz einer Generation darstellten, wäre ihnen niemals in den Sinn gekommen. Erst auf der Loveparade begriff Frederik, dass sein voll verkabeltes, permanent abgedunkeltes Kinderzimmer nicht am Rand der Gesellschaft, sondern im Zentrum einer Bewegung lag.

Im folgenden Jahr erwirkte er für Timo und Ronny die Erlaubnis, ihn auf die Milleniums-Parade zu begleiten, und von da an fuhren sie, zunehmend nostalgisch, gemeinsam auf alle Folgeveranstaltungen, bis 2004 Traktoria erschien und die Loveparade aufgrund von Streitigkeiten mit der Stadt Berlin eingestellt wurde.

Es war nie darum gegangen, eine gewöhnliche Party zu feiern. Auf der Loveparade traf man sich zum Gottesdienst für einen neuen Zeitgeist. Sie waren Kinder der Neunziger Jahre, der optimistischsten Dekade des gesamten 20. Jahrhunderts. Sozialisiert in einer Zeit, in der Wiedervereinigung und das Ende des Kalten Kriegs plötzlich Hoffnung auf eine bessere globale Ordnung versprachen. Bis heute war Frederik überzeugt, dass Timo und Ronny ohne die Loveparade niemals den Mut gefunden hätten, aus dem Nichts eine Firma zu gründen. Die Loveparade hatte ihnen ein Gefühl für den Wert von Freiheit vermittelt, dazu jene lustvolle Dreistigkeit, die man brauchte, um auf die Zukunft zu vertrauen. Sie hatte bewiesen, dass Spaß und Ernst keinen Widerspruch darstellten, dass Verantwortung nicht aus Zwang, sondern aus Liebe entstand und dass man auch in T-Shirt und Turnschuhen viel Geld verdienen konnte. Vor diesem Hintergrund war Duisburg nicht nur das Grab von mindestens 19 Menschen, sondern das einer Epoche und eines Lebensgefühls.

»So, jetzt stehe ich vor dem Haus. Wenn wir die Stallanlagen fertig haben, kümmern wir uns um einen eigenen Funkmast.« Linda kicherte wie betrunken. »Sag mal was. Moment. Ich gehe noch ein paar Schritte bis zur Straße. Mann, was für ein Sternenhimmel. Da ist die Milchstraße. Die meisten Berliner wissen nicht einmal, dass es eine Milchstraße gibt.«

Wie im Film sah Frederik seine Freundin vor dem nächtlichen Objekt 108 stehen, den Kopf in den Nacken gelegt. Sie schien ihm fern, als lebte sie auf einem fremden Planeten. Fast wunderte es ihn, dass sie überhaupt dieselbe Sprache verwendete wie er. Er gab sich einen Ruck.

»Hast du mitgekriegt, was gerade los ist?«

»Was ich heute alles mitgekriegt habe, das geht auf keine Kuhhaut.«

»Duisburg?«

»Was?«

»Es ist etwas Schreckliches passiert. Hörst du zu?«

»Klar.«

»Auf der Loveparade sind 19 Menschen gestorben. Totgetreten in einer Massenpanik.«

»Hab ich im Radio gehört. Die Sterne hier sind echt krass.«

Für eine Sekunde wusste Frederik nicht weiter. Die Sterne Unterleutens bildeten eine Barriere, an der seine Betroffenheit einfach abprallte.

»Und?«, fragte er.

»Was, und?«

»Die Loveparade! Hallo? Das ist ein verdammtes Drama!«

»Worüber regst du dich auf?«

»Linda! 20 Tote!«

»Ich dachte, 19.«

»Es kommen ständig neue Zahlen.«

»Kennst du eins der Opfer?«

»Natürlich nicht.«

»Kennst du jemanden, der ein Opfer kennt?«

»Nein.«

»Kennst du irgendjemanden, der heute auf der Loveparade war?«

»Keine Ahnung. Wahrscheinlich schon. Weiß nicht.«

»Dann geht dich die Sache auch nichts an. Das ist weit weg passiert. Ohne Fernsehen und Internet hättest du überhaupt nichts davon erfahren.«

»Drehst du jetzt frei?«

»Diese ständige Hysterie wegen Dingen, die wir nicht sehen, hören oder riechen – das geht mir auf den Sack.«

Linda behauptete gern, dass ihr etwas auf Sack, Eier oder Nüsse gehe. Frederik hatte es aufgegeben zu erklären, dass ihr für solche Redewendungen die biologische Ausstattung fehlte.

»Keiner war dabei«, sagte sie, »und trotzdem sind alle entsetzt. Ist doch total abgehoben.«

Ihre Stimme klang nicht, als wollte sie ihn auf den Arm

nehmen. Frederik spürte einen leichten Schmerz zwischen den Rippen, eine Art Seitenstechen, das sich immer einstellte, wenn Streit mit Linda in der Luft lag. Binnen kürzester Zeit konnte das Stechen so heftig werden, dass er nachgab und der Auseinandersetzung aus dem Weg ging.

»Was ist los mit dir?«, fragte Frederik. »Hast du beschlossen, ins Mittelalter zurückzukehren?«

»Krönchen wurde entführt.«

»Wie bitte?«

»Gegen neun stand plötzlich Kathrin vor der Tür.«

»Wer ist Kathrin?«

»Wer ist Kathrin?«, äffte Linda ihn nach. »Das ist die Tochter von Kron, du Torfnase.«

Gegen seinen Willen wurde Frederik von der Frage in Anspruch genommen, ob Kron der dicke Landwirt mit dem Hundegesicht oder der Spinner war, der nach der Dorfversammlung Konrad Meiler in die Mangel genommen hatte. Schon in Unterleuten fiel es ihm schwer, sich auf das Personal von Unterleuten zu konzentrieren. Wenn er sich in Berlin aufhielt, verwandelte sich das Dorf in einen Dostojewski-Roman, bei dem jede Figur von der Frage begleitet wurde: Wer war das denn noch mal?

Linda redete, er schwieg. Das hatte er sich anders vorgestellt, als er bei ihr anrief. Die Loveparade, sein Entsetzen, der Wunsch, sich gemeinsam über die grausamen Wege des Schicksals zu empören – alles versank im Märkischen Sand. Auch das Seitenstechen ließ nach. Frederik tat, was er am besten konnte: Er hörte zu. Gegen neun also hatte Kathrin an der Tür von Objekt 108 geklingelt, um mitzuteilen, dass ihre kleine Tochter verschwunden sei. Ob Linda etwas gesehen oder gehört habe. Ob sie irgendetwas wisse.

»Wusste ich nicht«, sagte Linda. »Aber jetzt kommt der Hammer. Kathrin Kron wollte mich bei der Suchaktion nicht dabeihaben. Sie meinte, dass es wegen meiner Beziehungen zu Gombrowski besser sei, wenn ich ihrem Vater nicht unter die Augen trete.«

Den Grund für den triumphalen Tonfall begriff Frederik erst nach einigen Sekunden. Linda war tatsächlich stolz darauf, von der Suche nach dem kleinen Mädchen ausgeschlossen worden zu sein. Ihr politikbesoffenes Gehirn wertete die Ablehnung als Beweis dafür, wie tief sie bereits in die Unterleutner Verstrickungen eingedrungen war. Vermutlich gab es irgendeinen Satz von Manfred Gortz zum Thema »Feinde und Erfolg«.

»Sie haben mit zwanzig Mann im Dunkeln den Wald durchkämmt. Natürlich ohne Erfolg. Als Kathrin kurz vor einem Nervenzusammenbruch stand, ist Krönchen wieder aufgetaucht. Gombrowski hatte sie. Genauer gesagt, Hilde. Was nach Meinung der meisten dasselbe ist.«

»Wer ist Hilde?«

»Hilde Kessler, die beste Freundin von Gombrowski. Ich sag dir, da läuft eine heftige Geschichte. Das hat alles mit der Windkraft-Sache zu tun. Auch wenn Jule meint, dass Gombrowski ganz sicher unschuldig ist.«

»Die Frau vom Vogelschützer?«

»Wer denn sonst. Sie hat mich vor einer halben Stunde angerufen. Wollte wissen, was ich denke, verstehst du?«

Wieder der triumphale Ton. Jetzt rief das Dorf schon bei Linda Franzen an, mitten in der Nacht.

»Die ist irgendwie verknallt in mich.« Linda lachte. »Könnte nicht besser laufen. Auch wenn diese Jule eine Macke hat. Erzählt mir, sie hätte Gombrowskis Seele gesehen.«

»Was machst du da eigentlich?«, fragte Frederik.

Er konnte nicht verhindern, dass die Frage vorwurfsvoll klang. Linda zog es vor, nicht zu verstehen.

»Ich guck in die Sterne. Toller Himmel.«

»Das meine ich nicht. Dieser ganze Kron-Gombrowski-Meiler-Scheiß. Das hat doch mit Koppelzäunen und Scheune-Sanieren nichts mehr zu tun.«

Linda brauchte eine Weile, um sich eine Antwort zurechtzulegen. Oder vielleicht zählte sie die Sekunden einer Kunstpause, die Gortz für ein Gespräch wie dieses empfahl. Frederik hörte das Rauschen eines vorbeifahrenden Autos, vereinzelte Vogelstimmen und das Bellen eines Hunds. Der nächtliche Soundtrack von Unterleuten. Linda zog hörbar an ihrer Zigarette, atmete langsam aus und räusperte sich, um anzuzeigen, dass jetzt etwas Wichtiges kam.

»Typen wie Kron und Gombrowski werden hier nicht ewig am Drücker sein«, sagte sie. »Die werden bald Platz machen für eine neue Generation.«

Das Wort »Generation« ließ die Bilder aus Duisburg wieder aufsteigen. Frederik sah bunt gekleidete Menschen, die hinter langsam fahrenden Floats tanzten, und er sah die verdichtete Masse in der Unterführung, die sich selbst erdrückte. Zum ersten Mal, seit er Linda kannte, erblickte er in ihr die Vertreterin einer anderen Spezies. Linda war nur zwei Jahre jünger und trotzdem niemals auf einer Loveparade gewesen. Sie gehörte keiner Bewegung an und empfand auch kein Bedürfnis danach. Sie interessierte sich nicht für Spaß und glaubte nicht daran, dass Erfolg etwas war, das sich von selbst einstellte, wenn man nur entspannt blieb. Alles in Linda strebte, ganz egal, ob das Ziel nun Bergamotte, Objekt 108 oder Unterleuten hieß. Beängstigend war, dass es ihr letztlich gar nicht um eine bestimmte Sache ging. Sondern um die absurde Vorstellung, das eigene Schicksal kontrollieren zu können. Man musste nur immerzu alles richtig machen, Strategien entwickeln, keine Fehler begehen. An sich selbst arbeiten und überhaupt alles optimieren, was bei drei nicht auf den Bäumen war. Einer Frau wie Linda kam es darauf an, sich an die Spitze von Was-auch-immer zu setzen. Jetzt stand ihm die Wahrheit so klar vor Augen, dass er sich wunderte, nicht selbst darauf gekommen zu sein: Sie wollte aus dem Windmühlenstreit als der neue Gombrowski von Unterleuten hervorgehen. Linda war das Gegenteil der Loveparade, und die Loveparade war tot.

»Man muss sich rechtzeitig in Stellung bringen«, sagte Linda. »Moment mal. Hörst du den Hund bellen?«

In Unterleuten bellten ständig Hunde.

»Das klingt aggressiver als sonst.« Mit einem Mal war sie aufgeregt. »Da vorne ist irgendetwas los.«

Frederik hörte, wie sie sich in Bewegung setzte und gleich darauf zu laufen begann.

»Wo rennst du hin?«

»Stichweg Richtung Beutelweg.« Sie sprach stoßweise. »Ich sehe den Hund. Und zwei Männer. Die prügeln sich.«

»Bleib sofort stehen!«, rief Frederik. »Linda? Nicht auflegen!«

Drei Mal wählte er ihre Nummer. Sie hatte das Handy ausgeschaltet. Oder fallen lassen und kaputt getreten.

Da waren sie wieder. Dinge, die passierten, ohne dass Frederik sie hören, sehen oder riechen konnte, und die ihn nach Lindas Meinung deshalb nichts angingen.

Perplex saß er in seinem Büro. An der Wand lief der Fernseher ohne Ton. Die Stille wurde vom Sirren des Rechners verstärkt. Kurz nach Mitternacht waren Timo und Ronny nach Hause gegangen und hatten die Hauptbeleuchtung ausgeschaltet. Nur die Schreibtischlampe brannte noch. In dem kleinen Lichtkegel fühlte sich Frederik wie in einem Zelt, das ihn von der Außenwelt abschnitt. Kein Hundegebell, keine Milchstraße. Namen von Menschen, die er anrufen wollte, schwirrten ihm durch den Kopf, Kron, Fließ, Kathrin, Gombrowski – irgendjemand musste sofort zum

Beutelweg laufen, wo ein Hund bellte und Männer aufeinander einprügelten und Frederiks verrückte Freundin glaubte, dass es eine gute Idee sei, nach dem Rechten zu sehen.

Die Uhr zeigte halb zwei am Morgen, und Frederik kannte keine einzige Telefonnummer.

42 Franzen

Im Licht der Straßenlaterne erinnerte der große Hund an ein Zeichentrick-Tier, das laut bellend, aber eher verspielt als wütend um etwas herumtanzt. Linda war noch über hundert Meter entfernt, als sie Gombrowskis Mastiff erkannte. Offensichtlich ging die Aggression nicht von der Hündin aus.

Sie blieb stehen. Regel Nummer eins: auf Probleme nicht zurennen. Ruhe bewahren, sich ein Bild von der Lage machen. Ihr Telefon klingelte, wieder Frederik, sie schaltete das Gerät aus.

Weder der Hund noch die beiden Männer hatten sie bislang bemerkt. Was die Kräfteverteilung betraf, glich die Auseinandersetzung unter der Laterne einem Zusammenstoß zwischen Mücke und Elefant. Im orangefarbenen Lichtkegel stand Gombrowski, hielt Kron an der Jacke gepackt und rammte ihn rücklings gegen den Laternenpfahl, ein Mal, zwei Mal, immer wieder. Selbst Fidis Kläffen war nicht in der Lage, das Dröhnen des stählernen Mastes zu übertönen. Dem Lärm zum Trotz wirkte die Szene ruhig, beinahe routiniert. Als wären die beiden Männer nicht mit Kampf, sondern mit einer alltäglichen Verrichtung beschäftigt.

Als Kron zu Boden ging, riss Gombrowski ihn wieder auf die Beine, um ein weiteres Mal zustoßen zu können. Krons

Kopf pendelte hin und her wie bei einer kaputten Puppe. Gombrowskis nächster Versuch, seinen Gegner aufzurichten, scheiterte. Kron sackte zusammen und blieb auf der Seite liegen, die Beine angewinkelt, das Gesicht zur Erde gedreht. Die Hündin senkte das Hinterteil auf die Straße, wedelte mit dem Schwanz und sah abwechselnd Kron und Gombrowski an, als wartete sie darauf, wer das Spiel fortsetzen würde.

Gombrowski berührte Kron mit der Fußspitze an der Schulter und schien zu überlegen. Sein Blick fiel auf Krons Gehstock, der am Straßenrand lag. Er hob ihn auf, wobei er den Hund ignorierte, der sich zum Apportieren bereit machte.

Von Lindas Ankunft bis zu diesem Augenblick war höchstens eine halbe Minute vergangen. Den Drang, einfach wegzulaufen und so zu tun, als hätte sie diese Szene niemals gesehen, hatte sie erfolgreich niedergekämpft. Jetzt brauchte sie eine Strategie. Einem Mann wie Gombrowski trat man nicht einfach so in den Weg.

Die Kunst im Umgang mit Pferden bestand darin, einem Stärkeren weiszumachen, dass er der Schwächere sei. Dominanz behaupten, fehlende Körperkraft durch Beharrlichkeit ersetzen. Wenn das nicht ausreichte, galt es, in kritischen Augenblicken etwas Überraschendes zu tun, um das Gegenüber zu zwingen, sich auf unerwartete Bedingungen einzustellen. Das war das Prinzip des unbewegten Bewegers: Wer eine Situation inszenierte, war ihr Herr.

Gombrowski fixierte Krons Bein und hob den Gehstock wie ein Golfspieler den Schläger.

Linda dachte kurz an die Loveparade und daran, wie rührend Frederik am Telefon gewesen war. Wie er in seinem klimatisierten Berliner Büro saß, mit weichen Händen Internet und Fernseher bediente und in helle Aufregung geriet wegen der Bilder, die er dort fand. Er kam ihr vor wie ein Kind, das im Kino vom Sessel sprang und den Helden mit lauter Stimme warnte, bloß nicht ins Geisterhaus zu gehen. Im Grunde liebte sie ihn dafür. Sie nahm sich vor, ihn später noch einmal anzurufen und ausgiebig die Katastrophe von Duisburg mit ihm zu diskutieren. Sie würden zwei Flaschen Wein leeren, während draußen die Sonne aufging. Sie zog sich ein paar Schritte in den Schatten eines Fliederbuschs zurück und warf sich mit Schwung auf den Boden.

»Mein Bein!«, rief sie und ließ einen Schmerzenslaut folgen.

Als sie aufsah, erblickte sie über sich das von der Schwerkraft verformte Gesicht des Mastiffs, die Ohren nach vorn geklappt, die Augen fast unter herabhängenden Hautfalten verborgen. Ein Speichelfaden hing an der linken Lefze.

»Nehmen Sie doch den Hund weg«, rief Linda. »Ich kann nicht aufstehen!« Mit einigen deftigen Schimpfwörtern bestimmte sie den Grad ihrer Schmerzen: unerträglich.

Gombrowskis Stiefel näherten sich im Laufschritt. Die Hundegrimasse verschwand und wurde durch eine andere ersetzt. Halb in der Hocke beugte er sich über sie.

»Frau Franzen! Was ist passiert?«

»Mein Knöchel. Scheiße, tut das weh.«

Obwohl er sie vorsichtig unter den Achseln fasste, hatte Linda das Gefühl, von einem Flaschenzug in die Höhe gerissen zu werden.

»Können Sie auftreten?«

Mit beiden Händen klammerte sie sich an seinen Arm. Sein Gestank war ein Angriff; noch nie hatte sie einen solchen Schweißgeruch wahrgenommen. Wut, Angst und Hass ergaben in der Mischung einen spezifischen Geruch männlicher Gewalt. Das Würgen gelang ohne jede Schauspielkunst.

»Ich wohne da drüben.«

»Ich weiß, wo Sie wohnen.«

Er packte sie unter den Achseln, Linda humpelte ein paar Schritte, ohne den rechten Fuß zu benutzen, und hielt gleich wieder an, als ob sie sich ausruhen müsste. Aus dem Augenwinkel sah sie, wie sich Kron am Boden regte. Alle paar Meter legte sie eine weitere Pause ein und sorgte dafür, dass sie für den kurzen Stichweg mehrere Minuten brauchten. Gombrowski schaute nicht zurück, er sagte »Geht's?«, und »Kommen Sie« und »Wenn's so wehtut, ist es nur verstaucht«. Halb erwartete Linda, er würde in die Knie gehen und ihr auf den Knöchel pusten. Seine Unterlippe hing herab, die Augen blickten mitleidig. Er wirkte wie ein besorgter Vater. Nur sein Geruch erzählte von Mordlust.

Auf der Treppe zu Objekt 108 trug er sie mehr, als dass er sie stützte. Oben angekommen, drehte Linda sich um. Die Stelle unter der Laterne war leer. Gombrowski folgte ihrem Blick.

»Gehen Sie nach Hause.« Linda klopfte ihm auf die Schulter.

»Soll ich Sie ins Krankenhaus fahren?«

»Nicht nötig. Alles bestens.«

Den kurzen Weg zur Eingangstür bewältigte sie ohne das leiseste Hinken. Während sie die Tür öffnete und den Wintergarten betrat, stand Gombrowski reglos mit schweren Armen und sah ihr nach.

Teil V

Kommunizierende Röhren

Man dreht ein wenig, und alles sieht anders aus.
Lucy Finkbeiner

43 Schaller

Um das Geräusch eines 3,5-Liter-V8-Motors zu erkennen, musste Schaller keine geistige Anstrengung unternehmen, das erledigte sein Unterbewusstsein. Obwohl sein Herz heftig zu schlagen begann, zwang er sich, den Blick nicht von der Bremsanlage des VW Caddy abzuwenden, den die Hebebühne über seinen Kopf gestemmt hielt. Normalerweise kam Miriam an Montagnachmittagen nicht vorbei. Montags, mittwochs und freitags folgte sie ihren verschiedenen Aktivitäten, bei denen Schaller keinen Überblick gewann – Mädchenfußball, Saxophonstunde, Russischkurs. Wenn er nachzufragen versuchte, erntete er Augenrollen: »Papa, ich geh doch schon lange nicht mehr zum Fußball«; »Das Saxophon habe ich doch letztes Jahr gegen die Gitarre eingetauscht«. Er hatte es aufgegeben, das Leben seiner Tochter verstehen zu wollen, und beschränkte sich darauf, die Wochentage zu kennen, an denen mit ihrem Besuch zu rechnen war. Montag gehörte definitiv nicht dazu.

Grundsätzlich konnte ein Überraschungsbesuch nichts Gutes bedeuten. Schaller liebte seine Tochter, sie war ein Engel, aber eben auch eine Frau, und im Leben einer Frau war alles Politik. Darauf musste man sich einstellen. Die erste Regel lautete: in Deckung bleiben, solange es ging. Die zweite: den eigenen Standpunkt kennen. Schaller war vorbereitet. Was er ihr zu sagen hatte, stand fest. Vorher musste er nur herausfinden, ob sie noch wütend auf ihn war. Während der V8 hinter der Mauer im Standgas brodelte und schließlich verstummte, fuhr er fort, die Innereien des Caddy zu inspizieren, als hätte er nichts gehört.

Es gab viele Marder in der Region, und jeden Einzelnen betrachtete Schaller als persönlichen Assistenten. Zeitweise erwirtschaftete er die Hälfte seines Umsatzes mit Marderschäden – oder mit dem, was die Leute dafür hielten. Hartnäckig hielt sich das Gerücht, der süßliche Geruch von Bremsflüssigkeit locke die Tiere an. Dabei war Schaller, soweit er sich erinnern konnte, noch nie ein Fall untergekommen, in dem ein Marder eine Bremsanlage beschädigt hatte. Die aggressiven Tiere kämpften unter Motorhauben gegen imaginäre Konkurrenten. Kühl- und Scheibenwaschanlagen gingen dabei regelmäßig zu Bruch, aber die Bremsschläuche waren bei normalen Fahrzeugen vom Motorraum aus schlecht zugänglich. Manchmal fragte sich Schaller, ob der Irrtum einfach zu nützlich war, um aufgeklärt zu werden.

Verena, die sich am Streik gegen die Ökologica beteiligte, war am Morgen mit ihrem Caddy zum Einkaufen gefahren und dabei kurz vor der scharfen Kurve im Wald mit dem rechten Fuß ins Leere getreten. Geistesgegenwärtig hatte sie nach der Handbremse gegriffen, den Caddy zum Stehen gebracht und Schaller angerufen.

»Marderschaden«, hatte sie gesagt. »Hört man ständig in letzter Zeit.«

Schaller war kein Zoologe, und Verena wollte eine Reparatur, kein Ermittlungsprotokoll. Es ging ihn nichts an, ob ein Marder oder ein Mensch an ihrem Auto herumgefummelt hatte. Außer den Schläuchen würde er auch noch Bremsscheiben und -klötze erneuern und eine ordentliche Rechnung stellen.

»Lässt du mich mal rein, du Schnarchsack?«

Miriams Kopf schwebte über dem Tor, was bedeutete, dass sie entweder seit letztem Donnerstag um einen Meter gewachsen war oder auf der Türklinke stand. Der Anblick ließ Schaller mit dem ganzen Körper lächeln; jede Nervosität verflog. Ob Miriam wütend war und was sie ihm zu sagen hatte, spielte keine Rolle. Solange sie am Tor hinaufkletterte, um ihn Schnarchsack zu nennen, befand sich das Universum im Gleichgewicht. Schaller wischte sich die Hände an der Hose ab und setzte sich in Bewegung.

»Mach hinne!«, rief Miriam, bevor ihr Kopf verschwand.

Kaum hatte er den Riegel gelöst, drückte Miriam das Tor auf und lief an ihm vorbei. In der Mitte des Hofs blieb sie stehen und stemmte die Hände in die Seiten.

»Was zum Teufel ist hier los?«

Keine leichte Frage. Schaller entschied sich für eine simple Antwort.

»Marderschaden«, sagte er.

Eigentlich hatte sie allen Grund, mit ihm und dem Hof zufrieden zu sein. Er hatte aufgeräumt. Müll entsorgt, Werkzeug in die Scheune geräumt, Material und Ersatzteile ordentlich an den Wänden gestapelt. Sogar den Betonboden hatte er gefegt. Am wichtigsten aber war, dass es die Feuerstellen nicht mehr gab. Er hatte nicht nur die Flammen gelöscht, sondern auch die Asche beseitigt und die gestampfte Erde entlang der Grundstücksgrenze mit der Harke bearbeitet. Seitdem atmete man im Hof wie in einem Luftkurort. Aber Miriam schien die Veränderung gar nicht zu bemerken.

»Was in Unterleuten los ist, will ich wissen.«

»Wer sagt, dass was los ist?«

»Ich bin heute zu Frau Kamp nach Beutel gefahren«, verkündete sie. »Obwohl ich erst nächste Woche dran gewesen wäre.« Wie zum Beweis streckte sie ihm die Hände hin. Die

Fingernägel glänzten silbrig, auf jedem einzelnen klebte ein kleines Yin-und-Yang-Zeichen. »Wahrscheinlich kannst du dir denken, warum ich dort war.«

Während Schaller schwieg, dämmerte ihm, dass es in Berlin vermutlich keine Knappheit an Nagelstudios gab. Es musste einen anderen Grund geben, warum Miriam ständig den Weg nach Beutel auf sich nahm.

»Genau.« Wieder einmal schien Miriam zu wissen, was er dachte. »Frau Kamp betreibt einen Nachrichtendienst. Die Fingernägel sind nur Tarnung.«

Als Schaller verstand, dass sie einen Witz gemacht hatte, war es zu spät zum Lachen.

»Sie nennt es Kriegszustand.«

»Was?«

»Die Lage in Unterleuten.«

Das Gespräch wurde unangenehm. Schaller fragte sich, wann und wie er den Rundgang durch sein neues Leben beginnen sollte. Er wollte Miriam den gesäuberten Hof vorführen, dazu das Video vom nächtlichen Einbruch des Vogelschützers, und erklären, dass er sich in Zukunft aus allen Dorfangelegenheiten heraushalten würde, ganz gleich, wessen Interessen auf dem Spiel standen.

Weil Miriam offensichtlich eine Erwiderung erwartete, obwohl sie keine Frage gestellt hatte, sagte er jenen Satz, der Fluch wie Gnade seines Lebens war:

»Davon weiß ich nichts.«

»Fangen wir von vorn an. Woher hast du die Hebebühne?«

»Die gehört mir.«

»Ich weiß, dass sie dir gehört. Aber man hat sie dir gestohlen, während du im Krankenhaus lagst, erinnerst du dich? Wer hat dir geholfen, sie wiederzubekommen?«

Er kannte die Antwort, sie kannte die Antwort, und diese

Antwort passte nicht zu dem, was er ihr eigentlich sagen wollte. Sie führte in die entgegengesetzte Richtung.

»Sag schon.«

»Gombrowski«, sagte Schaller.

»Und was wollte er dafür?«

»Nichts.«

»Papa!«

»Also gut«, sagte Schaller. »Er wollte den Aschezauber für die Vogelschützer. Aber ...«

»Das deckt sich mit den Vermutungen von Frau Kamp«, sagte Miriam.

»Die Feuer habe ich aber nicht für Gombrowski gemacht«, sagte Schaller laut. »Ich habe sie nur für ihn *aus*gemacht. Gombrowski wollte eine Unterbrechung. Mehr nicht.«

»Wozu wollte er das?«

»Keine Ahnung. Die Vogelschützer können ganz schön nerven. Ich kann dir ein Video zeigen, wo ...«

»Frau Kamp sagt, er übt Druck auf diesen Fließ aus, weil Gombrowski für die Pferdefrau eine Baugenehmigung braucht, die Fließ verhindern will.«

»Dann ist ja alles klar«, sagte Schaller. »Willst du ein Bier?«

»Frau Kamp sagt, da gibt es einen Kron, der das halbe Dorf aufgehetzt hat. Die bestreiken sogar die Firma von Gombrowski.«

Schaller warf Verenas Caddy einen Blick zu und schwieg.

»Hast du nicht mitgekriegt, was am Wochenende abgegangen ist? Gombrowski hat die kleine Enkelin von Kron entführt. Daraufhin haben Kron und noch ein paar andere bei Gombrowski die Fensterscheiben eingeschmissen. Noch in derselben Nacht hat sich Gombrowski diesen Kron geschnappt und ihn verprügelt.«

»Ich hole mir jetzt ein Bier.«

»Hiergeblieben!«

Wenn Miriam in diesem Tonfall mit ihm sprach, hatte Schaller das Gefühl, sich in einen Hund zu verwandeln. Die Wirbelsäule krümmte sich, die Schultern fielen herab, und er meinte zu spüren, wie sich seine Ohren flach an den Kopf legten.

»Eins versteht Frau Kamp nicht.« Miriam ließ den Blick zum Grundstück der Vogelschützer schweifen, als müssten dort alle Erklärungen verborgen liegen. »Anscheinend hat die Pferdefrau diesen Kron gerettet, als Gombrowski ihn zusammenschlagen wollte. Aber warum? Sie müsste doch eigentlich auf Gombrowskis Seite stehen.«

Schaller wollte das Gespräch beenden. Eine Frage zu diskutieren, die Gombrowski betraf, bereitete ihm körperliches Unbehagen, das sich zunehmend wie Magen-Darm-Grippe anfühlte. Aber Miriam saß am längeren Hebel. Wenn eine Tochter erwachsen wurde, bedeutete das wohl, dass sie immer leichter ohne den Vater leben konnte und er immer schlechter ohne sie.

»Frau Kamp meint, dass Gombrowski und die Pferdefrau die Prügelei wahrscheinlich getrickst haben. So schlagen sie zwei Fliegen mit einer Klappe – Kron bekommt seine Abreibung, und nach außen sieht es aus, als würden sie gegeneinanderarbeiten.«

Die Sonne erreichte den Hof; es musste gegen sieben sein. Schaller hatte noch nicht zu Abend gegessen, traute sich aber nicht zu fragen, ob Miriam Hunger habe. Sehnsüchtig dachte er an die Ravioli-Dosen im Küchenschrank.

»Am Ende hat Frau Kamp noch etwas gesagt. Da waren wir mit den Nägeln schon fertig.« Nachdenklich betrachtete Miriam ihre Hände. »Sie sagte, dass im Grunde du an allem schuld bist, Papa.«

Schallers Gehirn stellte die Denktätigkeit ein. So, wie er stand, blendete ihn die Sonne. Dankbar nutzte er die Möglichkeit, die Augen zusammenzukneifen.

»Normalerweise reden wir ja nicht über so was.« Miriam hatte die Arme verschränkt und zog die Schultern hoch, als wäre ihr kalt, trotz der sommerlichen Abendhitze. »Aber Frau Kamp hat noch mehr Sachen gesagt. Sie meinte, das alles sei ja nun schon zwanzig Jahre her, aber tote Männer hätten bekanntlich ein gutes Gedächtnis.«

Jetzt spürte auch Schaller die Kälte. Er hörte das Krachen eines infernalischen Gewitters, als spalteten Riesen mit Äxten einen Himmel aus Holz. Wo bist du gewesen. Wo bist du gewesen. Kalte Nässe auf der Haut, ein Wollpullover klebte am Körper. Blitze stürzten in schneller Folge zur Erde und beleuchteten eine Lichtung, in deren Mitte ein alter Baum stand. Eiche. Linde. Schaller sah Krons Gesicht im Flackern der Blitze, es sah von unten zu ihm herauf.

»Im Klartext wollte Frau Kamp wohl sagen, dass du einen Mann umgebracht hast. Und diesem Kron das Bein zerschmettert.«

Wieder das infernalische Krachen. Schaller sah Funken sprühen, er sah Rauch und Feuer, und er sah, wie sich ein Teil der Baumkrone in Zeitlupe herabsenkte. Es krachte ein zweites Mal, etwas fiel, ein Schatten, groß wie ein Autobus, der Aufschlag brachte die nasse Erde zum Zittern. Aber da war Schaller schon nicht mehr vor Ort, er hatte die Lichtung verlassen, den Wald, die Nacht und das Gewitter, er stand in der Abendsonne in seinem Hof, geblendet, und sah durch zusammengekniffene Lider, dass seine Tochter näher kam. Plötzlich stand sie direkt vor ihm, ihre Finger schlossen sich um seine.

»Du zitterst ja«, sagte Miriam.

Den Ballen der freien Hand presste er erst auf das linke,

dann aufs rechte Auge. Er konnte sich nicht erinnern, wann er zum letzten Mal geweint hatte. Miriams Arme schlangen sich um seinen Bauch und waren kaum lang genug, ihn zu umfassen.

»Papa«, sagte sie, den Kopf seitlich an seine Brust gelegt. »Du denkst doch nicht, dass ich diesen Unsinn glaube? Ich habe Frau Kamp erklärt, dass du niemals in deinem Leben Gewalt ausgeübt hast und es auch niemals tun wirst.«

Das war es. Das hatte er ihr versprechen wollen: niemals im Leben Gewalt auszuüben, nicht einmal zur Selbstverteidigung, was auch geschah. »Das hier ist die Unabhängige Republik Schallerland«, hatte er sagen und mit großer Geste auf den Hof deuten wollen. »Hier herrscht Gewaltverbot, und Leute wie Gombrowski haben keine Einreiseerlaubnis.« Er hatte sich vorgestellt, wie Miriam lachte und vor Vergnügen in die Hände klatschte.

»Ich wollte nur, dass du weißt, was die Leute reden«, sagte Miriam. »Damit du verstehst, was ich jetzt von dir will.«

Sie ließ ihn los und gewann Abstand, um ihm ins Gesicht sehen zu können.

»Ich bin gekommen, damit du mir etwas versprichst. Halt dich aus diesen Unterleuten-Geschichten raus. Mit dem Dorf stimmt was nicht. Ganz massiv.«

Sie wartete. Schaller überlegte, wie er ihr erklären sollte, dass er ihr das doch sowieso hatte versprechen wollen. Dass sie diese elende Frau-Kamp-Geschichte ruhig zurücknehmen konnte. Aber Geschichten ließen sich nun einmal nicht zurücknehmen, und das Ganze verwirrte ihn derart, dass er einfach nickte. Das reichte Miriam, sie war schon beim nächsten Satz.

»Außerdem will ich, dass du nie wieder mit Gombrowski Geschäfte machst. Egal, was er anbietet. Nie wieder.« Dieses

Mal gelang das Nicken schon flüssiger, Miriam sah zufrieden aus. »Gib mir dein Handy.«

Mit wenigen Wischbewegungen durchsuchte sie sein Adressbuch und wählte eine Nummer. Der Lautsprecher war eingeschaltet.

»Ja?«, bellte Gombrowskis Stimme aus dem Gerät. Die Tonqualität war gut, fast klang es, als stünde der alte Hund bei ihnen im Hof.

»Hier ist Miriam Schaller.«

»Was!«, schrie Gombrowski. »So eine Überraschung! Als ich dich zuletzt gesehen habe, warst du nicht größer als ein Hydrant.«

»Ich geh bald studieren«, sagte Miriam.

»Du warst schon immer eine ganz Aufgeweckte. Was kann ich für dich tun?«

»Sie können meinen Vater in Ruhe lassen.«

»Was redest du da?«

»Sie sollen ihn ...«, vergeblich suchte Miriam nach einem anderen Begriff, »in Ruhe lassen.«

»Du meinst, ich soll ihm keine Aufträge mehr geben? Ich soll ihm nicht helfen, wenn er eine Unterkunft braucht? Ich soll nicht dafür sorgen, dass er Sachen wiederkriegt, die man ihm gestohlen hat? Ist es das, was du meinst?«

»Sie sollen ihn nicht mehr anrufen. Nie wieder.«

Für eine Weile herrschte Schweigen. Kein wütendes Schweigen, sondern ein betroffenes.

»Sind Sie noch dran?«, fragte Miriam.

»Weißt du eigentlich, wer all die Jahre für euch gesorgt hat?«, fragte Gombrowski. Das Sprechen schien ihm Mühe zu bereiten. »Dein Vater hatte immer Arbeit, auch nach der Wende. Und als Susanna ihren Job verlieren sollte, wer hat da im Schulamt angerufen und die Angelegenheit aus der Welt geschafft? Weißt du das überhaupt?«

»Ich weiß, dass damit jetzt Schluss ist«, sagte Miriam tapfer.

»Ein Scheißladen ist das hier!« Gombrowski schrie so laut, dass Miriam das Handy von sich streckte. »Habt ihr alle den Verstand verloren? Mir reicht's!«

Gleich darauf wurde es wieder still, vielleicht hatte Gombrowski das Telefon weggelegt, um sich das Gesicht zu reiben. Sekunden später schnaufte es wieder in der Leitung.

»In Ordnung«, sagte er ruhiger. »Das soll nicht deine Sorge sein, Miriam. Richte deinem Vater einen Gruß aus und sag ihm, dass er nie wieder von Rudolf Gombrowski hört.«

Die Verbindung war unterbrochen. Eine Weile schwiegen sie und sahen gemeinsam der Flugakrobatik der Mauersegler zu, die in zwei Stunden von Fledermäusen abgelöst werden würden. Miriam wirkte unzufrieden, als wäre das Telefonat anders gelaufen als erwartet.

»Wie geht's dem MG?«, fragte Schaller nach einer Weile.

Miriam überlegte.

»Ich glaube, da klappert ein Radlager.«

»Fahr die Karre rein.«

Miriam flitzte vom Hof; draußen sprang der Motor an, acht Kolben in V-Stellung, Balsam auf Schallers Nerven. Als er ihr das Tor aufhielt, lächelte sie. Da war es wieder, sein kleines Mädchen, das gerade über den Rand der Motorhaube gucken konnte und genau wusste, was er meinte, wenn er um die Ölfilter-Spinne bat. So groß war sie geworden. So klug konnte sie reden. Schaller ließ den Caddy herunter, um Platz auf der Hebebühne zu schaffen.

44 Seidel

Arne kam es vor, als wäre das Dorf versehentlich in eine Zeitmaschine geraten. Das Fieber war nach Unterleuten zurückgekehrt, als hätten die zwei vergangenen Jahrzehnte überhaupt keine Rolle gespielt. Es zeigte sich im Schweigen des Bürgermeistertelefons, das sonst den lieben langen Tag klingelte, genauso wie im Zu-Boden-Starren von Menschen, die auf der Straße das Grüßen vermeiden wollten. Am deutlichsten aber ließ es sich im Märkischen Landmann messen, wo montagabends normalerweise reger Betrieb herrschte, während heute nur ein paar Fahrradtouristen in der Nische am Fenster ihre Schnitzel mit Pommes und Salat vertilgten. Zwei Trinker aus Groß Väter belagerten die Bar und blickten verstohlen zum Skattisch herüber, an dem Arne mit Steffen und Gombrowski Karten spielte. Alle anderen Tische standen verwaist in der ungewohnt sauberen Luft. Keinen Augenblick zweifelte Arne daran, dass die gespenstische Ruhe auf die Anwesenheit von Gombrowski zurückzuführen war. Jedermann wusste, dass montags Skatabend war. Das Dorf verhielt sich wie ein Kind, das von Hautausschlag befallen war. Die Klatschsucht war ein Juckreiz, und das Dorf kratzte sich.

Während Arnes Finger wie von selbst den Kartenstapel teilten, die beiden Hälften mit den Daumen aufbogen und ineinanderlaufen ließen, musste er wider Willen an die Zeit nach dem Mauerfall denken, als Unterleuten an derselben Krankheit gelitten hatte. Siebzig Kilometer weiter hatte sich Berlin im Freudentaumel befunden, während in Unterleuten ein fiebriger Schockzustand herrschte, der das Blut erhitzte und die Gehirne benebelte. Von denen, die fortgingen, hieß es bald, sie hätten für die Stasi gearbeitet, und mit einem Mal wohnten selbsternannte Opfer in den verlassenen Häusern. Wer sich enteignet fühlte, nahm sich etwas anderes zur Entschädigung und erzählte über jenen, dem es gehörte, die schlimmsten Geschichten. Grundsätzlich waren die eigenen Kinder nicht aus Dummheit, sondern aus politischen Gründen durchs Abitur gefallen. Berufliches Scheitern taugte plötzlich als Beweis für geleisteten Widerstand gegen das Unrechtssystem, so dass die größten Versager mit geschwellter Brust umherspazierten und den Erfolgreichen vorwarfen, sie hätten auf den Schößen der Bonzen gesessen. Brüder entpuppten sich als Neider, Freunde als Verräter und Ehefrauen als Stasi-Spitzel. Als es darum ging, die LPG vor der Auflösung zu bewahren, waren jedes zerbrochene Fenster, jedes tote Huhn und jeder liegen gebliebene Trabi das Werk von Rudolf Gombrowski gewesen.

Arne wollte gar nicht wissen, was damals wirklich alles passiert war. Er hielt nichts davon, den Dorforganismus mit der toxischen Frage nach Schuld oder Unschuld zu vergiften. Lieber wollte er die Gegenwart als ein Material behandeln, aus dem sich etwas Schönes formen ließ. Seiner Erfahrung nach wurden die schlimmsten Übel auf der Welt nicht durch böse Menschen bewirkt. Von denen gab es in Wahrheit erstaunlich wenige. Viel gefährlicher waren Leute, die sich im Recht glaubten. Sie waren ungeheuer zahlreich, und sie kannten keine Gnade.

»18«, sagte Steffen.

Gombrowski reagierte nicht, was bedeutete, dass er mitging.

»20.«

Arnes Finger hatten nicht nur das Mischen und Austeilen, sondern auch das Sortieren seines Blatts selbstständig übernommen. Ein flüchtiger Blick reichte, um zu entscheiden, dass er ausreizen würde. Die beiden Alten, Pik As und vier Herzen mit Zehn reichten für ein Farbspiel, je nach Skat für einen Grand.

»22«, sagte Steffen zu Gombrowski. »Null. 24.«

Das klang nicht gut. Offensichtlich reizte Steffen ohne Zwei und hatte bei so viel Selbstbewusstsein vermutlich auch den Karo-Buben auf der Hand.

»27.«

Gombrowski trank sein Bier aus. Er wirkte abwesend. Seit der nächtlichen Schlägerei mit Kron hatte Arne immer wieder versucht, ihn zu erreichen. Im Beutelweg war niemand ans Telefon gegangen, und in der Ökologica hatte Betty behauptet, ihr Chef sei nicht zur Arbeit gekommen, was Arne für eine Lüge hielt. Eigentlich hatte er fest damit gerechnet, dass Gombrowski auch zum Skatabend nicht erscheinen würde. Steffen und Arne hatten ihre Schnitzel schon aufgegessen, als die Tür an die Wand knallte und der fette alte Hund doch noch den Raum betrat. Er hatte die Fingerknöchel zur allgemeinen Begrüßung auf den Tresen krachen lassen und sich auf seinen Stuhl geworfen, schweigsam, ernst, aber von gesunder Gesichtsfarbe.

»30«, sagte Steffen.

Das war Arnes Limit. Gombrowski tat weiterhin so, als würde er sich für Steffens ehrgeiziges Reizen nicht interessieren. Er wandte sich auf dem Stuhl um und hob einen Finger, woraufhin Sabine ein Glas unter die Zapfanlage schob.

»33. 36. Weg.«

Für Steffen war es also um Kreuz gegangen, mit dem Dritten. Das konnte alles Mögliche bedeuten. Wenn Gombrowski ohne drei auf Pik oder Karo reizte, saßen die Buben verteilt. Aber Gombrowski war ein harter Spieler, der kein Risiko scheute. Ihm war durchaus zuzutrauen, dass er ohne Buben mit einer starken Farbe spielen wollte. Dann hatte Arne entweder zwei Buben auf Steffens Hand gegen sich oder einer lag im Skat. Arne überlegte, ob er einen Grand riskieren sollte, und entschied sich dagegen.

»Passe.«

Gombrowski ließ den Skat liegen, warf seine Karten offen auf den Tisch und ging aufs Klo. Null Ouvert Hand.

»Der Schweinehund«, stöhnte Steffen, während er Gombrowski 59 Punkte gutschrieb.

»Pures Glück«, sagte Arne.

»Sag ich doch. Hat Schwein, der Hund.«

Steffen grinste. Flüchtig überlegte Arne, ob Steffen und Gombrowski sich eigentlich mochten. Steffen besaß eine Baufirma, und Gombrowski leitete einen landwirtschaftlichen Betrieb, in dem ständig etwas saniert werden musste. Das war Grund genug, seit zwanzig Jahren Skat miteinander zu spielen. Nichts sprach dagegen, dass eine solche Geschäftsbeziehung von Sympathie begleitet wurde; eigentlich sprach aber genauso wenig dafür. Wenn Arne es sich recht überlegte, war er nicht einmal sicher, ob er selbst Gombrowski leiden konnte. Die Frage hatte nie eine Rolle gespielt. Gombrowski erwartete, dass Arne in seinem Sinn handelte und umgekehrt. Diese ungeschriebene Vereinbarung hieß weder Freundschaft noch Kameradschaft. Es war einfach so, dass ihr Umgang miteinander keinen Namen brauchte. In einer sentimentalen Anwandlung fragte sich Arne, ob es überhaupt jemanden gab, der Gombrowski freundschaftliche Gefühle entgegenbrachte. Aber dann fiel ihm auf, dass auch er selbst von niemandem solche Gefühle empfing, dass er nicht einmal mehr wusste, wie es sich anfühlte, gemocht zu werden. Selbst Kathrin, an die er so oft dachte, wünschte ihn vermutlich zum Teufel oder jedenfalls ans andere Ende des Landkreises.

Vielleicht, dachte Arne, wurden Gefühle einfach nicht so alt wie Menschen. Ab einem gewissen Alter lebten Ehepartner wie Mitbewohner in einer WG, falls sie nicht längst geschieden waren. Kinder und Eltern hörten auf, einander zu mögen, besuchten sich trotzdem und waren froh, wenn der andere wieder verschwand. Freunde verloren sich aus den Augen, Nachbarn verwandelten sich in Feinde. Liebschaften wurden lästig, alte Schulkameraden peinlich, und selbst ein Haustier fing irgendwann an zu nerven. Jenseits von jugendlichen Leidenschaften begegnete man der Welt am besten mit gut gekühltem Pragmatismus. Arne beschloss, dass das normal war, es wurde nur selten darüber gesprochen. Kein Grund zur Sentimentalität.

Sabine kam an den Tisch und knallte ein Bier so heftig vor Gombrowskis leerem Stuhl auf den Tisch, dass das Glas überschwappte. Steffen schaffte es gerade noch, die Karten in Sicherheit zu bringen.

»Diesmal kommt ihr damit nicht durch.« Sie sah Arne an. Steffen warf ihm einen schnellen Blick zu und rutschte ein Stück zur Seite, als wollte er signalisieren, dass ihn die Sache nichts anging.

»Was meinst du?«, fragte Arne.

»Kinder entführen wegen ein paar läppischen Windrädern. Das geht zu weit.«

»Wer hat ein Kind entführt?«

Gombrowski kam zurück, setzte sich auf seinen Platz und begann, die Karten zu mischen.

»Die Kleine hat bei Hilde die Zeit vergessen und ist eingeschlafen«, sagte Arne ruhig. »Gombrowski hat nichts damit zu tun.«

Sabine blickte weiter Arne an, als wäre Gombrowski aus Luft.

»Und Verena, Ingo, Patrick und Angela? Die haben sich wohl selbst gekündigt?«

»Die vier sind nicht mehr zur Arbeit erschienen«, sagte Arne. »Was würdest du machen, wenn Silke einfach nicht mehr kommt?«

»Fragen, was los ist.«

»Jeder weiß, was los ist, verdammt noch mal. Die spielen Streik, kurz vor der Erntezeit. Weil ihnen jemand eingeredet hat, die Ökologica solle geschlossen werden.«

Arne fiel ein, dass Sabine mit Angela verschwägert und außerdem die beste Freundin von Patricks Patentante war, während Silke enge Beziehungen mit einer Cousine von Verena sowie mit Ingos älterer Schwester pflegte. Er winkte ab.

»Geh an die Bar und lass uns spielen.«

Sabine rührte sich nicht von der Stelle, im Gegenteil stützte sie, um ihre Präsenz zu verdoppeln, beide Hände auf den Tisch.

»Ich sag's euch im Guten. Den Reibach mit den Propellern zieht ihr nicht durch.«

Am Nachmittag hatte Pilz angerufen, sich nach dem Stand der Dinge erkundigt und dabei regelrecht euphorisch geklungen. Ranhalten solle man sich, die Zeichen stünden günstig wie nie. Pakistan unter Wasser, Russland abgebrannt, der Innenminister in den Brandenburger Hochwassergebieten unterwegs. Auf allen Kanälen analysierten Klimaforscher den Katastrophensommer. Potsdam und Berlin müssten positive Projekte vorweisen, als Signale an die Öffentlichkeit. Das Genehmigungsverfahren lasse sich durchziehen wie nichts. Ob man sich schon für eins der Eignungsgebiete entschieden habe.

Im Prinzip ja, hatte Arne geantwortet. Es seien nur noch ein paar Details zu klären.

»Das ganze Dorf steht gegen euch auf«, sagte Sabine.

Sie klang jetzt wirklich wütend. Arne nahm seine Karten auf. Hauptsächlich Luschen, Karo-Bube, eine blanke Zehn.

»Weg«, sagte er.

»18«, sagte Gombrowski.

»Okay«, sagte Steffen.

»Der Windkraft-Protest ist völlig übertrieben«, sagte Arne. »Angesichts der Klimakatastrophe …«

»Stell dich nicht blöd, Bürgermeister.« Sabine hieb die flache Hand auf den Tisch. »Die Leute protestieren nicht gegen die Propeller, sondern gegen *ihn.*« Sie zeigte auf Gombrowski, der weiterhin in seine Karten starrte, als wäre er nicht in der Lage, irgendetwas anderes wahrzunehmen. »Geht das in eure Betonköpfe rein?«

»Weißt du was? Ich hab keinen Bock mehr auf diese Leier!« Überrascht stellte Arne fest, dass er laut geworden war. Wutausbrüche in der Öffentlichkeit gehörten normalerweise nicht zu seinem Repertoire. Für einen Augenblick sah Sabine erschrocken aus. »Gombrowski hier, Gombrowski da! Die Hälfte deiner Kunden bezahlt ihr Bier mit Geld, das bei Gombrowski verdient wurde! Ohne Gombrowski gäbe es deine Kneipe schon lange nicht mehr!«

Arne wusste, dass seine Wut nichts mit Sabine zu tun hatte. Im Grunde war es Gombrowski, den er anschreien wollte. Gombrowski, der sicher nichts mit Krönchens Entführung zu tun hatte, aber dennoch kein Recht besaß, ruhig dazusitzen, sein Blatt zu mustern und zu Steffen »20« zu sagen. Vielleicht wollte Arne sich auch selbst anschreien, weil es ihm nicht gelungen war, das Fieber zu verhindern. Oder er wollte mit dem ganzen Dorf schimpfen, weil es sich der Klatschsucht überließ. Das alles war sinnlos und die ganze Situation so falsch, dass ihm die Lust am Lautwerden gleich wieder verging.

»Die Gemeinde ist pleite«, sagte er in halbwegs normalem Tonfall. »Wir wollen alle das Beste für Unterleuten. Jeder auf seine Weise.«

Sabine warf ihm einen verächtlichen Blick zu und schüttelte den Kopf.

»Hey!« Jetzt blickte sie Gombrowski an. »Niemand in Unterleuten wird auch nur einen Quadratmeter an dich verkaufen.« Weil Gombrowski nicht reagierte, stieß sie ihn gegen den Oberarm. »Du kriegst das Scheißland für deine Propeller nicht, kapiert?«

»22«, sagte Gombrowski.

»Jepp«, sagte Steffen.

»Und weißt du auch, warum?« Sabine hatte sich so weit vorgebeugt, dass sie Gombrowski direkt ins Gesicht sprechen konnte. »Weil es Gerechtigkeit gibt in der Welt. Leute wie du, die nicht an Gerechtigkeit glauben, verlieren am Ende immer.«

»Null«, sagte Gombrowski.

»Das reicht jetzt.« Sie riss ihm die Karten aus der Hand und warf sie auf den Boden.

»Hast du getrunken?«, rief Arne.

»Die Rechnung geht aufs Haus. Schönen Abend, die Herren.«

Die Säufer an der Bar hatten über dem Zuhören vergessen, ihre Schnäpse zu leeren. Die Touristenfamilie saß vor halb vollen Tellern und blickte staunend herüber. Als Gombrowski und Steffen ihre Stühle zurückschoben, stand auch Arne auf. Im Gänsemarsch bewegten sie sich durch den Gastraum zur Tür.

Draußen war es noch hell, ein ungewohnter Anblick beim Verlassen des Landmanns. Einen Moment blieben sie vor dem Eingang stehen, verwirrt wie vom Jetlag, und blinzelten in den dunkelblauen Himmel, an dem Schwalben ihre eckigen Choreographien flogen. Die Luft lastete warm zwischen den Häusern wie eine zähe Masse. Klatschend erschlug Gombrowski eine Mücke in seinem Nacken.

»Okay«, sagte Steffen, fügte etwas Undeutliches von viel Arbeit und frühem Aufstehen hinzu und entfernte sich Richtung Neubausiedlung.

»Ich hatte eh ein Scheißblatt«, sagte Arne.

Gombrowski schob die Hände in die Hosentaschen und kickte einen Kieselstein auf die Straße.

»Die Leute spielen verrückt«, sagte Arne. »Das muss jetzt schnell gehen. Bis wann kannst du den Vertrag mit Linda Franzen machen?«

Gombrowski kniff die Augen zusammen und blickte nach Westen, um an der Farbe des Himmels die Regenwahrscheinlichkeit abzulesen.

»Ich wollte dich da drinnen übrigens nicht verteidigen«, sagte Arne. »Ich unterstütze die Windkraftpläne nicht deinetwegen. Sondern weil sie das Richtige für Unterleuten sind.«

Gombrowski tippte sich an eine imaginäre Mütze und ging den Beutelweg hinunter. Nicht auf dem Bürgersteig, sondern mitten auf der Fahrbahn.

45 Kron-Hübschke

Normalerweise machte ihr die Arbeit mit den Toten nichts aus. Längst war sie an den süßlichen Geruch nach Fäulnis und Formalin gewöhnt, der sich trotz Kittel und Haube überall festsetzte, in den Haaren, unter den Fingernägeln und vor allem in der Nase, so dass nach einer Obduktion selbst der Sommerwind nach Leichen roch. Wenn sie mit der elektrischen Säge eine Schädeldecke öffnete, um das Gehirn zu entnehmen, war sie nichts weiter als eine Fragende, die Antworten suchte. Daran war nichts Bizarres; Kathrin lebte mit Toten wie ein Ornithologe mit Vögeln. Sie hatte Medizinstudenten gesehen, die beim Geräusch der Knochensäge ohnmächtig auf die Kacheln schlugen. Derartige Reaktionen fand sie wesentlich seltsamer als den eigenen Gleichmut. Wenn etwas bizarr war, dann wohl eher die Weigerung, die Sterblichkeit zur Kenntnis zu nehmen. Schließlich war allseits bekannt, dass Mensch-Sein stank und suppte.

Kamen ihr dennoch Zweifel, genügte ein kurzer Blick auf die Zustände außerhalb der Pathologie, um sich wieder zufrieden zu fühlen. Auf den anderen Stationen schoben die Schwestern Doppel- und Dreifachschichten, taumelten wie betäubt vor Müdigkeit durch die Korridore. Wenn nachts einmal keine Beatmungsfälle vorlagen und das ständige Rufen der Patienten nach Schlaf- oder Schmerzmitteln, offenen oder geschlossenen Fenstern, Wassergläsern und trockenen Betttüchern endlich zum Erliegen kam, legten sich die Mädchen entgegen den Vorschriften quer über ein paar Stühle, um für ein oder zwei Stunden zu schlafen. In der Cafeteria erzählten die Kollegen von den phobischen Beziehungen, die sie zu ihren Pagern entwickelten. Kathrin hörte zu und ließ unerwähnt, dass sie üblicherweise gegen 18 Uhr zu Hause war. Den Hauptteil der Arbeitszeit verbrachte sie ungestört mit dem Auge am Okular eines Mikroskops. Im Großen und Ganzen mochte sie ihren Job.

Bis heute Morgen ein Kind in den Obduktionssaal geschoben worden war, ein siebenjähriges Mädchen, Lungenentzündung nach Meinung der Pädiatrie. Das Mädchen war nicht das erste Kind auf ihrem Tisch, und Tage, an denen ein Kind starb, waren immer dunkel. Aber als sie heute den grünen Stoff von dem viel zu kleinen Körper gezogen hatte, verlor sie die Kontrolle. Zuerst zitterten ihre Hände, dann die Arme und schließlich der ganze Oberkörper. Der Pfleger, der die Bahre gebracht hatte, eilte zu ihr, um einen Sturz zu verhindern.

»Was haben Sie denn«, fragte er, »ist Ihnen nicht gut?«

Aber da schrie Kathrin bereits. »Raus hier«, schrie sie, »raus mit dem Mädchen!«, und weil der verwirrte Pfleger nicht gleich gehorchte, steigerte sie die Lautstärke, bis ihr die Ohren klangen und der Pfleger endlich die Fußbremse löste, die Stahlrohre umklammerte und im Laufschritt den Saal verließ.

Kathrin hatte sich auf einen Hocker gesetzt und geweint. Das Telefon klingelte und der Chefarzt wollte wissen, was in sie gefahren sei. Sie wollte ihm erzählen, was am Wochenende mit Krönchen passiert war, und brachte kein Wort heraus. Schließlich bat sie, jemand anderen für die Öffnung des Mädchens einzuteilen. Es gebe Ärger in der Familie, behauptete sie. Ein paar Stunden im Labor würden ihr guttun.

Aber die konzentrierte Arbeit an Mikrotom und Mikroskop half diesmal nicht. An gewöhnlichen Tagen vergaß sie alles um sich herum, sobald ein Schnitt auf dem Objektträger lag. Heute aber drehten sich die Gedanken wie ein Karussell um die immergleiche Frage.

Was war am Wochenende wirklich geschehen?

Immer wieder unterdrückte sie den Impuls, zu Hause anzurufen und zu fragen, ob alles in Ordnung sei. Sie verbot sich, das Handy aus der Tasche zu nehmen und zu prüfen, ob es empfangsbereit war. Unablässig produzierte ihr Gehirn unverbundene Sätze: So grausam ist niemand. Hilde hat auch eine Tochter. Eigentlich kenne ich Gombrowski gar nicht.

Um 17:30 Uhr verließ sie das Klinikgelände, fuhr mit überhöhter Geschwindigkeit nach Hause, kochte Abendessen, brachte Krönchen zu Bett und wechselte ein paar belanglose Worte mit Wolfi, der normal aussah, als hätte das vergangene Wochenende nur in Kathrins Phantasie stattgefunden. Vermutlich wäre es vernünftig gewesen, sofort zu Bett zu gehen, die Denkschleife zu stoppen und die zurückliegenden Tage aus dem Kalender zu streichen. Aber Kathrin wollte nachdenken. Sie brauchte Klarheit.

Mit einem Glas Rotwein ging sie ins Wohnzimmer, legte eine CD mit Klaviermusik ein und setzte sich in den abgewetzten Oma-Sessel, den Wolfi aus seiner Berliner Studentenbude mitgebracht hatte. Wenn das Klavier ins Pianissimo ging, hörte sie das Klappern der Tastatur durch die Wand. Im Nebenraum saß Wolfi am Computer, einen Bleistift quer im Mund wie ein aufgezäumtes Pferd, und hämmerte in die Tasten. Seit Krönchens Verschwinden schien sich die Schreibkrise in Luft aufgelöst zu haben. Kathrin hatte ihn im Verdacht, die Ereignisse in ein Theaterstück zu verwandeln, und wusste jetzt schon, dass ihr das Ergebnis nicht gefallen würde.

Sie hatte versucht, mit ihm über die Fragen zu reden, die sie bedrückten. Er hatte sie verwundert angesehen. Ob sie Krönchen nicht glaube, hatte er zurückgefragt. Ob sie ihrem Vater nicht zuhöre. Kron habe bei Marx und Engels geschworen, dass die Sache auf Gombrowskis Kappe gehe, und Kron kenne den alten Hund schließlich am besten. Es bestehe kein Zweifel daran, wie alles abgelaufen sei, und das Beste, was sie jetzt tun könnten, sei, das Ganze zu vergessen. Wiederholen werde sich eine solche Aktion mit Sicherheit nicht, und letztlich sei Krönchen ja nichts passiert. Wenn Kathrin sich jetzt in alle möglichen Fragen hineinsteigere, dann nicht, weil es Unklarheiten gebe, sondern weil sie die schlimme Geschichte nicht glauben *wolle*.

Damit hatte er nicht unrecht, auch wenn er gar nicht verstand, worum es ging. Wolfi kam nicht von hier. Für Kathrin war Unterleuten nicht nur ein beliebiger Punkt auf der Erdoberfläche, an dem sich zweihundert Individuen zufällig zum gemeinsamen Leben versammelt hatten. Unterleuten war ein Lebensraum, eine Herkunft, ja, sogar eine Weltanschauung. Lebensräume konnten vergiftet, eine Herkunft zerstört und Weltanschauungen in ihr Gegenteil verkehrt werden.

Ob sie Anzeige gegen Gombrowski und Hilde erstatten wolle, hatte Wolfi gefragt und dabei ironisch geklungen. Selbst als Zugezogener war ihm klar, wie ein solcher Versuch ablaufen würde. Ein Beamter aus Plausitz, der auf einen Kaffee vorbeikäme, das Gesicht in mitleidige Falten legte und erklärte, dass man da mangels eindeutiger Beweise so gut wie gar nichts tun könne.

Aber es kam Kathrin ohnehin nicht auf eine polizeilich

ermittelte Wahrheit an. Was sie durchlitten hatte, stand jenseits von Strafverfolgung. Jede einzelne Sekunde der schrecklichen Nacht hatte sich mit Widerhaken in ihr Gedächtnis gegraben und war in der Lage, sich in endlosen Schleifen bis in alle Ewigkeit zu wiederholen. Weder Polizei noch Richter konnten eine Erinnerung tilgen, die der inneren Landkarte unauslöschlich eingeschrieben war. Es ging nicht um Schuld und Sühne, sondern um die Frage, ob Kathrin, falls tatsächlich Gombrowski und nicht nur ein schrecklicher Zufall hinter den Ereignissen steckte, weiterhin an dem Ort leben konnte, den sie ihre Heimat nannte.

Natürlich war Gombrowski eine Einzelperson und nicht mit dem Dorf identisch. Aber die Grausamkeit einer solchen Tat konnte den gesamten Landkreis in unbewohnbares Gebiet verwandeln. Kathrin hatte nichts dagegen, dass Unterleuten seine Probleme selbst löste, auch wenn es dabei gelegentlich etwas rauer zuging; daran war sie von kleinauf gewöhnt. Aber Unterleuten, Kathrins Unterleuten, vergriff sich nicht an Unschuldigen. Schon gar nicht an Kindern. Es fügte seinen Bewohnern keine bleibenden Schäden zu, weder in körperlicher noch in seelischer Hinsicht.

Kathrins Unterleuten las keine Zeitungen, sah kaum fern, benutzte das Internet nicht, interessierte sich nicht für Berlin, rief niemals die Polizei und vermied überhaupt jeden Kontakt mit der Außenwelt – aus einem schlichten Grund: weil es die Freiheit liebte. In den Jahrzehnten der sozialistischen Diktatur hatten die Menschen erfahren, dass Macht im Abstrakten und Irrealen waltete. Deshalb hielten sie sich lieber an das Reale und Konkrete. Der globalen Einschüchterung, die den ganzen Planeten im Griff hielt, boten sie keine Angriffsfläche. Wer nichts las, schaute, klickte oder hörte, wurde auch nicht regiert, weder von Politikern noch von Informationen und Ängsten, und schon gar nicht von einer Kombination aus alledem. Unter der ruppigen Oberfläche von Kathrins Unterleuten wohnte vielleicht keine Menschenliebe, aber doch eine Art Menschenfreundschaft. Mochte es auch mal poltern – ein Unterleuten, das Kinder entführte, gab es nicht. Krönchens Verschwinden drohte Unterleuten auszulöschen.

Aber wohin sollte sie? Nach Berlin? Ein sanfter Sommerregen begann, an die Scheiben der Wohnzimmerfenster zu tippen. Wolfi konnte überall arbeiten; er wäre vielleicht sogar glücklich, in die Hauptstadt zurückzukehren. Kathrin konnte sich um einen Job an der Charité bewerben. Sie konnte lernen, ohne Haus, ohne Garten und ohne Wald zu leben, in der von Mietwohnungen portionierten Anonymität der Großstadt. Krönchen war jung genug, um Unterleuten zu vergessen; in ein paar Jahren wäre das Dorf für sie nur noch eine vage Erinnerung an den Geruch von Kiefern und warmem Sand.

Nur, es gab auch noch Kron. Er war mit dem Boden verbunden wie die Häuser, Gärten und Straßen, aus denen das Dorf bestand. Kathrin war schon einmal an dem Versuch gescheitert, ihren Vater zu verlassen. Bei der Vorstellung, ihm Krönchen wegzunehmen, spannte sich etwas in ihrem Inneren bis zum Zerreißen. Wahrscheinlich würde er den Fortgang von Tochter und Enkelin nicht überleben.

Mit einem Ruck stand sie aus dem Sessel auf, stellte die Musik ab und trat ans Fenster. Ein beunruhigender Gedanke war ihr gekommen. In all den Jahren war sie fraglos davon ausgegangen, ihr Vater und sie lebten im selben Universum. Sie hielt ihn für neurotisch, weil die Welt, die sie kannte, keinen Anlass für jahrzehntelange Unversöhnlichkeit, für Jähzorn, Wutausbrüche und Rachefeldzüge gab. Wenn Kron die Aggressivität des Kapitalismus anprangerte, hatte sie ihn nicht ernst genommen; wenn er Gombrowskis Bösartigkeit beschwor, hatte sie ihm nicht geglaubt. Was aber, wenn er gar nicht verrückt war, sondern schlicht und ergreifend recht hatte?

Unwillkürlich bedeckte sie die Augen mit den Händen, als ihr noch etwas klar wurde. Möglicherweise hatte sie sein Schweigen über den Schicksalstag vor zwanzig Jahren, an dem Erik gestorben war, immer falsch gedeutet. Sie war davon ausgegangen, dass Kron schwieg, weil es nichts Skandalöses zu berichten gab. Weil stumme Anklage das Höchste war, was sich aus der Situation herausholen ließ. Weil er sich nur auf diese Weise zum Opfer stilisieren konnte.

Niemals hatte sie in Erwägung gezogen, dass sein Schweigen vielleicht gar nicht gegen Gombrowski oder das Dorf gerichtet war. Dass es vielmehr dazu gedient haben könnte, seine Tochter und ihr heiles Weltbild zu schützen.

Im Grunde wusste Kathrin fast nichts über Eriks Tod und Krons Unfall. Gombrowski hatte die beiden damals in den Wald bestellt, um ihnen sein Angebot zu unterbreiten: ein großes Stück Forst gegen widerstandsloses Ausscheiden aus der LPG. Dann brach ein heftiges Unwetter los. Kathrin war nicht einmal sicher, ob Gombrowski überhaupt zum Treffen erschienen war. Ein Baum wurde vom Blitz getroffen, ein herabstürzender Ast begrub Erik und Kron unter sich. War das alles? Im Dorf kursierten Gerüchte, zu denen Kron hartnäckig schwieg. Kathrin hatte nie ernsthaft nachgefragt. Vielleicht, dachte sie jetzt, hatte sie wieder einmal nichts Genaues wissen wollen.

Der Regen draußen wurde stärker, trommelte für Minuten mit voller Kraft gegen die Fenster und versiegte dann plötzlich, als hätte jemand einen Schalter umgelegt. Das bisschen Niederschlag würde den vertrockneten Garten eher ärgern als retten. Kathrin nickte dem eigenen Spiegelbild in der Fensterscheibe zu. Sie wusste nun, was zu tun war. Sie brauchte Klarheit. Es ging nicht mehr um die Vergangenheit, nicht um alte Geschichten über den verrückten Kron und den groben Gombrowski. Es ging um die Zukunft, um Kathrins Leben und das Glück ihrer Familie. Plötzlich erkannte sie, dass Krönchens Verschwinden über die Jahrzehnte hinweg mit einem herabstürzenden Ast in Verbindung stand. Wenn Kathrin wissen wollte, in welcher Sorte Welt sie lebte, würde sie nicht darum herumkommen, mit ihrem Vater zu reden. Sie musste ihn zum ersten Mal richtig befragen und ihm richtig zuhören. Es galt herauszufinden, wessen Unterleuten das reale war, seines oder ihres. An Krons Sicht auf die Dinge führte kein Weg vorbei.

»Ich kann nicht schlafen.«

Kathrin schreckte aus ihren Gedanken; sie hatte Krönchens nackte Füße auf der Treppe nicht gehört. Jetzt stand die Kleine im Türrahmen, die zerzausten Locken fielen ihr auf die Schultern. Sie hatte ihr Lieblingsstofftier dabei, eine zwei Meter lange Schlange namens Pitala, die Kathrin ihr zum vierten Geburtstag aus bunten Flicken genäht und mit Watte ausgestopft hatte. Pitala war die Hauptfigur in Krönchens Lieblingsbuch, das davon handelte, wie eine Schlange die bunten Früchte und Schmetterlinge des Urwalds verspeist und dabei deren Farben annimmt, bis sie selbst schön wie ein Paradiesvogel ist, während sich der Dschungel in ein Schwarz-Weiß-Bild verwandelt hat. Während Krönchen näher kam, presste sie sich Pitalas Kopf an die Wange; der lange Schlangenkörper schleifte hinter ihr über den Boden.

»Ist Pitala gar nicht müde?«

Krönchen schüttelte den Kopf.

»Dann kommt mal her, ihr beiden.«

Kathrin setzte sich wieder in den Sessel und nahm ihre Tochter auf den Schoß. Sie schwiegen eine Weile. Seit ihrem Verschwinden war Krönchen ungewöhnlich still. Friedlich spielte sie in ihrem Zimmer, statt unablässig nach Aufmerksamkeit zu verlangen. Kein Kampf beim morgendlichen Anziehen, kein Streit wegen Herumschreien im Garten, keine Trotzanfälle beim Abendessen. Es war, als versuchte das Mädchen, sich unsichtbar zu machen. Wolfi ging davon aus, dass die Kleine noch immer unter Schock stand. Er behandelte sie wie eine Kranke. Ständig strich er ihr übers Haar und sprach mit hoher Stimme auf sie ein.

Es war nie leicht gewesen, Krönchen zu durchschauen. Ihre Stimmungen wechselten schnell, und Kathrin hatte sie schon im Alter von drei Jahren dabei ertappt, wie sie mit einem Handspiegel im Badezimmer saß und Gesichtsausdrücke übte: schmollen, lächeln, flirten, Wut. Was, wenn Krönchen log, nicht aus bösem Willen, sondern so, wie Kinder eben manchmal die Wahrheit verdrehten, wenn die Phantasie mit ihnen durchging? Ein Abgrund öffnete sich vor Kathrins Füßen. Im nächsten Augenblick krampfte sich ihr Herz zusammen bei der Vorstellung, welche Ängste die Kleine in Hildes nächtlichem Haus ausgestanden haben mochte. Die Sehnsucht danach, ihrer Tochter zu glauben, war exakt gleich stark wie der Wunsch, die schlimme Geschichte möge nur in Krönchens Einbildung passiert sein. Zwischen diesen beiden Fronten wurde Kathrin auf das Format einer Rabenmutter zusammengedrückt.

Als ihr auffiel, dass sie Krönchens Kopf seit geraumer Zeit mechanisch streichelte, nahm sie die Hand fort, was das Mädchen als Aufforderung zum Reden verstand.

»Es tut mir leid«, sagte es mit seiner kleinsten Stimme.

Krönchen hielt den Kopf gesenkt und drehte Pitalas linkes Knopfauge zwischen den Fingern. Der Knopf würde abreißen, Kathrin würde ihn wieder annähen.

»Was denn?«

»Dass ich weggelaufen bin.«

»Aber das hatten wir doch schon geklärt.«

Kathrin fasste ihre Tochter um die Taille, drehte sie um und setzte sie so auf ihre Knie, dass sie der Kleinen ins Gesicht sehen konnte.

»Hör mal zu.« Mit einem Finger hob sie Krönchens gesenktes Kinn. »Du hast versprochen, dass du nie wieder das Grundstück verlässt, ohne uns Bescheid zu sagen. Damit ist es gut.«

»Ihr seid böse auf mich.«

»Sind wir nicht.«

»Ihr redet komisch mit mir.«

»Wir haben uns furchtbar Sorgen gemacht und sind noch ein bisschen verwirrt. Verstehst du?«

Krönchen überlegte, ob sie nicken sollte, und entschied sich dagegen.

»Ich muss dich noch etwas fragen«, sagte Kathrin. »Es ist wichtig, dass du genau zuhörst und die Wahrheit sagst. Okay?«

Jetzt nickte Krönchen, die blauen Augen ein wenig zu weit geöffnet.

»Tante Hilde ist doch deine Freundin, stimmt's?«

»Ihre Katzen sind meine Freunde.«

»Und Tante Hilde?«

Krönchen dachte nach.

»Ist auch meine Freundin.«

»Wenn sie deine Freundin ist, bist du sicher, dass sie dich eingesperrt hat?«

Krönchen schwieg. Kathrin rüttelte sie leicht an den Schultern.

»Vielleicht hast du dich ja in Hildes Haus versteckt. Manchmal spielst du doch gern, dass du von zu Hause abgehauen bist, nicht wahr? Du wolltest uns eins auswischen, weil wir gemein zu dir waren.«

Kathrin merkte, dass sich ihr Griff um die Schultern des Mädchens verkrampft hatte; sie lockerte die Finger und wischte sich den Schweiß von der Stirn. Ihre Körperwärme vereinigte sich mit der ihrer Tochter, mit einem Mal wurde es unerträglich heiß.

»Du kannst es ruhig sagen, mein Schatz. Vielleicht bist du bei Hilde im Haus eingeschlafen, und dann war es plötzlich mitten in der Nacht, und dann hattest du Angst, dass wir schrecklich mit dir schimpfen. Wir waren ja auch alle sehr aufgeregt. Und deshalb hast du gesagt, Tante Hilde hätte dich eingesperrt. War es so?«

Krönchens Augen füllten sich mit Tränen; die Unterlippe schob sich vor und begann zu zittern.

»Es ist wirklich wichtig.« Kathrin hatte ihre Stimme nicht unter Kontrolle. Sie merkte, dass sie laut wurde, und konnte es nicht verhindern. »Papa, Mama, Opa und Tante Hilde kommen in fürchterliche Schwierigkeiten. Du musst mir die Wahrheit sagen, hörst du? Krönchen!«

Krönchen hatte begonnen, sich in Kathrins Armen zu winden. Als Kathrin sie an den Schultern festhielt, warf sie den Kopf hin und her, um ihrem Blick auszuweichen. Schließlich begann sie haltlos zu weinen.

»Oh mein Gott, Krönchen. Es tut mir so leid.«

Mit geschlossenen Augen und zusammengepressten Lippen wünschte Kathrin, jedes einzelne Wort zurücknehmen zu können. Sie drückte die Kleine an sich, wiegte sie und spürte, wie ihr selbst die Tränen kamen, während Krönchens Weinkrampf ihr die Bluse durchnässte. Sie hatte die Kraft nicht, um ihr eigenes Kind der Lüge zu bezichtigen. Wie giftig diese ganze Geschichte war. Während Kathrin »sch-sch« flüsterte und ihre Tochter hielt, kam das Stimmengewirr im Kopf endlich zum Erliegen. Alle Zweifel wichen einer simplen Wahrheit.

Kathrin wurde ruhig, küsste ihre Tochter, stand auf und trug sie und Pitala auf den Armen durchs Zimmer, über den Flur, die Treppe hoch. Auch Krönchen beruhigte sich. Kathrin legte sie ins Bett, küsste sie noch einmal und sagte: »Ich bin dir nicht böse, mein Schatz.« Da ging ein Lächeln über das Gesicht des Kindes; es rollte sich auf die Seite, nahm die Schlange in den Arm und antwortete: »Gute Nacht, Mama.«

Auf Zehenspitzen verließ Kathrin das Kinderzimmer. In ihr war alles Ruhe und Klarheit. Sie besaß einen einfachen Auftrag, der darin bestand, ihre Familie zu beschützen. Wenn sie es schon niemals geschafft hatte, dem eigenen Vater Glauben zu schenken, dann wollte sie wenigstens lernen, zu ihrer Tochter zu halten. Damit waren alle Fragen beantwortet, und sie beschloss, ebenfalls sofort zu Bett zu gehen.

46 Franzen

Gombrowski hatte gefragt, ob er auf ein Bier vorbeischauen könne. Sie hatte ihn stattdessen unter eine ganz bestimmte Laterne im Beutelweg bestellt.

»Bei Einbruch der Dunkelheit«, hatte sie gesagt und hinzugefügt: »Die Stelle kennen Sie ja.«

Sie freute sich über die Formulierung, die ironisch klang wie aus einem Tarantino-Film.

Interessant war, dass sich der Täter bei ihr meldete und nicht das Opfer. Kron hatte sich seit seiner Rettung überhaupt nicht gerührt. Kein Anruf, kein Blumenstrauß, keine Postkarte. Die Idee, ihn selbst aufzusuchen und nach seinem Befinden zu fragen, hatte Linda gleich wieder verworfen. Die Starke handelte und schwieg.

Und Linda war stark. Sie platzte schier vor Tatendrang. Täglich fuhr sie mit dem Auto 200 Kilometer über Land, um Kundenpferde zu betreuen, kam abends gegen neun nach Hause, schlang ein paar belegte Brote hinunter und verbrachte weitere zwei Stunden mit dem Schleifen der Fensterrahmen im Obergeschoss. Gegen Mitternacht fiel sie wie ein Stein ins Bett, schlief bis sechs und erwachte beim Klingeln des Weckers mit einem kribbeligen Gefühl, einer Mischung aus Nervosität und freudiger Erwartung, als stünde irgendein großes Ereignis bevor. Meistens blieb sie noch ein paar Minuten liegen und überlegte, worauf sich die Aufregung bezog – auf die Arbeit mit einem besonders schwierigen Pferd, die Sanierung von Objekt 108 oder das Wiedersehen mit Frederik am Wochenende? Nichts ließ sich mit dem Vibrieren ihrer Nerven in Verbindung bringen. Ihr Lampenfieber war ein abstrakter, auf die Zukunft gerichteter Vorwärtsdrang, der alle Bewegungen und Gedanken beschleunigte, die Arbeitskraft verdoppelte und dafür sorgte, dass sie langsam fahrende Mähdrescher anhupte und gelegentlich kleinere Gegenstände fallen ließ.

Frederik hatte beschlossen, die ganze Woche in Berlin zu bleiben. Wahrscheinlich war er noch sauer wegen ihrer Ignoranz gegenüber der Loveparade. Obwohl Linda ihn vermisste, kam es ihr entgegen, dass sie keine Zeit an gemeinsame Abendessen, Sex oder Gespräche über die Computerbranche verlor. Ohnehin hatte er sich wieder mal als Spielverderber erwiesen. Voller Begeisterung hatte sie ihn in der späten Nacht zum Sonntag noch angerufen und die Gombrowski-Geschichte zum Besten gegeben. Wie sie Schmerzen und Humpeln simuliert hatte, um Kron Gelegenheit zur Flucht zu verschaffen. Wie sie dann plötzlich leichtfüßig und völlig frei von Hinken im Haus verschwunden war.

Frederik hatte nicht mitgelacht. Zuerst glaubte er, sie habe sich wirklich am Fuß verletzt, und wiederholte ständig die Frage, ob auch nichts gebrochen sei. Als er endlich begriff, dass es ihr gut ging, wurde er wütend. Er klang wie ein Vater, der mitten in der Nacht seine sechzehnjährige Tochter anschreit, vor lauter Erleichterung, dass ihr nichts zugestoßen ist.

Aber Linda war zu gut drauf, um sich von Frederiks Griesgrämigkeit die Laune verderben zu lassen. Sie genoss das Gefühl, in einem neuen Universum mit eigenem Energiehaushalt unterwegs zu sein. Seit sie in Unterleuten wohnte, war sie zu einem echten Mover im Sinne von Manfred Gortz geworden. Das lag an Objekt 108. Inzwischen wusste Linda, wie stark Grundbesitz das gesamte Lebensgefühl veränderte. Eigentlich gehörte sie zu einer Generation, deren turnschuhtragenden und Sushi-essenden Vertretern schon der Besitz einer Hauskatze als unerträgliche Verantwortung erschien. »Haus bauen, Baum pflanzen, Kind zeugen« war kein Glücksrezept mehr, sondern eine Horrorvision. Die Ewigpubertierenden wollten sich alles offen halten und wunderten sich dann über Orientierungslosigkeit.

Linda hingegen hatte eine Entscheidung getroffen. Ein Haus verwandelte das beängstigende Möglichkeitenlabyrinth der Zukunft in überschaubares Terrain. Ein Haus beantwortete die Frage nach dem »Wo« und damit auch Teile der Fragen nach »Was«, »Wie« und »Warum«. Das Land, auf dem das Haus stand, wollte bewirtschaftet und verteidigt werden. Land verlangte nach Expansion. Land brachte Menschen zusammen und verheiratete Nachbarn zu vielköpfigen Zwangsehen. Inzwischen glaubte Linda, dass das menschliche Schicksal nicht an Gott, sondern am Grundbesitz hing. Transzendentale Obdachlosigkeit war keine Folge des Religionsverlusts, sondern der Inflation von Mietwohnungen. Sie war stolz darauf, mit ihrer großen, heruntergekommenen Villa ein Bollwerk gegen den Zeitgeist zu errichten.

Objekt 108 war ein Aussichtsturm, von dem aus sie in die Zukunft blicken konnte, und was sie dort sah, gefiel ihr immer besser. Unterleuten hatte ein altes Herz. Seine Anführer wie Gombrowski, Kron oder Arne hatten die sechzig überschritten. Bald würden andere diese Plätze einnehmen, junge Menschen mit eigenen Zielen. Es stand Linda frei, ihre Rolle zu wählen. Früher hatte sie sich manchmal gefragt, warum es Menschen gab, die ihr ganzes Leben darauf richteten, Parteichef oder Vorstandsvorsitzender zu werden. Inzwischen kannte sie den Grund. Sie wusste jetzt, dass Macht süßlich roch. Wie Manfred Gortz sagte: Alles ist Wille. Das Machtgefüge in Unterleuten war eine Maschine, und Linda musste nicht mehr tun, als die Mechanismen zu erlernen. Sie hatte bereits ein paar Knöpfe und Schalter ausprobiert und begonnen, die ersten Interessenhebel zu bedienen. Die Resultate konnten sich sehen lassen. Dass Gombrowski sie unbedingt sprechen wollte, wertete sie als hervorragendes Zeichen.

Es war schon fast dunkel, als sie das Haus verließ. Um die Laternen kreisten Fledermäuse wie Vergrößerungen der Motten, die sie jagten. Drüben bei Karl, dem Indianer, brannte ein großes Feuer, das Bäume und Tipi zum Tanzen brachte. Es duftete so stark nach gebratenem Fleisch, dass Linda das Wasser im Mund zusammenlief. Mindestens einmal pro Woche grillte Karl mitten in der Nacht, was die Vermutung nahelegte, dass das, was gerade so köstlich roch, noch vor einer Stunde im Wald herumgesprungen war. Irgendwann musste Linda herausfinden, welche Funktion Karl in der Dorfmaschine besaß, aber für heute stand ein anderer Kandidat auf der Agenda.

Schon auf dreihundert Meter sah sie, dass Gombrowski am Laternenpfahl lehnte, genau an der Stelle, gegen die er in der Nacht zum Sonntag Krons Körper gestoßen hatte. Er hatte die Arme verschränkt, ein Bein leicht vorgestellt und eine Zigarre im Mund, deren Rauch eine leere Sprechblase über seinem Kopf bildete. Linda überlegte, ob ihm Selbstironie zuzutrauen war. Wenn die Zigarre eine Antwort auf Ort und Zeit des Treffens darstellen sollte, hatte sie ihn unterschätzt.

Ruhig sah er zu, wie sie näher kam, ohne Anzeichen von

Entdecken oder Erkennen, als hätten seine Augen sie schon seit Stunden verfolgt. Linda achtete darauf, das Tempo nicht zu verlangsamen, ging mit zügigen Schritten auf ihn zu und blieb direkt vor ihm stehen. Seine Zunge transportierte die Zigarre vom einen Mundwinkel in den anderen. Zufrieden nahm Linda die Abwesenheit des Mastiffs zur Kenntnis. Offensichtlich hatte Gombrowski begriffen, dass ihr Hunde keine Angst einjagten.

Eine Weile blickten sie sich an. Beiläufig nahm Linda die gleiche Haltung ein wie er, die Arme verschränkt, ein Bein vorgestellt. Dazu bewegte sie die Zunge, als transportiere sie eine Zigarre hin und her. Nach ein paar Sekunden stellte sich Gombrowski anders hin und nahm den Stumpen aus dem Mund. Linda lächelte freundlich. Durch Nachahmung eine unbewusste Reaktion hervorrufen und sofort belohnen – mit diesem Trick erlangte man Kontrolle über ein fremdes Bewusstsein.

Statt einer Begrüßung sagte Gombrowski schließlich: »Nein.«

Linda wartete.

»Ich habe die kleine Kron nicht entführt. Falls Sie das fragen wollten.«

»Wollte ich nicht.«

»So?« Die Zigarre verharrte auf dem Weg zum Mund; Gombrowskis Brauen hoben sich.

»Ich frage nicht«, sagte Linda, »weil ich fest davon ausgehe, dass Sie dahinterstecken.« Das stimmte zwar nicht, schien ihr aber als kleiner Schuss vor den Bug geeignet zu sein.

»Ach so.« Gombrowskis überraschte Miene sank in sich zusammen. »Ich dachte, Sie wären klüger als die ganzen Idioten hier. Egal.« Er sog an der Zigarre und schien zu überlegen. »Hat sich Kron bei Ihnen bedankt?«

Linda schüttelte den Kopf.

»Das sieht ihm ähnlich. Wer sich immer im Recht glaubt, sagt niemals danke.« Plötzlich lachte er. »Sie müssen ja einen schönen Eindruck von Unterleuten bekommen! Kinder verschwinden, alte Männer schlagen aufeinander ein. So ein Drecknest.«

»Komischerweise denke ich das nicht«, sagte Linda.

»Sollten Sie aber. Ich werde Ihnen jetzt ein paar Wahrheiten über Unterleuten erzählen. Das Dorf ist eine Schlangengrube.«

»Bislang kommen mir die Leute eigentlich ganz nett vor.«

»Nett!«, lachte Gombrowski. »Alle Menschen sind nett, wussten Sie das nicht? Hitler war nett, Milosevic war nett, Ahmadinedschad ist nett. Dazu gebildet und charmant. Gott sei Dank fehlen uns in Unterleuten Bildung und Charme. Deshalb sind wir wenigstens keine Massenmörder, sondern nur Kleinkriminelle.«

»Das klingt, als würden Sie Unterleuten hassen.«

»Tue ich auch. Und Unterleuten hasst mich. Kron sowieso samt Tochter, Schwiegersohn und Enkelin, dazu seine Veteranen-Truppe und deren gesamte Sippschaft. Weiterhin hasst mich, wer mir etwas schuldet, also praktisch jeder, allen voran Arne und Schaller.«

»Soll ich für Sie beten?«

»Halten Sie mich nicht für wehleidig. Ich rede über schlichte Tatsachen. Sogar meine Frau und meine Tochter hassen mich aus Gründen, die ich nie ganz verstanden habe. Meine Theorie dazu: Altlasten.«

»Was meinen Sie damit?«, fragte Linda. »Offene Rechnungen aus DDR-Zeiten?«

»Ich meine Sondermüll. Sie haben keine Ahnung, was der Unterleutner Boden alles in sich hineingeschlungen hat. Die abgerissene Hühnerfarm im Beuteler Bruch. Die Asbestdächer der ehemaligen Getreide-Lagerhallen. Die komplette LPG-Tankstelle samt unterirdischen Tanks. Kaputte Traktoren, Heizöl, Farben, Leichen, Bauschutt, tote Verkabelung – das liegt hier alles ein paar Zentimeter unter der Erde. Hat doch nie einer was weggeräumt in der DDR. Der ganze Müll von vierzig Jahren Superfortschritt liegt hier begraben. Schau dich um, es wächst ja nichts. Um was Essbares anzupflanzen, musst du nicht Landwirt sein, sondern Hexenmeister.«

»Die Felder stehen voll.«

Gombrowski winkte ab.

»Schweinefutter und Biodiesel. Die Tomaten bei Rewe kommen aus Spanien.« Er zog an seiner Zigarre. »Das Gift schlägt den Leuten aufs Gemüt. Wer schlau ist, haut ab. Wer nicht wegkommt, fängt an zu hassen. Oder krepiert. Deine Villa Kunterbunt hat noch keiner überlebt.«

»Das läuft nicht, Gombrowski.«

Er hob das Kinn, damit sie sich erkläre.

»Sie machen mir keine Angst«, sagte Linda.

Lachend trat er einen Schritt vor, um ihr auf die Schulter zu klopfen.

»Weiß ich, Schätzchen! Wenn du von der ängstlichen Sorte wärst, hättest du keine Freude daran, dich mitten in der Nacht mit dem fetten alten Hund zu treffen. Du bist hart, und du hast was im Kopf. Gute Mischung. So eine wie dich hätte ich mir als Tochter gewünscht.«

Linda musste sich eingestehen, dass er sie rührte. Ein Einzelkämpfer, hässlich wie kein Zweiter, mächtig, aber unbeliebt, von Frau und Tochter im Stich gelassen. Dabei klug genug, um zu wissen, dass seine Partie zu Ende ging. Gleichzeitig registrierte sie, wie perfekt er es verstand, das Spiel zu machen. Das war sein Auftritt, seine Szene. Er war es, der Linda zum Reagieren zwang, nicht umgekehrt. Dabei hatte sie es noch nicht einmal geschafft, ihn zu fragen, was er von ihr wollte. Warum er um dieses Treffen gebeten hatte. Sie beschloss, ihn noch eine Weile reden zu lassen. Je mehr sie über ihn erfuhr, desto besser.

»Du wirst deine eigenen Erfahrungen machen«, sagte Gombrowski.

Das »Sie« war im Lauf seines Vortrags auf der Strecke geblieben, und Linda hätte gern gewusst, ob Achtlosigkeit oder Kalkül dahintersteckten. Sie ermahnte sich, von Letzterem auszugehen. Der tollpatschige Grobian konnte ein Avatar sein, den Gombrowski an tausend feinen Fäden führte. Sie wusste selbst am besten, wie nützlich es war, von anderen Menschen falsch eingeschätzt zu werden.

»Wenn Unterleuten so furchtbar ist«, fragte sie, »was machen Sie dann noch hier?«

»Wo sollte ich sonst sein?« Er lehnte sich wieder gegen die Laterne. »Geh mal auf deinen Dachboden und schau aus der Luke neben der zugemauerten Esse nach Osten.«

Daran, dass jeder in Unterleuten ihr Haus besser kannte als sie selbst, hatte sich Linda inzwischen gewöhnt.

»Alles, was du dann siehst bis zum Horizont, hat meinem Vater gehört. Sie haben ihn gezwungen, seinen Besitz in die LPG einzubringen. Mächtig angestrengt haben sie sich, um Land und Leute zu verderben, mit äußerster Effizienz, denn im Verderben waren sie einsame Spitze. Nach der Wende habe ich dafür gekämpft, die Flächen zusammenzuhalten, den Betrieb zu retten, bevor ein Investor aus dem Westen kommt, der sich von der EU fürs Brachlegen bezahlen lässt. Jetzt sitze ich hier, auf dem lieben, armen, verdorbenen Land zwischen lieben, armen, verdorbenen Leuten und mache weiter, so gut ich kann.«

»Als Einziger völlig unverdorben.«

»Jetzt kommen wir zum Punkt.«

Er stieß die Zigarre gegen den Laternenpfahl, verteilte die herabstürzende Glut mit dem Fuß und zertrat schließlich noch den verlöschenden Stummel. Das jedenfalls war keine Show. Die wochenlange Trockenheit bedeutete Waldbrandgefahr, höchste Gefahrenstufe.

»Verdorben bin ich genau wie der Rest«, fuhr Gombrowski fort. »Hier ein zugedrücktes Auge, da ein paar Tricks. Auch mal eine harte Hand, wenn mir der Kragen platzt.«

Er sah auf und lächelte schief.

»Danke übrigens wegen Kron«, sagte er. »Ich war außer mir. Was auch immer passiert wäre, ich hätte es nicht gewollt.«

Er sah sie direkt an, und am Grund seines triefäugigen Blicks wohnte Aufrichtigkeit. Linda nickte. Die Szene gefiel ihr immer besser.

»Ich habe eine Grundregel«, machte Gombrowski weiter. »Hab ich dir vielleicht schon mal erzählt. Sie lautet: Es gibt immer eine Lösung, die alle glücklich macht. Die muss gefunden werden. Nicht aus Menschenliebe, sondern aus Vernunft. Größtmögliche Zufriedenheit bringt den größtmöglichen Nutzen. Auch wenn manche Leute zur Zufriedenheit gezwungen werden müssen.«

»Kron zum Beispiel«, sagte Linda.

»Wer auch immer. Passen Sie auf. Jetzt kommt das Geheimnis. Da können Sie noch was lernen.«

Beeindruckt nahm Linda die Rückkehr zum »Sie« zur Kenntnis.

»Prinzipien«, sagte Gombrowski, »sind nicht nur das beste Gegenmittel gegen das Unterleutner Gift. Sie sind überhaupt die Rettung vor dieser seltsamen Welt.«

»Klingt altmodisch.«

»Nicht Rettung *der* Welt«, rief Gombrowski. »Rettung *vor der* Welt. An Prinzipien kannst du dich festhalten wie

Kron an seiner Krücke. Damit du nicht verloren gehst. Und deshalb entführst du, Scheiße noch mal, keine kleinen Kinder.«

»Darf man stehlen?«

»Wenn's sein muss.«

»Lügen?«

»Geht ja nicht anders.«

»Betrügen?«

»Das heißt jetzt Kapitalismus.«

»Töten?«

»Je nachdem.«

»Fremdgehen?«

»Nein«, sagte Gombrowski ohne Zögern.

»Interessant.« Linda tat so, als müsste sie nachdenken. Das Gespräch nahm definitiv surreale Züge an. »Und was ist mit Hilde Kessler?«

»Jetzt willst du's aber wissen, was?« Gombrowski rieb sich mit beiden Händen das Gesicht. »Hast gemerkt, dass der alte Mann heute Abend mit dem Rücken zur Wand steht und reden will. Weil man ihm mal wieder voll in die Eingeweide getreten hat. Hätte gar nicht gedacht, dass da noch irgendwas wehtun kann.« Als er aufschaute, waren seine Tränensäcke durchs Reiben geschwollen und verwandelten ihn endgültig in einen traurigen Bernhardiner. »Es gibt in Unterleuten jemanden, der mich noch zehnmal mehr hasst als Kron und meine Frau zusammen. Das ist Hilde Kessler. Meine liebe Freundin, der einzige Mensch, dem ich in diesem Drecknest vertraue. Gott hatte Spaß daran, Hilde und mich ein paar Jahre zu spät miteinander bekannt zu machen, obwohl er ganz genau wusste, dass wir füreinander bestimmt waren. Stattdessen waren wir dann beide mit der falschen Person verheiratet. Aber man betrügt seine Familie nicht.«

»So, wie man keine kleinen Kinder entführt.«

»Ganz genau.« Gombrowski klatschte sich die flache Hand in den Nacken und betrachtete anschließend, was er erschlagen hatte. »Als Hildes Mann starb, war Püppi gerade aus dem Haus. Hilde ging fest davon aus, dass ich Elena verlassen und sie heiraten würde. Alles schien zu passen, der tote Erik, Püppis Auszug, Elena, die mich schon lange nicht mehr ertrug. Dass ich trotzdem bei meiner Frau blieb, ging über Hildes Kräfte. Sie verlangte eine Erklärung, ich hatte keine. Es gehörte sich einfach so. Hilde hat mir das nie verziehen. Kurz darauf fing das mit den Katzen an und dass sie nicht mehr aus dem Haus ging. Auf diese Schuld zahle ich ein Leben lang.«

Sie schwiegen. Linda verspürte Lust, dem alten Bernhardiner über den Kopf zu streicheln. Er tat ihr leid. Gleichzeitig war sie stolz darauf, dass er ausgerechnet ihr seine Geschichte erzählte. Bestimmt hatte er schon lange nicht mehr so offen mit jemandem gesprochen. Von außen betrachtet waren sie zwei Wesen völlig unterschiedlicher Art, aber im Kern verband sie eine Gemeinsamkeit: Sie waren Kämpfer. Mit ihrem Eingreifen Samstagnacht hatte Linda seinen Respekt erworben. Eine leichte Gänsehaut überzog ihre Unterarme, als sie dachte, dass unter dieser Laterne vielleicht gerade eine merkwürdige Freundschaft begann.

»Pass auf«, sagte Gombrowski und lächelte sie an. »Schluss mit den alten Geschichten. Es gibt auch neue. Im Dorf ist die Hölle los, die drehen alle komplett durch.«

»Wie meinst du das?«, fragte Linda, und das klang so vertraut, als würden sie täglich ihre Angelegenheiten miteinander besprechen.

»Das mit der kleinen Kron war der berühmte letzte Tropfen. Das Fass ist mehr als voll. Wir sollten uns beeilen.«

Gombrowski wartete, bis sie verstanden hatte.

»Kein Problem«, sagte sie, »ich mag Tempo«, und freute sich schon darauf, diese Antwort später gegenüber Frederik zu zitieren.

»Wir regeln das alles schriftlich«, sagte Gombrowski. »Wenn du willst, kannst du auch Bargeld haben statt der Sanierung deiner Ställe. Hauptsache, wir kriegen das fix über die Bühne.«

»Die Baugenehmigung«, sagte Linda.

Gombrowski warf ihr einen schnellen Blick zu und hatte fast im gleichen Augenblick eine abwinkende Hand in der Luft.

»Ist längst angeleiert.«

»Angeleiert reicht nicht. Das Ding muss vorliegen. Vorher unterschreibe ich nichts.«

»Hab ich verstanden, hab ich verstanden.« Gombrowski schob die Hände in die Hosentaschen und prüfte mit zurückgelegtem Kopf, ob die Milchstraße noch da war. »Einen Vorteil hat die Sache mit der kleinen Kron: Sie erhöht das Drohpotenzial. Die Vogelschützer werden mir deine Baugenehmigung auf dem Silbertablett servieren. Freiheit fängt da an, wo die Leute einem alles zutrauen.«

Linda lachte und hörte wieder damit auf, als sie verstand, dass er keinen Witz gemacht hatte.

»Übernächste Woche bei Söldner«, sagte er.

»Wer ist Söldner?«

»Notarin in Berlin-Charlottenburg.«

Da war es wieder, das Kribbeln im Zwerchfell. Gombrowski war kein Mann, der Versprechen gab, die er nicht halten konnte. Wenn er es tatsächlich schaffte, die Baugenehmigung innerhalb von zehn Tagen zu besorgen, in einem Verfahren, das sich eigentlich über Monate, wenn nicht über Jahre hingezogen hätte, dann konnte Linda sofort mit den Umbaumaßnahmen beginnen und Bergamotte vielleicht noch vor Ende des Jahres ins Winterquartier holen. Damit hatte sie nicht gerechnet. Sie wollte Frederik anrufen, sofort. Sie spürte, wie sich ein breites Grinsen auf ihrem Gesicht ausbreitete. Gombrowski bemerkte ihre Miene und grinste ebenfalls.

»Lass den alten Hund nur machen.« Er streckte ihr die Hand hin, sie schlug ein. »Alles klar, Frau Franzen«, sagte er und ging.

Linda sah zu, wie er den Beutelweg hinunterschlenderte, wobei er die Transparente ignorierte, auf denen heute »Windkraft – nein danke« und »Kein Platz fur Kindentfuhrer« stand; die Ü-Punkte waren vergessen worden. Gombrowski öffnete und schloss das gusseiserne Tor vor seinem Haus; eine Fichte entzog ihn Lindas Blicken. Sie hörte, wie die Mastiff-Hündin anschlug, wie Gombrowski etwas sagte und die Haustür ins Schloss fiel. Dann herrschte Stille.

Linda stand reglos, in die Richtung starrend, in die Gombrowski verschwunden war. Mit seinem Abgang hatte sich die Atmosphäre verändert, als wäre Linda nach Ende eines Films plötzlich auf die nächtliche Dorfstraße hinausgetreten. Sie kämpfte mit dem Gefühl, dass etwas nicht stimmte. Die Erkenntnis kam so unvermittelt, dass ihre Wangen kalt wurden, während die Handflächen zu schwitzen begannen.

Sie hatte versäumt, sich über den Grund klar zu werden, aus dem Gombrowski sich unbedingt mit ihr treffen wollte. Jetzt stand ihr die Sachlage klar vor Augen. Er hatte befürchtet, dass Linda nach den Ereignissen vom Wochenende vielleicht nicht mehr bereit war, an ihn zu verkaufen – oder jedenfalls nicht zu denselben Bedingungen. Gleichgültig, wie viel er mit Krönchens Verschwinden zu tun hatte, er stand zweifellos unter Druck, was bedeutete, dass die Welt für ihn teurer geworden war. Aber Linda, die angehende Super-Geschäftsfrau, hatte nicht einmal versucht, ihn in die Mangel zu nehmen, um den Preis zu treiben. Stattdessen war sie nach ein paar rührseligen Geschichten bereit gewesen, sich über eine längst erfolgte Zusage zu freuen. Die angekündigte Beschleunigung des Genehmigungsverfahrens stellte keine Aufbesserung des Angebots dar, sondern war der Tatsache geschuldet, dass Gombrowski es eilig hatte.

Die Kälte ihrer Wangen wich einer schamvollen Hitze. Vielleicht sollte sie ihm für dieses Propädeutikum in taktischer Gesprächsführung eine Seminargebühr überweisen. Bei allem Ärger musste sie anerkennen, dass er es auf diesem Gebiet zu wahrer Meisterschaft brachte. Sie hatte geglaubt, ihn genau zu beobachten, aber er vollführte seine Tricks wie ein Hütchenspieler, nicht *obwohl*, sondern *weil* man ihm auf die Finger sah.

Linda beschloss, sich nicht weiter zu ärgern, und machte sich auf den Heimweg. Gortz empfahl, Niederlagen als nützliche Erfahrungen zu verbuchen. Immerhin hatte sie heute ein für alle Mal gelernt, dass zwischen Pferden und Menschen gewisse Unterschiede bestanden. Am Ende würde sie Gombrowski trotzdem ins Gesicht lachen.

Sie hatte die mächtigen Steinpfosten neben der torlosen Einfahrt von Objekt 108 erreicht, als sie den Handschuh entdeckte. Er lag auf der untersten Stufe der Eingangstreppe, sauber drapiert, damit man sofort sah, dass der Mittelfinger fehlte. Offensichtlich war ihr Treffen mit Gombrowski im Dorf nicht unbemerkt geblieben; jetzt versuchte sich jemand in mafiösen Drohgebärden. Lächelnd bückte sie sich, hob den Handschuh auf und steckte ihn in die Hosentasche, bevor sie die restlichen Stufen zur Haustür hinaufging. Ihre gute Laune war endgültig wiederhergestellt. Sie mochte ein Frischling sein, der sich von einem alten Haudegen einwickeln ließ. Aber sie war klug genug zu wissen, dass ihr etwas Besseres als eine solche Drohung gar nicht passieren konnte.

47 Fließ

Nie laut die Meinung sagen. Man könnte ja falschliegen. Immer zweite Reihe, immer ausführendes Organ. Zu wenig Selbstvertrauen. Das war sein Problem, damit hatte er sich von Anfang an die Karriere versaut. Wie oft war es in seiner Zeit an der Universität vorgekommen, dass ein Kollege mit einer von Gerhards Ideen Furore machte! Für die Leistungsgesellschaft spielte es keine Rolle, wer einen Gedanken als Erster gefasst hatte. Es kam nur darauf an, wer ihn verkaufte. Und Gerhard war nun einmal in erster Linie Denker und nur in zweiter ein Mann der Tat. Wie sollte sich ein intelligenter Mensch überhaupt zum Handeln entschließen, wenn doch die Hauptaufgabe des Verstandes darin bestand, zu jedem »Für« ein »Wider« zu präsentieren? Schließlich hieß es *cogito* und nicht *ago ergo sum*, weshalb sich Gerhard für die akademische Laufbahn und nicht für den Kriegsdienst entschieden hatte. Lieber ein kluger Zauderer als ein dummer Draufgänger. Im Grunde seines Herzens vertrat Gerhard die Auffassung, dass nicht er selbst schuld war an seinen mangelnden Erfolgen, sondern das korrumpierte Uni-System. Er zog mit Jule aufs Land.

Aber leider waren Probleme anhänglich wie Hunde, sie folgten ihrem Herrn überallhin. Seit vier Tagen dachte Gerhard darüber nach, wo er jetzt stünde, wenn er in der Nacht zum Sonntag seiner Ahnung nachgegeben und die Initiative ergriffen hätte. Von der ersten Sekunde an war ihm klar gewesen, dass sich das Kind in Gombrowskis Händen befand. Er hatte sogar geahnt, dass Gombrowski zu klug war, um die Kleine bei sich zu Hause zu verstecken. Dass Gerhard zunächst fälschlicherweise auf Schaller getippt hatte, war ein verzeihlicher Irrtum und hätte seinen Sieg am Ende umso strahlender erscheinen lassen.

Statt mit der Suche im Wald Zeit und Kraft zu verschwenden und am Ende noch mit dem vor Angst verrückten Kron aneinanderzugeraten, hätte er Ingo und zwei weitere kräftige junge Männer auswählen und sich an die Spitze eines Sondereinsatzkommandos setzen können. Sie wären bei Schaller einmarschiert und hätten den Hof durchsucht, und wenn das Tier von nebenan versucht hätte, sie daran zu hindern, hätte es von den jungen Männern mächtig was zwischen die Hörner bekommen. Allein die Vorstellung wärmte Gerhard das Herz.

Danach hätte er sein Kommando in den Beutelweg geführt. Die verschreckte Elena hätte die Hände gerungen und immer wieder »oh Gott« gerufen, während Gombrowski ungerührt zugesehen hätte, wie sie erfolglos Raum für Raum durchsuchten. Am Ende hätte er Gerhard und seine Männer zur Tür begleitet und einen schönen Abend gewünscht.

An dieser Stelle wäre ein Moment der Ratlosigkeit eingetreten. Ingo hätte verlangt, dass sie nun endlich beim Indianer vorbeischauten. Aber dann wäre Gerhard plötzlich die zündende Idee gekommen. Er hätte seine Leute herangewunken und wäre mit ihnen ein Haus weitergegangen, um dort höflich zu klingeln. Hilde hätte geöffnet und sofort gewusst, dass das Spiel aus war. Auf seinen Armen hätte Gerhard das verängstigte Krönchen aus dem Haus getragen und im Triumphzug zu Eltern und Großvater zurückgebracht.

Durch diese Tat wäre er binnen Sekunden zum wichtigsten Mann im Dorf avanciert. Im Kampf gegen Gombrowskis Windräder hätte er ganz Unterleuten hinter sich versammeln können. Das Tier von nebenan hätte es nie wieder gewagt, ihnen das Leben schwer zu machen. Im Gegenteil wäre es mit seinem Schrotthaufen von Autowerkstatt pleitegegangen und verschwunden, weil niemand im Landkreis etwas mit den Feinden der Familie Fließ...

Das Telefon klingelte. Gerhard schreckte aus seinem Tagtraum. Johannes, ein junger Kollege, reichte ihm den Telefonhörer über den Schreibtisch. Drei Minuten später saß Gerhard im Auto und raste mit halsbrecherischer Geschwindigkeit nach Unterleuten.

Er hatte Jule in letzter Zeit oft hysterisch erlebt. Aber dieses Mal besaß der Anfall neue Qualität. Sie lief Kreise wie ein gefangenes Tier, rechts um den Couchtisch herum, links ums Sofa, eine Acht um Gerhard und die Bananenstaude, dann zurück zum Couchtisch. Dabei schob sie die schreiende Sophie von einer Hüfte auf die andere und raufte sich mit der freien Hand die Haare. Wenn Gerhard sie in den Arm nehmen wollte, riss sie sich los; wenn er etwas fragte, schrie sie immer den gleichen Satz:

»Ich will nach Hause! Ich will nach Hause!«

Aus Erfahrung wusste Gerhard, dass es manchmal gelang, die Hysterie zu durchbrechen, indem man laut wurde.

»Wo ist denn dein Zuhause?«, rief er, und tatsächlich blieb Jule einen Moment stehen.

Sie sah ihn an, als müsste sie nachdenken. Dann nahm sie ihren Kurs durchs Wohnzimmer wieder auf.

»Ich will hier weg«, weinte sie, aber es klang nicht mehr ganz überzeugt.

Danach gelang es ihm mit Geduld und Hartnäckigkeit, seine Frau auf die Couch zu bugsieren und zum Sprechen zu bringen. Aus den Satzfetzen, die sie hervorstieß, ließ sich rekonstruieren, was in etwa passiert sein musste.

Seit Anfang der Woche brannten die Feuer an der Grundstücksgrenze nicht mehr. Es war wie ein Wunder. Der Wind hatte die giftigen Dämpfe vertrieben und auch den Ascheteppich mitgenommen, als hätte es die Hölle rings ums Haus niemals gegeben. Einen vollen Tag hatten sie gebraucht, um dem Frieden zu trauen. Dann öffneten sie alle Fenster. Gerhard hatte den Rasensprenger in Stellung gebracht, um das gelb vertrocknete Gras neu zu beleben. Gemeinsam hatten sie das bemalte Kinderbettchen aus dem Keller getragen, das sie bei einem Antiquitätenhändler extra für den Garten gekauft hatten.

Heute war Jule gleich nach dem Aufstehen mit Sophie und einer Tasse Kaffee nach draußen gegangen. Der Wein wollte gewässert, die Himbeeren zurückgeschnitten, heruntergefallene Äste eingesammelt werden. Als Gerhard zur Arbeit aufgebrochen war, hatte Sophie auf einer gefalteten Decke im Kinderbettchen gelegen, mit den Beinen gestrampelt und die Arme nach den Ästen des Holunders ausgestreckt, der ihr Schatten spendete. Das friedliche Bild hatte ihn mit Glück erfüllt.

Stockend berichtete Jule, dass Sophie den ganzen Morgen bester Laune gewesen sei. Immer wieder habe sie nach dem Baby gesehen, zwischendurch gestillt, woraufhin die Kleine eingeschlafen sei. Ein perfekter Vormittag. Sie habe dann begonnen, hinter der Himbeerhecke Unkraut zu jäten, bis sie plötzlich von einer seltsamen Unruhe befallen worden sei. Sie sei sofort aufgesprungen und zum Kinderbettchen gegangen. Leer. Außer Sophie habe auch die bunte Decke gefehlt.

Der Gedanke an diesen Augenblick schüttelte Jules Körper, als hielte etwas Großes sie an den Schultern gepackt. Das Grauen konnte Gerhard am eigenen Leib spüren. Seit

Sophie auf der Welt war, gab es Ängste, die er früher nicht gekannt hatte. Keine Temperaturschwankungen innerhalb einer gemäßigten emotionalen Klimazone, sondern Erschütterungen, die alles mit sich rissen. Er konnte vor sich sehen, wie Jule blind und taub hin und her gerannt war, den Namen ihrer Tochter rufend, nicht klüger als eine Tiermutter, die nach ihrem Jungen schreit. In Jules Erinnerung hatte es eine halbe Ewigkeit gedauert, bis sie in der Lage war, die Umlaufbahn des Kinderbettchens zu verlassen. Immer wieder hatte sie nachgeschaut, ob Sophie nicht doch darin lag. Dass es sich dabei vermutlich nur um Minuten gehandelt hatte, spielte keine Rolle. Blankes Entsetzen wusste nichts von Zeit.

Irgendwann war sie dann doch ums Haus herum gelaufen, um das Telefon zu holen und Gerhard anzurufen oder gleich die Polizei. Sie stolperte um die Ecke – und blieb wie angewurzelt stehen. Unter dem Goldregen vor dem Haus, direkt neben der Bank, auf der sie und Gerhard früher ganze Abende verbracht hatten, saß Sophie auf ihrer sauber ausgebreiteten bunten Decke und schlug mit beiden Händchen lachend auf eine unsichtbare Trommel. Sie hatte sich zum ersten Mal aus eigener Kraft aufgesetzt. Vor Freude über diesen Erfolg strahlte sie wie eine kleine Sonne. Es verging eine halbe Ewigkeit, bis Jule begriff, dass dieses Baby erstens real und zweitens ihre Tochter war.

Gerhard wusste, dass Jule ausrasten würde, wenn er Fragen stellte, aber es ließ sich nicht vermeiden. Die Geschichte, die sie erzählt hatte, war zu seltsam. Er versuchte, seiner Stimme einen möglichst milden Klang zu geben.

Ob es vielleicht so gewesen sein könnte, dass sie selbst Sophie unter den Goldregen gebracht, es dann aber vergessen habe? Ein winziger Blackout, wie er im Gehirn nicht selten vorkomme? So gern sich der menschliche Verstand als unfehlbar betrachte, so unzuverlässig sei er doch in Wahrheit...

Jule sprang vom Sofa und fing wieder an, durchs Zimmer zu streunen. Ihr Lachen zischte wie das Drohgeräusch eines Raubtiers.

»Hältst du mich für geisteskrank? Willst du sagen, dass ich nicht alle Tassen im Schrank habe?«

Gerhard bat sie, sich zu beruhigen. Er versuche nur, sich den Ablauf der Ereignisse genau vorzustellen. Er frage sich, ob es wirklich denkbar sei, dass jemand in den Garten eindringe und die schlafende Sophie unbemerkt aus dem Bettchen nehme, während Jule hinter den Himbeeren hockte.

Sie bedachte ihn mit einem Blick voll abgrundtiefer Verachtung.

»Wegen Kathrins Tochter spielst du den Ritter auf dem weißen Pferd. Und wenn sich jemand an Sophie vergreift, leide ich unter Halluzinationen?«

»Nehmen wir mal an, es war so, wie du sagst.«

»Keine Minute länger rede ich mit dir, wenn du mir nicht glaubst!«

»Ich glaube dir doch, Jule. Das ist eine furchtbar ernste Angelegenheit, verstehst du? Wir müssen uns gemeinsam klarmachen, was vorgefallen ist.«

Sie schwieg.

»Jemand hat also Sophie aus dem Bettchen genommen, um uns einen teuflischen Schrecken einzujagen.«

Sie nickte zögerlich.

»Wer«, fragte Gerhard, »ist das deiner Meinung nach gewesen?«

Jule starrte ihn an wie einen Feind, ihre Augen wirkten entzündet. Der Streit der letzten Tage hatte sich immer wieder um Gombrowski gedreht. Ob er hinter Krönchens Entführung stecke oder nicht. Im Grunde hatte Jule zu den Auseinandersetzungen gar nicht viel beigetragen. Sie machte sich nicht die Mühe, nach Argumenten zu suchen. Sie wiederholte nur, dass Gombrowski kein Entführer sei – und fertig. Gerade dieses irrationale Beharren ließ Gerhard keine Ruhe; er kam immer wieder auf die Fakten zurück, die doch jeden denkenden Menschen überzeugen mussten. Zu Gombrowskis Täterschaft gab es schlicht und ergreifend keine logische Alternative. Abgesehen davon war ein Mann, der einen anderen aus Profitgier umbrachte und einen weiteren schwer verstümmelte, ebenso gut in der Lage, ein kleines Mädchen zu verstecken. Aber Jule hatte nicht nachgegeben. Angesichts ihrer Sturheit hatte Gerhard sich zu fragen begonnen, auf welcher Seite sie eigentlich stand. Konnte es sein, dass Gombrowski es geschafft hatte, sie um den Finger zu wickeln, genau wie Linda Franzen? Hatte er ihr etwas angeboten?

Mit einem Mal flog ihn der Gedanke an, Jule könnte sich die Geschichte mit Sophie nur ausgedacht haben. Sie könnte ihm etwas vorspielen. Um Gombrowski zu helfen, indem sie Gerhard unter Druck setzte. Er legte beide Hände an die Schläfen, als wollte er sich die Paranoia aus dem Gehirn pressen. Es war schrecklich, solche Dinge zu denken. Er fühlte sich vergiftet. In den vergangenen Wochen hatten er und Jule eine Menge durchgemacht, aber der ganze Ärger hatte nicht ihre Beziehung angegriffen. Im Gegenteil hatte er gespürt, wie die Ereignisse sie fester zusammenschweißten. Gerhard verstand nicht, was sich nun änderte und warum. Er hob den Kopf und sah Jule an.

»Wer?«, wiederholte er, ein wenig heftiger als beabsichtigt.

»Wer wohl«, sagte Jule. »Das Tier von nebenan.«

»Du hast mir tagelang erzählt, dass Gombrowski kein Entführer ist.«

»Ich sagte nicht Gombrowski, ich sagte: das Tier von nebenan.«

»Bodo Schaller tut doch nichts auf eigene Rechnung! Der ist nur ein Handlanger von Gombrowski.«

»Das ist mir scheißegal.« Sie begann zu zittern. »Solange das Tier da drüben sitzt …«

Das Zittern wurde so stark, dass Gerhard zu ihr eilte, um zu verhindern, dass sie fiel. Behutsam bugsierte er sie zur Couch zurück, setzte sich neben sie und bemühte sich, sie von der Seite zu umarmen, ohne Sophie in Bedrängnis zu bringen.

»Solange das Tier …« Obwohl sie von einem Weinkrampf geschüttelt wurde, wollte sie den Satz unbedingt zu Ende bringen. »Da drüben …«

»Okay«, sagte Gerhard. »Sch-sch. Hör mir zu.«

Ihren Tränen hatte er nichts entgegenzusetzen. Mitleid ergriff von seinem Körper Besitz wie ein Schwächeanfall. Er wusste jetzt, was sich zwischen ihn und Jule schob, was sie auseinanderdrängte, Misstrauen säte, die Stimmung verdarb. Es war pure Erschöpfung. Sie konnten nicht mehr, alle beide.

»Ich kann machen, dass das aufhört. Möchtest du das?«

»Solange …«

»Ich gebe Gombrowski, was er will. Dann lässt er uns in Ruhe.«

Das Schluchzen hinderte Jule am Sprechen, Gerhard fasste sie fester.

»Es wäre eine schmerzhafte Kapitulation. Ein Verrat an allem, was uns heilig ist. Ein weiteres Mal hätte Gombrowski gewonnen. Mit seinen Einschüchterungen, seinem ganzen Terrorismus.«

Jules Weinen wurde stärker, jetzt begann auch Sophie zu wimmern.

»Nicht«, sagte Gerhard. »Pass auf. Ich gehe kurz an den Rechner und schreibe zwei Mails. Franzen kriegt ihre Baugenehmigung, damit sie das Land an Gombrowski verkauft, und der Naturschutz wird keine Einwände gegen den projektierten Windpark erheben. Dann ist der Zauber in ein paar Tagen vorbei. Gut?«

Das Schluchzen versiegte, auch wenn Jules Schultern noch immer so stark bebten, dass Gerhard kaum wagte, sie loszulassen. Er küsste sie und merkte, dass er alle Kraft zusammennehmen musste für den nächsten Schritt. Schon an der Tür hörte er, wie es Jule endlich gelang, ihren Satz zu vollenden.

»Solange das Tier da drüben sitzt, habe ich kein Zuhause.«

Er lächelte ihr zu, winkte mit kleiner Hand und ging ins Arbeitszimmer, wo er den Computer hochfuhr. Minuten später hatte er im bauordnungsrechtlichen Verfahren gegen Linda Franzen sein Einvernehmen nach § 18 Bundesnaturschutzgesetz erklärt. Als Nächstes machte er sich daran, eine Stellungnahme aufzusetzen, in der er darlegte, dass und warum ein Windpark in der Unterleutner Heide keine Schäden an bestimmten Arten, insbesondere an den Lebensräumen der geschützten Kampfläufer verursachen würde, mithin naturschutzrechtlich unbedenklich sei. Die Größe des Selbstverrats ließ ihn frösteln. Jede Formulierung schnitt er sich wie mit Rasierklingen aus dem Gehirn. »Unter Berücksichtigung aller Umstände … in Abwägung zwischen dem Staatsziel des Artenschutzes und den berechtigten Anliegen der Energiewende … teilt die Naturschutzbehörde nach nochmaliger Prüfung mit …«

Während der Buchstabenwurm auf dem Monitor wuchs, schwor sich Gerhard im Geiste, dass Gombrowski damit nicht durchkommen würde. Weder er noch Bodo Schaller noch die kleine Hexe Linda Franzen.

48 Kron

Er ließ sich Zeit mit dem Aussuchen. In aller Ruhe schritt er den Holzweg ab, der hinter den Gärten der Waldsiedlung verlief. Außer von Forstfahrzeugen wurde der Weg vom Tankwagen der Plausitzer Klärwerke benutzt, weil einige der Sammelgruben nur von der hinteren Grundstücksgrenze zugänglich waren. Mehrmals lief Kron hin und her, wobei er Abstecher in den Forst unternahm, um die Stämme einzelner Kiefern zu streicheln, als müsste er aus einer Herde braven Viehs ein paar Schlachttiere auswählen. Bäume konnten weder weglaufen noch kämpfen. Sie waren dazu verurteilt, zu wachsen und zu sterben, wie es dem Menschen gefiel. Im Grunde widerstrebte es Kron, sein Geld als Waldbesitzer zu verdienen. Der Holzernte wohnte etwas Unfaires inne. Er tötete Wesen, die älter waren als er selbst. Wenn er einen Saumschlag durchführen ließ und die mit Stämmen beladenen Forwarder aus dem Wald kommen sah, befiel ihn stets eine unbestimmte Traurigkeit. Nichts von dem, was er heute in seinen Wäldern pflanzte, würde er aufwachsen sehen.

Am liebsten hätte er sich für ein krankes oder schwächliches Exemplar entschieden, aber die meisten seiner Bäume erfreuten sich bester Gesundheit. Abgesehen davon wurde die Auswahl von den Bedingungen eingeschränkt. Der Baum musste schräg über den Weg fallen. Er durfte nicht zu dicht bei den anderen stehen, damit er im Sturz keinen Nachbarn mitriss. Auch nicht zu weit vorn, weil er sonst die rückwärtigen Zäune der Grundstücke gefährden würde. Schließlich markierte Kron eine hochgewachsene Kiefer mit blauer Kreide. Motorsäge, Helm und Handschuhe lagen bereit.

Statt gleich mit der Arbeit zu beginnen, setzte er sich auf die Erde, den Rücken an sein Opfer gelehnt, und streckte die schmerzenden Beine von sich. Es war sechs Uhr früh, in den Spinnennetzen zwischen den Farnen glänzte der Tau. Die Atmosphäre des frühmorgendlichen Waldes schloss ihn ein, jene besondere Stille, die keine war, sondern ein Konzert aus Geräuschen, die weder von noch für Menschen gemacht waren. Insekten summten, ein Specht klopfte, ein Eichelhäher warnte, irgendwo schlug eine verwirrte Nachtigall. Kron spürte, wie er zum ersten Mal seit Tagen zur Ruhe kam.

Den Wald hatte er schon geliebt, lange bevor er ihm gehörte. Ganz anders als in der Welt der Menschen besaß hier alles einen Sinn. Was existierte, bot einem anderen Wohnung oder Nahrung. Was verging, diente dem Überleben des Nächsten. Sterben bedeutete hier keinen Skandal. Es war nur eine unter vielen Funktionen des Seins. Im Wald gab es Töten ohne Hass, Fortpflanzung ohne Liebe, Kooperation ohne Gesetze, Ernährung ohne Wissenschaft und Lebensfreude ohne Philosophie. Im Wald herrschte eine gelassene Zweckmäßigkeit, der sich Kron mit erleichtertem Aufatmen überließ. Für eine Weile durfte er aufhören, eine Persönlichkeit zu sein und deshalb alles persönlich zu nehmen. Er konnte einfach am Fuß einer Kiefer sitzen und sich ohne jede Anstrengung logisch fühlen.

Dass der Flecken, auf dem er saß, zu seinem Eigentum gehörte, bereitete ihm zusätzliche Befriedigung. Er empfand besondere Sympathie für Käfer und Ameisen, die auf seinem Grund herumkrabbelten. Er liebte die unzähligen Vögel,

Hasen, Rehe, Füchse und Hirsche, die alle seine Untermieter waren. Selbstverständlich hätte der Wald über die Idee, im Eigentum eines anderen zu stehen, nur gelacht. Trotzdem bedeutete es Kron etwas, ein Gebiet von der doppelten Ausdehnung Unterleutens zu besitzen. Hinter seiner ständig auf kleiner Flamme brodelnden Wut wohnte ein heimliches Einverständnis mit den Dingen. Niemals hätte er zugegeben, dass er um keinen Preis mit Gombrowski tauschen wollte. Aber die Wahrheit war, dass ihm schon die Vorstellung, Gombrowskis großes Haus zu bewohnen, umgeben von einer verholzten Ehefrau, einer eingeschrumpften Geliebten, einer entlaufenen Tochter und einem sabbernden Hund, den Magen umdrehte. Dagegen erschien ihm sein einsames, spitzgiebeliges Jagdhaus wie ein Stück vom Paradies. Nachts hörte er das Rauschen der Bäume und das Miauen der Eulen und manchmal den Todesschrei eines Beutetiers.

Bäume besaßen keine Vergangenheit. Auch Käfer und Ameisen, Vögel, Hasen oder Rehe hielten sich nicht mit dem auf, was hinter ihnen lag, sondern folgten den Befehlen des jeweiligen Augenblicks. Nur der Mensch wollte das Leben partout als Straße und nicht als Zustand verstanden wissen, weshalb er sich selbst und andere mit Ereignissen quälte, die schon stattgefunden hatten oder noch kommen sollten. Wenn nichts und niemand außer dem Menschen so etwas wie Vergangenheit kannte, lag die Vermutung nahe, dass es sich um eine menschliche Erfindung handelte. Wer Kron für einen Ewiggestrigen hielt, einen Rückwärtsgewandten, der sein Heil im Gewesenen suchte, befand sich im Irrtum. Im Gegenteil war er in der Lage, ein armes Schwein wie Schaller zu beneiden. Auch er hätte statt eines Beines lieber das Gedächtnis verloren. Dann hätte er sich Kathrin gegenüber darauf berufen können, dass er sich an nichts erinnerte.

Gestern Abend war sie gegen sieben im Jagdhaus erschienen, ohne Krönchen, ohne Wäschekorb oder Einkaufstüten. Sie musste gleich nach der Arbeit zu ihm gefahren sein. Äußerlich ruhig, von innen aber wie mit schwelender Glut durchsetzt. Den Most aus eigener Pressung hatte sie abgelehnt. Setzen wollte sie sich auch nicht. Sie kam gleich zur Sache. Vor ein paar Jahren hatte sie schon einmal versucht, ihn wegen des Schicksalstags und Gombrowski zur Rede zu stellen. Damals ohne Erfolg. Kron wusste, wie man Fragen nicht beantwortete, er hatte sein halbes Leben nichts anderes getan. Aber diesmal meinte Kathrin es ernst. Als er ein paar Bemerkungen darüber probierte, dass die Vergangenheit doch ohnehin nichts weiter als eine Erfindung des Menschen sei, wurde sie wütend. Mit großen Schritten lief sie durch die Wohnstube des Jagdhauses und bombardierte ihn mit Fragen, als ginge es um Leben und Tod.

Warum er an jenem Novembertag des Jahres 1991 gemeinsam mit Erik Kessler in den Wald gegangen sei. Ob er sich mit Gombrowski getroffen habe. Wer noch dabei gewesen sei. Ob sie gestritten hätten. Wo Gombrowski sich aufhielt, als der Ast herabstürzte.

Als Kron wissen wollte, warum sie nicht gleich zu Gombrowski gehe, wenn sich 90 Prozent ihrer Fragen um Gombrowski drehten, schrie sie ihn an. Sie habe ein Recht auf die Wahrheit. Denn die Vergangenheit sei dabei, ihre Zukunft zu zersetzen wie ein langsam wirkendes Gift.

Es war typisch für Kathrin, gleich nach einem Schuldigen zu suchen, wenn etwas nicht so lief, wie sie es wünschte, und nach alter Familientradition war Kron an allem schuld. Er konnte es ihr nicht verdenken. Zum einen wurden alle Eltern schuldig an ihrem Nachwuchs, schließlich hatten sie die Kinder ungefragt gezeugt und zur Welt gebracht. Zum anderen hatte er Kathrin die Mutter genommen, indem er es nicht schaffte, attraktiver zu sein als ein Leben im Westen. In alter Gewohnheit war er auch diesmal davon ausgegangen, dass Kathrins Fragen einzig dem Zweck dienten, ihm die Schuld an Krönchens Verschwinden in die Schuhe zu schieben. Alles sollte eine Folge des alten Streits zwischen Kron und Gombrowski sein. Das war Kathrins Logik: Wenn Kron endlich bereit wäre, die ewige Fehde ruhen zu lassen, müssten sie und Krönchen nicht für seine Sturheit büßen.

In diesem Fall aber hatte er keine Lust gehabt, den Sündenbock zu spielen. Selbst wenn es ein geheimes Gesetz gab, nach dem man für die Taten seines schlimmsten Feindes verantwortlich war, lag die Sache anders. Aus einem simplen Grund: Gombrowski war unschuldig. Seit Kron wieder klar denken konnte, wusste er, dass die Entführung eines Kindes nicht zum Stil seines Widersachers passte. Abgesehen davon kannte er seine Enkelin gut genug, um zu ahnen, was passiert war. Das Mädchen hatte sich in Hildes Haus versteckt, um ihren Eltern eins auszuwischen. Eingeschlafen war sie mit Sicherheit nicht. Vielmehr reichte ihr starker Wille mühelos für ein paar Stunden Trotz. Kron konnte das Mädchen vor sich sehen, mit geballten Fäusten im Versteck kauernd und sich an der Vorstellung berauschend, wie Kathrin und Wolfi alle Gemeinheiten bereuten, die sie ihr jemals angetan hatten. Erst als die Kleine schließlich nach Hause zurückkehrte, verstand sie, was sie angerichtet hatte. Sie hatte Angst bekommen und gelogen. Gut möglich, dass die ganze Geschichte Gombrowski zupass kam, aber eingefädelt hatte er sie nicht.

Für Kron selbst machte das wenig Unterschied. Dass er noch in derselben Nacht Gombrowskis Fenster mit Keramikfröschen eingeworfen hatte, stand nicht mit der Frage in Zusammenhang, was Gombrowski tatsächlich getan hatte, sondern nur damit, wonach es aussah. Genauso stellte Gombrowskis anschließender Angriff auf Kron keinen Ausdruck von Hass, sondern von Logik dar. Warum die seltsame Pferdefrau eingegriffen hatte, obwohl sie mit Gombrowski unter einer Decke steckte, wusste Kron nicht; das gehörte zur Welt der Zugezogenen und damit zu den Dingen, die er nicht verstand. Die Behauptung des Dorffunks, es habe sich bei der Rettungsaktion um eine Inszenierung von Seiten Gombrowskis gehandelt, hielt Kron für unwahrscheinlich. Aber da ihm diese Sichtweise nützte, widersprach er nicht.

Letztlich waren die Einzelheiten der Angelegenheit vollkommen gleichgültig. Im Grunde zählte nur eine schlichte Tatsache. Gombrowski würde für Krönchens Verschwinden bezahlen und wusste das. Die Menschen, die das begriffen, waren alt. Die Jüngeren wie Kathrin erhoben Anklage ohne die geringste Ahnung.

Genau das hatte er ihr gesagt. Schon während er sprach, wunderte er sich darüber, dass sie ihn ausreden ließ. Sie hatte den Kopf ein wenig schräg gelegt, als würde sie tatsächlich zuhören. Nur einmal unterbrach sie ihn mit einer Nachfrage:

»Du glaubst also, Gombrowski hat nichts damit zu tun?«

Der fehlende Widerspruch ließ Krons Rede versiegen. Verunsichert schaute er seine Tochter an. Sie legte einen Finger an die Nase, als wollte sie eine Brille hochschieben, die sie gar nicht besaß, und sagte:

»Es ist wichtig für mich, Papa. Ich muss herausfinden, ob das hier noch mein Zuhause ist.«

Da durchfuhr ihn ein kalter Schreck. Plötzlich erkannte er, worum es tatsächlich ging – nämlich um alles. Kathrin befand sich jenseits der Schuldfrage. Sie dachte darüber nach, Unterleuten zu verlassen. Für Kron war diese Vorstellung viele Male schlimmer als der Tod. Nachtschwarz wie ein Abgrund tat sich vor seinem inneren Auge das Dilemma auf. Weil seine Tochter erstmalig in Erwägung zog, den Streit mit

Gombrowski nicht nur für ein Hirngespinst zu halten, erschien ihr das Dorf plötzlich als unsicherer Ort. Wenn Gombrowski tatsächlich so schlimm war, wie Kron immer behauptet hatte, wollte sie nicht mehr hier leben. Mit anderen Worten: In dem Augenblick, da Kathrin aufhören würde, ihren Vater für verrückt zu halten, würde er sie verlieren. Fast hätte Kron gelacht. Sollte es doch einen Gott geben, hatte der gewiss helle Freude an dieser Zwickmühle.

Langsam hatte er sich aus seinem Sessel erhoben, noch langsamer war er auf Kathrin zugegangen, um seinem mit zehnfacher Geschwindigkeit arbeitenden Gehirn Zeit zu geben, eine Lösung zu entwickeln. Als er seine Tochter erreicht hatte, war er zu einem Ergebnis gekommen.

»Los«, sagte er, griff nach dem Krückstock und führte Kathrin aus dem Haus.

Sie hatten kaum zehn Minuten zu gehen. Kron verzichtete auf den Umweg über den Plattenweg und wählte die kürzeste Strecke direkt durchs Unterholz, schonte Ameisenhaufen, wich Brombeerbüschen aus, stieg mithilfe des Krückstocks über Fallholz. Es gab kein Gelenk in seinem Körper, das nicht schmerzte. Die Anstrengungen des vergangenen Wochenendes steckten ihm in den alten Knochen. Aber wenn es darauf ankam, einen Wald zu durchqueren, machte niemand der Familie Kron etwas vor. Selbst Krönchen verfügte bereits über die Trittsicherheit einer Gemse.

Der kurze Spaziergang gab ihm Gelegenheit, ein wenig Ordnung in seine Überlegungen zu bringen. Das Ergebnis stand fest: Die Zeit des Schweigens war vorbei. Er würde alles daransetzen, Kathrin und Krönchen in Unterleuten zu halten, und er wusste auch schon, was er dazu brauchte: eine Lüge.

Sie erreichten jene Lichtung, die dafür gesorgt hatte, dass Gombrowski heute in seinem Luxushaus vor dem Flachbildfernseher saß, während Kron mit seiner Tochter im

Wald stand – und nicht umgekehrt. Obwohl weiches Gras den Boden bedeckte, so gleichmäßig, als würde es von einem Gärtner gepflegt, fiel Kron das Weitergehen schwer. Vor seinen Füßen verwandelte sich ein trockenes Blatt in einen Laubsänger und flog auf; neben ihm stieß Kathrin einen leisen Schreckenston aus; offensichtlich war sie genauso angespannt wie er. Zwanzig Jahre lang hatte Kron diesen Ort auf seinen Streifzügen gemieden, jetzt lag die Lichtung unschuldig in der Abendsonne. Alles war schmeichelndes Licht, Moosgeruch und Vogelgesang. Kron wusste nicht, worüber er sich wunderte. Vielleicht hatte er heimlich geglaubt, auf der Lichtung tobe bis zum heutigen Tag das infernalische Gewitter. In der Mitte der Grasfläche stand die Buche, noch ein Stück breiter als damals und augenscheinlich völlig unverletzt. Kron kannte die Selbstheilungskräfte der Bäume. Der Wald hatte nichts zu erzählen, und genau dafür liebte er ihn.

Gemeinsam traten sie unter den Baum und legten die Köpfe in den Nacken. Ein Ringeltauben-Pärchen saß auf einem Ast, beugte sich vor und starrte zurück, bis es den Vögeln unheimlich wurde und sie davonflogen.

»Ich sehe nichts«, sagte Kathrin.

»So ist das beim Blick in die Vergangenheit«, sagte Kron.

Bevor sie wieder wütend werden konnte, streckte er den Arm aus und zeigte auf eine Stelle im mittleren Drittel, wo das Blattwerk dichter und die Strukturen ein wenig unklar wirkten.

»Da«, sagte er. »Die Wunde ist vernarbt und überwuchert. Dabei hat der Ast damals ein großes Stück vom Stamm mitgerissen.«

»Gab es eine Untersuchung?«, fragte Kathrin.

»Nachdem die Polizei den Ast gesehen hatte, stellte sie nicht mehr viele Fragen. Fremdeinwirkung ausgeschlossen.«

»Aber Gombrowski.« Kathrin stand jetzt vor ihm. Zu allem Überfluss griff sie nach seinen Händen. Kron spürte, wie sich seine Unterarme verkrampften. Er liebte seine Tochter, aber in körperlicher Nähe hatte er wenig Übung. »Erzähl mir, was passiert ist, Papa. Ich werde dich nicht unterbrechen.«

Kron räusperte sich. Dass er genau wusste, was er erzählen musste, machte die Sache nicht leichter.

»Bitte.« Kathrin klang nicht erbost, nicht einmal ungeduldig. Flehend sah sie ihn an. »Wo stand Gombrowski? Wie kommt es, dass er nicht vom Ast getroffen wurde? Hat er euch angegriffen? Lag Erik vielleicht schon verletzt im Gras, und du hast versucht, ihn zu retten, als der Ast herabstürzte?«

Kron hatte damit gerechnet, dass sie eine Theorie besaß, aber nicht damit, dass ihre These ihn zum Helden machte. Für einen Moment konnte er sehen, was sie sich vorstellte – ein rührendes Bild: Wie er im strömenden Regen verzweifelt versuchte, den verletzten Erik von der Buche wegzuziehen. Wie sich das Gewitter zum Inferno steigerte. Wie Kron trotzdem nicht aufgab, bis der Blitz einschlug und der gewaltige Ast beide unter sich begrub.

Leider konnte nichts falscher sein als diese Version. In dem Augenblick, als ein ohrenbetäubender Knall die Luft zerriss und ein riesiger Schatten aus der Buche herabstürzte, war Kron gerade dabei gewesen, in besinnnungsloser Wut auf seinen Gegner einzuschlagen. Unzählige Male hatte er sich seitdem gefragt, ob er in seinem Kampfrausch überhaupt mitbekommen hatte, dass Erik unter dem Ast begraben lag. Die Antwort war er sich schuldig geblieben, vielleicht, weil sie zu schrecklich war. Fest stand, dass er nicht den Hauch eines Versuchs unternommen hatte, dem Freund zu helfen.

Trotzdem hatte er sich immer gewünscht, vor seiner Tochter als Held dazustehen. Zwanzig Jahre lang hatte sein Schweigen Platz für jede erdenkliche Legende gelassen; Krückstock und Hinken hatten als stumme Herolde fungiert. Und jetzt, da Kathrin endlich glaubte, was sie stets hatte glauben sollen – jetzt musste er widersprechen. Er brauchte eine Version, die Gombrowski entlastete, auch wenn das bedeutete, sich vor Kathrins Augen endgültig in einen Popanz zu verwandeln.

»Gombrowski hatte dich um ein Gespräch unter vier Augen gebeten. Richtig?«

»Er wollte mir die Kapitulation abkaufen. Ich sollte den Widerstand gegen die LPG-Umwandlung aufgeben und dafür ein Stück Wald bekommen.«

»Deshalb hat er dich hierherbestellt. Um mit dir das angebotene Gebiet abzuschreiten.«

»Mir schien das merkwürdig. Schließlich kam es nicht auf konkrete Flurstücke an. Kein Mensch macht in solchen Fällen eine Waldbegehung.«

»Also hast du Erik mitgenommen. Als Verstärkung.«

Kron nickte. Bis hierher war die Geschichte bekannt. Zuletzt hatte er sie Kathrin vor ein paar Jahren erzählt und wie immer behauptet, sich an alles Weitere nicht zu erinnern. Heute würde er zum ersten Mal die selbstgezogene Grenze überschreiten, wenn auch nicht in Richtung Wahrheit.

»Okay, Papa. Dann kam das Gewitter.« Kathrin hatte seine Hände endlich losgelassen, weil sie die eigenen für ermutigende Gesten brauchte. Ein bisschen kam sich Kron vor wie ein Vieh, das auf den Transporter zum Schlachthof gescheucht werden sollte.

»Es donnerte schon, als wir gegen halb fünf das Dorf verließen«, sagte er. »Der Wind stand massiv aus Osten, mindestens 60 km/h. Während wir in den Wald eindrangen, holte das aufziehende Wetter uns ein. Es wurde dunkel wie in der Nacht.«

»Regnete es?«

»Wie aus Kübeln.«

»Ihr habt Schutz unter dem Baum gesucht«, sagte Kathrin, fasste Kron am Arm und drehte ihn so, dass sie beide mit dem Rücken zum Stamm standen. »Buchen sollst du suchen.«

»Was übrigens völliger Unsinn ist. Selbst wenn man davon ausgeht, dass ein glatter Buchenstamm bei durchgängig feuchter Rinde ...«

»Ich weiß, Papa. Ich *weiß*. Wo ist Gombrowski?«

»Wie bitte?«

»Gombrowski, Papa! Wann kommt er hinzu? Zeig mir die Stelle, an der er steht. Hier, direkt vor uns? Oder weiter drüben, da vorn vielleicht, wo es zum Plattenweg geht?«

Krons Blick wanderte über die Lichtung und direkt in die Vergangenheit. Es ist dunkel und der Regen so stark, dass die Sicht verschwimmt. Im Sturm verneigt sich der Wald nach Westen, als wohne dort ein Wesen, das es um Gnade anzuflehen gilt. Am südlichen Rand der Lichtung tritt eine Gestalt zwischen den Bäumen hervor. Groß, schwer, von einem zeltförmigen Regenmantel verhüllt, auf dem Kopf ein Wachshut mit breiter Krempe, die das Gesicht beschattet.

»Gombrowski kommt nicht«, sagte Kron.

Es dauerte eine Weile, bis Kathrin den Sinn dieser Worte begriff. Kron konnte förmlich sehen, wie sich die Räder in ihrem Kopf widerwillig drehten. Zweifelnd schaute sie ihn an. Dabei hatte er bis jetzt noch gar nicht gelogen. Der Mann unter der Hutkrempe war nicht Gombrowski gewesen.

»Wie meinst du das, er kommt nicht?«

Kron zuckte die Achseln. Gerade rechtzeitig fiel ihm ein,

dass es höchste Zeit war, eine schuldbewusste Miene aufzusetzen. Er wandte das Gesicht ab, sah zu Boden und tat so, als untersuche er etwas mit der Stiefelspitze im Gras.

»Vielleicht dachte er, dass unsere Verabredung bei dem Unwetter nicht mehr gilt«, sagte er. »Wer geht schon bei strömendem Regen in den Wald.«

»Ich bin immer noch nicht sicher, ob ich richtig verstanden habe«, sagte Kathrin. »Kam er später?«

»Er ist überhaupt nicht aufgetaucht.« Kron hielt den Blick zu Boden gerichtet. Tatsächlich verspürte er nicht das geringste Bedürfnis, seine Tochter anzusehen.

»Und dann?«, fragte Kathrin.

Dann hatte Kron den Mann unter der Hutkrempe erkannt und begriffen, dass Gombrowski ihnen einen Schläger geschickt hatte. Auf der Lichtung im Wald sollten keine Verhandlungen geführt, sondern Denkzettel erteilt werden. In Kron war eine Wut aufgestiegen, die ihm die Sinne raubte. Seit der Wende und besonders seit der Sache mit der LPG-Umwandlung hatte sich die Stimmung in Unterleuten immer weiter aufgeheizt. Die untergegangene DDR hatte alte Stillhalteabkommen mit in den Abgrund gerissen. Plötzlich standen die Menschen gegeneinander auf. Verratene gegen Verräter. Betrogene gegen Betrüger. Erniedrigte gegen Unterdrücker. An den alten Mustern hatte der Sozialismus nicht das Geringste ändern können. Arbeiter blieben Arbeiter und Landbesitzer blieben Landbesitzer. Kaum zeigte sich die Gelegenheit, entblößte Gombrowski sein Junkergesicht. Dazu passten die klassischen Methoden: Aufmüpfige Leibeigene wie Kron bezogen Prügel. Was da im Regenmantel auf ihn zukam, war nicht nur Gombrowskis schlagkräftigster Handlanger. Es war die personifizierte Ungerechtigkeit.

In ihrer Heftigkeit hatte Krons Wut dem Gewitter an nichts nachgestanden. Er sah nicht, dass Gombrowskis Abgesandter doppelt so schwer war wie er selbst. Er sah die kurze Eisenstange nicht, die aus dem Ärmel des Regenmantels ragte. Er sprang los wie ein Raubtier, das Blut gerochen hat. Die Gnadenlosigkeit seiner Attacke machte den Angreifer zum Opfer. Der schwere Mann ging zu Boden, verfing sich im Regenmantel und wälzte sich, den Kopf mit den Armen schützend, im nassen Gras. Minutenlang behielt Kron die Oberhand. Er ließ nicht ab, als Blitz und Donner in eins zusammenfielen und hinter ihm das Krachen von splitterndem Holz erklang. Was auch immer er wirklich gesehen und gehört hatte – in diesem Augenblick wusste er nichts von Erik und von herabstürzenden Ästen. Er prügelte wie ein Besessener und hatte alles andere um sich herum komplett vergessen.

»Dann haben wir gewartet«, sagte Kron.

»Auf Gombrowski?«

»Das Gewitter war so laut, dass wir schreien mussten, um uns zu verständigen. Ich schrie: Fünf Minuten, dann hauen wir ab. Erik schrie: Alles klar. – Das waren seine letzten Worte.«

Kathrin schwieg, perplex.

»Und dann«, fragte sie noch einmal, zaghafter.

»Dann gab es einen ohrenbetäubenden Knall.«

»Und der Ast stürzte herab?«

Kron nickte und zuckte gleichzeitig die Achseln.

»Ich denke, ich habe sofort das Bewusstsein verloren.«

»Du meinst: Das ist alles?«

Wieder blickte Kron zu Boden und bohrte mit der Fußspitze im Gras.

»Einfach nur ein Unfall?«, fragte Kathrin. »Gombrowski hatte überhaupt nichts damit zu tun?«

Es verging eine nicht unbeträchtliche Menge völlig leerer Zeit.

»Oh, Papa«, sagte Kathrin dann. »Das Dorf denkt seit zwanzig Jahren, dass Erik ermordet wurde und dass man dir das Bein zertrümmert hat. Und dass Gombrowski schuld daran ist.«

»Das habe ich nie behauptet«, sagte Kron leise.

»Du hast alle in dem Glauben gelassen.«

Kron schwieg. Der wichtigste Teil der Lüge bestand darin, an dieser Stelle nicht weiterzusprechen. Nicht davon zu erzählen, wie seine Kräfte nachgelassen hatten. Wie der Riese im nassen Gras die Chance erkannt und sich mühelos aufgerichtet hatte, nahezu unverletzt, Kron abschüttelnd wie eine Fliege. Ein paar gezielte Schläge, und Kron lag hilflos auf dem Rücken, betäubt, aber noch bei Bewusstsein. Er erinnerte sich daran, wie sich sein Angreifer über ihn beugte. Die leicht hängende Unterlippe, der ausdruckslos stierende Blick. Bodo Schaller, der Mann fürs Grobe. Kron sieht, wie er sich aufrichtet und den Arm hebt. Die Eisenstange fährt durch die Luft, einmal, noch einmal, immer wieder. Schmerzen empfindet er nicht. Trotzdem weiß er, dass es sein rechtes Bein ist, das getroffen wird. Sein Gehirn funktioniert einwandfrei. Es denkt: Das Schwein schlägt mich zu Brei. Und: Wo ist Erik?

Irgendwann wird er durchs Gras geschleift, sein Körper vollkommen gefühllos, das Bewusstsein bereits am Rand zur inneren Nacht. Der heruntergebrochene Ast zeigt die Silhouette eines riesigen schwarzen Insekts. Schaller steigt in das Wirrwarr aus zerbrochenen Zweigen, zerrt Kron mit sich, lässt ihn zu Boden plumpsen und schiebt ein paar Äste über ihn.

Das Letzte, was Kron sieht, ist ein dunkler Körper neben sich, ein nasses Bündel unter den Trümmern der hölzernen Explosion. Er streckt die Hand aus, erreicht einen Ellbogen oder ein Knie. Rüttelt daran. Sagt einen Namen, Erik, mehrmals, und erhält keine Antwort. Dann verliert er das Bewusstsein.

Kron konnte nicht ewig seine Schuhspitze betrachten. Irgendwann musste er den Blick heben, um seiner Tochter ins Gesicht zu sehen. Als es passierte, wünschte er, es nicht getan zu haben. Die Mischung aus Enttäuschung und Entsetzen in ihrer Miene schnitt ihm ins Herz, dass er nach Luft schnappte. Als Vater war er längst beerdigt. Nun starb auch die Hoffnung, in Kathrins Augen als Mensch zu bestehen.

»In all den Jahren«, begann Kathrin, »wenn du mit deiner Krücke herumgefuchtelt hast, um zu zeigen, dass du ein Opfer bist, immer, wenn einer wagte, an dir zu zweifeln – hast du dich da eigentlich nie geschämt? Erik gegenüber?«

An dieser Stelle entfuhr Kron ein Schmerzenslaut, den er in einen Hustenanfall verwandelte. Er wusste nicht, in wie vielen Nächten er sich gefragt hatte, ob er Erik hätte retten können, wenn er sich beherrscht hätte, statt sich wie ein Irrer in einen sinnlosen Zweikampf zu stürzen. Das kaputte Bein war Eriks Mahnmal und Gombrowskis Anklage und als Strafe doch nicht schwerwiegend genug, um Krons Schuld zu tilgen.

Plötzlich lächelte Kathrin. »Der böse Gombrowski ist also eine Erfindung.« Das Lächeln vertiefte sich. Langsam begann die Bedeutung der Geschichte in ihren Verstand einzudringen. »Jetzt weiß ich, warum du so sicher bist, dass er nicht hinter Krönchens Verschwinden steckt. Stimmt's Papa? Sieh mich an und sag es mir.«

Da musste sich Kron mit dem Ärmel übers Gesicht wischen, um zu verbergen, dass ihm die Tränen kamen. In voller Überzeugung konnte er noch einmal versichern, dass Gombrowski mit Krönchens Verschwinden nichts zu tun hatte. Es gab überhaupt keinen verbrecherischen Gombrowski, sondern nur einen halb verrückten Kron, der jahrelang einen tragischen Unfall benutzt hatte, um sich zum Opfer eines Komplotts zu stilisieren. Für Kathrin war das vielleicht Grund zur Erschütterung, aber kein Grund, Unterleuten zu verlassen. Kron hatte gewonnen. Er hatte sich zum peinlichsten Hanswurst unter der Sonne gemacht, aber im Gegenzug würde er Tochter und Enkelin behalten. Dafür war ihm kein Preis zu hoch.

»Okay, Papa«, sagte Kathrin. »Ich glaube, ich muss jetzt ein bisschen nachdenken. Vielen Dank für deine Ehrlichkeit.«

Mit diesen Worten hatte sie die Lichtung verlassen, auf der Kron allein und erschöpft, aber friedlich zurückgeblieben war.

Seit dem Gespräch mit Kathrin waren zwei Tage vergangen. Sie hatte sich nicht bei ihm gemeldet, was er als gutes Zeichen wertete. Je länger sie keine Lust verspürte, ihn zu sehen, desto sicherer konnte er sein, dass sie ihre Angst vor Gombrowski begraben hatte. Außerdem konnte er auf diese Weise in Ruhe seinen Geschäften nachgehen.

Jetzt war es 6:30 Uhr und Zeit, mit der Arbeit zu beginnen. Kron streckte sich und stand auf, wobei Rücken, Hüfte, Schulter und rechtes Bein schmerzhaft rebellierten. Mit geübten Bewegungen legte er Helm und Handschuhe an und machte die Motorsäge startklar. Er hatte bis halb sieben gewartet, um Kathrin nicht vor der Zeit zu wecken. Jetzt gerade war sie damit beschäftigt, in der Küche das Frühstück für die Familie vorzubereiten. Die Vorstellung, wie ihr nichtsnutziger Ehemann beim Aufheulen der Säge aus dem Bett fallen würde, bereitete Kron Vergnügen. Auch Arnes alarmierte Verwunderung stellte er sich gerne vor. Kathrin würde nur den Kopf heben und sich fragen, ob ein Holzdieb zugange war oder ob ihr Vater einen Schlag durchführte, von dem sie nichts wusste.

Noch einmal schätzte er die leichte Schräglage der Kiefer, die der geplanten Fallrichtung entgegen stand, aber durch den einseitig ausgeprägten Astbewuchs ausgeglichen wurde. Die Rückzugsbahn war frei; mit krummem Wuchs oder unregelmäßigen Wurzelansätzen bekam man es bei Kiefern normalerweise nicht zu tun. Mit einem einzigen geübten Ruck startete Kron die Motorsäge, ging in die Knie und machte sich daran, die Fällkerbe zu setzen. Er tat es mit kühlem Kopf, ohne eine Spur von Hass. Seine einzige Empfindung war ein leichtes Bedauern, von dem er nicht hätte sagen können, ob es sich auf die Kiefer oder auf sein eigenes Leben bezog.

49 Fließ-Weiland

Eine gute halbe Stunde hatte Jule mit Sophie auf der Veranda des Jagdhauses gesessen und gewartet. Als Kron erschien, erhob sie sich und stand wie eine Gastgeberin vor dem Eingang, während der eigentliche Hausherr in der Rolle eines zögernden Besuchers in mehreren Schritten Entfernung verharrte. Er trug eine Motorsäge, einen Gummihammer und ein sauber aufgenommenes Seil unter dem Arm. Auf dem Kopf saß ein Helm, der mit hochgeklappten Ohrenschützern und Schutzbrille überdimensioniert wirkte und ihn aussehen ließ wie ein Astronaut aus einem Zeichentrickfilm.

Sie hatte sich den Vortrag in allen Einzelheiten zurechtgelegt, und sie begann mit dem Ergebnis:

»Ich bin raus. Beim Protest gegen die Windkraftanlagen. Ich mache nicht mehr mit.«

Mit Feigheit, fügte sie schnell hinzu, habe das nichts zu tun. An der Universität sei sie stets die Erste gewesen, die bereit war, unbequeme Meinungen zu äußern und eine gerechte Sache bis ganz nach oben zu verfechten, zum Beispiel als sie beim Streit um die Neubesetzung des Lehrstuhls von Professor Schwan Position gegen den Dekan bezogen habe. Aber hier stehe nicht ihr eigenes Wohl, sondern das ihrer kleinen Tochter auf dem Spiel.

Krons Miene zeigte keinen Hauch von Verständnis. Jule

wunderte sich, dass der Dorffunk so schlecht funktionierte, und entschied sich für eine kurze Zusammenfassung der jüngsten Ereignisse. In knappen Sätzen erzählte sie, wie Sophie verschwunden sei, was sich letztlich »nur« als perfides Versteckspiel erwiesen habe – die Anführungszeichen für das »nur« zeichnete sie mit zwei Fingern in die Luft. Den ausgestandenen Schrecken würde sie nie wieder vergessen. Ihr bleibe in einer solchen Situation nichts als Kapitulation.

Kron glotzte immer noch wie ein Schaf. Auch von Sophie nahm er keine Notiz, obwohl Jule das Baby zur Verdeutlichung ihres Berichts bei jeder Erwähnung auf den Armen hüpfen ließ. Da Jule nie sicher gewesen war, ob sich Kron bei vollem Verstand befand, wunderte sie sich nicht über die Abwesenheit von Reaktionen und setzte ihren Vortrag wie geplant fort.

Aus zwei Gründen sei sie heute hierhergekommen. Zum einen wolle sie Kron versichern, dass sie nicht etwa die Seiten gewechselt habe. Sie wolle sich von nun an einfach auf neutralem Terrain bewegen. Bestimmt könne er sich daran erinnern, dass sie in der Nacht von Krönchens Entführung Gombrowski verteidigt habe. Was auch immer Kron darüber denke – sie wolle ganz offen sagen, dass sie nicht bereit sei, es mit ihm zu diskutieren. Ihr Mann mache sie seit Tagen mit der Gombrowski-Frage verrückt, während sie einfach nur auf ihr Recht poche, in keiner Mannschaft mitzuspielen.

Tatsächlich gab Gerhard keine Ruhe. Er litt an dem, was er ihr vorwarf: einer krankhaften Gombrowski-Obsession. Er verhielt sich wie ein Inquisitor, der sie dazu bringen wollte, dem falschen Glauben abzuschwören. Dabei glaubte Jule gar nichts. Vielleicht hatte sie sich in Gombrowski getäuscht, vielleicht war sie im Irrtum gewesen, als sie seine Unschuld beteuerte. Aber was spielte das für eine Rolle? Die

Entwicklung der Dinge hing nicht davon ab, was Jule Fließ-Weiland darüber dachte. Fest stand, dass alles, worunter ihre Familie seit Wochen zu leiden hatte, nicht von Gombrowski, sondern von Schaller ausging. Wenn Gerhard kämpfen wollte, dann bitte nicht gegen Windmühlen, sondern gegen das Tier von nebenan. Genau das hatte sie ihm gesagt: Dass es allerhöchste Zeit für ihn werde, sich wie ein Mann zu verhalten und sein Zuhause zu verteidigen. Andernfalls würde Jule über kurz oder lang ihre Sachen packen und das Auto besteigen, um Sophie und sich selbst aus dieser Hölle herauszubringen. Gerhards Augen war anzusehen gewesen, dass ihn diese Ankündigung bis ins Mark erschreckte.

Kron guckte. Er wechselte die Motorsäge unter den anderen Arm und schien zu warten. Jule beschloss, möglichst schnell loszuwerden, was es noch zu sagen gab, und zu verschwinden.

»Außerdem bin ich hier, weil ich es meinem Mann versprochen habe.«

Gerhard machte sich Sorgen, was das Dorf und insbesondere Kron von ihm dachte, weil er die Baugenehmigung für Linda Franzen freigegeben und seine Einwände gegen den Windpark zurückgezogen hatte. Es hatte ihn gewaltige Überwindung gekostet, auf diese Weise gegen alle seine Prinzipien zu verstoßen. Jule wollte in aller Deutlichkeit klarstellen, dass er das nur ihretwegen getan hatte. Sie hatte ihn zum Einlenken gezwungen. Das sollte Kron ruhig jedem erzählen, der es hören wollte. Sie stand zu ihrer Entscheidung. Wenn Kron nun plante, aus Rache gegen sie zu Felde zu ziehen, sollte er das gleich sagen. Sie hoffte nur, dass er Ehrenmann genug war, um bei allem, was noch kam, ihre Tochter zu schonen.

»Schließlich wissen Sie ja selbst, was es bedeutet, ein kleines Mädchen zu lieben.«

Mit diesem Paukenschlag endete die Ansprache. Kron schaute sie an, als könne er sich beim besten Willen nicht zusammenreimen, worum es hier ging. Fast schien es, als sei er nicht einmal sicher, wer Jule war. Sein Blick blieb auf einen rätselhaften Punkt in Jules Gesicht gerichtet, irgendwo zwischen Nase und rechtem Ohr, so dass sie unwillkürlich an die Stelle fasste, als könnte dort etwas Unerwünschtes kleben.

Ob sie ein Glas Apfelwein aus eigener Pressung trinken wolle, fragte Kron.

Als Jule verneinte, ging er an ihr vorbei ins Haus und schloss die Tür.

Auf dem Weg zurück versuchte sie, sich wie ein Mensch zu fühlen, der alles richtig gemacht hatte. Ihr Rücken tat weh. Weil sie Kinderwagen nicht leiden konnte, schleppte sie Sophie noch immer im Tragetuch mit sich herum. Langsam wurde das Baby zu schwer dafür. Um nicht weiter über Kron nachdenken zu müssen – es war gut, ihr Statement abgegeben zu haben, ganz egal, ob Kron sie verstanden hatte –, stellte sie Überlegungen dazu an, was lächerlicher wäre, ein hochbeiniges Retro-Modell mit Speichenrädern oder einer von diesen Plastikpanzern mit Geländebereifung, die für eine Himalaya-Überquerung konstruiert schienen. Bis sie die Autos am Rand des Beutelwegs bemerkte. Zwei Männer in Overalls liefen hin und her. Eine winzige alte Frau rang auf dem Bürgersteig die Hände.

Jules erster Gedanke war: Sie verhaften ihn. Vor ihrem geistigen Auge erstand eine Szene wie aus dem Fernsehen: der bullige Gombrowski, die Arme auf den Rücken gedreht, das Gesicht gesenkt, während ihm ein Uniformierter die Hand auf den Kopf legt und ihn in einen Streifenwagen bugsiert.

Eine Welle gemischter Gefühle überflutete sie. Einerseits spürte sie den Wunsch, loszulaufen und zu rufen: Lasst ihn los, er hat nichts getan. Andererseits empfand sie Genugtuung. Sollte er wirklich das Tier von nebenan angewiesen haben, seine hässlichen Pranken an Sophie zu legen, dann war Gefängnis das Mindeste, was er verdiente.

Gleich darauf sah sie ein, dass es sich bei Gombrowskis Verhaftung nur um ein hitziges Gedankenspiel handelte. Bei Tageslicht betrachtet, war er nicht einmal anwesend. Zwar parkten die Fahrzeuge vor seinem Grundstück; es waren aber keine Polizeiwagen, sondern ein alter Mercedes Kombi in Grau sowie ein Kleintransporter mit vergitterter Hecktür. Die beiden fremden Männer trugen keine Uniformen, sondern blaue Arbeitsanzüge. Einer von ihnen, dünn und langhaarig wie ein Soziologiestudent, hatte eine Stange bei sich, an deren Ende sich eine Lederschlinge befand. Die winzige Alte gebärdete sich wie toll. Einerseits versuchte sie, den Kopf mit den Armen zu schützen, als könnte jeden Augenblick etwas Schweres aus dem blauen Himmel fallen; andererseits war sie bereit, sich auf den zweiten Arbeiter zu stürzen, der, geformt wie eine Birne, gerade mit einer Art Wäschekorb auf den Armen aus dem Haus kam. Nicht aus Gombrowskis großem Haus, sondern aus dem kleinen von Hilde Kessler.

Von Gerhard hatte Jule das eine oder andere über Hilde Kessler gehört, auch wenn sie die Frau noch nie mit eigenen Augen gesehen hatte. Angeblich war Hilde schon zu DDR-Zeiten die Geliebte von Gombrowski gewesen. Als sie schwanger wurde, hatte sie einen Holzarbeiter namens Erik geheiratet, den Gombrowski laut Gerhard später umbringen ließ. Seit Eriks Tod lebte Hilde wie eine Gefangene in dem kleinen Haus neben den Gombrowskis, umgeben von einer Menge Katzen.

Selbst mit gutem Willen war schwer vorstellbar, was ein Mann an einer Frau wie Hilde finden sollte. In früheren Zeiten hätten die Dorfkinder sie als Hexe verschrien, hätten ihr Haus mit Kastanien beworfen und wären kreischend geflohen, wenn sie sich am Fenster zeigte. Auf der Straße wirkte sie dem Untergang preisgegeben. Wie eine Schnecke, die man aus ihrem Haus gerissen hat, um ein grausames Spiel mit ihr zu treiben. Eine Weile hing sie schlaff am Arm des Soziologiestudenten, dann ballte sie plötzlich alle Kraft, rannte im Zickzack über den Bürgersteig, wobei sie fast gegen den Mast der Straßenlaterne geprallt wäre, und hängte sich an den Birnenförmigen, um ihn am Verladen des Wäschekorbs zu hindern.

»Nein!«, rief sie. »Das dürfen Sie nicht!«

»Frau Kessler«, sagte der Birnenförmige. »Wir tun nur unsere Pflicht.«

»Es ist das Beste für die Tiere«, sagte der Soziologe, bemüht, Hilde beiseitezudrängen, um die Hecktür des Kleintransporters zu öffnen.

»Klingeln Sie da drüben!« Hilde zeigte auf Gombrowskis Haus. »Dort wird man Ihnen bestätigen, wie gut es die Kätzchen bei mir haben!«

»Haben wir schon versucht«, sagte der Birnenförmige sanft. »Keiner zu Hause.«

Jule war ein Stück näher gekommen. Durch die Stäbe des Korbs sah sie zwei dunkle Wesen, die rosafarbenen Mäuler in panischem Fauchen aufgesperrt.

»Das sind meine Kinder«, rief Hilde.

Dem Birnenförmigen gelang es, den Korb im Transporter zu verstauen. Der Soziologe schloss die Tür und lehnte sich dagegen.

»Gib mal den Käscher«, sagte der Birnenförmige. »Da sitzen noch mindestens zehn unter der Couch.«

Er nahm die Stange und ging zurück zum Haus. Als Hilde ihm nacheilen wollte, bemerkte sie Jule. Wie ein Derwisch kam sie herangewirbelt und krallte die winzigen Händchen in Jules Unterarm.

»Hilf mir! Sie nehmen mir meine Babys weg!«

Die Alte weinte. Tränen ließen die Wimperntusche in schwarzen Streifen über ihre Wangen laufen, der Lippenstift war verschmiert und hatte die Schneidezähne rot befleckt. Das Flehen der hellblauen Augen in diesem entstellten Gesicht war so unerträglich, dass Jule sich beherrschen musste, um Hilde nicht wegzustoßen.

»Damit es nicht zu Missverständnissen kommt«, sagte der Soziologe und hielt ihr einen Ausweis vom Tierschutzverein Neuruppin unter die Nase, »es gab eine Anzeige gegen Frau Kessler wegen Tierquälerei. Die Katzen befinden sich in erbärmlichem Zustand. Abgemagert, räudig, altersschwach.«

»Weil ich die Ärmsten der Armen bei mir aufnehme!«, rief Hilde. »Ich bekomme sie vom Tierheim in Plausitz! Rufen Sie dort an, man wird das bestätigen!«

»Da drinnen stinkt es«, sagte der Soziologe. »Über zwanzig Katzen eingesperrt in einem Haus, das ist nicht artgerecht.«

»Es sind zum Tode Verurteilte.« Hilde begann zu schluchzen. »Von schlechten Menschen auf den Müll geworfen. Ich gebe ihnen Namen. Ich füttere sie. Ich streichele sie. Viele werden gesund, die anderen dürfen in Frieden sterben.«

Aus dem Haus erklang Geschrei. Jule wusste, wie Katzen schreien konnten; es klang trotzdem nach geprügelten Kindern. Hilde Kessler stöhnte auf, als wäre es ihr eigener Hals, um den sich die Schlinge legte. Erst wollte sie zum Haus laufen; dann beschloss sie, alle Hoffnung in Jule zu setzen. Ihr Griff um Jules Unterarm verstärkte sich.

»Ich kenne dich. Du bist die Frau vom Vogelschützer. Ihr mögt Tiere. Ihr seid keine schlechten Menschen.«

Jule versuchte, ihren Arm zu befreien, und gab auf, als

sich Hildes Fingernägel tiefer in ihr Fleisch bohrten. Sophie begann im Tragetuch zu wimmern.

»Was geschieht mit den Tieren?«, fragte Jule den Soziologen.

Der zuckte die Achseln.

»Sie kommen nach Neuruppin ins Heim. Einen Großteil wird man einschläfern müssen.«

»Nein!« Hilde schrie wie eine Sterbende. »Jeder hier weiß, dass ich gut bin zu meinen Katzen. Sag ihm das, Mädchen, um Gottes willen!«

»Kennen Sie diese Frau?«, fragte der Soziologe.

Mit einem Mal blieb die Zeit stehen. Die gegenwärtige Sekunde dehnte sich zu einem Raum, in dem Seltsames geschah. Zwei Wege wurden ausgerollt, die sich vor Jules Füßen kreuzten. Der eine verlief gerade und wirkte vertraut. Auf einem Wegweiser stand das Wort »Erbarmen«. Der andere führte über eine wacklige Brücke und verlor sich im Nebel. Statt eines Wegweisers gab es eine Tafel, die mit mehreren Fragen beschriftet war: Ist das Gombrowskis Handlangerin, die um das Schicksal ihrer räudigen Katzen weint? Hat sie noch vor wenigen Tagen kaltlächelnd ein Kind eingesperrt, während die Eltern tausend Tode starben? War es vielleicht sogar Hilde und nicht Schaller, die ihr bemaltes Clownsgesicht über Sophies Bettchen gebeugt und die Kleine herausgehoben hat?

Jule kniff die Augen zusammen, um das Bild von der Tafel loszuwerden. Ihre Entscheidung, sich ab jetzt aus allem herauszuhalten, stand unumstößlich fest. Neutralität bedeutete nicht, der Gegenseite zu helfen. Es bedeutete, die Dinge geschehen zu lassen.

Ihr Blick klärte sich. Es war Donnerstag, der 29. Juli 2010, 8:30 Uhr am Morgen. Auch heute würden die Temperaturen wieder über 30 Grad klettern. Seit Tagen dröhnten

Gombrowskis Mähdrescher rund um die Uhr über die Felder, um unter Hochdruck die Ernte einzubringen. Bei Nacht sandten die Scheinwerfer der großen Maschinen Lichtduschen ins Schlafzimmer, wenn sie an der Straße wendeten.

»Nein«, sagte Jule. »Zu Frau Kesslers Katzen kann ich keine Auskunft geben.«

Der gerade Weg verschwand. Hilde Kesslers geschminkte Miene zerfiel in tausend Teile.

»Nächste Ladung«, rief der Birnenförmige, während er, mit jeder Hand den Tragegriff eines Metallkäfigs umklammernd, aus dem Haus trat.

Hilde Kessler knickte ein, als wolle sie gleich hier auf dem Bürgersteig zusammenbrechen. Dann aber sah Jule, wie sie nach einem Feldstein griff, der im Rinnstein lag. Sie entwischte dem Soziologen, der ihr aufhelfen wollte, und rannte auf den Birnenförmigen zu. Der ließ die Käfige fallen, kaum dass er die Situation begriff. Die alte Frau war klein, aber der Stein beängstigend groß. Mit unerwarteter Behändigkeit wich der Birnenförmige aus, Hildes Schlag ging ins Leere. Im nächsten Augenblick hatte der Soziologe sie von hinten gepackt und hob sie hoch wie ein tobsüchtiges Kind. Der Stein fiel zu Boden. Hilde schrie, unartikuliert und verzweifelt wie ihre Katzen. Jule spürte, wie sich der Anblick der heulenden Greisin in ihre Erinnerung fraß, unauslöschlich, ein Bild, das in vielen dunklen Momenten zu ihr zurückkehren würde.

»Hol einen Krankenwagen«, rief der Soziologe. »Die Alte hat einen Nervenzusammenbruch. Ich sperr sie ins Badezimmer, damit wir hier fertig machen können.«

Er trug Hilde ins Haus, das Geschrei wurde leiser und verstummte schließlich. Jule lehnte sich gegen Gombrowskis Zaun. Schweiß lief ihr über die Stirn, was um diese Uhrzeit noch nicht von der Hitze herrühren konnte. Der Birnenförmige räumte die beiden Käfige in den Transporter. Als er fertig war, kam er auf Jule zu und trug ein Klemmbrett mit Formularen vor sich her.

»Das ist ein offizielles Verwaltungsverfahren«, sagte er. »Ich möchte Sie bitten, den Vorgang zu bezeugen.«

Ohne lange zu überlegen, trug Jule Namen und Adresse in die vorgesehenen Zeilen ein, unterschrieb das Papier und gab es dem Birnenförmigen zurück, der den Durchschlag abtrennte, faltete und in einen Umschlag schob. Mit einer auffällig voluminösen Zunge leckte er über die Klebekante des Kuverts.

Machtlos sah Jule zu, wie der Umschlag in Hilde Kesslers Briefkasten verschwand, der in den Betonpfeiler des Gartentors eingelassen war. Sie fragte sich, ob sie verrückt geworden war. Das Papier zu unterschreiben, kam einem Selbstmord gleich. Die Wahrscheinlichkeit, dass Gombrowski es zu Gesicht bekommen würde, lag bei annähernd hundert Prozent. Kein Mensch würde ihr glauben, dass sie zufällig vorbeigekommen war und mit der Anzeige von Hilde Kessler nichts zu tun hatte. Hilde würde erzählen, dass sich Jule geweigert hatte, ihr zu helfen. Dass sie auf dem Bürgersteig gestanden hatte, um sich an ihrem Elend zu weiden. Gombrowski würde das als Kampfansage verstehen.

»Sich raushalten?«, hatte Gerhard während einer ihrer Auseinandersetzungen gerufen und gelacht. »Im Krieg gibt es keine Neutralität. Das wirst du noch lernen.«

Eins war gewiss: Schlimmer hätten die Dinge kaum laufen können.

50 Gombrowski, geb. Niehaus

»Tut mir leid«, sagte die Dame vom Plausitzer Taxidienst, »die Postleitzahl 16879 wird von uns nicht bedient.«

Natürlich wusste Elena, dass es in Unterleuten normalerweise keine Taxis gab.

»Ich zahle dem Fahrer zusätzlich die komplette Anfahrt«, schlug sie vor. »Nehmen Ihre Leute auch Hunde mit?«

»Ich schicke einen Kombi«, versprach die Dame. »In einer knappen Stunde.«

Elena fühlte sich ruhig. Erntezeit war die beste Zeit des Jahres. Gombrowski kam mittags nicht nach Hause und blieb bis zum späten Abend in der Ökologica. Für die Taxibestellung hatte sie das Telefon in seinem Arbeitszimmer benutzt, einem Raum, den sie normalerweise nur zum Staubsaugen betrat. Jetzt ging sie gemächlich zum Fenster, stützte die Ellenbogen auf das Kissen, welches seit gestern Morgen auf der Fensterbank lag, und wartete.

Es dauerte 50 Minuten, bis das Taxi vorfuhr. Elena ließ das Kissen an seinem Platz und stellte sich vor, dass auch Gombrowski es nicht wegräumen würde, dass es vielmehr bis in alle Zeiten als persönliches Mahnmal dort liegen würde. Sie lief die Treppe hinunter, kontrollierte den Inhalt ihres Portemonnaies, schulterte die Handtasche und hakte die Leine in Fidis Halsband.

»Das ist aber mal ein Prachtkerl«, sagte der Taxifahrer, als er die Heckklappe öffnete.

»Es ist ein Mädchen«, sagte Elena. »Sie sabbert.«

»Schlimm?«

»Ich gebe Trinkgeld.«

Elena nahm auf der Rückbank Platz und begann, in ihrem Taschenkalender zu blättern, um den Taxifahrer von jeglichen Gesprächsversuchen abzuhalten. Das Büchlein enthielt nicht mehr als Püppis Adresse sowie ein paar Telefonnummern von Doppelkopf-Freundinnen, die Elena seit Jahren auswendig kannte.

Kaum eine Minute später lag Unterleuten hinter ihr. Fast geräuschlos schwebte das Taxi den Anstieg zur Plausitzer Höhe hinauf. Für einen Augenblick meinte Elena, die Schatten riesiger Rotorblätter über die Schiefe Kappe huschen zu sehen. Sie dachte über eine ungewöhnliche Frage nach: Konnte ein Kissen das Leben eines Menschen zerstören?

Die wahrscheinlichste Antwort lautete: Ein Kissen war höchstens in der Lage, ein bereits zerstörtes Leben endgültig über den Rand des Abgrunds zu stoßen. Wäre das Kissen auf der Fensterbank nicht gewesen, säße Elena jetzt nicht im Taxi. Diese Tatsache war simpel und unbestreitbar richtig.

Sie beugte sich vor, sah die Tachonadel auf 120 km/h zeigen und bat den Fahrer, das Tempo zu verringern. Die scharfe Rechtskurve, die aus dem Wald hinausführte, wurde von entgegenkommenden Fahrzeugen gern geschnitten.

Wieder und wieder hatte sie die Bausteine der Ereignisse neu zusammengesetzt, in der Hoffnung, ein klares Bild zu erhalten.

In den 61 Jahren ihres Lebens und vor allem in den zwei Jahrzehnten seit Püppis Auszug hatte Elena gelernt, dass die wahre Geißel des Menschen Langeweile hieß. Langeweile verdarb den Charakter. Sie weckte die Sehnsucht nach Skandalen und Katastrophen. Friedliche Menschen verwandelten sich in Schandmäuler, die anderen Böses wünschten, nur damit sie etwas zu besprechen hatten. Im Kampf gegen die Langeweile entschied sich, ob man als Teufel oder als Engel durchs Leben ging. Weil Elena dies verstand, hatte sie sich stets verboten, schlecht über Nachbarn zu reden, auch wenn es bedeutete, dass die Leute sie für hochnäsig hielten. Wenn man die Gerüchteküche mied, gab es an Gartenzäunen, Straßenecken oder Doppelkopftischen wenig zu verhandeln. Nie zuvor hatte Elena hinter der Gardine im Fenster gelegen, um wie ein neugieriges Waschweib auf den Beutelweg zu schauen, zumal es dort für gewöhnlich nicht mehr zu sehen gab als ein paar Spatzen, die am Straßenrand ein Staubbad nahmen.

Bis gestern Vormittag. Da hatte sie am Fenster von Gombrowskis Arbeitszimmer Stellung bezogen, ein Kissen unter den Ellenbogen, und überlegt, sich aus der Küche ein Glas Weißwein mit Eiswürfeln zu holen. Auf das Getränk hatte sie nur verzichtet, weil sie nichts verpassen wollte. Sie wusste, dass sie etwas Ungehöriges tat, hatte aber dennoch das Gefühl, ein Recht auf diese Szene zu besitzen.

Vor dem Plausitzer Bahnhof weigerte sich Fidi, das Taxi zu verlassen. Der Hund war noch nie aus Unterleuten herausgekommen. Mithilfe des Taxifahrers zog Elena das schwere Tier aus dem Kofferraum, zahlte mit zwei 50-Euro-Noten und verzichtete auf den Rest. Der Taxifahrer wünschte eine gute Weiterreise.

Selbstverständlich hatte sie sich auf ihrem Aussichtsposten gefragt, ob sie eingreifen müsse. Aber ging sie die Sache wirklich etwas an? Gab es eine moralische Verpflichtung, der Geliebten des eigenen Ehemanns zu helfen?

Spätestens als die Frau vom Vogelschützer auf der Bildfläche erschienen war, hatte sich Elena von jeder Verantwortung befreit gefühlt. Auf der Straße stand jetzt eine Schiedsperson, neutraler als sie selbst, die alle nötigen Entscheidungen treffen konnte. Elena durfte Beobachterin bleiben. Schließlich war sie nur durch puren Zufall auf die Vorgänge aufmerksam geworden. Sie hatte bei offenem Fenster in der Küche gearbeitet und plötzlich das Schreien der Katzen im Nachbarhaus gehört. Wäre sie stattdessen im Vorratskeller zugange gewesen, hätten die Ereignisse ohne ihr Beisein ihren Lauf genommen. Wie kriminell konnte Zuschauen unter diesen Umständen schon sein?

Vor dem Eingang des Plausitzer Bahnhofs verwandelte sich Fidi endgültig in ein großes Häufchen Elend. Ihre Hinterläufe zitterten; sie sträubte sich gegen jeden weiteren Schritt. Als Elena sie anschnauzte, ließ sie sich auf den Bauch fallen und sah unter schrecklich besorgter Stirn zu ihr auf. Widerwillig ging Elena in die Knie und streichelte den Hundekopf, wobei sich die Hautmassen zusammenschoben.

»Na, komm schon, mein Mädchen.«

Ein wenig beruhigt, wenn auch immer noch ängstlich, sprang Fidi auf die Beine und folgte Elena mit unsicheren Schritten in die Bahnhofshalle. Vier weitere 50-Euro-Scheine wechselten den Besitzer. Erstaunt nahm Elena zur Kenntnis, wie teuer Bahnfahren war, und hätte fast gelacht, als sie erfuhr, dass sie für den Hund ein Kinderticket kaufen musste. Der Bahnsteig war von Zigarettenkippen übersät. Fidi kroch unter eine Konstruktion aus Metallstangen und Plastikschalen, die als Sitzgelegenheit diente. Außer Elena warteten nur fünf weitere Personen auf den Zug nach Berlin; der morgendliche Pendlerverkehr war schon lange durch. Immer wieder verglich Elena die Angaben auf ihrem Ticket mit dem Fahrplan hinter Glas sowie der Anzeigetafel über ihrem Kopf und hörte erst damit auf, als sie merkte, wie lächerlich sie sich benahm.

Das einzige Mitleid, das Elena empfunden hatte, während sie im Fenster lag, hatte Hildes Katzen gegolten. Haustiere suchten sich ihr Schicksal nicht aus, sie waren vollständig der Willkür der Menschen unterworfen. Im Gegensatz dazu besaß Hilde einen freien Willen und traf ihre Entscheidungen selbst.

Niemand hatte sie gezwungen, die Geliebte eines verheirateten Mannes zu werden. Niemand hatte sie gezwungen, um des schönen Scheins willen einen anderen zu heiraten, nach dessen Tod ins Nachbarhaus zu ziehen und sich in eine katzenbesessene Einsiedlerin zu verwandeln. Offensichtlich hatte Hilde vor langer Zeit beschlossen, sich nicht dafür zu interessieren, was sie anderen Menschen mit ihrem Verhalten zufügte.

Zu Elenas schrecklichsten Erinnerungen gehörte jener Nachmittag vor mehr als dreißig Jahren, an dem sie gemeinsam mit Gombrowski und der kleinen Püppi den Rohbau ihres neuen, herrschaftlichen Domizils am Beutelweg besichtigt hatte.

Sie hatte ihr künftiges Zuhause bereits vor sich gesehen, die großen Fenster, Terrasse, Gartenteich, gepflegter Rasen und Johannisbeerbüsche auf dem ausgedehnten Grundstück. Sie genoss Gombrowskis Begeisterung, mit der er ihr sämtliche Details des Bauvorhabens beschrieb. »Das wird schon«, sagte er nach jeder neuen Erklärung, und Elena antwortete ein ums andere Mal: »Wunderschön.« Zurück auf der Straße, bemerkte sie, dass auf dem Nachbargrundstück ebenfalls gearbeitet wurde. Aus dem kleinen Würfelhaus der republikflüchtigen Familie Berger trat ein Mann, der eine Schubkarre schob.

»Hat sich jemand Bergers Haus unter den Nagel gerissen?«, fragte Elena verwundert.

Gombrowski räusperte sich kurz.

»Die LPG hat das Häuschen übernommen«, sagte er. »Arbeiterunterkünfte werden immer gebraucht.«

Von diesem Moment an wollte Elena ihr prächtiges neues Anwesen nicht mehr. Sie wusste sofort, wer im Berger-Häuschen einziehen würde, auch wenn es noch zehn Jahre dauern sollte, bis sich ihre Ahnung realisierte. Die Zwischenzeit nutzte sie, um die Grundstücksgrenze mit schnell wachsenden Büschen und Bäumen zu bepflanzen, so dass man heute nur noch vom ersten Stockwerk zu Hilde hinübersehen konnte, und auch das nur von einer bestimmten Stelle aus, nämlich dem seitlichen, nach Norden gehenden Fenster in Gombrowskis Arbeitszimmer.

Die Regionalbahn kam; Fidi stieg gutgläubig ein und wollte sofort wieder raus. Elena hielt die Hündin am Halsband fest und schlang die Leine um eine Haltestange. Als sich der Zug in Bewegung setzte, begann Fidi zu hecheln. Mit weit gegrätschten Läufen stand sie auf unsicher schwankendem Boden, versperrte ein- und aussteigenden Fahrgästen den Weg und war nicht bereit, sich niederzulassen. Nach zwei Stationen gab Elena die Überredungsversuche auf, überließ den angebundenen Hund sich selbst und setzte sich ans andere Ende des Großraumabteils, um nicht mitansehen zu müssen, wie die Speichelpfütze zwischen Fidis Vorderbeinen immer größer wurde.

Vom Arbeitszimmerfenster aus hatte Elena am vergangenen Vormittag beobachtet, wie sich Hildes Überrumpelung in Verzweiflung und die Verzweiflung in Wahnsinn verwandelte. Als einer der Tierfänger zum Haus der Gombrowskis herüberkam und an der Tür klingelte, zog sich Elena ein Stück hinter die Gardine zurück und wartete, bis der Mann glaubte, dass niemand da sei. Im Folgenden sah sie zu, wie die Tierfänger ihre Arbeit ungeachtet der Attacken des bemalten Äffchens fortsetzten.

Eigentlich hatte sie damit gerechnet, dass die Frau des Vogelschützers ein Handy zücken würde, um ihren Mann und dessen Kollegen anzurufen. Daraufhin hätte sich der Bürgersteig in Kürze mit empörten Tierfreunden gefüllt, und man hätte dem grausamen Abtransport ein Ende gesetzt. Aber nichts dergleichen geschah. Im Gegenteil besaß die junge Frau die Stirn, in aller Seelenruhe ein Formular zu unterschreiben, während sie ihr Baby im Tragetuch schaukelte und Hilde von den Tierfängern ins Haus geschleppt wurde.

Elena fragte sich, ob es möglich war, ein Baby so innig an die Brust zu pressen, wenn dahinter ein kaltes Herz schlug. Dann fiel ihr ein, dass die junge Mutter natürlich wusste, was Krönchen zugestoßen war, und dass sie eine Frau wie Hilde, die zu einer solchen Gemeinheit fähig war, aus voller Seele hassen musste.

Diesmal, dachte Elena mit Hinblick auf Hilde und Gombrowski, diesmal seid ihr zu weit gegangen, und sie spürte den bittersüßen Geschmack von Schadenfreude im Mund.

Sie lag im Fenster wie Gott, der das Böse richtet, statt es zu verhindern.

Nach einer weiteren halben Stunde hatten die Tierfänger den letzten Katzenkorb im Wagen verstaut; von Hilde war in der Zwischenzeit nichts mehr zu sehen und zu hören gewesen. Statt sogleich in die Autos zu steigen und loszufahren, lehnten sich die Tierfänger ans Gartentor und rauchten eine Zigarette. Das Handy des Jüngeren klingelte. Gleich darauf traf die Ambulanz ein.

Obwohl das Martinshorn nicht eingeschaltet war, standen kaum eine Minute später der ewig grinsende Björn sowie Silke und Sabine aus dem Märkischen Landmann auf der Straße und sahen zu, wie Hilde, winzig klein zwischen zwei Sanitätern, aus dem Haus geführt wurde. Niemand machte

Anstalten, ihr zu helfen. Der Sanitäter redete auf Hilde ein, die keine Reaktion mehr zeigte. Ihr Widerstand war zusammengebrochen und hatte die ganze Person mit sich gerissen. Mit der verlaufenen Schminke sah sie aus wie eine Gestalt aus einem Horrorfilm. Der dicke Tierfänger gestikulierte mit beiden Armen, um zu zeigen, wie Hilde ihn angegriffen hatte. Schließlich geleitete man sie zum Krankenwagen und half ihr beim Einsteigen. Autotüren knallten. Die beiden Fahrzeuge setzten sich in Bewegung, zuerst das Auto mit Hildes Katzen, dann der Krankenwagen mit Hilde selbst. Sie fuhren den Beutelweg hinunter, unterschiedlichen Zielen entgegen.

Berlin Hauptbahnhof war zu viel für den Hund. Schon Elena konnte die Bedrohung spüren; Fidi geriet völlig außer sich. Ihre Hinterhand schlotterte wie von Lähmungserscheinungen. Schutzsuchend drängte sie sich an Elena und schreckte gleichzeitig vor jedem Passanten zurück, wobei sie ihr schmächtiges Frauchen fast aus dem Gleichgewicht brachte. Der Hund hatte recht. Ein so monströses Gebäude musste man nicht errichten; so viele Menschen musste man nicht in einem Gebäude versammeln; so viele Läden brauchte kein Mensch.

Vage erinnerte sich Elena, über den neuen Hauptbahnhof etwas im Radio gehört zu haben. Die Meldung hatte keinerlei Relevanz für sie besessen, wie eigentlich alles, was im Radio oder Fernsehen berichtet wurde. Der Berliner Hauptbahnhof gehörte zu den Dingen, die Menschen betrafen, die sich im Kampf gegen die Langeweile für die falsche Seite entschieden hatten. Elena überlegte, wann sie zuletzt in Berlin gewesen war. Einmal hatte Püppi sie überredet, die Hauptstadt zu besichtigen. Es war ein schöner Ausflug geworden, mit Bootsfahrt auf der Spree und italienischem Essen. Sie hatte sich vorgenommen, öfter in die Stadt zu fahren, und es dann doch nicht getan. Berlin fehlte es an Gründen. Kein einziger Tag verlangte bei Sonnenaufgang, in Berlin verbracht zu werden. Elena hatte nichts gegen die Stadt; sie hatte auch nichts gegen London, Washington oder Peking, solange sie nicht hinfahren musste. Von Unterleuten aus gesehen war Berlin genauso weit weg und spielte genauso wenig eine Rolle wie jede andere Hauptstadt der Welt.

Jetzt war sie froh um jede einzelne Minute, die ihr der Fahrplan zum Umsteigen ließ. Mit Fidi konnte sie die Rolltreppen nicht benutzen; einen Aufzug wollte die Hündin nicht betreten, und auf den gewöhnlichen Treppen brauchte das Tier mit seinen zitternden Beinen ewig für jede Stufe. Menschen drehten sich nach ihnen um und sagten »der Arme« oder »was hat er denn«. Elena folgte den Hinweisschildern Richtung Gleis 13, bis Gleis 13 nicht mehr existierte, und kehrte um. Ein verwahrloster junger Mann, der eine große getönte Brille trug, obwohl kaum Sonnenlicht in den Hauptbahnhof drang, und eine Zigarette im Mundwinkel balancierte, die nicht brannte, wollte erst einen gebrauchten Fahrschein und fragte dann, ob er helfen könne. Tatsächlich zeigte er ihr den Aufstieg zum richtigen Gleis. Der Bahnsteig war lang wie die Unterleutner Dorfstraße. Es gab keine Sitzbänke und auch sonst nichts, unter das Fidi hätte kriechen können.

Wie üblich in der Erntezeit war Gombrowski am Vorabend erst gegen neun nach Hause gekommen. Die Küche hatte sich mit dem Licht eines brandroten Sonnenuntergangs gefüllt, das den Raum und alle vertrauten Gegenstände fremd, fast surreal wirken ließ. Elena hatte schon gegessen. Sie legte ein Messer und eine Gabel auf den Küchentisch, während sich Gombrowskis Teller in der Mikrowelle drehte. Kohlrouladen und selbstgemachter Kartoffelbrei. Sie setzte sich neben ihn und sah zu, wie er das Essen verschlang. Er brauchte nie länger als fünf Minuten für eine Mahlzeit, gleichgültig, was und wie viel auf dem Teller lag. Elena glaubte nicht, dass er in dem Moment, wenn er sich den Mund mit der Serviette wischte, noch wusste, was er zu sich genommen hatte.

»Heute Nacht gibt es Regen«, sagte er, nachdem der letzte Rest Kartoffelbrei in seinem Mund verschwunden war. »Wir schaffen die Felder Richtung Groß Väter nicht mehr.«

Dann stand er auf und ging die Treppe hinauf. Kein Wort über Hilde. Dabei musste die Kunde von den Ereignissen in Windeseile zu ihm vorgedrungen sein. Mit Sicherheit hatte er im größten Erntestress Mähdrescher, Lastwagen und Kornspeicher im Stich gelassen und den Rest des Tages am Telefon verbracht. Er hatte mit der Polizei gesprochen, mit Sanitätsdienst, Krankenhaus und Gesundheitsamt, mit dem Tierheim und wahrscheinlich sogar mit seinen Freunden in den verschiedenen Ministerien in Potsdam. Er hatte getobt und gedroht. Vielleicht sogar gebettelt. Er hatte verlangt, mit Hilde Kessler verbunden zu werden. Vielleicht war er nach Neuruppin ins Klinikum gefahren, und man hatte ihn nicht zu ihr gelassen. Elena kannte die Spuren von Misserfolg in seinem Gesicht. Es kränkte sie tief, dass er nicht mit ihr sprach. Dass er seine Sorgen mit keinem Sterbenswörtchen erwähnte, selbst dann, wenn Hilde als Ansprechpartnerin nicht zur Verfügung stand. Dabei wäre Elena bereit gewesen, ihm zu helfen. Sie hätte ihm angeboten, am nächsten Tag nach Plausitz oder Neuruppin zu fahren und alle nötigen Behördengänge zu übernehmen, um Hilde und ihre Katzen freizubekommen. Nachdem sie den Abtransport nicht verhindert hatte, wollte sie jetzt alles tun, um das Geschehene rückgängig zu machen. Nicht aus schlechtem Gewissen, sondern weil sie einfach nicht anders konnte, als ihrem Ehemann zu helfen, wenn etwas nicht nach seinen Wünschen lief.

Sie hatte gerade den abgegessenen Teller in die Spülmaschine gestellt, als seine Schritte die Treppe herunterpolterten. Die Farbe des Lichts in der Küche hatte sich von Rot zu Blaugrau verändert; die Sonnenuntergänge in Unterleuten waren intensiv, aber kurz. Gombrowskis Gestalt füllte den Türrahmen aus. Ein Blick in sein Gesicht genügte, um zu wissen, was passiert war. Das Kissen. Elena hatte es auf der Fensterbank des Arbeitszimmers vergessen.

Als der ICE einfuhr, begann Fidi zu winseln. Elena fand den richtigen Waggon und einen kräftigen jungen Herrn, der ihr half, den Hund wie ein sperriges Gepäckstück in den Zug zu heben. Als Elena ihm zum Dank etwas Geld geben wollte, lachte er.

Gombrowski wurde oft wütend. Er brüllte, schlug gegen Wände und Möbelstücke, drohte mit Prügeln und teilte sie aus. Viele Male hatte er sie in der Vergangenheit geohrfeigt, quer durchs Zimmer geschleudert, die Kellertreppe hinuntergestoßen.

Er hatte, möge Gott diese Erinnerungen endlich tilgen, immer wieder die Hand gegen Püppi erhoben. Aber bis zu jenem Abend hatte sie nie geglaubt, dass er sie umbringen würde. Er stand im Türrahmen, starrte sie an und tat gar nichts. An ihm vorbeizukommen, war unmöglich. In Elenas Reichweite befanden sich zwei Küchenscheren sowie der gesamte Inhalt der Spülmaschine, zu dem ein Brotmesser und der Kartoffelstampfer gehörten. Sie stellte sich vor, einen spitzen Gegenstand in Gombrowskis Fleisch zu stoßen, und erkannte sofort, dass sie dazu nicht in der Lage war. Stattdessen beschloss sie, mit dem Kartoffelstampfer die Fensterscheibe einzuschlagen, um auf diesem Weg ins Freie zu gelangen.

»Du warst es«, sagte Gombrowski. »Du hast sie angezeigt und zugeschaut, wie man sie abholt.«

Elena hatte noch nicht einmal nach dem Kartoffelstampfer gegriffen, geschweige denn einen Ausfallschritt Richtung Fenster versucht, als er schon vor ihr stand und sie am Hals packte.

»Ich war es nicht«, sagte sie. »Ich schwöre es bei Püppis Leben.«

Sie spürte, wie dünn ihr Hals in seinen Händen war, wie leicht man ihn zudrücken, brechen, einfach abdrehen konnte.

Dann gab es eine Lücke in ihrer Erinnerung. Als sie wieder zu sich kam, lag sie auf dem Küchenboden. Gombrowski war verschwunden.

Im ICE war es unmöglich, Fidi so zu platzieren, dass niemand über sie stolperte. Sie passte nicht unter die Sitze, und selbst als sie bereitwillig in den Fußraum kroch, ragte ihr Hinterteil in den Gang.

Die anderen Fahrgäste mussten ihre Rollkoffer über sie hinwegheben. Dafür entspannte sich die Hündin ein wenig; der Teppichboden und die gleichmäßige Fahrweise schienen sie zu beruhigen.

Elena hatte sich am Küchenschrank festgehalten, um auf die Füße zu kommen. In ihr wirkte eine Kraft, die sie nie zuvor gespürt hatte, nicht, wenn sie sich zwischen ihre Tochter und ihren Mann geworfen hatte, nicht, wenn sie eine halbe Stunde später das Abendessen kochte, als wäre nichts geschehen. Was Elena antrieb, war makelloser Zorn, wie er nur als Folge von echter Ungerechtigkeit entsteht. Sie lief ins Wohnzimmer, ins Esszimmer, ins Bad und auf die Terrasse. Sie rannte die Treppe hoch und fand Gombrowski an seinem Schreibtisch sitzend, den Kopf in die Hände gestützt. Sie räusperte sich, um zu prüfen, ob die Stimmbänder das Zusammendrücken der Kehle überstanden hatten. Dann schrie sie.

»Du verdammte Memme! Wolltest mich umbringen und konntest es nicht!«

Gombrowski sah auf. Seine Augen waren rot wie von großer Müdigkeit.

»Du lächerlicher Schwachkopf!«, schrie Elena. »Warum hätte ich mich jetzt plötzlich gegen Hilde wenden sollen? Nachdem ich deine Geliebte ein halbes Leben ertrage? Ist das zu viel Logik für dein Spatzengehirn?«

Sie sah ihm an, dass er diese Erkenntnis inzwischen selbst gefasst hatte. Das nahm ihr den Wind aus den Segeln. Sie sagte sich, dass er sie einfach in der Küche hatte liegen lassen; dass er sich niemals entschuldigen würde, auch wenn er wusste, dass er im Unrecht war. Der Zorn wollte trotzdem nicht wieder auflodern.

Sie stand im Türrahmen, viel zu klein, um ihn auszufüllen, und wartete darauf, dass Gombrowski reagierte. Dass er mit einem »Was soll's« oder »Irgendwas ist immer« zur Tagesordnung überging. Als seine Antwort kam, wünschte sie, ihn niemals zur Rede gestellt zu haben.

Der ICE näherte sich Hannover. Lautsprecher sagten die Anschlussverbindungen durch; einige Fahrgäste machten sich zum Aussteigen bereit. Elena ließ Fidi aufstehen. Die Hündin legte ihr den Kopf aufs Knie und sah sie treuherzig an. »Bis hierhin haben wir es doch ganz gut geschafft«, schien ihr Blick zu sagen. Auch Elena erhob sich. Gemeinsam stellten sie sich in den Vorraum und warteten.

»Hilde war niemals meine Geliebte«, hatte Gombrowski gesagt.

Der Satz hatte Elena wie ein Blitzschlag getroffen. Sie hatte zu lachen begonnen. Gombrowski war vollkommen ruhig geblieben.

»Wo wir gerade beim Thema Logik sind«, sagte er. »Hast du dich nie gefragt, warum ich dich nicht verlassen habe?

Spätestens nach Püppis Auszug und Eriks Tod hätte ich doch die Scheidung einreichen können, um Hilde zu heiraten.«

Elena lachte noch lauter, aber es war kein echtes Lachen mehr. Das war künstlicher Hohn, an dem sie sich noch ein paar Sekunden festhalten wollte, bevor sie in den Abgrund stürzte. Sie erkannte an der Art, wie Gombrowski die Schultern hob, dass er die Wahrheit sprach.

»Du hast es nie begriffen, aber ich habe immer zu dir gestanden, Elena. Mein ganzes Leben habe ich für dich und Püppi geführt. Nicht immer gut, nicht ohne Fehler. Aber immer für euch beide. Dann erst für Hilde. Und ein bisschen für Fidi. Für meine Frauen eben.«

Er lächelte ein Lächeln, das einer vorsichtig ausgestreckten Hand glich. Elena floh vor diesem Lächeln über den Flur, die Treppe hinunter und in den Garten. Hinter dem Geräteschuppen kauerte sie sich auf den Boden und versuchte zu weinen. Es gelang nicht. Da war nur eine große Leere, in der ihre Vergangenheit in rasendem Tempo verschwand.

In Hannover sprang Fidi mit einem Satz aus dem Zug und wedelte mit dem Schwanz, als sie wieder festen Boden unter den Füßen spürte. Einige Fahrgäste hoben Gepäck aus dem Zug und gingen über den Bahnsteig davon. Andere stiegen ohne Koffer aus, zündeten Zigaretten an und nahmen ein paar hastige Züge, was der Schaffner mit einem Augenzwinkern ignorierte. Vermutlich war er selbst Raucher.

Elena entfernte die Hundemarke von Fidis Halsband und knotete die Leine an einen Mast auf dem Bahnsteig. Sie stellte sich neben den Hund und wartete, bis die Türen des ICE zu piepsen begannen. In diesem Augenblick sprang sie zurück in den Zug.

Die vergangene Nacht hatte sie im Freien verbracht. Gombrowski hatte nicht nach ihr gesehen, was sie auch nicht erwartet hatte. Der angekündigte Regen blieb aus. Vielleicht hatte sie ein wenig hinter dem Geräteschuppen geschlafen. Im Morgengrauen beschützte sie wie jeden Tag die Kois vor den Reihern. Dann warf sie in alter Gewohnheit ein paar Steine auf Hildes Dach, obwohl niemand mehr da war, um von dem Lärm zu erwachen.

Eine Tatsache stand ihr so klar vor Augen, dass sie gar nicht darüber nachdenken musste: Es war zu Ende. Gombrowski hätte sie umbringen sollen. Er hätte sie beschimpfen können, ihr alle Knochen brechen, weiterhin glauben, dass sie für die Abholung der Katzen verantwortlich war. Er durfte ihr alles nehmen, nur nicht sein Verhältnis zu Hilde Kessler. Der Satz »Hilde war niemals meine Geliebte« ließ Elenas Universum in sich zusammenfallen. Gestern und heute, Täter und Opfer, Schuld und Unschuld tauschten die Plätze. Jenseits dieses Satzes herrschte Sinnlosigkeit und freier Fall. Während sie geglaubt hatte, dass er sie betrog; während er sie angebrüllt und verprügelt hatte, hatte sie Gombrowski immer geliebt. Jetzt hasste sie ihn. Als er gegen halb sieben in der Früh das Haus verließ, ging sie hinein und rief ihre Tochter an.

»Endlich«, sagte Püppi. »Ich dachte schon, du checkst es nie.«

Elena hatte gefrühstückt und sämtliche Räume geputzt. Danach duschte sie, kleidete sich an und rief ein Taxi.

Als sich die Türen des ICE schlossen, erkannte Elena erstaunt, wie sehr Fidi an ihr hing. Sie waren sich nie sympathisch gewesen, sie hatten einander nichts zu sagen gehabt, und doch genügte das Leben im selben Haushalt aus Fidis Sicht, um fest daran zu glauben, dass Elena sie niemals verraten würde. Während der Zug anfuhr, sah Elena durch die Glasscheibe, wie Fidi ihr in fassungsloser Verzweiflung nachspringen wollte, von der Leine zurückgerissen wurde und auf den Rücken fiel. Trotz der hermetisch geschlossenen

Fenster hörte sie das Jaulen des Hundes; dann geriet Fidi aus dem Blickfeld.

Elena setzte sich zurück auf ihren Platz. Ohne den Hund fühlte sie sich erleichtert und frei. Plötzlich verstand sie, warum sie keinerlei Gepäck bei sich trug; warum sie nicht einmal daran gedacht hatte zu packen, als sie Gombrowski und Unterleuten verließ. Sie war unschuldig. Sie fuhr als Unschuldige, weil alles, was Schuld war, für immer hinter ihr zurückblieb.

Teil VI

Fallwild

Als Fallwild bezeichnet man Wild, das ohne jagdliche Einwirkung zu Tode gekommen (»gefallen«) ist.
wikipedia.org/wiki/Fallwild

51 Wachs

»Sind das Schnepfen?«

Frederik sah zwölf mittelgroße, braun gescheckte Vögel, die in etwa 300 Meter Entfernung auf einem abgeernteten Feld saßen und etwas zu fressen schienen. Wenn sie den Hals senkten und dabei das Hinterteil hoben, zeigten sie ihr helles Unterkleid.

»Das sind Kampfläufer, du Banause.«

»Ich dachte, du wärst ein Kampfläufer.«

»Du denkst, ich sei eine Schnepfe.«

Sie lachten; sie gingen Hand in Hand. Der angekündigte Regen fiel überall außer in Unterleuten, hatte aber Bewegung in das Himmelsgemälde gebracht. Kompakte Wolken fuhren wie auf Schienen nach Nordwesten. Die Blätter der Pappeln zitterten silbrig. Im Lauf des Tages war die Temperatur auf erträgliche 22 Grad gefallen; der Wind roch herbstlich nach abkühlenden Sonnenstrahlen und feuchter Erde.

»Das sind die Vorstandsvorsitzenden einer Firma«, sagte Linda. »Kampfläufer incorporated. Sie besitzen 200 Hektar Land, beziehen EU-Subventionen, beschäftigen drei Vollzeitangestellte, zwei Halbtagskräfte und einen Praktikanten, verwalten die öffentlichen Angelegenheiten Unterleutens und betreiben ein kleines, aber feines Geschäft mit dem ornithologischen Tourismus. Außerdem sind sie gegen Windparks.«

»Entführen sie manchmal auch kleine Kinder?«

»Für weitere Informationen kann ich dich gern an meinen neuen Freund Gerhard Fließ vermitteln.«

Frederik lachte, küsste sie auf den Scheitel, roch ihr Haar und fragte sich, welcher Dämon ihn während der vergangenen Tage mit düsteren Gedanken gequält hatte. Heute war Samstag, der letzte Tag im Monat Juli. Seit dem Unglück auf der Loveparade war eine Woche vergangen, die Frederik komplett in Berlin verbracht hatte. Tag für Tag hatte er die Rückkehr nach Unterleuten hinausgezögert und Linda gegenüber behauptet, die Arbeit halte ihn in der Firma fest, dabei wusste sie so gut wie er, dass Timo nicht auf seiner Anwesenheit bestand. Linda fragte nicht, was ihn von zu Hause fernhielt; er hätte es auch nicht erklären können. Wenn er an Unterleuten dachte, sah er eine scharfkantige, nur entfernt lindaähnliche Frau durch die halb fertigen Räume von Objekt 108 tigern, während in allen Ecken Dorfbewohner saßen und ihr mit Blicken folgten. Als er sich endlich aufraffte und in die Regionalbahn nach Plausitz stieg, plagte ihn das Gefühl, in einen David-Lynch-Film hineinzufahren.

Aber dann hatte er Linda gesehen, die ihn auf dem Bahnsteig erwartete. Sie stand an genau der richtigen Stelle, als hätte sie gewusst, aus welcher Tür er steigen würde. Sie lächelte ihn an, war blond wie immer und hübsch wie immer, und als Frederik sie in die Arme schloss, fühlte er sich plötzlich erleichtert, wie von einer Krankheit geheilt.

Wie immer war sie hinter das Steuer geklettert, ohne zu fragen, ob er vielleicht fahren wolle. In der gefährlichen Kurve vor dem Wald hielt sie sich allerdings brav in der Spur. Der Kies in der Einfahrt von Objekt 108 knirschte, wie er knirschen sollte, dann waren sie angekommen. Zu Hause.

Frederik war nur eine Woche fort gewesen; trotzdem schien ihm die Villa heller und viel weniger heruntergekommen als in seiner Erinnerung. Sonnenlicht flutete die sparsam möblierten Räume. Sie liebten sich gleich im Wohnzimmer auf den Dielen. Er schürfte sich die Knie, aber das war es wert. Danach teilten sie, nackt auf dem Boden liegend, eine Zigarette. Das Fenster stand offen; draußen zwitscherten Schwalben auf der Regenrinne. Gelegentlich erklangen Hammerschläge aus Karls Garten, ansonsten war es still. Frederik dachte, dass er im Leben vielleicht weniger Fehler gemacht hatte, als er normalerweise glaubte.

Dann sah er den Karton unter der Couch.

»Was ist das?«

»Ein Glücksfall.«

»Du versteckst einen Glücksfall unter dem Sofa?«

»Wenn ich ihn verstecken wollte, hättest du ihn nicht gefunden.«

Frederik zog den Karton hervor und nahm den Deckel ab. Staunend holte er einen Gegenstand nach dem anderen heraus und legte ihn auf die Dielen. Als der Karton leer war, saßen sie inmitten eines improvisierten Gruselkabinetts. Ein Handschuh mit abgeschnittenem Finger. Eine Barbiepuppe ohne Kopf. Die Mumie einer vertrockneten Kröte. Ein Flugblatt mit Fahndungsphoto eines flüchtigen Vergewaltigers.

»Das hier hab ich nicht verstanden«, sagte Linda und hob einen gestreiften Kinderschal auf. »Vielleicht hat den wirklich jemand verloren?«

»Wo kommt das Zeug her?«

»Hab ich alles von unserem Zaun geerntet.« Linda grinste. »Er trägt gut dieses Jahr.«

»Was redest du da?«

»Ein Präsentkorb.« Linda drehte den Karton um, so dass

noch der abgerissene Kopf eines Spielzeugpferds herausrollte. »Eine kleine Aufmerksamkeit Unterleutens an die neuen Mitspieler.«

»Erzähl mir bitte nicht, dass irgendwelche Dorftrottel den Kram vor unser Haus werfen.«

»Nicht irgendwelche. Und auch nicht einfach vors Haus.« Linda schlang sich den Kinderschal um den Kopf und posierte: als Indianer, als Pirat, als kleines Mädchen mit Zöpfen. »Sie stecken die Sachen auf Zaunstangen.«

»Wer – sie?«

»Krons Leute wahrscheinlich. Sie glauben, dass ich mit Gombrowski kooperiere.«

Frederik spürte, wie seine Finger zu zittern begannen. David Lynch war zurück.

»Hast du Anzeige erstattet?«

»Spinnst du?«

»Das sind Drohungen.«

»Messerscharf kombiniert.«

»Todesdrohungen.«

»Mach mal halblang.«

»Das sind«, Frederik wurde laut, »das sind mafiöse Praktiken!«

»Soweit ich weiß, steht die Mafia eher auf toten Fisch.«

Als Linda die vertrocknete Kröte mit spitzen Fingern aufhob und auf ihren nackten Oberschenkel setzte, hielt Frederik es nicht mehr aus. Er fegte die Kröte von ihrem Bein, riss ihr den Schal weg und machte sich daran, alles zurück in den Karton zu packen.

»Die Sachen heben wir auf«, sagte er.

»Und ob wir die aufheben.«

»Das sind Beweisstücke. Menschen, die so etwas tun, sind gefährlich!«

»Menschen, die so etwas tun, sind garantiert nicht gefährlich.« Sie nahm ihm den Karton weg und ließ ihn über den Boden schlittern, so dass er wieder unter die Couch rutschte. »Denk doch mal nach. Eine richtige Drohung funktioniert mit *einem* Gegenstand. *Eine* tote Katze oder *eine* Puppe ohne Kopf. Nicht jeden Tag etwas Neues. Diese Mischung aus Mafia und Vodoo ist die Karikatur einer Drohung, inszeniert von Leuten, die Bandenkrieg spielen. Wie kleine Kinder.«

»Willst du behaupten, es ginge um nichts?«

»Das hab ich nicht gesagt. Es ist ein Spiel, in dem es um einiges geht, jedenfalls für mich. Deshalb spiele ich mit.«

Sie lächelte. Sie sagte »für mich« und »ich«, nicht etwa »für uns« und »wir«. Mit nackten Hintern saßen sie auf dem Boden und taxierten einander.

»The winner takes it all«, sagte Linda.

»Mir ist kalt«, sagte Frederik.

»Hörst du jetzt mal zu?«

Frederik klemmte die Hände unter die Achselhöhlen und nickte. Solange ihm außer »David Lynch« kein Wort einfiel für das, was hier nicht stimmte, konnte er ebenso gut Linda reden lassen.

»Für mich kommt der Unsinn wie gerufen«, sagte sie. »Gombrowski denkt, dass er das Land auf der Schiefen Kappe von mir bekommt.«

»Von dir bekommt er gar nichts«, sagte Frederik. »Höchstens von *uns*. Soll ich dir einen Grundbuchauszug zeigen?«

»Dafür besorgt er mir die Baugenehmigung«, fuhr Linda unbeirrt fort. »In Wahrheit werde ich aber an Meiler verkaufen. Was brauche ich also?«

»Ein paar hinter die Ohren, weil du dich wie ein Amateur-Gangster benimmst.«

Sie kniff ihn in den Arm, so fest, dass er aufschrie vor Schmerz. Nie hatte sie gelernt, zwischen neckischen Gesten und Brutalität zu unterscheiden.

»Ich brauche einen Grund, um mich plötzlich anders entscheiden zu können. Und das da«, sie zeigte Richtung Karton, »ist ein Grund.«

Weil Frederik nicht gleich verstand, schlang sie die Arme um den Oberkörper und tat so, als zittere sie vor Angst.

»Die Drohungen schüchtern mich ein. Niemand kann von einer jungen Frau erwarten, dass sie einem solchen Druck standhält. Unter diesen Bedingungen kann ich unmöglich an Gombrowski verkaufen.«

Linda beendete ihre Präsentation und blickte ihn an wie ein Hund, der eine Belohnung für ein gelungenes Kunststück erwartet. In diesem Augenblick erkannte Frederik, was David Lynch ihm sagen wollte. Er begriff, warum es ihm nicht gelang, über geköpfte Barbies einfach zu lachen.

»Wir können hier nicht weg«, sagte er.

Stille breitete sich aus. Die Schwalben legten eine Pause ein, sogar Karls Hammer schwieg. Frederik wusste nicht, ob Linda über seine Worte nachdachte oder ob sie eigenen Gedanken nachhing. Es war unangenehm, in den hallenden Raum zu sprechen,

»Das ist keine Mietwohnung. Hier verschwindet man nicht einfach, wenn einem die Nachbarn nicht passen. So ein Haus ist eine Fußfessel. Du verfängst dich auf einem Stück Erde, in einem Dorf, dem Landkreis, in der ganzen Republik.« Er legte ihr die flache Hand auf die Stirn. »Da! Ein Etikett. Was steht drauf? ›Eigentum von Unterleuten‹. Verstehst du, was ich sage, Linda? Mit den Typen, die geköpfte Barbies verteilen, müssen wir bis an unser Lebensende zurechtkommen. Wenn du es vermasselst, sitzen wir in der Scheiße.«

Sie nahm seine Hand von ihrer Stirn und legte sie auf ihre linke Brust.

»Ich sage dir, was dein Problem ist, Frederik Wachs. Du

vertraust mir nicht. Du hältst mich für eine dumme Gans, die nicht weiß, was sie tut.«

Er wollte protestieren, aber mit ihrer Brust in der Hand fiel ihm das schwer. Außerdem ahnte er, dass sie recht hatte. Die erste Erkenntnis wurde von einer zweiten ergänzt: Nicht-weg-Können setzte voraus, dass man weg wollte. Weg-Wollen setzte voraus, dass etwas schiefgegangen war. Dass Lindas Pläne schiefgehen würden, stand für Frederik fest. Aber eben nur für ihn. Niemand sagte, dass er recht behalten würde, zumal Rechtbehalten, wie die Erfahrung zeigte, nicht zu seinen Stärken gehörte. Es gibt eben keine Wahrheit, dachte er, während er nach der zweiten Brust griff und Linda sich auf den Rücken sinken ließ, sondern immer nur Perspektiven.

Es kam nicht oft vor, dass sie gleich zweimal miteinander schliefen. Wenn es geschah, machte es Frederik glücklich. Danach schmerzten seine Knie wie nach einem Sturz auf Asphalt, aber der Karton unter der Couch hatte alles Bedrohliche verloren. Als Linda einen Spaziergang über die Felder vorschlug, hatte er eingewilligt.

Jetzt spürte er, wie ihm die Schönheit der Landschaft den Brustkorb dehnte. Der Kiefernwald stand in Reih und Glied; das Gelb der Stoppelfelder erstreckte sich bis zum Bahndamm, auf dem sich das weiß-rote Band eines ICE bewegte, von der Entfernung auf ein erträgliches Tempo verlangsamt. Der Sand des Wegs war sauber wie gesiebt; kein Bonbonpapier, keine Zigarettenkippe, kein zerknülltes Taschentuch, nicht einmal eine Fußspur berichtete von der Anwesenheit anderer Menschen. Über ihnen wölbte sich der Himmel kuppelförmig wie in einer literarischen Beschreibung. Vielleicht hatte Linda recht, dachte Frederik: Heimat wurde nicht aus Mietshäusern und Straßenbahnen, sondern aus Erde und Horizonten gemacht. Er legte ihr den Arm um die Schultern und drückte sie an sich. So gingen sie eine Weile schweigend, und der Sand staubte unter ihren Füßen.

»Was ist das denn?«

Zwischen den Bäumen wurde ein hoher Stahlzaun sichtbar, der eine Lichtung einschloss. Das Gras war sorgfältig gemäht.

»Ein Gehege für Raubkatzen?«

Ein grasbewachsener Weg führte zum Eingangstor, neben dem sich ein Display mit Tastatur sowie eine Überwachungskamera befanden. Hinter den Zaunstäben stand in der Mitte der Wiese ein kleiner Ziegelbau. Ein Schild am Tor informierte über die Trinkwasserförderungsanlage von Unterleuten und erklärte die Funktionsweise des Horizontalfilterbrunnens. Frederik hielt Linda, die weiterwollte, an der Hand fest und studierte die Abbildungen, bis er das Prinzip verstanden hatte. Anscheinend befand sich unter dem Ziegelbau ein zwanzig Meter tiefer Schacht. Das Besondere war, dass der Brunnen Sauerstoff ins Grundwasser pumpte, so dass die zur Wasseraufbereitung nötigen Oxidationsprozesse unterirdisch ablaufen konnten. Was an die Oberfläche gebracht wurde, besaß Trinkwasserqualität und floss direkt in die Wasserhähne Unterleutens. Gezeichnet, der Bürgermeister.

»Genial«, sagte Frederik.

»Absolut«, spottete Linda. »Wenn du das ganze Dorf vergiften willst, musst du hier das Botulinum reinwerfen.«

Aber Frederik achtete nicht auf sie. Mit einem Schlag hatte eine Idee von ihm Besitz ergriffen, so mächtig, dass die ganze Umgebung verändert schien. Mit Linda an der Hand drehte er sich um und ließ den Blick langsam über die Felder streifen. An der Struktur der Stoppeln erkannte er, dass Sommergerste geerntet worden war. Sechs Jahre mit Traktoria hatten ihn zu einem Experten für landwirtschaftliche Erzeugnisse werden lassen. Plötzlich wusste er, wie sein Leben weitergehen würde. Seit Monaten diskutierten sie bei *Weirdo* über Möglichkeiten, die Traktoria-Welt zu erweitern. Gerade hatten sie das dreiundzwanzigste Tier released, einen Vogel Strauß mit auftoupiertem Hintern, ein Auge etwas größer als das andere, was ihm einen drolligen Gesichtsausdruck verlieh. Typisches Timo-Design und ein voller Erfolg. Eine Stunde nach dem Release waren die ersten hunderttausend Straußenfarmen verkauft. Trotzdem würde es den Leuten früher oder später langweilig werden, ihre Bauernhöfe nur durch immer neue Tiere zu erweitern. Timo und Ronny hatten bereits angefangen, sich Deko-Gegenstände auszudenken, einen Koi-Teich, Zierkürbisse und Hecken in lustigen Formen. Aber das war Tand, mit dem die Spieler nicht arbeiten konnten.

»Kampfläufer«, sagte Frederik.

»Wo?«, fragte Linda.

»Ich weiß jetzt, wie sich Traktoria ausbauen lässt.«

»Die Kampfläufer als neues Feature?« Nachdenklich sah sie ihn an. »Das sind doch keine Nutztiere.«

»Eins muss man dir lassen: Blöd bist du nicht.«

»Ein Naturschutzgebiet als Spielerweiterung?«

»Als komplett neue Sonderzone, vielleicht ab Level 100.«

In Lindas Augen blitzte es.

»Gute Idee«, sagte sie. »Naturschutz ist ein knallhartes Geschäft. EU-Subventionen, Arbeitsplätze, Öko-Betriebe. Den Tourismus nicht zu vergessen. Erwähnte ich bereits, dass mein neuer Freund Fließ gern mit weiteren Informationen hilft?«

Frederik lachte. Linda hatte es sofort begriffen. Der Naturschutz eröffnete den Traktoria-Spielern ein völlig neues Betätigungsfeld. Sie konnten mit Brachflächen Geld verdienen, was sie motivieren würde, wieder mehr Land zu kaufen, obwohl die Grundstückspreise in letzter Zeit durch die Decke gingen, während die Marktpreise für Getreide und Gemüse kontinuierlich fielen. Ohne die ständigen Quests wäre der Wirtschaftskreislauf von Traktoria längst zusammengebrochen. Frederiks Einfall bedeutete eine ernstzunehmende Expansion, mit eigenen Entwicklern, eigenem Management. Eigenem Geschäftsführer. Er selbst würde das Konzept entwickeln, die Verläufe durchrechnen, vielleicht Entwürfe für die ersten Features programmieren. Kampfläufer. Horizontalfilterbrunnen. Vogelschutzwarte. Öko-Hotels. Schon jetzt stießen sich die Ideen gegenseitig an wie Dominosteine.

Jahrelang hatte Frederiks Stolz es verboten, irgendeine Form der Sonderbehandlung von Seiten der Firmenleitung zu akzeptieren. Aber wenn er zum Vater einer komplett neuen Traktoria-Generation würde, stellte sich die Sachlage anders dar. Man konnte eine eigene Marke entwickeln, »Traktoria *nature*, by Frederik Wachs«, ein kleines Unter-Universum in der Traktoria-Welt. Damit gäbe es Anlass für eine Beteiligung an *Weirdo*. Frederiks Einkommen würde sich vervielfachen. Die Renovierung von Objekt 108 würde plötzlich nur noch eine Lappalie darstellen, und er könnte Bergamotte nach Unterleuten holen, ohne dass Linda ihre Seele ans Dorf verkaufen musste. Schon sah Frederik, wie er ein eigenes Team von Entwicklern betreute. Lauter neu eingestellte junge Genies, mit denen er die Normalverteilung der Öko-Tomaten-Börse oder den möglichen Verlauf eines Renaturierungs-Quests oder das Design eines niedlichen Kampfläufers diskutierte. Auch wusste er bereits, wie er sein Konzept pitchen würde:

»Traktoria *nature* bedient mehrere Zielgruppen, erfüllt die Anforderungen an den agrartechnischen Wirklichkeitsbezug und ist ausbaufähig. Über EU-Subventionen kommen die kühl kalkulierenden Spieler auf ihre Kosten. Aber auch für Ästheten und Sammler ist es der reinste Abenteuerspielplatz. Viele Gestaltungsmöglichkeiten, hoher Pflegeaufwand, alle zwei Monate eine neue vom Aussterben bedrohte Tierart zum Auswildern, von Laubfrosch bis Weißstorch.«

Linda musterte ihn von der Seite, bemüht, seine Gedanken zu lesen.

»Du weißt, dass man gute Ideen teuer verkauft?«, erkundigte sie sich schließlich.

»Danke für den Hinweis. War nicht nötig.«

Sie küsste ihn auf die Wange: »Ich freue mich schon auf den Windkraft-Quest.«

Dann zog sie ihn zurück auf den Sandweg. Frederik stolperte willenlos hinterher, während sein Verstand unter Volldampf arbeitete. Mit einem Mal ergab sein Teilzeit-Leben in Unterleuten Sinn. Noch die absurdeste Erfahrung wie der Windkraftstreit würde sich für Traktoria *nature* nutzen lassen. Auf einem höheren Level würden die Spieler entscheiden müssen, ob sie in erneuerbare Energien investierten und hohe Pachtpreise erzielten oder ob sie lieber die mühsam aufgebaute Artenvielfalt schützten und Tourismus-Punkte sammelten. Frederik rieb sich die Arme, seine Haut prickelte, als hätte er Kohlensäure im Blut. Dieses Gefühl hatte er schon seit Ewigkeiten nicht mehr verspürt, genau genommen seit seiner Jugend, als er mit Timo und Ronny halbe Nächte vor dem Monitor verbracht und an Spielentwürfen gefeilt hatte. Er stellte sich vor, wie er Timo und Ronny von seiner Idee erzählen würde und wie sie sofort begeistert wären. Er sah sich Nächte vor dem Rechner verbringen, eingesponnen in einen Kokon aus höchster Konzentration und bläulichem Licht, die Welt um sich herum vergessend wie in alten Zeiten. Er lächelte vor sich hin, während sie durchs

Dorf zurückgingen, und das Dorf lächelte zurück. Irgendwo krähte ein Hahn. Es klang wie das Startzeichen zum Eintritt in ein neues Level.

52 Gombrowski

»Hier bist du also«, sagte Betty.

Als Gombrowski die Augen aufschlug, stand sie vor der Anrichte und kochte Kaffee. Zwei Sorten Kaffee, wie jeden Morgen. Sie drehte sich nicht zu ihm um, während sie sprach.

»Wir haben versucht, dich zu erreichen. Zu Hause warst du nicht, und das Handy war ausgeschaltet.«

Er versuchte, sich aus dem Sessel zu stemmen, und sank stöhnend zurück. Sein Rücken war eine komplizierte Skulptur aus Schmerz.

»Ist was passiert?«, fragte er.

»Trink erst mal deinen Kaffee.«

Betty reichte ihm eine Tasse, der Inhalt war nicht durchsichtig, sondern schwarz. Aus der bösen Kanne. Es musste definitiv etwas passiert sein. Sie blieb vor ihm stehen und sah zu, wie er den ersten Schluck nahm.

»Was tust du hier?«, fragte sie.

Gombrowski murmelte etwas von »nach dem Rechten sehen« und versteckte das Gesicht hinter der Kaffeetasse. Die Wahrheit war, dass er es zu Hause nicht mehr ausgehalten hatte. Ohne Elena und Fidi dröhnte ihm die Leere der Räume in den Ohren. Seit Tagen tigerte er von einem Zimmer ins andere und kam nicht zur Ruhe, weil er keinen

Grund fand, sich irgendwo hinzusetzen, geschweige denn hinzulegen. Warum sollte er sitzen, wenn Elena nicht mit Pfannen und Töpfen werkelte, um ihm im nächsten Augenblick das Essen hinzustellen? Wenn keine Fidi kam, um sich gegen sein Knie zu drücken? Wenn es nicht mehr darum ging, sich auf eine Augenhöhe mit der zwergenhaften Hilde zu begeben? Und warum sollte er sich hinlegen, wenn er ohnehin nicht schlafen konnte?

Abend für Abend stand er am Fenster des Arbeitszimmers und betrachtete die geschlossenen Fensterläden an Hildes Haus, in das sie niemals zurückkehren würde. Er stand vor dem Wohnzimmerregal und drehte einen kleinen Specksteinelefanten zwischen den Fingern, der ihm noch nie aufgefallen war. Er stand im Türrahmen des Esszimmers und verzehrte sein Mikrowellen-Essen direkt aus der Plastikschale. Er stand vor der Haustür, im Bad vor dem Spiegel oder neben seinem Schreibtisch, wo er mit der flachen Hand Unterlagen durcheinanderschob. Wenn er nicht stand, lief er. Von der Küche über den Flur ins Gästebad, die Treppe hinauf, um einen Blick ins Schlafzimmer zu werfen, danach ins Arbeitszimmer und einmal um den Schreibtisch, die Treppe wieder hinunter, raus in den Garten, rund um den Teich. Er zählte die Kois, einer fehlte, er ging bis zur hinteren Grundstücksgrenze und wieder zurück. Seit Elenas Verschwinden war Gombrowski auf der Flucht, getrieben von Dingen, die er ein Leben lang als sein Zuhause betrachtet hatte und die sich jetzt verbündeten, um ihn zu verhöhnen. Die brachliegende Küche sah mit ihren geschlossenen Schränken und Schubladen aus, als presste sie spöttisch die Lippen aufeinander. Fidis Näpfe, der eine blank geschleckt, der andere noch voll Wasser, standen als Symbol der Sinnlosigkeit im Flur. Im Arbeitszimmer ließ sich das Kissen nicht von der Fensterbank entfernen – immer wenn Gombrowski die

Hand danach ausstreckte, fuhr er zurück, als könnte es nach ihm schnappen.

Fünf Tage lang hatte er versucht, der Feindseligkeit seines ehemaligen Zuhauses standzuhalten. Am sechsten Abend ging er in den Märkischen Landmann. Niemand wagte zu fragen, was mit Elena geschehen sei. Gombrowski hielt sich an der Bar fest, sprach nicht und bestellte einen Schnaps nach dem anderen, bis Silke die Stühle auf die Tische stellte und ihn aufforderte, endlich zu gehen.

Vor der Tür begriff er, dass der einzelne, konkrete Gombrowski kein Haus benötigte. Er brauchte nur einen Platz, der dem Volumen seines Körpers entsprach. Das Haus mit dem blauen Dach und dem kleinen, würfelförmigen Nachbargebäude war Elenas, Püppis, Fidis und Hildes Lebensraum gewesen. Für seine Frauen hatte er das Anwesen gebaut, mit dem Verschwinden der Frauen hatte es sich in ein Mausoleum verwandelt.

So war Gombrowski in der letzten Nacht nicht nach Hause, sondern vom Märkischen Landmann direkt in die Ökologica gegangen. In seinem Schreibtischsessel, voll bekleidet, unter einer der Filzdecken, die zum Abtransport toter Kälber verwendet wurden, hatte er ein paar Stunden Schlaf gefunden.

Betty wandte sich ab und zog die Jalousien hoch. Die Morgensonne blendete. Gombrowskis Füße waren eingeschlafen und kribbelten beim Versuch, sie zu bewegen. Bettys breiter Rücken bewegte sich von der Anrichte zum Waschbecken und wieder zurück, immer so, dass er sie nur von hinten sehen konnte.

Zum ersten Mal fragte sich Gombrowski, ob nicht nur Kron und die Gerüchteküche, sondern vielleicht auch Elena geglaubt haben konnte, dass Betty seine Tochter sei. Seit Neuestem wusste er, dass Elena seine Loyalität immer nur mit dem Verdacht belohnt hatte, er würde genau jenes Verhältnis pflegen, welches er sich ein halbes Leben lang versagt hatte. Wenn er sich vorstellte, dass Elena geglaubt hatte, er sei jeden Morgen in die Ökologica gegangen, um dort seine Tochter anzutreffen, die ihm Kaffee kochte und die Arbeitspläne vorlegte, wurde ihm übel.

»Wie geht's deiner Mutter?«, fragte Gombrowski.

»Wie soll's ihr schon gehen. Sie ist in Kurzzeitpflege und wartet auf einen Platz im Heim.«

»Warum kommt sie nicht zurück?«

»Frag sie doch selbst.«

»Ich hab alles versucht, Betty. Hundertmal angerufen. Sie spricht nicht mit mir.«

»Vielleicht solltest du dir mal überlegen, warum.«

»Denkst du, ich sei schuld daran, dass sie weg ist? Sagst du mir dann bitte, was ich falsch gemacht habe?«

Betty schwieg; Gombrowski wurde laut.

»Was war mein verdammter Fehler?«

Mit empfindlichem Klirren trafen zwei Tassen auf die Unterteller, dann fiel die Tür der Anrichte krachend ins Schloss. Es hatte keinen Sinn. Betty glaubte nicht an Warum-Fragen. Sie hielt ihn für schuldig, und Schluss. Mit beiden Händen rieb er sich das Gesicht; er spürte Bartstoppeln und schmeckte den eigenen Mundgeruch. Er hatte vergessen, Rasierzeug und Zahnbürste mit in die Firma zu bringen. Wenigstens gab es auf dem Gelände eine Dusche.

»Hat Hilde Katzen?«, fragte er. »Wenigstens eine?«

»In der Einrichtung sind keine Haustiere erlaubt.«

Betty warf Besteck in die Spüle und knallte die Zuckerdose in den Schrank. Jedes der Geräusche ging Gombrowski durch Mark und Bein.

»Das ist doch unmöglich, Betty. Hilde ohne Katzen. Wir suchen ein Altersheim, wo man Tiere halten darf.«

»Mama will keine Katzen mehr. Nie wieder, hat sie gesagt.«

Das tat weh. Gombrowski angelte nach seinen Stiefeln, wobei er den tonnenförmigen Bauch zwischen Brust und Oberschenkeln zusammendrücken musste. Als er sich wieder aufrichtete, stand Betty vor ihm und sah auf ihn herunter.

»Es wird Gewitter geben. Sommergerste und Winterweizen müssen rein.«

»Weiß ich«, sagte Gombrowski.

»Wir schaffen das nicht. Durch den Streik haben wir zu wenig Leute.«

»Dann sollen die anderen sich doppelt anstrengen.«

»Wir sollten die Streikenden anrufen«, sagte Betty. »Um zu verhandeln.«

»Kommt nicht in Frage.« Gombrowski bückte sich erneut, um einen Fuß in den Schnürstiefel zu zwängen. Ohne Schuhlöffel ein aussichtsloses Unterfangen. Er spürte, wie sein Kopf rot anlief.

»Wenigstens Ingo oder Patrick. Und auf alle Fälle Angela. Sonst können wir das vergessen.«

»Das ganze Kron-Pack kann mir gestohlen bleiben!« Gombrowskis gepresste Stimme passte zur Gesichtsfarbe. »Ich habe denen nicht geraten, die Arbeit niederzulegen.«

»Mit viel Glück bleiben uns noch zwei Tage«, sagte Betty ungerührt. »Mit den Sektoren 17 und 23 haben wir noch nicht einmal angefangen. Und der Beuteler Bruch ist auch noch nicht fertig.«

»Was haben die scheiß Polen denn die ganze Nacht gemacht?«, rief Gombrowski. »Soljanka gekocht?«

»Soljanka ist russisch«, sagte Betty. »Und die Polen habe ich um 23 Uhr nach Hause geschickt.«

»Wieso das denn?«

Sie schwieg.

»Sag mir jetzt, was passiert ist.«

Betty zögerte, nur so lange, wie sie brauchte, um tief Luft zu holen.

»Der Tucano steht in Sektor 4. Dreschaggregat kaputt. Vielleicht auch der Schüttler.«

Die Worte vibrierten eine Weile in der Luft, bevor sie verklangen.

»Steinschlag?«, fragte Gombrowski schließlich.

»Wahrscheinlich hat er was Größeres eingezogen. Könnte ein Autoreifen gewesen sein.«

Normalerweise hätte Gombrowski auf den Tisch gehauen oder einen Locher durchs Büro geworfen. Er hätte gebrüllt wie ein Tier und wäre danach aktiv geworden, um die Probleme aus der Welt zu schaffen. Stattdessen fühlte er sich ruhig, auf eine endgültige, unumkehrbare Art. Als wäre alle Wut, die ihm für sein Leben zur Verfügung gestanden hatte, mit einem Mal aufgebraucht. Gefräßige Leere breitete sich in ihm aus, wuchs über die Grenzen seines Körpers hinaus und machte sich daran, die Umgebung zu verschlingen. Betty, das Büro, die ganze Ökologica. Er fühlte sich nicht mehr in der Lage, sich um den kaputten Mähdrescher zu kümmern. Er hatte keine Lust, sich zu fragen, wie der Autoreifen ins Feld gekommen war und was es für die Ernte und damit für den ganzen Betrieb bedeutete, wenn da draußen noch mehr Reifen lagen, geschickt verteilt in den Sektoren 4, 17 und 23, unsichtbar verborgen im hoch stehenden Getreide. Es war, als ginge ihn das alles nichts mehr an.

»Bist du in Ordnung?« Betty klang nicht mehr ungehalten, sondern besorgt. Weil er nicht antwortete, fuhr sie fort: »Natürlich habe ich versucht, sofort den Service zu kriegen, aber da war nichts zu machen mitten in der Nacht. Sie kommen gleich nachher um acht. Den Tucano haben wir stehen lassen, ich wollte nicht allein entscheiden, ob er zurückgebracht wird, vielleicht können sie ihn gleich da draußen ...«

»Ist gut, Betty.«

Erstaunt blickte sie auf.

»Willst du nicht rumschreien?«

»Du hast alles richtig gemacht.«

Irritiert stand sie im Raum und schien nicht weiterzuwissen.

»Hilf mir mal«, bat Gombrowski und zeigte auf seine Füße.

Ohne Umschweife ließ sie sich auf die Knie nieder, lockerte die Schnürsenkel des Stiefels und bog das Leder auseinander, bis Gombrowskis geschwollener Fuß hineinschlüpfen konnte. Genauso machte sie es mit dem anderen Schuh und band zum Abschluss die Schnürsenkel, als sei es das Normalste von der Welt. Danach erhob sie sich, ging zur Anrichte, schenkte Kaffee nach, den niemand trinken wollte. Mit der vollen Tasse setzte sie sich an ihre Seite des Schreibtischs, die unter Dienstplänen, Bestandsverzeichnissen, unerledigter Post, Rechtshandbüchern und dem endlosen Papierkram der Europäischen Union begraben lag. Wenn Betty eines Tages die Ökologica übernahm, würde sich ihr Papierchaos in Windeseile auf seine Schreibtischseite ausdehnen. Sie würde keine neue Sekretärin einstellen, weil sie ohnehin am liebsten alles selbst machte. Das ist dann das letzte Kapitel meiner Familiengeschichte, dachte Gombrowski: Eine junge Frau, mit der ich nicht einmal verwandt bin, führt einen EU-subventionierten Betrieb. Dafür hatte er ein Leben lang gekämpft, erst gegen die Kommunisten, dann gegen die Kapitalisten. Dabei hatte es immer nur einen wahren Diktator gegeben: das Land. Es wollte gepflegt, bewirtschaftet und beschützt werden, vor dem Wetter, vor gierigen Vogelschwärmen, Ungeziefer und Spekulanten. Vielleicht, dachte Gombrowski, war es meine größte Schwäche, dass ich es nicht geschafft habe, mich aus dieser Sklaverei zu lösen. Vielleicht bin ich deshalb an allem schuld.

Plötzlich erfasste ihn Angst. Vor ihm lag ein unüberschaubares Gebirge aus Zeit, zu Steilwänden aufgetürmte Jahre, Monate, Tage und Stunden, die Gombrowski allein bezwingen sollte. Das war alles, was ihm blieb – eine einsame Bergwanderung auf dem Weg ins Nichts.

Nein, dachte er. Das kann niemand von mir verlangen.

Betty telefonierte. Sie rief die Zeitarbeitsfirma an, um mehr Leute anzufordern. Sie machte dem Reparaturservice Dampf, damit der Tucano spätestens am Nachmittag wieder einsatzbereit wäre. Gombrowski saß da und tat gar nichts. Als sie ihm den Hörer über den Tisch reichte, schrak er auf, als hätte er geschlafen.

»Guten Morgen, Herr Gombrowski.«

Die Stimme hätte ohne Weiteres zu einer Telefonsex-Hotline gehören können. Gombrowski lächelte. Aus irgendeinem Grund mochte er Linda Franzen.

»Guten Morgen«, sagte er. »Ich nehme an, Sie wollen sich bedanken.«

»Wofür?«

»Haben Sie die Baugenehmigung nicht erhalten?«

»Die lag gestern im Briefkasten.«

Nachdem der Vogelschützer seinen Widerstand aufgegeben hatte, war es ein Kinderspiel gewesen, das Papier zu beschaffen. Ein Anruf bei Arne, und kurz darauf ging die Genehmigung in die Post.

»Da müssten Sie jetzt wunschlos glücklich sein«, sagte er.

»Quasi.«

»Unser Notartermin steht bereits. Nächste Woche Mittwoch bei Frau Söldner in Berlin.«

Gombrowski begann, sich ein wenig besser zu fühlen. Wenigstens diese Sache konnte er erfolgreich zu Ende bringen. Mit Arnes Hilfe würde sich der Windpark in kürzester Zeit realisieren lassen. Die Ökologica konnte ihre Arbeitsplätze erhalten, Betty bekam eine sichere Grundlage für künftiges Wirtschaften, und Kron hatte verloren. Noch vor Ende des Jahres würden sich zehn langsame Propeller auf der Schiefen Kappe drehen, ein Denkmal für Gombrowski, welches daran erinnerte, dass man mit niederträchtigen Methoden nicht ans Ziel kam. Nicht, wenn auf der anderen Seite ein aufrechter Mann stand.

»Herr Gombrowski«, sagte Linda Franzen, »ich habe schlechte Nachrichten für Sie.«

»Ich glaube kaum, dass Sie mich heute noch mit irgendetwas schocken können.«

»Ich werde die Schiefe Kappe nicht an Sie verkaufen.«

»Wie bitte?«

Er war tatsächlich nicht sicher, ob er richtig verstanden hatte. Statt zu antworten, wartete Franzen darauf, dass sich das Verständnis von selbst einstellte.

»Wir haben eine Abmachung!«

»Es ist nicht meine Entscheidung.«

»Alles ist immer eine Entscheidung.«

»Ich wurde bedroht.«

»Schwachsinn.«

»Geköpfte Puppen. Zerschnittene Handschuhe.«

»Na und?«

»Mir macht das Angst.«

»Ihnen macht gar nichts Angst, Frau Franzen.«

»Ich kann Ihnen die Gegenstände zeigen.«

Gombrowski lachte nur.

»Das Ergebnis steht fest.« Linda Franzen klang ein wenig mechanisch. Vielleicht hatte sie ihren Text vor dem Telefonat auswendig gelernt. »Ich werde mich nicht weiter in diesen Windmühlenkrieg involvieren.«

»Weil du von mir schon bekommen hast, was du wolltest«, sagte Gombrowski. »Ich dachte, du hast Ehrgefühl. Willkommen in Unterleuten.«

In der Leitung entstand eine unangenehme Stille. Von draußen war das Rufen der Kühe zu hören, das Motorengeräusch eines Traktors, das regelmäßige Zischen der Melkmaschine. Betty saß an ihrem Platz und gab keinen Mucks von sich. Selbst die Zuchtbullen draußen in ihren engen Gitterboxen schienen darauf zu warten, was Gombrowski als Nächstes sagte.

»War das Krons Idee?«, fragte er.

»Mit Kron hat das nichts zu tun. Vielleicht beruhigt Sie das ein wenig.«

Erst glaubte er tatsächlich, es würde ihn beruhigen. Aber in Wahrheit war er gar nicht aufgeregt. Es war ihm egal. Franzens Anruf brachte etwas zu Ende. Eigentlich hätte er sie anschreien müssen, ihr drohen, ihre Selbstsicherheit erschüttern. Aber ihm fiel nichts ein. Da war kein Vokabular mehr für Drohungen. Da waren überhaupt keine Wörter, nur noch diese Leere, die alles verschlang. Weil Gombrowski sein Leben lang immer nur wütend und niemals traurig gewesen war, wusste er nicht, was mit ihm geschah. Er kannte den Sumpf nicht, in dem er versank. Er wusste nur, dass die Wut zu Ende war und dass ihm ohne Wut die Kraft fehlte für jeden weiteren Schritt.

»Vielen Dank für Ihr Verständnis«, sagte Linda Franzen und legte auf.

53 Meiler

Konrad Meiler hatte Spaß. Man konnte sogar sagen, dass er sich königlich amüsierte. Mit ganzem Wesen genoss er die Szene, die sich im Wartezimmer des Notariats Söldner abspielte.

Das Notariat befand sich im ersten Stock eines Gründerzeitbaus in Charlottenburg. Es gab einen weitläufigen Empfangsbereich mit unbesetzter Rezeption, Garderobenständer und Couchgarnitur. An den Wänden hingen mehrere Drucke von Magritte. Meiler hatte nie verstanden, warum Ärzte und Juristen glaubten, wartenden Kunden ihren Kunstgeschmack aufdrängen zu müssen. Erst kürzlich hatte er den Zahnarzt gewechselt, weil er es nicht länger ertragen hatte, im Vorfeld der Behandlung auf Leinwände zu starren, die irgendein Amateurkleckser, möglicherweise der Zahnarzt selbst oder seine Frau, mit dicken Farbbatzen beworfen hatte. Im Vergleich dazu war Magritte noch als angenehm zu bezeichnen. Trotzdem verstand Meiler nicht, was ihm Notarin Söldner über Grundstückskäufe, Eheverträge und Testamentseröffnungen sagen wollte, indem sie einen Mann mit Bowler in ihr Wartezimmer hängte, dessen Gesicht von einem Apfel verdeckt wurde.

Soeben war ein Moment der Stille eingetreten. Linda Franzen stand am Fenster neben dem Apfelmann und sah hinaus. Frederik saß auf der Couch, hatte das Gesicht in die Hände und die Ellenbogen auf die Knie gestützt, in der typischen Toilettenhaltung ratloser Männer. Meiler wünschte sich eine Kamera. Nein, er wünschte sich keine Kamera, sondern die Möglichkeit, die Wirklichkeit wie einen Film zu bedienen. Er wollte die Pausentaste drücken und das Standbild genießen. Er wollte zurückspulen und noch einmal in Zeitlupe sehen, wie Linda aufsprang, während das lange blonde Haar um ihren Kopf flog. Wie es für einen Moment aussah, als wollte sie ihrem Freund eine runterhauen, und wie sie dann doch gelassen zum Fenster schlenderte, um hinauszuschauen. Er wollte alles noch einmal von vorn erleben, noch einmal aus dem Taxi steigen, sich dem Hauseingang nähern, in dem Linda Franzen lehnte, eine Hand in der Hüfte und eine Zigarette zwischen den Lippen, während Frederik mit heftigen Gesten auf sie einsprach und abrupt verstummte, als er Meiler bemerkte.

Sie hatten sich die Hand gegeben und danach geschwiegen. Der unterbrochene Streit hing schwer in der Luft und machte jeden Smalltalk unmöglich.

»Gehen wir rauf«, hatte Meiler vorgeschlagen, und Linda Franzen hatte ihre Zigarette weggeworfen.

In einer Reihe waren sie die Treppe hinaufgestiegen; Meiler vorneweg. Schon auf dem ersten Absatz fing Frederik wieder an zu nörgeln. Seitdem verhielten sich die beiden, als wäre Meiler entweder gar nicht da oder ein langjähriger Freund der Familie, vor dem man sich nicht zu schämen brauchte. Sie stritten seinetwegen, oder besser gesagt, wegen des Geschäfts, das Linda mit ihm abschließen wollte.

Wenn er Frederiks Suada richtig verstand, hatte das Windkraftprojekt in Unterleuten eine Art Krieg ausgelöst. Meiler erfuhr von entführten Kindern, abtransportierten Katzen und mafiösen Drohungen. Frederik vertrat die Ansicht, dass es unter den gegebenen Bedingungen sozialer Selbstmord sei, die zum Eignungsgebiet gehörenden Hektar an einen geldgierigen Investor zu verkaufen. Dabei warf er Meiler einen kurzen Blick zu, no offense. Meiler winkte versöhnlich zurück, none taken. Er empfand nicht die geringste Beunruhigung. Die Szene erschien ihm als Kammerspiel, nicht wie ein Vorgang, der seine Pläne gefährden könnte.

Was ihn so gebannt zuhören ließ, war die Art, wie Frederik und Linda miteinander sprachen. Die beiden gehörten zu einer fremden Spezies. Nichts an ihnen war gedämpft. Nichts an ihnen war unsicher, zurückhaltend, zweiflerisch oder bescheiden. Diese jungen Menschen, in Meilers Augen halbe Kinder, agierten als Repräsentanten eines neuen Jahrhunderts. Sie arbeiteten nicht mehr für Vorgesetzte. Sie kannten keine überheizten Büros, keine grauhaarigen Sekretärinnen und keine Telefone, die über Kabel mit der Wand verbunden waren. Sie kannten keine Abteilungen und deren Abteilungsleiter, keine kurzen und langen Dienstwege und auch nicht den Geruch von frisch gesaugten Teppichböden, der die Arme schwer, den Rücken krumm und die Schritte langsam machte. Sie waren selbstständig, selbstsicher, selbstsüchtig, wandelnde Selfies, zwei dauerbewegte Selbstporträts. Wenn sich Meiler die neue Generation vorstellte, sah er eine Armee von jungen Leuten mit ausgestrecktem rechtem Arm, nicht zum Führergruß, sondern um das eigene Gesicht mit dem Smartphone aufzunehmen.

Seinen eigenen Söhnen gegenüber hatte er sich niemals alt gefühlt. Friedrich und Johannes folgten ihren klassischen Biographien wie auf Schienen, und Philipp war zu weit entgleist, um für irgendetwas repräsentativ zu sein. Wenn Meiler von Berlin aus an sein Zuhause dachte, sah er eine Schwarz-Weiß-Photographie, allerdings eine, die ihm zurzeit ganz gut gefiel. Seit Neuestem wohnte Mizzie wieder zu

Hause. Abends saß sie auf der Couch vor dem Fernseher, wo sie meistens bald einschlief, die Hände über dem Bauch gefaltet und den Kopf nach hinten gekippt, während Meiler im Sessel lehnte, das Handelsblatt auf den Knien, und sie ansah. Alle drei Tage kam Philipp zum Schach, und neulich hatte er sogar einmal in seinem alten Zimmer übernachtet, worüber Mizzie die halbe Nacht geweint hatte vor Glück. Einmal waren Johannes und Friedrich zu Besuch gekommen. Sie hatten zusammen gegessen, und es war ein netter Abend gewesen, bis Friedrich beim Nachtisch plötzlich begonnen hatte, sich zu beschweren. Es sei inakzeptabel, sämtliche Erlöse des geplanten Windparks in Philipps »Krankheit« fließen zu lassen. Das deutsche Erbrecht halte im Übrigen Möglichkeiten bereit, eine derartige Ungerechtigkeit nach Meilers Tod zu korrigieren. Zum ersten Mal im Leben sagte Meiler seinen Vorzeigesöhnen, dass sie ihn am Arsch lecken könnten, und er benutzte genau diese Vokabel dafür. Mizzie sah ihn erstaunt, ja bewundernd an, und irgendwie tat das gut. Beim nächsten Treffen trug Philipp nagelneue schwarze Röhrenjeans und weiße Turnschuhe und ließ ihn beim Schach gewinnen, wofür Meiler ihm Prügel androhte, und dann lachten sie gemeinsam. Im Grunde musste er Linda und Frederik dankbar sein. Seit die Windräder in sein Leben getreten waren, entwickelten sich die Dinge zum Guten, wenn auch in Schwarz-Weiß.

Meiler betrachtete Lindas helles Haar, die Jeans und grünen Turnschuhe sowie Frederiks knallrotes T-Shirt, auf dem ein Kopffüßler abgebildet war. Er fragte sich, warum er selbst im Anzug erschienen war, dabei wusste er, dass er in allen anderen Klamotten verkleidet wirkte. In Gegenwart dieser jungen Leute spürte er deutlich wie nie, dass Alter lächerlich machte. Meiler hatte immer verstanden, warum sich Kinder für ihre Eltern schämten; warum sie mit ihnen nicht in der Öffentlichkeit gesehen werden wollten und an der Vorstellung, der eigene Vater könnte auf einer Party auftauchen, schier irre wurden. Alles, was ein Mensch ab 55 tun konnte – essen, tanzen, lieben, singen, vögeln oder einfach nur im Wartezimmer eines Notariats im Sessel sitzen –, war mit Peinlichkeit infiziert. Frederik und Linda hingegen konnten sich wie Idioten benehmen und verkörperten trotzdem ein Ideal, voller Stolz damit beschäftigt, einander unglücklich zu machen.

»Und wenn ich einfach nicht unterschreibe?«, fragte Frederik.

Meiler hatte gar nicht gewusst, dass der Junge zeichnungsberechtigt war. Es bedeutete, dass er mindestens Miteigentümer des fraglichen Flurstücks sein musste, was Franzen wohlweislich verschwiegen hatte. Sie warf ihrem Lebensgefährten einen frostigen Blick zu. Weder Hass noch Wut, nicht einmal Nervosität lagen darin. Nur Gleichgültigkeit, die sich schon jenseits der Verachtung befand. Dass man einen Menschen, mit dem man Tisch und Bett teilte, auf solche Weise ansehen konnte, hatte Meiler nicht gewusst. Es gab nur eine Erklärung dafür: Linda liebte Frederik nicht. Sie war mit ihm zusammen, weil es sich irgendwie ergeben hatte. Frederiks Anwesenheit wurde nicht von bedingungsloser Zuneigung getragen, sondern von einem Vertrag, der an eine Bedingung geknüpft war: dass Frederik funktionierte. Sollte er beschließen, mit dem Funktionieren aufzuhören, folgte automatisch das Ende seiner Anwesenheit. Offensichtlich wusste Frederik das, er kapitulierte sofort.

»Ich meine ja nicht, dass wir gar nicht verkaufen sollen, sondern nur, dass es keinen Grund gibt, etwas zu überstürzen. Wir haben die Genehmigung, wir können jederzeit anfangen zu bauen. Wenn ich Timo und Ronny von Traktoria *nature* überzeugen kann, stehen wir finanziell bald so gut da, dass wir auf das Geschäft mit Herrn Meiler nicht angewiesen sind. Wir können warten, bis sich die Lage im Dorf beruhigt hat.«

Frederik probierte ein Lächeln, das unerwidert blieb. Dafür befreite ihn Linda endlich von ihrem eiskalten Blick, indem sie sich Meiler zuwandte.

»Keine Sorge«, sagte sie zu ihm.

Das war ein Vernichtungsschlag, so beiläufig geführt, dass Meiler kurz auflachte.

»Ich mache mir keine Sorgen«, erwiderte er im vollen Bewusstsein, damit in dieselbe Bresche zu schlagen, denn seine Antwort bedeutete: »Ich sehe doch, dass du diesen Waschlappen im Griff hast.«

Offensichtlich hatte er genau das gesagt, was Linda hören wollte. Sie tauschten ein Lächeln, und mehr als das: Da war ein komplizenhaftes Einverständnis, das alle Peinlichkeit zu Frederik hinüberwandern ließ. Frederik wurde fahl. Das knallige Rot seines T-Shirts konnte nicht verhindern, dass von Kopf bis Fuß die Farbe aus ihm wich. Indessen fühlte Meiler, wie das volle Farbspektrum durch seine Adern zu fließen begann. Er sprang aus dem Sessel und trat ans Fenster, das Linda eben verlassen hatte. Während er so tat, als betrachte er die Fassaden gegenüber, nahm er sich ein paar Sekunden Zeit zum Glücklichsein. Er hatte sich geirrt. Die entscheidende Grenze verlief nicht zwischen den Generationen, nicht zwischen Jung und Alt, sondern zwischen Gewinnern und Verlierern. Meiler stand auf der Gewinnerseite, schon immer und durch den Windkraft-Deal in besonderem Maße. Er nahm sich vor, auch in Zukunft den Kontakt zu Linda Franzen zu halten. Vielleicht konnte er sie bei der Konzeption ihres Pferde-Manager-Coachings unterstützen und gelegentlich in Unterleuten vorbeischauen. Er würde miterleben, wie sich die seltsame Villa von einer

Ruine in ein modernes Landgut verwandelte, und vielleicht würde er als väterlicher Freund an dem Tag zugegen sein, an dem sich Linda von Frederik trennte.

Er lächelte noch immer dem desinteressierten Berlin zu, als hinter ihm die Tür aufging und die kleine Gruppe ins Amtszimmer gebeten wurde. Linda trat ein, ohne Frederik eines weiteren Blickes zu würdigen, gefolgt von Meiler, der im Türrahmen stehen blieb, um dem Jungen mit ironischer Geste den Vortritt zu lassen.

Das Verlesen der Verträge und die Belehrungen der Notarin ließen sie schweigend über sich ergehen, saßen mit gesenkten Köpfen und zusammengelegten Händen wie im Gottesdienst, jeder in seine eigenen Gedanken vertieft. Als die Papiere über den Tisch geschoben wurden, griff Frederik als Erster nach dem Stift, unterschrieb und ließ den Kugelschreiber fallen, als hätte er sich die Finger daran verbrannt. Er sprang auf und hielt die Hand auf.

»Autoschlüssel.«

Linda zog den Schlüssel aus der Tasche ihrer Jeans und ließ ihn auf den Tisch fallen.

»Du bleibst in Berlin und wohnst bei Timo«, sagte Frederik. »Ich fahre allein nach Unterleuten und kläre die Lage. Das Dorf muss erfahren, dass der Windpark gebaut wird und dass du schuld daran bist. Solange ich nicht weiß, wie die Leute reagieren, hältst du dich von diesem Irrenhaus fern. Verstanden?«

Linda schaute Frederik nicht nach, als er aus dem Raum rannte.

»Ich entschuldige mich für meinen Lebensgefährten«, sagte sie.

In aller Ruhe und Sorgfalt setzten sie die fehlenden Unterschriften unter die Verträge und nahmen die Standardgratulation von Frau Söldner entgegen, als hätten sie geheiratet.

An der Garderobe half Meiler ihr in die grüne Lederjacke, die er bereits aus dem Adlon kannte. Linda schloss den Reißverschluss bis unters Kinn und stiefelte die Treppe hinunter.

Weil er um jeden Preis verhindern wollte, dass sie einfach verschwand, lief er ihr nach, überholte sie im Hauseingang und fragte, während er ihr die Tür aufhielt, nach einer Zigarette.

Amüsiert sah Linda ihn an.

»Sie rauchen doch gar nicht«, sagte sie. »Aber Sie können mich nach Unterleuten fahren.«

Statt einer Antwort wies Meiler einladend auf den Mercedes Roadster, der wenige Meter weiter im Halteverbot stand.

54 Fließ

Gerhard erschrak, als das Tor nach einem kleinen Stoß einfach aufschwang, so dass er eintreten und es hinter sich zuziehen konnte. Als wäre es normal, bei Schaller auf ein Schwätzchen vorbeizuschauen. So leicht hatte er sich das Betreten der Höhle des Löwen nicht vorgestellt.

In den vergangenen Wochen hatte sich Unterleuten als strenger Lehrmeister erwiesen. Gerhard hatte erlebt, wie an diesem Ort Probleme erzeugt und gelöst wurden. Mit Reden, Analysieren, Abwägen kam man nicht weit. Es ging darum, Fakten zu schaffen. Sein halbes Leben hatte Gerhard an dem Widerspruch zwischen Denken und Handeln gelitten. Er hatte sich als Intellektueller gefühlt und versucht, darin eine Auszeichnung zu sehen, die für andauerndes Scheitern entschädigte. Insgeheim war ihm schon lange klar gewesen, dass der Satz »Der Klügere gibt nach« eine Falle darstellte und dass es sich beim Zusatz »bis er der Dumme ist« nicht um einen Witz, sondern um eine logische Konsequenz handelte.

Vor vier Wochen hatte er zum ersten Mal versucht, mit Schaller zu reden, und war weggerannt, bevor das erste Wort gesprochen wurde. Beim zweiten Mal hatte er Schaller nach dem verschwundenen Krönchen gefragt und war danach weggerannt. Heute würde er den Hof erst verlassen, wenn eine Lösung gefunden war. Wegrennen stellte keine Option mehr dar – daran hatte Jule keinen Zweifel gelassen. Seit Sophies Verschwinden hatte sie kaum noch mit ihm gesprochen. Das war auch nicht nötig, denn die letzten Worte ihres Streits klangen ihm noch in den Ohren: Wenn du unser Zuhause nicht verteidigst, packe ich meine Sachen und bringe Sophie und mich aus dieser Hölle heraus.

Sie befanden sich wieder am Anfang. Obwohl die Luft im Garten sauber war, lebten sie hinter verschlossenen Türen und Fenstern. Es war heiß. Selbst im Haus ließ Jule das Baby keine Sekunde aus den Augen. Nachts schlief die Kleine wieder im Elternbett. Tagsüber trug Jule sie ständig auf dem Arm und rannte mit ihr im Wohnzimmer hin und her. Man konnte ab und zu lüften, aber das war, allen Kämpfen zum Trotz, die einzige Verbesserung.

Gerhard hatte sich eine Strategie zurechtgelegt und die letzten Tage mit Ermittlungen verbracht. Er hatte Gespräche geführt, die alle um den 3. November 1991 kreisten. Natürlich wusste Gerhard, dass die Vergangenheit viele Väter und Mütter besaß. Die vergehenden Jahre hatten Legenden hervorgebracht, deren Schichten es abzuschälen galt, um an den harten Kern aus Fakten zu gelangen. Sorgfältig hatte Gerhard alle Aussagen in ihre Bestandteile zerlegt und die Informationen neu zusammengesetzt. Was herauskam, stellte die Wahrheit dar. Dann jedenfalls, wenn man aufgeklärt genug war, um »Wahrheit« als den Fall mit der höchsten Wahrscheinlichkeit zu betrachten.

Demnach hatte Gombrowski am fraglichen Tag einen Strohmann in den Wald geschickt, um dort mit Kron und Erik zu verhandeln. Aber es kam nicht zu einer friedlichen Einigung. Stattdessen ging der Strohmann auf seine beiden Verhandlungspartner los, einer wurde getötet, der andere schwer verletzt.

Auch vom schweren Unwetter und einem angeblich herabgestürzten Ast hatte Gerhard gehört. Er hatte sich die Mühe gemacht, die betreffende Lichtung zu besichtigen, und siehe da: Die alte Buche war völlig unverletzt. Dass sich ein Baum in zwei Jahrzehnten so makellos regenerierte, hielt er für unwahrscheinlich. Viel wahrscheinlicher war, dass der Strohmann von Anfang an mit dem Auftrag ausgestattet gewesen war, den Aufmüpfigen einen Denkzettel zu verpassen. Vermutlich hätte er seine Opfer nicht töten sollen; insoweit war die Sache anscheinend eskaliert. Jedenfalls war unter der Buche ein bis zum heutigen Tag ungesühntes Verbrechen passiert, das Unterleuten von innen heraus zersetzte.

Durch einen Abgleich der Aussagen ließ sich mit hoher Sicherheit sagen, wer der Strohmann gewesen war. Fest stand, dass sich Gombrowski im fraglichen Zeitraum nicht selbst im Wald aufgehalten hatte. Aber es gab da einen Automechaniker, der den Maschinenpark der LPG betreute und den Gombrowski in der Vergangenheit schon mehrfach als Mann fürs Grobe eingesetzt hatte. Nämlich ebenjenen Bodo Schaller, der heute auf dem Nachbargrundstück residierte und von dort aus einen Vernichtungsfeldzug gegen Gerhard und seine Familie führte.

So lautete Gerhards Ergebnis: Das Tier von nebenan war der Mörder und Gombrowski sein Anstifter und Auftraggeber.

Sämtliche Ermittlungen hatte Gerhard dokumentiert, die Aussagen seiner Gesprächspartner getippt, datiert und abgeheftet. Er wollte Schaller vor eine einfache Wahl stellen. Entweder packte er seinen Schrottplatz zusammen und suchte sich eine neue Bleibe oder Gerhard würde sein Dossier den Ermittlungsbehörden übergeben. Mord verjährte nicht.

Er sah sich um. Wie bei einem Suchbild dauerte es eine Weile, bis er Schaller inmitten von Schrott und Gerümpel entdeckte. Der Mann saß auf seiner viel zu hohen Bank, die rechte Hand hielt eine Bierdose. Zuerst glaubte Gerhard, das Tier im Schlaf überrascht zu haben. Beim Näherkommen erkannte er, dass es ihm, den Mund halb geöffnet, aus engen Augenschlitzen entgegensah.

Er hatte sich keinen Text zurechtgelegt. Irgendwie war er davon ausgegangen, dass sich die richtigen Worte im entscheidenden Augenblick von selbst ergeben würden. Jetzt musste er feststellen, dass diese Annahme nicht stimmte. Fünf Schritte vor Schaller blieb er stehen und dachte, dass dieser wirklich hässlich war. Der Bauch aufgedunsen und gespannt wie eine Trommel, die Augen rot unterlaufen, die Lippen fleischig, die Arme dick wie Oberschenkel. Gerhard hoffte, der andere möge etwas sagen, aber den Gefallen tat der ihm nicht. Er saß einfach da und sah ihn an.

Als es sich gar nicht mehr vermeiden ließ, den Mund aufzumachen, sagte Gerhard:

»Das muss aufhören.«

In Schallers Gesicht regte sich nicht der kleinste Muskel, nichts wies darauf hin, ob er Gerhard überhaupt gehört hatte. Eine der Blaumeisen, die Jule so mochte, saß auf einer leeren Tonne und drehte den kleinen Kopf, um Gerhard abwechselnd aus beiden Augen anzublicken. Früher konnte Jule in Verzückung geraten, wenn sich ein Vogel im Garten derart nah an die Menschen heranwagte. Früher – als sie noch draußen gesessen hatten, um die Sonne zu genießen. Langsam begannen Schallers Kiefer zu mahlen. Gleich würde er etwas sagen. Komm schon, dachte Gerhard, gib mir ein »Verpiss dich«, damit ich wütend werden kann.

»Hat es ja«, sagte Schaller. »Aufgehört, mein ich.«

Gerhard spürte, wie ihn die Situation überforderte, obwohl gar nichts passiert war. Schaller stellte die Bierdose neben sich und rutschte von der Bank. Gemächlich ging er auf

Gerhard zu. Sein Oberkörper schwankte, die Hände fassten abwechselnd in die Luft, als zöge er sich an unsichtbaren Griffen voran. Mühsam unterdrückte Gerhard das Bedürfnis, nach Hause zu rennen und am Schreibtisch nach einer Lösung zu suchen, die sich per E-Mail oder Telefon realisieren ließ. Nicht weglaufen, dachte er. Nicht am Kopf kratzen, am Hemdkragen ziehen, über die Stirn wischen. Du schwitzt, das ist kein Problem.

Plötzlich streckte Schaller die Hand aus, so ruckartig, dass Gerhard sie im Reflex ergriff. Der Händedruck war überraschend lasch und flüchtig.

»Tut mir leid«, sagte Schaller.

Fast hätte Gerhard gelacht. Er überlegte, ob das Tier intelligent genug war, um ihn auf den Arm zu nehmen. Wahrscheinlicher schien, dass Schaller von Gerhards Ermittlungen gehört hatte und ihm den Wind aus den Segeln nehmen wollte. Vielleicht sollte das, was Schallers unförmigen Mund ein wenig straffte, sogar ein Lächeln sein.

»So geht das nicht«, sagte Gerhard. »Folgendes.« Er wies auf den Hof. »Sie packen hier zusammen und suchen sich eine neue Bleibe.«

Wieder verging etwas Zeit, die Schaller zu brauchen schien, um das Gesagte zu verstehen.

»Lass gut sein«, sagte er schließlich. »Ich mach keine Gombrowski-Scheiße mehr. Hab ich meiner Tochter versprochen.«

Er trat einen Schritt vor, hob eine Hand, diesmal behutsam, um Gerhard nicht zu erschrecken, und klopfte ihm auf die Schulter.

»Auf gute Nachbarschaft.«

Weil Gerhard nicht reagierte, hob Schaller schließlich die Achseln, drehte sich um und wankte zu seiner Bank zurück. In Gerhards Kopf herrschte Funkstille. Er ließ den Blick zur

Grundstücksgrenze schweifen, um sich daran zu erinnern, warum er hergekommen war. Aber da war nichts. Keine Feuerstellen, keine Asche, keine Benzinkanister, keine Reste verkohlter Autoreifen. Alles sauber aufgeräumt, als wäre nie etwas geschehen. Der Graben, in dem längst eine Mauer hätte stehen sollen, zog sich sandig zwischen den beiden Grundstücken hindurch, eine eingetrocknete Wunde, hässlich, aber unschuldig. Ver-tei-di-gen, sagte Gerhard zu sich selbst, langsam und deutlich wie zu einem kleinen Kind.

»Sie verschwinden hier«, sagte Gerhard. »Es gibt jede Menge Höfe in der Gegend.«

»Magst du ein Bier?«, fragte Schaller.

Gerhard schüttelte den Kopf und trat zwei Schritte auf den sitzenden Schaller zu.

»Sie glauben, Sie können mich verarschen. Aber damit ist jetzt Schluss. Ich gebe Ihnen zwei Wochen. Wenn hier bis dahin nicht geräumt ist, gehe ich zur Polizei. Zur Kriminalpolizei, wenn Sie verstehen, was ich meine.«

Schaller taxierte ihn einen Moment, dann schüttelte er seinerseits den Kopf. Nicht ablehnend, sondern verständnislos.

»Was willst du denn? Es ist doch sowieso alles vorbei.«

»Was ist vorbei?«

»Haste nicht gehört? Gombrowski ist raus aus der Windmühlen-Geschichte.«

»Was reden Sie da?«

»Frontera hat ihn gelinkt.«

»Wer?«

»Die Pferdefrau verkauft ihm die Schiefe Kappe nicht.«

Gerhard hörte die Stimme von Linda Franzen, viel zu hart für eine junge Frau: »Ich werde nicht an Gombrowski verkaufen.«

Erst hatte er ihr geglaubt. Dann nicht mehr. Und jetzt das. Ein Sieg, der nicht seiner war, während er mit Schaller zurückblieb. Allein, ohne Mannschaft. Nicht als Kämpfer für eine gute Sache, nicht als Bollwerk gegen Gombrowskis Intrigen, sondern als Familienvater mit einem lästigen Nachbarn. Gerhard spürte, wie er zu zittern begann, erst die Hände, dann Unterarme und Ellenbogen, so dass er die Fäuste ballen und die Zähne zusammenpressen musste. Was ihn da erfasste, kannte er nicht. Es war blanker Hass.

»Du bist ein Mörder«, brachte er hervor.

Mit einem Mal waren Schallers Augen offen und der Mund geschlossen statt umgekehrt. Anscheinend brauchte er auch keine Minute mehr, um zu erfassen, was Gerhard gesagt hatte. Er war blass geworden.

»Ich hab mit den Leuten gesprochen«, fuhr Gerhard fort. »Lange her heißt nicht vergessen. Es gibt viele, die sich erinnern können.«

Schaller schien zu warten. In Gerhards Ohren rauschte es. Der Hass floss jetzt in seine Worte.

»Da gab es diesen Tag vor nicht ganz zwanzig Jahren. Anfang November. Ziemlich schlechtes Wetter soll da gewesen sein, nach allem, was man hört.«

»Halt's Maul«, sagte Schaller.

»Du hattest diesen hübschen Auftrag von deinem Chef. In den Wald gehen, zwei Leute treffen.«

Gerhard wusste nicht, wie der Schraubenschlüssel in seine Hand gekommen war. Er registrierte das überraschende Gewicht. Das Ding war mindestens sechzig Zentimeter lang und drei Kilo schwer.

»Hattest du so einen dabei? Oder war's eine Eisenstange?«

»Du – sollst – ruhig – sein.« Schaller wirkte zusammengeschrumpft. Noch immer hockte er auf seiner Bank und hielt sich an den eigenen Knien fest, während seine Unterlippe zitterte.

»Dann ist die Sache ein bisschen aus dem Ruder gelaufen. Weißt du das noch?« Gerhard wartete. »Ich habe gefragt, ob du das noch weißt!«

»Du darfst nicht davon sprechen!« Schaller schrie wie ein Kind, das gleich zu weinen beginnt. »Niemand darf das!«

»Und ob ich davon sprechen werde. Nicht nur mit dir, sondern auch mit der Polizei. Du bist ein Mörder.«

Schaller hatte zu zittern begonnen.

»Willst du es noch mal hören? Mörder!«

Als das Tier aufsprang, hob Gerhard den Schraubenschlüssel. Aber Schaller griff nicht an, sondern verschwand hinter der verfallenen Scheune. Als er Sekunden später wieder auftauchte, hingen an jedem Arm zwei Autoreifen, die er über den Hof zur Grundstücksgrenze schleppte und dort fallen ließ. Noch einmal rannte er davon und kehrte mit einem Benzinkanister zurück. Als er an Gerhard vorbeiwollte, fuhr der Schraubenschlüssel durch die Luft. Schaller gab keinen Ton von sich. Er kippte zur Seite, schlug hart auf den Boden, rollte einmal herum und hielt sich das Bein. Gerhard vermutete, dass er ihn am Knie getroffen hatte. Er holte ein zweites Mal aus. Er sah die Schmerzen des anderen, konnte sie aber nicht fühlen.

»Mit wem hast du angefangen? Mit Kron?«

Der Schraubenschlüssel fuhr herab.

»Hast du ihn aufs Bein geschlagen? So vielleicht?«

Schaller antwortete nicht, er schaute Gerhard nicht an, es sah aus, als versuchte er, in den Boden zu beißen. Auch der nächste Schlag traf Schallers Bein; eventuell auch einige Finger der Hände, die das Bein hielten.

»Pack deine Sachen«, keuchte Gerhard. »Verschwinde von hier.«

Schaller schrie nicht, obwohl er den Mund weit aufgerissen und die Augen zusammengekniffen hatte und auch sonst aussah wie ein Mensch, der vor Schmerzen brüllt. Oder vielleicht hörte Gerhard nichts mehr. Sein Verstand hatte sich vom Körper getrennt, stand ein wenig abseits und beschäftigte sich mit einer interessanten Erkenntnis. Er hatte gerade eins der großen Rätsel der Menschheit gelöst, nämlich die Frage, warum es so viel Gewalt auf der Welt gab. Die Antwort lautete: Weil Gewalt verdammt einfach war.

Arme und Beine arbeiteten weiter, ganz von selbst, sie benötigten keine weiteren Anweisungen. Der Schraubenschlüssel war zu Boden gefallen, Gerhard trat jetzt mit den Füßen auf Schaller ein. Wut fühlte er nicht mehr; auch der Hass war verflogen. Er war einfach ein Mann, der eine Arbeit verrichtete. Er dachte an Jule, die mit Sophie auf den Armen panisch im Wohnzimmer hin und her lief. Dann dachte er gar nichts mehr. Ver-tei-di-gen, skandierte eine Stimme in seinem Kopf. Die Füße zielten auf Schallers Nieren, auf Schallers Wirbelsäule. Noch ein paarmal mit voller Wucht, dann war es genug. Gerhard fand den weggeworfenen Schraubenschlüssel, legte ihn ordentlich auf die Bank und verließ den Hof.

Auf dem kurzen Weg zurück nach Hause machte sich wunderbare Entspannung in ihm breit. Schaller würde verschwinden, Gombrowskis Windmühlen waren ausgebremst. Ab heute würde es anständig zugehen im Dorf, friedlich und zivilisiert, dafür würde Gerhard schon sorgen. Er hatte bereits drei Jahre in Unterleuten verbracht, er hatte ein Haus saniert, Himbeerhecken gepflanzt und ein Kind gezeugt. Aber erst jetzt war er richtig angekommen. Als er durchs Gartentor auf das Haus zuging, schlug die Stunde null seiner neuen Existenz.

55 Wachs

Frederik glaubte nicht, dass es zwischen Mann und Frau ums Gewinnen ging. Er war in den Neunzigern groß geworden, einem Jahrzehnt, von dem Linda sagte, dass es nur turnschuhweiche Männer hervorgebracht habe. Eine ganze Generation von mehr oder minder männlichen Wesen, die mit dem Begriff »erwachsen« nichts anfangen konnten. Im Grunde gab Frederik ihr recht; aus seiner Sicht passte »erwachsen« immer nur auf andere. Er war 27 Jahre alt, besaß Job, Freundin, Auto, mittlerweile sogar ein Haus und eine ganze Reihe Bäume, wenn auch nicht selbst gepflanzt. Trotzdem fühlte er sich nicht anders als jener Achtzehnjährige, der mit Wochenendticket und kleinem Bruder zur Loveparade nach Berlin gepilgert war. Im Wesentlichen sah er auch noch so aus. »Mann« war ein Wort, das an Frederik schlecht haften blieb. Wenn Timo, Ronny und er von sich selbst sprachen, benutzten sie »Männer« höchstens im ironischen Sinn. Richtig lautete die Form in der Einzahl »Typ«, in der Mehrzahl »Jungs«. Auch wenn sie Firmen, Häuser oder Bäume besaßen.

Lindas Diagnose war definitiv als Vorwurf gemeint. Trotzdem hatte sich Frederik nie daran gestört, weich wie ein Turnschuh zu sein. Immerhin würde er niemals seiner Frau eine reinhauen oder das Familieneinkommen für Motorräder und Nutten ausgeben. Statt viel Zeit und Kraft mit der Darstellung von Erwachsen-Sein oder Männlichkeit zu vergeuden, konnte er seine Energie in sinnvollere Dinge investieren.

Zum Beispiel in die Entwicklung eines digitalen Naturschutzgebiets. Seit ihm vor zehn Tagen die Idee zu Traktoria *nature* gekommen war, hatte er sich quasi unaufhörlich damit beschäftigt. Während er Linda beim Renovieren half, formulierte er im Kopf ein Designdokument, dachte über Spielmechanik, Architektur, Zielgruppe, Alleinstellungsmerkmale und Entwicklungszeiträume nach und überschlug schon einmal die Kosten. Nachts saß er am Computer und entwarf Prototypen. In den ersten Kampfläufer war er geradezu verliebt. Vielleicht ähnelte der Vogel ein wenig Timos Strauß – das eine Auge war kleiner als das andere, was ihm einen drolligen Gesichtsausdruck verlieh. Aber Kopfschmuck und Balzkragen, der einer spanischen Halskrause aus der Tudor-Zeit nachempfunden war, machten den Kampfläufer zu einem echten Individuum. Anders als Nutztiere, die in Traktoria ausschließlich in Gehegen oder Ställen gehalten wurden, liefen die Wildtiere in Traktoria *nature* frei herum. Frederiks genialster Einfall bestand darin, dass sich der Fruchtbarkeits-Koeffizient der Kampfläufer nicht nur durch Füttern und Pflege, sondern auch durch reine Beobachtung erhöhen ließ. Wenn ein Spieler viel Zeit auf der *nature*-Seite verbrachte, begannen die Vögel irgendwann mit dem Balzen und sorgten für Nachwuchs. Mit dem Anwachsen der Population stiegen die Subventionen für das Naturschutzgebiet, so dass sich häufige Besuche auf der Seite in barer Spielmünze auszahlten.

Er hatte Linda auf dem Weg zur Notarin vom Stand seines *nature*-Konzepts erzählt, und sie hatte zurückgefragt, wann er es Timo und Ronny vorstellen würde. Die Frage hatte sarkastisch geklungen und nicht nach einer Antwort verlangt. Die glaubte Linda selbst zu kennen: niemals. Er würde sich bis zum Ende aller Tage mit seiner Idee beschäftigen, weil er Angst hatte, bei seinem kleinen Bruder durchzufallen. Turnschuh eben. Linda war definitiv auf Krawall gebürstet gewesen, und Frederik hatte gewusst, warum. Sie versuchte schon im Auto, ihn zur Schnecke zu machen, damit er beim bevorstehenden Termin mit Meiler nicht aufmuckte.

Der Streit hatte sich bis ins Wartezimmer der Notarin fortgesetzt. So wie sie sich aufführte, hätte jeder normale Mann ihr einen Vogel gezeigt und den Notartermin platzen lassen. Frederik aber hatte die Demütigung heruntergeschluckt und die Verträge unterschrieben. Das war ihm nur möglich, weil es ihm nicht auf Sieg oder Niederlage ankam. Wie so oft hatte Linda von seinem Turnschuhträgertum profitiert, was sie auch in Zukunft nicht davon abhalten würde, ihn genau deswegen zu kritisieren. Sie dachte immer nur bis zum nächsten Vorwurf. So überzeugt war sie von der Existenz eines Optimalzustands, dass sie überall nur Defizite sah, sogar dann, wenn sie gewann.

Meiler hatte das Flurstück auf der Schiefen Kappe bekommen, das er für die Errichtung des Windparks brauchte. Im Gegenzug erhielten Linda und Frederik 50 000 Euro sowie vier Hektar bestes Weideland direkt hinterm Haus. Was sie unverlangt dazu erhielten, war der Hass des gesamten Dorfs. Egal ob die Leute zu Gombrowski hielten oder das Windkraftprojekt verhindern wollten – mit dem Verkauf an Meiler gelang es Linda, alle gleichzeitig vor den Kopf zu stoßen.

Jetzt saß Frederik allein im Auto und steuerte den Frontera durch den dichten Verkehr auf dem Kaiserdamm. Seinen Plan hatte er entwickelt, während die Notarin den Vertragsinhalt herunterleierte. Wenn Linda unbedingt dem ganzen Dorf den Krieg erklären wollte, dann musste er das Dorf davon abhalten, die Kriegserklärung anzunehmen. Im Westend fuhr er auf die A100 in Richtung Hamburg.

Sein Leben lang hatte Frederik das Gefühl, dem Lauf der Dinge hinterherzuhinken. Als Nachtmensch begann er meist erst mit der Arbeit, wenn andere schon aus der Mittagspause kamen. Auf frühes Aufstehen reagierte er mit Jetlag. Zu Verabredungen kam er zu spät, weil ihm immer noch eine Kleinigkeit einfiel, die dringend erledigt werden musste, bevor er das Haus verließ. Grundsätzlich hatte er nichts dagegen, dem Leben einen kleinen Vorsprung zu lassen; nicht selten sah man von hinten besser, wie der Hase lief. In diesem Fall aber konnte er nicht abwarten, was passierte. Er musste sich nur Gombrowskis Physiognomie vor Augen rufen, die gedrungenen Schultern und tellergroßen Pranken, dazu das fleischige Gesicht mit den Tränensäcken und Lefzen einer alten Dogge, und schon wusste er, dass er handeln musste, und zwar sofort.

Frederik erreichte die A 111, beschleunigte auf 140 km/h und setzte den Frontera auf die linke Spur, um nicht ständig wegen dänischer Touristen und polnischer Lastwagen ausscheren zu müssen. Er fuhr schneller als gewöhnlich. Es war völlig klar, dass sich Linda nicht an die Anweisung halten würde, ein paar Tage bei Timo in Berlin zu verbringen. Aber selbst wenn sie versuchte, so schnell wie möglich nach Unterleuten zurückzukehren, würde sie die Regionalbahn um 14:27 Uhr nicht mehr erreichen, und der nächste Zug nach Plausitz ging erst zwei Stunden später. Das gab ihm drei Stunden Vorsprung – nicht viel, aber vielleicht ausreichend, wenn er sich beeilte. Er wollte in Unterleuten den wichtigsten Akteuren einen Besuch abstatten, Gombrowski, Kron, Bürgermeister und Vogelschützer, dazu Oma Rüdiger, die zuverlässig dafür sorgen würde, dass sich die Nachricht im ganzen Dorf verbreitete. Seine Botschaft lautete: *Ich* habe die Schiefe Kappe an Konrad Meiler verkauft. Er würde so tun, als wollte er um Verständnis werben, in Wahrheit aber ging es darum, sich selbst als den Drahtzieher im Hintergrund zu präsentieren. Es sollte so aussehen, als wäre die Idee, Gombrowski und Meiler gegeneinander auszuspielen, auf seinem Mist gewachsen, während Linda nur ausführendes Organ gewesen sei. Frederik war sicher, dass man ihm glauben würde. Jenseits der Turnschuhgeneration erschien es nur logisch, dass ein Mann hinter einem solchen Geschäftsabschluss steckte. Die Aggression der Dörfler würde er gelassen ertragen. Im Zweifel blieb er eine Weile in Berlin.

Die Lkw auf der rechten Spur bildeten mittlerweile eine geschlossene Phalanx und versperrten die Sicht. Um ein Haar hätte Frederik die richtige Ausfahrt verpasst, er fuhr zu selten mit dem Auto nach Unterleuten, um die Strecke auswendig zu kennen. Er bremste abrupt und zog den Geländewagen zwischen zwei Lastwagen nach rechts. Hinter ihm wurde gehupt.

Sosehr er bereit war, brettflache Sandböden, eintönige Kiefernwälder und verfallende Gründerzeitarchitektur romantisch zu finden – Plausitz war von einer speziellen ostdeutschen Trostlosigkeit, die jedem fühlenden Menschen aufs Gemüt schlagen musste. Nach der Autobahnausfahrt passierte die Landstraße noch drei typische Dörfer, jeweils fünfzig Häuser mit Zigarettenautomat, Briefkasten und Sandstreifen am Straßenrand, auf dem die Autos parkten. Ringsum lagen ausgedehnte Weiden, auf denen sich Galloway-Rinder langweilten. Danach, im ersten Dunstkreis von Plausitz, verwandelte sich die Gegend in eine Rumpelkammer der Zivilisation. Kläranlage, Umspannwerk, Gewerbegebiet, Tankstellen, die Schallschutzwände der ICE-Trasse und die Lagerhallen einer Spedition verbanden sich zu einer

Anti-Landschaft von frustrierender Beliebigkeit. Radwege nahmen die Landstraße in den Schwitzkasten, Kreisverkehre belästigten die Kreuzungen, an den Laternen hingen Hinweisschilder auf den Plausitzer McDonald's. Zuletzt musste Frederik noch an Shopping-Malls und Designer-Outlets vorbei, die die Stadt umgaben wie ein feindlicher Belagerungsring. Der kürzeste Weg nach Unterleuten führte direkt durch die Plausitzer Innenstadt.

Im Zentrum befanden sich all jene Institutionen, deren Aufgabe es war, das Leben der Menschen unangenehm zu machen – Bauamt, Arbeitsamt, Naturschutzbehörde, Amtsgericht, Polizei, Post, Kfz-Zulassungsstelle. Selbst bei gutem Wetter sah die Stadt nach Regen aus. Am bedrückendsten fand Frederik den quadratischen, mit Betonpflaster ausgelegten Ernst-Thälmann-Platz, der von flachen Plattenbauten umgeben war. Vor einer Reihe schäbiger Boutiquen standen Drehständer, an denen dünne Blusen in schreienden Farben wehten. Dreimal am Tag, stellte Frederik sich vor, verließen die Plausitzer ihre heruntergekommenen Wohnblocks, um jeden Ständer auf dem Ernst-Thälmann-Platz einmal langsam um die eigene Achse zu drehen. Viel mehr gab es nicht zu tun. Die Jugendlichen drängten sich im Wartehäuschen der Bushaltestelle zusammen und rauchten.

Auf der anderen Seite der Stadt wartete die finale Katastrophe: der Windpark auf der Plausitzer Platte. Das Ausmaß des ästhetischen Verbrechens verblüffte Frederik immer wieder aufs Neue. Links und rechts der Straße drehten sich Hunderte gewaltiger Rotoren. Bei Nacht tauchten die Gefahrfeuer an den Spitzen der Türme die Szenerie in gespenstisch blinkendes Licht. Das nicht ganz synchrone Pulsieren erzeugte einen hypnotischen Sog, der dafür gemacht schien, Autofahrer von der Straße zu ziehen. Bei Tag fuhr man in gefühlter Zeitlupe in das langsame Kreisen der Propeller hinein, ein zähes Anrennen gegen Windmühlen als Symbol für die Vergeblichkeit allen menschlichen Strebens. Stets waren zwei oder drei der Kraftwerke außer Betrieb, standen reglos zwischen den arbeitenden Kollegen und hielten die Gesichter abgewandt, als schämten sie sich ihres Versagens.

Frederik spürte, wie der Anblick der stur bewegten Maschinen seine Magennerven angriff. Dies waren die Wächter des trostlosen Plausitz, eine Armee, die im Begriff stand, ihre Vorhut weiter ins Land auszusenden, und ausgerechnet Linda hatte dafür gesorgt, dass ein paar davon demnächst von der Schiefen Kappe auf Unterleuten herunterschauen würden.

Aber was, dachte Frederik, zählt meine Abscheu vor Windrädern gegenüber den Bedürfnissen eines Pferdes.

Er atmete auf, als die Landstraße den Windpark endlich hinter sich ließ. Auf den letzten zwanzig Kilometern bis Unterleuten gab es nur noch Wald und ein paar Felder, auf denen sich im Frühjahr Tausende von Kranichen sammelten.

Die Strecke war so wenig befahren, dass es auffiel, wenn man jemanden hinter sich hatte. Auf der schmalen Straße hielt man entweder Abstand oder überholte, sobald es möglich war. Der Wagen im Rückspiegel aber fuhr dicht auf und machte nicht einmal Anstalten zu überholen, als Frederik auf die Bremse trat und den Blinker rechts setzte. Es war ein staubiger, verbeulter Kastenwagen in Weiß, eins der typischen Handwerkerautos, die in der Gegend zahlreich herumfuhren. Frederik war sicher, dass mindestens ein solches Modell auch in Unterleuten stand. Er versuchte, den Fahrer zu erkennen, sah aber nur Brille und Hut und einen hochgeschlagenen Hemdkragen. Als ihn ein mulmiges Gefühl beschlich, versuchte er, über sich selbst zu lachen: Nur weil ich Paranoia habe, heißt das noch lange nicht, dass man mich nicht verfolgt. Er achtete darauf, die Spur zu halten und das

Tempo nicht zu erhöhen. Irgendein Betrunkener auf dem Weg nach Hause, dachte er. Kein Grund, nervös zu werden.

Als er in den Wald einfuhr, begann die Sonne wie ein Stroboskop zwischen den Bäumen zu blinken. Lichtmünzen flitzten über die Armatur. Frederik hörte auf, ständig in den Rückspiegel zu schauen, und dachte stattdessen noch ein bisschen an Traktoria *nature*. In einem Aufwallen von Übermut schloss er einen Vertrag mit sich selbst: Wenn in Unterleuten alles glattging, würde er morgen in der Firma anrufen und Timo um einen offiziellen Gesprächstermin bitten, in Anwesenheit von Ronny und den wichtigsten Entwicklern. Schließlich gab es nichts, wovor er Angst haben musste. Als er wieder in den Rückspiegel sah, war der Kastenwagen bis auf Armeslänge herangekommen.

Die Straße schwang sich in sanftem Bogen nach rechts, bevor sie in die scharfe Linkskurve ging, in der Linda so gern ihre Zweitbegabung als Rennfahrerin demonstrierte. Um der Ideallinie zu folgen, zog sie den Wagen kurz vor dem Scheitelpunkt auf die Gegenfahrbahn. Frederik war sicher, dass der wichtigste Reiz dieses Spiels darin bestand, sich an seinem Entsetzen zu freuen. Vermutlich bildete sie sich ein, dass niemand außer ihr in der Lage sei, die Kurve auf diese Weise zu nehmen.

Der Fahrer des Kastenwagens betätigte die Lichthupe. Plötzlich hatte Frederik Lust, dem Vollidioten zu zeigen, wo der Hammer hängt. Er war in seiner Jugend lang genug Formel 1 am Computer gefahren, um zu wissen, wie man einen Linksknick behandelte. Außen anbremsen, spät einlenken, am Apex innen halten und die ganze Fahrbahnbreite nutzen, um den von Neuem beschleunigten Wagen heraustragen zu lassen.

Frederik hatte das Anbremsen hinter sich und stand im Begriff, den Frontera nach links zu ziehen, als die Zeit stehen blieb. Er sah die Situation in vollständiger Klarheit. Er verstand nicht nur, was passierte, sondern auch, was es zu bedeuten hatte.

Ein Traktor kam ihm entgegen, auffällig langsam, als hätte er hinter der Kurve gewartet, und nutzte die ganze Fahrbahnbreite. Hinter Frederik fuhr der Kastenwagen, so dicht, dass eine Vollbremsung lebensgefährlich gewesen wäre.

In diesem Augenblick erkannte Frederik den Fehler seines Plans. Unterleuten wusste längst Bescheid. Linda hatte Gombrowski bereits vor einigen Tagen darüber informiert, dass er die Schiefe Kappe nicht bekommen würde. Wenn der alte Hund zwei und zwei zusammenzählen konnte, war er selbst darauf gekommen, dass sie die Haut des Bären zweimal verkauft hatte. Sie hatte sogar die Frechheit besessen, den von Gombrowski reservierten Notartermin für das Geschäft mit Meiler umzubuchen. Folglich wusste Gombrowski sogar, an welchem Tag und zu welcher Stunde er ausgebootet wurde. Und wann Linda mit dem Auto von ihrem faulen Geschäft zurückkam.

Die Heckscheibe des Frontera war dunkel getönt, und auf der Windschutzscheibe stand die Sonne. Weder der Fahrer des Kastenwagens noch der des Traktors konnten sehen, wer den Frontera fuhr. Frederik saß auf Lindas Platz und schnitt die Kurve auf Lindas Art.

Wenn das ein Anschlag ist, dachte Frederik, dann gilt er Linda, nicht mir.

Ich wollte sie aus der Schusslinie nehmen, dachte er. Mich vor sie stellen, damit der Hass des Dorfs sie nicht trifft.

Das klappt ja noch besser als geplant.

Er spürte den Wunsch zu lachen. Dann lief die Zeit weiter. Es wurde eng. Frederik riss das Steuer nach rechts.

56 Fließ-Weiland

Den großen Rucksack mit den aufgedruckten Wolken hatte sie schon besessen, als sie von zu Hause ausgezogen war. Er hatte sie in den aufregendsten Zeiten ihres Lebens begleitet: ins Berliner Studentenwohnheim, beim Umzug in die erste WG, während eines Praktikums bei der Obdachlosenhilfe in New York, wo sie aufgrund akuten Geldmangels nicht wesentlich besser lebte als die meisten Obdachlosen. Auf einer Reise durch Japan, die sie lehrte, dass die Japaner mit der Kultur des Auto-Stopps nicht vertraut waren.

Sie erinnerte sich genau an das Gefühl, ihr Haus wie eine Schnecke auf dem Rücken zu tragen. Über Jahre hinweg hatte sie eine besondere Form von Selbstbewusstsein daraus gezogen, ihre wichtigsten Habseligkeiten binnen einer halben Stunde in einem einzigen Gepäckstück verstauen zu können. Dann kamen Mann, Haus und Kind, begleitet vom entsprechenden Zubehör. Einbauschrank und Esstisch, Weinregal und Wickelkommode, Gartenmöbel, Streusalz, Einmachgläser, Teppiche und angebrochene Packungen mit Meisenknödeln, kurz, eine wachsende Sammlung von Gegenständen, die behaupteten, ihr Leben zu sein. Schon vor Sophies Geburt hatte Jule beschlossen, Studieren und Reisen als zusammenhängende Phänomene zu betrachten, die nun beendet waren, und hatte beides zu den Erinnerungen sortiert. Den verschlissenen Rucksack hatte sie aufgehoben, weil man so ein treues Ding unmöglich wegwerfen konnte. Das hässliche Muster hatte sie auf dem Gepäckband am Flughafen immer schon von Weitem zwischen allen anderen Taschen erkannt.

Jetzt lag der Rucksack vor ihr auf dem Küchentisch und ähnelte mit offenen Reißverschlüssen und klaffenden Fächern einer Leiche bei der Obduktion. Seltsamerweise musste Jule keine Sekunde überlegen, was sie mitnehmen wollte. Es war, als verwandelte das Packen sie automatisch in ihr früheres Ich zurück. Wie von selbst gab das Haus aus der Mitte seiner gefüllten Zimmer all jene Dinge frei, die zu Jules Studentenzeit gehörten. Eine Jeans mit Loch am Knie, die inzwischen ein bisschen zu weit war, aber auch mit Gürtel gut aussah. Eine abgegriffene Taschenbuchausgabe von »Ulysses«, die man an jeder beliebigen Stelle aufschlagen und immer wieder glauben konnte, dass man zum ersten Mal darin lese. Eine kleine Stoffkatze, die so intensiv nach Jule roch, dass sie nur die Nase darin vergraben musste, um sich auf jeder Bahnhofsbank wie im eigenen Bett zu fühlen. Da sie für ihr aktuelles Vorhaben weder Badesachen noch Steckdosenadapter oder Reiseapotheke brauchte, blieb genug Platz für die neu hinzugekommenen Gegenstände: Sophies Fläschchen, Sophies Strampelanzüge, Sophies Schnuller, Rassel und Schmusedecke.

Je mehr sich der Rucksack füllte, desto selbstverständlicher schien das Packen. Plötzlich fühlte sich Jule wie ein Gast, der schon zu lange an einem Ort geblieben ist und dringend sehen muss, dass er weiterkommt. Sie fragte sich, ob sie vielleicht unter Schock stand. Konnte es wirklich sein, dass sich Mann und Haus so leicht abstreifen ließen?

Weil Gerhard und sie beim Umzug nach Unterleuten beschlossen hatten, einen echten Neuanfang zu machen, statt zwei gealterte Studentenhaushalte zu einer Sperrmüllhalde zu vereinen, hatte Jule jedes einzelne Möbelstück, jeden Vorhang, jede Blumenvase und jeden Untersetzer im neuen Heim selbst ausgesucht. Nach und nach hatten sie die DDR-Atmosphäre vertrieben, hatten Linoleumboden und Phototapete gegen Parkett und weiß gestrichene Wände getauscht und das alte Gemäuer in ein modernes und gemütliches Zuhause verwandelt. Unter den Blicken der Nachbarn hatte Jule den Garten gerodet, Gras gesät, Wege angelegt und Himbeeren gepflanzt. In allem, was sie hier umgab, steckten Arbeit und Herzblut. Trotzdem stellte sich plötzlich heraus, dass außer Sophie und ein paar alten Klamotten nichts richtig zu ihr gehörte.

Sie hatte Sanne angerufen. Zufällig hatte sie ihre Freundin, die als freie Journalistin ständig beschäftigt war, ohne etwas zu verdienen, gleich beim ersten Versuch auf dem Handy erreicht. Sanne saß mit Laptop und Milchkaffee vor einem Café in Kreuzberg, konnte wegen der Sonne so gut wie nichts auf dem Bildschirm erkennen und ging deshalb ans Telefon, statt weiter so zu tun, als schreibe sie einen Beitrag für die Sonntags-TAZ. Jule verzichtete auf Smalltalk und fragte gleich, ob sie mit Sophie vorübergehend bei Sanne einziehen könne.

»Streit mit Gerhard?«, fragte die Freundin.

»Wie man's nimmt«, sagte Jule. »Er hat einen Nachbarn krankenhausreif geschlagen.«

»Ach so«, sagte Sanne. »Komm vorbei.«

Dieses »Ach so« hatte bei Jule die Innenbeleuchtung angeschaltet. Mit einem Mal sah sie glasklar, worum es hier ging: Sie kehrte nach Hause zurück. Als sie Gerhard kennenlernte, hatte Jules Welt aus Menschen wie Sanne bestanden, die ihren freundlichen Fatalismus als Überlebensstrategie betrieben und in der Lage waren, sogar die Ironie ironisch zu meinen. Für Gerhard hingegen war ständig irgendetwas »unfassbar« und er selbst dabei »fassungslos«. Er betrachtete Betroffenheit als erste Bürgerpflicht, ganz egal, ob sich das Unfassliche gerade in Afrika oder im Nachbargarten abspielte. Jule hatte es gefallen, wie hitzig er am Kneipentisch über globale Ungerechtigkeit sprechen konnte. Er kannte die Feinde der Menschheit – Banken, Ölfirmen, Waffenlieferanten und die mit ihnen kollaborierenden Politiker – und sagte »die Wirtschaft«, »die Medien« und »die Politik«, als wüsste er genau, was er damit meinte. In seiner leidenschaftlichen Aufgeregtheit erschien er Jule sehr jung, während der abgeklärte Skeptizismus von Leuten wie Sanne im Vergleich geradezu greisenhaft wirkte. Jule verließ den Ach-so-komm-vorbei-Planeten und wurde Untermieter in Gerhards Das-ist-so-nicht-hinnehmbar-Universum. Hier war die Welt etwas, das beständig analysiert und kritisiert werden musste, ganz egal, ob es sich um Atomkraft handelte oder das Unterleutner Soziotop. Unter Gerhards Anleitung begann sie, Sannes Fatalismus als Gleichgültigkeit und die Coolness der Neunziger als Ausdruck fehlenden Verantwortungsbewusstseins zu begreifen. Das war ein netter Trick, um sich gegenüber einer ganzen Generation überlegen zu fühlen. In Jules Augen gaben Gerhard und sie ein romantisches Bild ab: eine junge Frau und ein zwanzig Jahre älterer Mann, dazu der radikale Ausstieg aus dem urbanen Berlin und die Rhetorik der Revolution – sie hatte es genossen, als Teil einer Zwei-Personen-Guerilla gegen den Strom zu schwimmen. Wenn sie jetzt auf die letzten Jahre zurückblickte, kam es ihr allerdings vor, als habe sie nicht gemeinsam mit Gerhard ihr Leben geändert, sondern sich auf eine Reise durch eine Landschaft aus immer schneller wechselnden Kulissen begeben. Ein Merkmal von Reisen bestand darin, dass sie eines Tages endeten.

Vor knapp zwei Stunden hatte Gerhard mit ungewohnter Lautstärke das Haus betreten, war über den Flur gepoltert, hatte auf der Suche nach Jule Türen geöffnet und wieder geschlossen, irgendetwas umgestoßen und schließlich ihren Namen gerufen. Jule war im Badezimmer und wechselte Sophie die Windel. Da sich Gerhard nicht am helllichten Tag betrank, musste etwas vorgefallen sein.

Er brüllte gerade zum x-ten Mal ihren Namen, als Jule den Flur betrat. Kaum hatte er sie bemerkt, begann er zu lachen. Ein fröhliches, vielleicht ein wenig übertriebenes Lachen, wie damals an der Uni, wenn der Dekan einen Witz gemacht hatte. Sein rechter Arm hing schwer herab und nahm an den Bewegungen des restlichen Körpers nicht teil. Jule sah die dunkle Substanz an seinen Fingern und wusste sofort, dass es Blut war. Keine Sekunde glaubte sie, dass es sich um sein eigenes handeln könnte.

Während Sophie in Jules Armen fröhlich gluckste und ihre Händchen nach Gerhard ausstreckte, wich Jule rückwärts über den Flur zurück. Gerhard redete und lachte, gestikulierte mit dem linken Arm, während der andere herabhing. Von dem, was er sagte, verstand sie nur Bruchstücke, kannte ihn aber gut genug, um den Rest zu erraten. In Gerhards Kopf hatte sich Schaller in das ultimative Böse verwandelt. Das Tier von nebenan stand jetzt für sämtliche Übel der Welt. Es war ein Ölkonzern, Atompolitik, Rüstungsindustrie und internationales Bankenwesen. Und er, Gerhard Fließ, hatte heute das Reden beendet und endlich zurückgeschlagen.

Jule stieß mit dem Rücken gegen die Haustür und schrie ihn an. Dass er verrückt geworden sei. Dass er den Verstand verloren habe.

Gerhard blieb stehen. Schlagartig verwandelte sich seine Begeisterung in Hilflosigkeit.

»Nicht doch, Liebes. Lass mich erklären.«

Sie schrie weiter. Dass er nicht wagen solle, sie anzufassen. Seit sie ihn kannte, redete er von Verantwortung und Engagement. Das war es also, was er in letzter Konsequenz damit meinte. Aus dem gemeinsamen Versuch, der Welt etwas entgegenzusetzen, hatte er eine Gewaltorgie gemacht.

»Die verstehen hier keine andere Sprache, Liebes. Du hast doch gesagt, dass ich unser Zuhause verteidigen soll.«

Als sie begriff, dass er um Anerkennung bettelte und für seine schreckliche Tat auch noch gelobt werden wollte, wurde sie von Ekel erfasst. Fast konnte sie sehen, mindestens hören, wie die Kulissen fielen. Ein leises Rieseln im Hintergrund, das Knistern von sich ausbreitenden Rissen, dann das Fallen der ersten Steine.

»Hast du ihn umgebracht?«, fragte sie.

Gerhard lachte auf: »Ein Denkzettel, weiter nichts!«

»Verschwinde«, sagte Jule. »Wenn ich wiederkomme, bist du weg.«

Sie hatte Sophie an die Brust gepresst und war aus der Haustür geschlüpft, Gerhard und seine betroffene Miene im Flur zurücklassend. Das schwere Tor zu Schallers Hof war nur angelehnt gewesen. Jule war eingetreten und gleich wieder stehen geblieben. Die Landschaft aus Schrott hatte sie bislang immer nur vom Garten aus gesehen. Mittendrin zu stehen war ein seltsames Gefühl, fast als betrete man eine Photographie. Schaller lag unweit der Hebebühne am Boden, inmitten einer dunklen Pfütze. Als er den Kopf hob und etwas sagte, erschrak Jule dermaßen, dass sie sich umdrehte und zurück auf die Straße lief. Am ganzen Körper zitternd stand sie vor dem Tor, rief vom Handy den Krankenwagen, ohne ihren Namen zu nennen, und wartete am Straßenrand, bis das Blaulicht auf der Unterleutner Höhe zu kreisen begann. Dann öffnete sie beide Torflügel bis zum Anschlag und floh zurück ins Haus.

Im Flur hatte sie tief durchgeatmet. Von Gerhard keine Spur. Eine Weile hatte sie in der plötzlichen Stille gestanden und alles um sie herum absurd gefunden. Dann hatte sie Sanne angerufen und war auf den Dachboden gegangen, um den Rucksack zu holen.

Sie zog den letzten Reißverschluss zu und hob das Gepäckstück vom Küchentisch. Es sah genauso aus wie vor zehn Jahren, als sie es zum ersten Mal gepackt hatte; ein bisschen schmuddeliger vielleicht, aber ähnlich prall. Obwohl die Zeit drängte, weil die Polizei jederzeit auftauchen konnte, nahm sie ein Päckchen Zigaretten aus der Schublade, setzte sich an den Tisch und rauchte die erste seit fünfzehn Monaten. Während der Rauch in der stillen Luft zur Decke stieg, stellte sie sich vor, was der Rest des Tages bringen würde. Sie würde in Sannes kleiner Wohnung ankommen, deren Einrichtung von niemandem gestaltet, sondern einfach nur gewachsen war. Sie würden für Sophie ein Bettchen in irgendeinem alten Wäschekorb bauen, Nudeln mit Gorgonzola-Soße kochen und die halbe Nacht reden. Jule freute sich auf Berlin, wo sie sich fortbewegen konnte, ohne zu grüßen; wo immer alles woanders passierte, in der Nachbarwohnung, auf der anderen Straßenseite, in einem vorbeifahrenden Auto oder gleich am anderen Ende der Stadt. Wo sich in jeder Minute Furchtbares und Wundervolles ereignete, ohne dass sie das etwas anging. Wo Gewaltverbrechen nicht von ihrem Ehemann begangen wurden. Weil die Stadt niemandem gehörte, gehörte niemand der Stadt. Wenn das Verantwortungslosigkeit war, dann wollte Jule verantwortungslos werden. Sie kannte Menschen, die Freiheit dazu sagten.

Sie drückte die Zigarette aus und dachte an Gerhards Gesicht. An den Ausdruck reinsten Glücks, wenn er sich über seine kleine Tochter beugte. Die Vorstellung schmerzte wie ein Magenkrampf. Sie würde sich eine ganze Weile verbieten müssen, auf diese Weise an ihn zu denken.

Aus dem Druckerschacht im Arbeitszimmer nahm sie ein Blatt Papier und schrieb mit dickem Filzstift »Berlin« darauf. Dann setzte sie Sophie in den Tragegurt, schulterte den Rucksack und öffnete die Haustür. Auf dem Nachbargrundstück war alles ruhig, der Krankenwagen schon abgefahren und die Polizei noch nicht eingetroffen. Jule kehrte dem Dorf den Rücken und ging die Unterleutner Landstraße hinauf. In den Zweigen der nach außen geneigten Birnbäume hingen kleine, steinharte Früchte. Diesmal würde sie nicht miterleben, wie sich die Birnen im September aufpumpten, immer weicher wurden und irgendwann in den Straßengraben fielen, wo sie verwesten. Als Jule den siebten Birnbaum passierte, hörte sie hinter sich Motorengeräusche. Sie drehte sich um und hob ihr Schild.

57 Franzen

Während er redete, fuhr er wie ferngesteuert, mit häufigen Spurwechseln, bediente die Lichthupe und überholte rechts, wenn das Hindernis nicht schnell genug reagierte. Dabei wandte er den Kopf zur Seite, um Linda anzusehen.

Guck nach vorn, dachte sie, wir sind auf der Autobahn.

Beide Hände hielt er oben auf dem Lenkrad, allerdings weniger mit Lenken als mit dem Ausführen von Gesten beschäftigt. Eine Hand fuhr in die Luft, ballte sich zur Faust, fiel auf das Steuer zurück, während die andere schon damit beschäftigt war, eine wedelnde Bewegung auszuführen, um eine prekäre Situation zu unterstreichen. Meiler war groß in Fahrt. Er beschleunigte auf die nächste Pointe zu, irgendeine Story aus seiner Firma, wie ein konkurrierender Anbieter aus den neuen Bundesländern versucht hatte, ihn auszutricksen.

Langsam begann sich Linda zu fragen, ob er betrunken war. Allein von dem gelungenen Geschäftsabschluss konnte die gute Laune nicht herrühren. Für einen wie Meiler waren ein paar Windräder doch nur Spielerei, ein neues Hobby, das darin bestand, sich als Grundstücksspekulant in Ostdeutschland zu versuchen. Für ihn stand nichts Existenzielles auf dem Spiel, kein Objekt 108, das saniert werden musste, kein Bergamotte, der ein Zuhause brauchte.

Eigentlich hätte Linda viel mehr Grund gehabt, sich zu freuen. In nur vier Wochen hatte sie es geschafft, die wichtigsten Zutaten für ihre Zukunft zu organisieren, vier Hektar Weideland hinter dem Haus, eine schriftliche Erlaubnis der Vogelschützer, dort Zäune zu bauen, eine Baugenehmigung sowie 50000 Euro für die Sanierung der Ställe. Aber irgendwie wollte sich keine Freude einstellen. Vielleicht ist es noch zu früh, dachte sie, vielleicht war alles ein bisschen viel in letzter Zeit. Manfred Gortz warnte in seinen Schriften vor der Leere nach dem Erreichen eines wichtigen Ziels. Dagegen half nur das sofortige Ansteuern der nächsten Etappe.

Momentan musste sie sich allerdings eingestehen, dass ihr die Zukunft eher Angst machte. Es gab so viel zu tun, manchmal glaubte Linda, dass die innere Anspannung sie zerreißen müsse, in tausend Stücke. Immerhin könnte dann jedes einzelne sofort mit der Arbeit anfangen wie eine Armee von kleinen Linda-Heinzelmännchen. Sie musste dringend mit dem Lackieren der abgezogenen Dielen beginnen, drei Anstriche auf 150 Quadratmetern, und während der Trockenzeiten durften die Räume nicht betreten werden. Sie brauchte einen Elektriker, der sämtliche Kabel neu verlegte, erst danach konnten der Putz ausgebessert und die Wände gestrichen werden, vorher war an das Aufstellen von Möbeln nicht zu denken. Vor allem musste sie vor dem Winter die Fenster im Erdgeschoss fertigkriegen, achtzehn Kastenfenster, bestehend aus jeweils vier Flügeln und zwei Oberlichtern, das machte 108 Rahmenteile, aus denen es winzige Nägel zu entfernen galt, um die Scheiben herausnehmen zu können. Danach das Holz sorgfältig abschleifen, zweimal streichen und neu einglasen, eine nicht mehr zu schätzende Summe von Handgriffen, die auch noch vorsichtig ausgeführt werden mussten, um nichts zu beschädigen. Zudem hatte Linda diese Woche fünf Kunden, für die sie insgesamt

400 Kilometer fahren würde. Freu dich über jede Herausforderung, sagte Gortz, aber es war nicht immer leicht, seinen Ratschlägen zu folgen.

Meiler hingegen wirkte, als hätte er soeben eine Verjüngungskur hinter sich gebracht. Wie den meisten Männern fehlte ihm jedes Gefühl dafür, wie er bei Zuhörern ankam. Er selbst fand sich offensichtlich beeindruckend, während Linda absolut kein Interesse mehr an ihm besaß, seit er die Verträge unterschrieben hatte. Sie wollte einfach nur nach Hause.

Dass Frederik sie in Berlin ausgesetzt hatte, war schlimm genug. Noch schlimmer war, dass ihr mit Sicherheit noch ein abendfüllender Streit bevorstand. Er machte sich Sorgen um sie und schien zu glauben, dass ihn seine Sorge zu jedem beliebigen Eingriff in ihr Leben berechtigte. Sie würde sich stundenlang gegen seine Vorwürfe verteidigen müssen, dazu zwei Flaschen Rotwein und am Ende Versöhnungssex; dann wäre es Mitternacht und an das Lackieren von Dielen nicht mehr zu denken. Stattdessen würde sie am nächsten Morgen um sechs mit schwerem Kopf aus den Federn kriechen, um nach Oranienburg zu ihrem ersten Kunden zu fahren, während Frederik gemütlich seinen Rausch ausschlief.

Stets behauptete er, voll »hinter ihr« zu stehen, dabei hätte sie jemanden an ihrer Seite gebraucht. Frederik kam in Unterleuten vorbei, wenn es ihm gefiel, verbrachte entspannte Tage auf dem Land und kritisierte besorgt ihren angeblichen Fanatismus, wenn sie nervös wurde, weil er sie von der Arbeit abhielt. »Das ist deine Entscheidung« war seine Lieblingsantwort auf die Frage nach der Farbe für die Fenster oder nach dem richtigen Dielenlack, und je mehr Entscheidungen sie traf, desto mehr war das ihr Haus, ihr Auto, ihr Dorf. Beim nächsten Streit musste sie sich dann wieder vorhalten lassen, dass sie »ich« und nicht »wir« sagte, wenn es um ihre Projekte ging.

Dass sich der Starke vor den Schwachen rechtfertigen soll, sagte Manfred Gortz, ist der faule Kern der demokratischen Idee.

Frederik scheute nicht nur Risiko und Verantwortung, er scheute jede Form von Entscheidung. Wie bei den meisten Versagern beruhte sein Scheitern nicht auf Ungerechtigkeit, sondern auf Folgerichtigkeit. Wer nichts wollte, bekam auch nichts. Ohne Zweifel war die Idee mit dem digitalen Naturschutzgebiet grandios. Aber es stand jetzt schon fest, dass Frederik niemals etwas daraus machen würde. Er würde tausend Gründe finden, die Verwirklichung des Plans immer weiter vor sich herzuschieben. Seine unglückliche Weigerung, bei *Weirdo* einzusteigen, hatte den Grundton für sein ganzes Leben vorgegeben.

Je länger sie grübelte, desto inständiger hoffte sie, dass Frederik nicht nach Unterleuten, sondern zum Teufel gefahren war. In der aktuellen Stimmung brauchte sie harte Arbeit bis nach Sonnenuntergang und keinen Beziehungsmist. Es war immer dasselbe: Kaum gab es Schwierigkeiten mit Frederik, empfand sie ihn nur noch als Belastung. Von einer Minute zur anderen wurde er zum Störfaktor, der ihr die Zeit stahl und sie von Dingen abhielt, die sie tatsächlich tun wollte. Mit einem Mal spürte sie ihm gegenüber keine Liebe mehr, nicht einmal Freundschaft oder Zuneigung, sondern nur noch Überdruss sowie den Wunsch, sich von ihm zu befreien. Ganz automatisch begann ihr Gehirn die Möglichkeiten durchzuspielen: Wie abhängig war sie von seinem Geld? Wäre sie in der Lage, den Kredit für Objekt 108 ohne ihn zu stemmen? Würde er es übers Herz bringen, sie zum Verkauf des Hauses zu zwingen? Konnte sie noch härter arbeiten, noch weniger schlafen, genug verdienen, um ihren Traum allein zu verwirklichen? Sollte sie eine Trennung auf Probe vorschlagen und herausfinden, ob es funktionierte?

Mehr als einmal hatte Frederik ihr vorgeworfen, sie knüpfe Liebe an die Bedingung reibungslosen Funktionierens. Wenn sich ein Mensch nicht in ihrem Sinne verhalte, sortiere sie ihn aus wie ein defektes Gerät. Durch diese unausgesprochene Drohung bringe sie andere dazu, ihrem Willen zu folgen, denn niemand wolle verstoßen werden, nur weil er die Küche nicht aufgeräumt oder einem Grundstücksverkauf nicht zugestimmt habe.

Linda wusste, dass er nicht ganz unrecht hatte, auch wenn er sich insofern irrte, als sie keineswegs absichtlich mit Drohungen arbeitete. Es war vielmehr so, dass es in ihrem Kopf einen Schalter gab, mit dem sich Menschen ausknipsen ließen, und dieser Schalter legte sich von alleine um, wenn ihr etwas nicht gefiel. Das konnte schon passieren, wenn sie morgens das Badezimmer für sich haben wollte und Frederik hereinkam, um sich die Zähne zu putzen. Oder wenn sie aufstehen musste und er weiterschlafen durfte. Oder wenn er sie nicht ansah, während sie mit ihm redete.

Linda konnte sich noch so oft sagen, dass wahrscheinlich nur ein Selbstschutzmechanismus für die inneren Temperaturstürze verantwortlich war – an der Ampel am Ernst-Thälmann-Platz war sie trotzdem überzeugt, dass es ihr am liebsten wäre, Frederik niemals wiederzusehen. Erschrocken fragte sie sich, ob sie seinen Tod wünschte. Diese Vorstellung stoppte den Gedankenfluss abrupt und warf sie zurück in die Realität, also auf den Beifahrersitz des silbernen Mercedes, wo Meilers Gerede noch immer kein Ende gefunden hatte.

Er war bei seiner Familie angelangt, bei der rührseligen Geschichte dreier Söhne, von denen zwei etwas Staatstragendes studiert hatten, während der dritte in den Eingeweiden der Münchner Unterwelt verschwunden war. Auf irgendeine Weise schien Meiler zu glauben, dass die geplanten Windräder nicht nur den verlorenen Sohn, sondern auch die Beziehung zu seiner Ehefrau retten würden, die allen Ernstes Mizzie hieß. Gerade ging er dazu über, seine Ehe zu schildern, was er mit den Worten »Natürlich liebe ich Mizzie, aber …« begann. Von diesem »Komma, aber …« wurde Linda regelrecht übel. Mit »Komma, aber …« pflegten Menschen die schlimmsten Schweinereien einzuleiten, und Meiler gehörte bestimmt zu der Sorte, die ihr ganzes Weltbild auf »Komma, aber« stützte.

Sie atmete tief durch. Es wurde höchste Zeit, sich zusammenzureißen, das innere Jammertal zu verlassen und ein positives Klima herzustellen. Wie Gortz sagte: Du entscheidest selbst, was du fühlst. Frederik war mit Sicherheit kein Mover, aber er liebte sie und würde niemals einen Komma-aber-Satz über sie äußern. Sollte sie ihn tatsächlich eines Tages in die Wüste schicken, würde sie es ein Leben lang bereuen. Pflege deine Gefährten. Erkenne Unterstützung und belohne sie. Selbstkontrolle ist die Währung der Erfolgreichen. Linda rief sich Frederiks freundliches Gesicht vor Augen, dachte an die vollkommene Arglosigkeit seines Wesens und daran, wie bedingungslos er zu ihr hielt. Auch heute hatte er seinen Stolz zurückgestellt und in das Grundstücksgeschäft eingewilligt, allein ihr zuliebe.

Meiler durchquerte die Innenstadt von Plausitz mit überhöhtem Tempo; vermutlich wollte er demonstrieren, dass er sich jede Art von Strafzettel leisten konnte. Nachdem sie die Stadt hinter sich gelassen hatten, beschleunigte er den Mercedes auf 140 km/h. Wie ein Marschflugkörper schossen sie auf den ausgedehnten Windpark zu, mitten hinein in das hypnotische Drehen der Rotoren.

Vor ihrem inneren Auge ließ Linda einen Film ablaufen: Frederik, wie er sie hochhob und herumwirbelte, wie er sein Gesicht näherte, um sie zu küssen, ein Blick voller Zuneigung, zugleich ein wenig ängstlich, als hielte er ein niedliches, aber leider auch bissiges Kätzchen im Arm. Sie spürte, wie die Kälte von ihr wich und sie sich entspannte. Frederik war ihr bester Freund, sie wollte nicht ohne ihn leben. Alles andere war Psychose. Langsam begann sie sich darauf zu freuen, in Kürze aus Meilers Auto zu springen und ein flüchtiges »Bis dann« ins Wageninnere zu rufen, bevor sie die Beifahrertür zuknallen und ins Haus laufen würde, um Frederik zu umarmen. Sie wollte sich entschuldigen und ihm für seine Unterstützung danken. Scheiß auf das Streichen der Bodendielen, scheiß auf abzuschmirgelnde Fenster. Vielleicht würde es ihnen doch noch gelingen, den Geschäftsabschluss gemeinsam zu feiern. Linda war stolz darauf, dass es ihr gelang, mithilfe von Autosuggestion so elegant über den eigenen Schatten zu springen. Es bestätigte eine zentrale These von Manfred Gortz: Der eigene Schatten verschloss das Tor zum richtigen Weg.

Weil Linda lächelte, hieb Meiler fröhlich beide Hände aufs Lenkrad. Offensichtlich glaubte er, mit seinen Anekdoten für ihre sonnige Laune verantwortlich zu sein.

»Schon lustig, nicht wahr«, rief er. »Wie das Leben manchmal spielt.«

Vom Plausitzer Windpark aus waren es noch zwanzig Minuten bis Unterleuten, bei Meilers Tempo vielleicht nur fünfzehn. So lange würde sie ihn noch ertragen. Gerade war sie dabei, sich tiefer in die Polster sinken zu lassen, als Meiler plötzlich vom Gas ging. In einigen hundert Metern Entfernung, genau an der Stelle, wo Lindas Lieblingskurve begann, standen mehrere Autos am Straßenrand, wobei sie die komplette rechte Fahrbahn versperrten.

»Scheiße«, sagte Meiler.

»Keine Sorge«, erwiderte Linda träge. »Das sind nur Ornithologen. Wenn hier irgendwo Kampfläufer gesichtet werden, kommt es zu Massenaufläufen.«

»Mit Blaulicht?«

Erst jetzt bemerkte sie das Kreisen von gelben und blauen Lichtern, die mit der Nachmittagssonne konkurrierten. Meilers Abbremsen auf 30 km/h ließ sie in den Sicherheitsgurt kippen. Langsam näherten sie sich der Szenerie, zu der Abschleppwagen, Krankenwagen, zwei Polizeiautos und der Feuerwehr-Barkas aus Beutel gehörten. Ein Unfall, dachte Linda. Da hat einer die Kurve geschnitten, der es nicht konnte.

»Sieht nicht gut aus«, sagte Meiler. »Aber ich glaube, wir kommen dran vorbei.«

Ein Polizist schwenkte den Arm, um sie zu zügigem Weiterfahren zu veranlassen. Linda war dabei, sich in zwei Hälften zu spalten. Der eine Teil wusste längst, was passiert war. Der andere betrachtete das Heck des Fronteras, der kopfüber zwischen den Bäumen hing, und dachte: »Der sieht ja genau aus wie unserer.«

Bald würde sie den Frontera brauchen, um Bergamotte aus Oldenburg abzuholen. Sie hatten den Wagen extra ausgesucht, weil er in der Lage war, einen Pferdeanhänger zu ziehen.

Dann schlugen die beiden Hälften mit einem Knall zusammen, der ihr Leben sprengte.

»Halten Sie an«, brüllte Linda und packte Meiler am Arm. »Halten Sie verdammt noch mal an!«

58 Seidel

»Was machst du da?«

»Wonach sieht es denn aus?«

»Schatzsuche? Pflanzloch für einen Mammutbau? Oder buddelst du dein eigenes Grab?«

Um ihr den Spaß zu lassen, senkte Arne den Kopf und grub verbissen weiter, so dass sie sehen konnte, wie ihm der Schweiß über die Stirn lief. In all den Jahren ihrer Nachbarschaft war sie kein einziges Mal spontan zu ihm herübergekommen, obwohl er sich immer gern vorgestellt hatte, wie sie hier in den Abendstunden mit einem Glas Wein unter den Bäumen zusammensitzen könnten. Dass sie an diesem Abend plötzlich im Garten stand, genauer gesagt, einen guten Meter über ihm am Rand der Grube, an deren Grund er sich mit Spaten und Spitzhacke abmühte, konnte nur eins bedeuten: Sie war gekommen, um sich über ihn lustig zu machen.

»Oder dachtest du an eine eigene Ölquelle, um Unterleuten von den steigenden Energiepreisen unabhängig zu machen?«

Ihr spöttischer Tonfall gefiel ihm, auch wenn es seine persönliche Niederlage war, die sie zur Höchstform auflaufen ließ. Als kleines Mädchen hatte sie den patzigen Sound ihrer Heimat perfekt beherrscht. Mit sieben Jahren war sie in der

Lage gewesen, auf die Frage »Wie war's in der Schule?« mit »Was geht dich das an?« zu antworten. Arne und sie hatten sich gern mit »Was willst du denn hier?« oder »Hier gibt's nichts umsonst« begrüßt, bevor sie sich gegenseitig in die Seite boxten und gemeinsam in den Kälberstall gingen. Er machte Wolfi dafür verantwortlich, dass Kathrin so brav geworden war. Wolfi kam aus dem Westen und besaß folglich keinen Humor. Vor Jahren war Arne einmal in Niedersachsen bei einer Diskussionsveranstaltung für Kommunalpolitiker aus Ost und West gewesen. Mit Erstaunen hatte er verfolgt, dass die Menschen zueinander »Guten Tag« und »Wie geht's den Kindern?« sagten. Es wurde weder geraucht noch getrunken, und Arne hatte selten einen langweiligeren Abend erlebt.

So wie Kathrin am Rand der Grube stand, die Hände in den Hüften, ein Bein vorgestellt und ein schadenfrohes Lächeln im Gesicht, gefiel sie ihm am besten. Jetzt blickte sie demonstrativ zu Arnes rückwärtigem Zaun. Der Waldweg hinter der Grundstücksgrenze war von einer sauber gefällten Kiefer versperrt.

»War das Kron?«, fragte sie.

»Solange der liebe Gott keine Motorsäge besitzt.«

»Und da scheißt du jetzt rein?« Mit dem Kinn deutete sie auf die zur Hälfte ausgehobene Grube.

»Ich kann auch jedes Mal zu euch rüberkommen, wenn ich aufs Klo muss.«

»Kommt da noch ein Donnerbalken und eine Tür mit Herzchen drauf?«

»Da kommt ein Schlauch rein, der meine randvolle Sammelgrube entlastet.«

»Oh, wie unangenehm. Wo lief's denn raus? Aus der Dusche? Oder dem Klo?«

Natürlich hatte es die Waschmaschine sein müssen. Die

Dusche wäre vergleichsweise harmlos gewesen; immerhin stand man drin und konnte abdrehen, wenn sich ein Rückstau zeigte. Schlimmstenfalls wäre Arne mit Schaum auf dem Kopf und Seife in den Augen durchs Haus gelaufen, um eine Saugglocke zu suchen, bis ihm klar geworden wäre, dass er es mit einer Verstopfung der besonderen Art zu tun hatte.

Aber er hatte am Morgen die Waschmaschine angestellt und war zum Einkaufen nach Plausitz gefahren. Als er nach Hause kam, trat er vor dem Kühlschrank in eine riesige Pfütze. Das Wasser war aus der Waschmaschine ins Bad und aus dem Bad in die Küche gelaufen. Arne hatte den frühen Nachmittag mit Wischen und den späten Nachmittag mit Nachdenken verbracht.

»Und wenn deine neue Ersatzgrube auch voll ist?«, fragte Kathrin.

Arne unterbrach das Buddeln, rammte den Spaten in die Erde und stützte beide Hände auf den Stiel.

»Es ist lange her, dass du Lust hattest, dich mit mir zu unterhalten, Kathrin.«

»Sag bloß, der Scheißewagen ist nicht zu dir durchgekommen.«

»Der Scheißewagen kommt nicht durch, weil, wie du siehst, eine Kiefer den Zufahrtsweg versperrt.«

»Der Zufahrtsweg ist ein Waldweg und gehört zum Forstbesitz meines Vaters.«

»Das ist mir bekannt.«

Kathrins Grinsen verriet, dass sich das Gespräch dem Moment näherte, dessentwegen sie herübergekommen war.

»Wer könnte meinen Vater wohl auf die Idee gebracht haben, genau dahinten einen Baum zu fällen?«

»Das könnte mein Auto gewesen sein, das neulich zufällig vorn an der Ecke stand, als der Scheißewagen zu euch wollte.«

»Weil dir zufällig der Lärm von Wolfis Rasenmäher auf die Nerven ging.«

»Ganz zufällig. Genau«.

Jetzt war es so weit. Kathrin stützte die Hände in die Hüften, während sie triumphierend auf Arne in seinem Erdloch herabblickte.

»Okay, Kathrin.« Er musste selbst lächeln, weil es so offensichtlich war, wie sehr sie die Schadenfreude genoss. »Sag deinen Satz.«

»Bist du sicher?«

»Ich will ihn hören.«

»Da gibt es dieses alte Sprichwort. Wer anderen eine Grube gräbt, fällt selbst hinein.« Sie strahlte über das ganze Gesicht. »Einfach irre, wie gut das gerade auf dich passt, oder?«

Er gönnte ihr den Triumph. Zum einen hatte sie recht; zum anderen war sie reizend, wenn sie lachte. Aus ihren Augen blickte das kleine Mädchen heraus, das mit der Zeit im Körper einer erwachsenen Frau verschwunden war. Während Arne sie ansah, spürte er, dass auch in ihm eine jüngere Version seiner selbst lebte. Wahrscheinlich spaltete sich jeder Mensch irgendwann in zwei Hälften, dachte er. Ein Teil blieb an einer bestimmten Stelle stehen und schaute verwundert seinem alternden Zwilling hinterher, der beherzt in die Zukunft marschierte. Arnes jüngeres Ich saß auf dem Rand der Badewanne, schaute Barbara an, die vor dem Spiegel stand, um irgendetwas in ihrem Gesicht zu untersuchen, und dachte, dass er der glücklichste Mensch auf Erden sei. Dieser Arne hatte keine Falten, keine Rückenschmerzen und keine Ahnung davon, dass das Schicksal mühelos in der Lage war, ihm alles wegzunehmen.

»Und jetzt?«, fragte Kathrin.

»Die Kiefer kann ich nicht beseitigen lassen.«

»Weil das Gelände meinem Vater gehört.«
»Und einen anderen Zufahrtsweg gibt es nicht.«
»Ich meine«, Kathrin vollführte eine beschreibende Armbewegung, »dieses Katzenklo hier ist doch bestenfalls eine Notlösung.«
»Für eine Woche«, sagte Arne. »Wenn ich Wasser spare.«
Er hatte überlegt, was es ihn kosten würde, die Sammelgrube in den Vorgarten zu verlegen, wo sie von der Straße erreichbar wäre. Er kam auf 20000 Euro und einen durch Radlader und Bagger zerstörten Garten. Arne wollte seinen Garten nicht zerstören, mal abgesehen davon, dass er das Geld nicht hatte.
»Hat Kron dich hergeschickt?«, fragte er. »Um rauszufinden, was ich vorhabe?«
Statt einer Antwort wandte sich Kathrin zum Gehen.
»Warte!«
Er ließ den Spaten fallen und stützte die Hände auf den Rand der Grube. Eigentlich hatte er mit einem eleganten Hocksprung hinausflanken wollen; es wurde eher eine Bauchlandung mit anschließendem Krabbeln daraus.
»Bleib stehen, Kathrin. Bitte.«
Sie drehte sich um und musste lächeln angesichts seiner erdverschmierten Vorderseite.
»Komm.« Arne schaute sich um, fand nichts außer einem Stapel Eimer, nahm zwei davon, drehte sie um und vollführte eine einladende Geste.
»Setz dich.«
Weil sie nicht reagierte, wiederholte er die Armbewegung.
»Komm. Ich erzähle dir, was ich tun werde. Das ist wichtig, auch für dich.«
Zögernd kam sie seiner Aufforderung nach und ließ sich auf dem niedrigen Eimer nieder. So saßen sie einander gegenüber, am Rand einer halb ausgehobenen Grube, die El-

lenbogen unbequem auf die zu hoch aufragenden Knie gestützt.

»Ich kapituliere«, sagte er.

Während Kathrin ihn zweifelnd ansah, versuchte Arne zu erklären, was er damit meinte. Seit er mit Gombrowskis Hilfe Bürgermeister geworden war, hatte er Gombrowski und das Dorf stets als untrennbare Einheit betrachtet. Gombrowskis Wille war des Dorfes Wille – diese Gleichung hatte Arne niemals in Frage gestellt. Er musste Arbeitsplätze sichern und ein Minimum an Gewerbesteuer einnehmen, um die bescheidenen Bedürfnisse der Gemeinde zu decken. Dass sich diese Ziele mit Gombrowskis Interessen deckten, war kein Problem gewesen, sondern Grundlage ihrer Zusammenarbeit.

Heute Nachmittag aber hatte er angesichts seiner übergelaufenen Waschmaschine zum ersten Mal darüber nachgedacht, wo das Dorf ohne Gombrowski stünde. Er stellte fest, dass er es nicht wusste. Was, wenn Gombrowski nach der Wende mit der LPG-Übernahme gescheitert wäre, wenn er das Dorf verlassen hätte – wer konnte wissen, ob es Unterleuten heute besser oder schlechter ginge? Was hieß schon besser? Für wen? Solange die Zukunft darauf bestand, sich in unvorhersehbare Richtungen zu entwickeln, blieb es im Grunde völlig gleichgültig, was ein kleiner Bürgermeister wie Arne für richtig hielt.

Weil Kathrin begann, unruhig auf ihrem improvisierten Sitz hin und her zu rutschen, sprach Arne schneller.

Er habe jetzt begriffen, warum er in all den Jahren immer getan hatte, was Gombrowski wollte. Er hatte eine Instanz gebraucht, die hartleibig genug war, um sich der Willkür der Zukunft entgegenzustellen. Gombrowski hielt seine eigenen Entscheidungen immer für richtig, was daran lag, dass er seinen persönlichen Willen mit dem Gesetz verwechselte. Auf diese Weise blieb er handlungsfähig, und ein Bürgermeister, der mit ihm zusammenarbeitete, war es auch.

»Arne«, sagte Kathrin. »Ich habe keine Ahnung, worauf du hinauswillst.«

»Ich werde dafür sorgen, dass dein Vater den Windpark bekommt«, sagte Arne. »Danach trete ich zurück.«

An Kathrins erstaunter Miene konnte er ablesen, dass dieses Ergebnis nicht nur ihm merkwürdig erschien. Trotzdem war es folgerichtig, und es war der wahrscheinlich letzte Wendepunkt in seinem Leben. Kron hatte einfach alles richtig gemacht. Obwohl er ein Eignungsgebiet besaß, hatte er mit keiner Silbe angedeutet, dass er sein Land an die Vento Direct verpachten wollte. Während sich das Dorf im Windmühlenstreit verausgabte, war er durch die Hintertür gekommen, um Arne mit einem Trick zu erpressen, den sich Arne zu allem Überfluss selbst ausgedacht hatte. Natürlich hätte er jetzt anfangen können, Kron zu bekämpfen. Aber es gab keinen Grund dafür. Das Dorf erhielt die Gewerbesteuer, ganz egal, auf wessen Grundstück die Windkraftanlagen standen. Und Gombrowski hatte sowieso verloren. Nach allem, was man hörte, hatte er sich von der kleinen Linda Franzen über den Tisch ziehen lassen. Vielleicht tat es Unterleuten ganz gut, Gombrowski einmal scheitern zu sehen. Vielleicht würde das den Frieden wiederherstellen. Arne konnte es egal sein. Der Verrat an seinem alten Freund und Gönner war seine letzte Amtshandlung.

»Ich weiß nicht, ob Papa die Windmühlen überhaupt haben will.«

»Er wird schon wollen.«

»Wie deichselst du das?«

»Die Gemeinde entscheidet durch Erlass eines Bebauungsplans, auf welchem der Eignungsgebiete die Kraftwerke gebaut werden dürfen.«

»Und du bist die Gemeinde.«

»Ich bin der Vorsitzende des Gemeinderats.«

Mehr gab es dazu nicht zu sagen. In den letzten Jahren hatte Arne immer wieder bewiesen, dass er in der Lage war, Gemeinderatsbeschlüsse nach seinen Wünschen herbeizuführen.

»Erzählst du mir das, damit ich Kron die frohe Botschaft überbringe?«, fragte Kathrin.

»Ich erzähle es dir, weil es dich betrifft«, sagte Arne. »Wenn Kron Windräder baut, dann für dich und Krönchen. Ihr werdet bald reich sein. Du kannst weniger arbeiten. Oder etwas anderes machen.«

»Wie kommst du darauf, dass ich etwas anderes machen will?«

»Der Posten des Bürgermeisters wird bald frei. Magst du nicht kandidieren?«

»Jetzt drehst du völlig durch, Arne.«

»Wieso? Unterleuten wurde lang genug von alten Männern regiert. Die Zeit der alten Männer ist vorbei.«

Kathrin zeigte ihm einen Vogel, aber ihr Lächeln wirkte eher nachdenklich als spöttisch. Eine Weile schwiegen sie. Arne hob den Kopf und ließ sich von der schräg stehenden Sonne blenden. Alles fühlte sich richtig an. Er wollte keine Schlägereien, keine verschwundenen Kinder und flüchtenden Ehefrauen mehr. Er wollte nur noch Ruhe für sich und sein armes, verletztes Unterleuten.

»Ich sollte mich wohl entschuldigen.«

»Lass es, Arne.«

»Wegen Wolfi und dem Rasenmäher. Wahrscheinlich hätte ich einfach rüberkommen und mit ihm reden sollen.«

»Das hätte überhaupt nichts gebracht.«

Zum ersten Mal kam er auf den Gedanken, dass sie es vielleicht selbst ganz gut fand, dass der tägliche stundenlange Krach ein Ende hatte. Wieder senkte sich Schweigen über die Eimer-Sitzgruppe am Rand der Grube, dieses Mal mit einem Unterton von Komplizenschaft.

»Was hast du eigentlich gegen mich?«, fragte Arne.

Die Frage war unüberlegt herausgekommen und klang so deplatziert, dass Arne fast erwartete, Kathrin werde einfach aufstehen und gehen. Stattdessen schaute sie ihn an und tat gar nicht erst so, als wüsste sie nicht, wovon er sprach.

»Irgendwann wurde ich fünfzehn«, sagte sie nach einer Pause. »Da war es unmöglich, mit einem älteren Mann befreundet zu sein.«

Arne schluckte. Statt ein halbes Leben lang beleidigt zu sein, hätte er selbst darauf kommen können, dass seine väterliche Freundschaft für eine Heranwachsende eines Tages zur Belastung werden musste. Er zwang sich, vor dem zweiten Teil der Frage nicht zu kneifen.

»Und später?«

»Du meinst – jetzt?«

Arne nickte.

»Jetzt bist du ein wandelnder Vorwurf hinterm Gartenzaun.«

Arne biss sich auf die Lippe.

»Du fürchtest dich vor meiner Einsamkeit.«

Kathrin wollte protestieren und entschied sich dann doch dagegen. Nach kurzem Überlegen begann sie zu nicken.

»Möglicherweise meine ich das.«

Arne lächelte und wartete, bis sie sein Lächeln erwiderte. Dann stand er auf.

»Komm mal her.«

Als sich Kathrin erhoben hatte, trat er auf sie zu und schloss sie in die Arme. Sie ließ es geschehen. Es war schön, sie zu halten. Er spürte ihr Lächeln an seiner Schulter. Die

Zeit für eine freundschaftliche Umarmung lief ab; sie drückten sich noch einmal und lösten sich voneinander.

»Kommst du morgen Abend auf ein Glas Wein vorbei?«

»Muss ich dann wieder auf einem Eimer sitzen?«

»Du musst in einen Eimer pinkeln, wenn ich bis dahin nicht fertig bin mit Buddeln.«

»Dann will ich dich nicht länger aufhalten.«

»Tschüs, Windkönigin.«

Sie hoben zum Abschied die Hände, und Arne sah zu, wie Kathrin die Wiese überquerte, eine schadhafte Stelle im Gartenzaun suchte und sich hindurchzwängte und schließlich drüben auf ihrem eigenen Grundstück verschwand. Dann sprang er zurück in sein halb fertiges Loch, packte den Spaten und grub. Die Erde schleuderte er hoch über Kopf. Gelegentlich lachte er vor sich hin, als befände er sich mit einem Freund in amüsantem Gespräch. Stieß den Spaten in den Boden, lachte.

59 Fließ

Der Alte stand mitten auf der Lichtung, fünfzig Schritte entfernt vom Eingang seines Hauses, aus dessen Kamin trotz der sommerlichen Temperaturen dünner Rauch stieg. Seinem Blick stand der Wald im Weg; er schaute in eine Ferne, die mit räumlicher Distanz nichts zu tun hatte.

Gerhard war durchs Dorf gelaufen, ohne genau zu wissen, wohin er wollte. Jule brauchte ein wenig Zeit, um ihre Gedanken zu ordnen. Auch für sie war es nicht leicht zu begreifen, dass der Kampf ein plötzliches Ende gefunden hatte. Das Tier von nebenan existierte nicht mehr, es hatte sich in einen Nachbarn verwandelt, der ab heute auf Wohnungssuche war. Nie wieder würde jemand wagen, das Leben von Gerhards Familie zu stören. In ein paar Stunden wollte Gerhard nach Hause zurückkehren, um Jule in den Arm zu nehmen und ihr alles zu erklären. Er musste sich bei ihr entschuldigen. Weil er nicht früher eingesehen hatte, dass gegen brutale Typen nur brutale Methoden wirkten.

Sein Spaziergang durchs Dorf hatte am Märkischen Landmann vorbeigeführt, am Anwesen der Gombrowskis und an Hilde Kesslers leer stehendem Haus. Gerhard hatte den Stichweg passiert, der zur Villa von Linda Franzen führte, und die Waldstraße rechts liegen lassen, an deren Ende Kathrin Kron und Arne Seidel wohnten. Er war weitergelaufen, bis der Asphalt endete und in den Plattenweg überging, zu dessen Seiten die Kiefern immer dichter zusammenrückten. Dass er keinen gewöhnlichen Waldspaziergang unternahm, sondern ein Ziel besaß, erkannte Gerhard erst, als er in eine Schneise einbog, die als breiter Sandstreifen zwischen den Bäumen hindurchführte und schließlich in die Lichtung mündete, in deren Mitte Krons Jagdhaus stand.

Der Alte hatte ihn noch immer nicht bemerkt. Instinktiv zog sich Gerhard ein Stück zwischen die Stämme zurück, getrieben vom Gefühl, einen intimen Moment zu stören. Auf einmal wusste er, was er hier wollte. Er war keineswegs zufällig an diesen Ort gelangt. Wie der Alte so einsam auf der Lichtung stand, erinnerte er ihn plötzlich an seinen verstorbenen Vater, so deutlich, dass er regelrecht erschrak. Zwar hatte Gerhards rundlicher Vater äußerlich wenig mit dem drahtigen Kron gemein gehabt. Aber in der Verlorenheit des Alten im Wald erkannte Gerhard ihn plötzlich wieder. Genau wie sein Vater war Kron ein Mann, den man ein Leben lang herumgestoßen hatte. Der nach jedem Schlag tapfer wieder aufstand, nur um wenig später von Neuem gedemütigt zu werden. Nicht, weil er Fehler begangen hatte, sondern gerade weil er versuchte, alles richtig zu machen.

Es gab eine Episode aus Gerhards Kindheit, die sich mit Widerhaken in seinem Gedächtnis verfangen hatte und die ihm jetzt klar wie ein Film vor Augen stand. Als er gerade zehn geworden war, hatte ihn sein Vater mit feierlicher Geste bei der Hand genommen und ihm erklärt, dass ein angehender Mann gutes Schuhwerk brauche, um mit festen Schritten durchs Leben zu gehen. Der Vater hatte gerade eine Gratifikation erhalten und fuhr mit Gerhard in ein Geschäft, in dem schon die Luft teuer roch. Schnell fanden sie ein Paar, das Gerhards Herz höher schlagen ließ: braune Halbschuhe im Derby-Schnitt, jenen nicht unähnlich, die der Vater zu seinen Geschäftsanzügen trug. Gerhard nannte dem Vater seine Schuhgröße, der Vater gab die Zahl an den Verkäufer weiter, und der elegante Herr im Anzug verschwand im Lager, um gleich darauf mit einem offenen Karton wieder zu erscheinen, aus dem in üppiger Menge das Seidenpapier quoll.

Mühelos schlüpfte Gerhard in den rechten Schuh. Danach war es unmöglich, den Blick davon abzuwenden. Der Schuh adelte den Stoff der etwas zu dünnen und etwas zu blauen Hose, er adelte die ganze Person. Gerhard spazierte vor dem Spiegel auf und ab, den linken Fuß in der ausgetretenen Sandale, den rechten im eleganten Derby-Schuh, und sah die Beine von zwei völlig verschiedenen Menschen, die grausamerweise an ein und demselben Körper hingen. Gerhards Vater lobte das Modell in den höchsten Tönen, der Verkäufer lächelte zustimmend und reichte das linke Exemplar. Gerhard zog es an, band die Schleife und fühlte sich unbehaglich. Der linke Schuh schien anders geschnitten als der rechte. Während das Leder an den Seiten des rechten Fußes glatt anlag, beulte es sich beim linken ein wenig, so dass Gerhard seine Finger hineinschieben konnte.

»Phantastisch!«, rief der Vater, als Gerhard mit beiden Schuhen vor den Spiegel trat, »die Dinger machen einen Mann aus dir!«

»Wie passen sie denn?«, fragte der Verkäufer, und Gerhard antwortete, dass ihm der rechte angenehmer sei als der linke. In seinem Alter sei es nicht ungewöhnlich, dass die Füße ein wenig unterschiedlich geformt seien, antwortete der Verkäufer.

»Das läuft sich ein«, rief der Vater, »nicht wahr?«

Als der Verkäufer sie für einen Moment verließ, um die Frage eines anderen Kunden zu beantworten, zeigte Gerhard dem Vater, wie er die Zeigefinger seitlich in den linken

Schuh schieben konnte und wie das beim rechten nicht der Fall war. Die begeisterte Miene des Vaters erlosch. Gerhard wartete darauf, dass der Vater den Verkäufer herbeiriefe. Er sollte ihm mitteilen, dass mit den Schuhen etwas nicht in Ordnung war. Der Verkäufer würde ein weiteres Mal im Lager verschwinden und ein anderes Paar derselben Größe bringen, oder, wenn sich herausstellen sollte, dass auch dieses nicht passte, ein anderes Paar von einem ähnlichen Modell.

Aber der Vater tat nichts dergleichen. Bekümmert, nein, geradezu beschämt betrachtete er Gerhards linken Fuß, der den Schuh nicht richtig ausfüllen wollte, und schwieg. Gerhard saß auf dem kleinen Schemel, der Vater stand neben ihm, die Hände auf die Knie gestützt, den Rücken gebeugt. So verstrichen die Sekunden.

Als der Verkäufer zurückkehrte und fragte, ob eine Entscheidung gefallen sei, richtete sich der Vater auf und verkündete fröhlich, es handele sich um genau das, was sie gesucht hätten. Auf dem Weg zur Kasse klopfte er Gerhard aufmunternd auf den Rücken und wiederholte, dass sich das Paar schon einlaufen werde, aber seine Fröhlichkeit klang künstlich, die festliche Stimmung war dahin.

In der Straßenbahn hielt Gerhard den Karton auf den Knien, strich mit den Fingern über die lackierte Oberfläche und das reliefartige Logo des Herstellers und schaffte es nicht, sich zu freuen. Er öffnete den Deckel, das Seidenpapier knisterte, die Schuhe lagen nebeneinander wie zwei Schmuckstücke in ihrer Schatulle. Auf den Ledersohlen entdeckte er die eingeprägten Ziffern, welche die Schuhgröße markierten. 36 stand auf dem rechten, auf dem linken eine 37. Er zupfte den Vater am Ärmel und zeigte ihm die unterschiedlichen Zahlen. Der Vater wurde blass. Für einen Augenblick fürchtete Gerhard, der erwachsene Mann könnte mitten in der Straßenbahn zu weinen beginnen. Stattdessen ballte er die Fäuste, dass die Knöchel weiß hervortraten, und sagte einen Satz, der in der Lage war, die Welt untergehen zu lassen: »Erzähl's nicht deiner Mutter.«

Für ein Kind ist es unmöglich, die Demütigung des eigenen Vaters zu ertragen. Bis heute spürte Gerhard Übelkeit aufsteigen, wenn er an die Szene zurückdachte. Während der gesamten Rückfahrt hatte der Vater ins Leere gestarrt, so wie Kron, der noch immer allein auf der Lichtung stand, offensichtlich ganz in Gedanken versunken, den Blick in ein Nichts aus Sand, Holz und Kiefernnadeln gerichtet. Ein Gedemütigter, der alles Empfinden für Demütigung verloren hatte. Der die schiere Zumutung des Lebens nicht ertrug und dabei hart geworden war. Der tief in seinem Herzen trotzdem noch immer die Hoffnung nährte, am Ende allen Kampfes stünde die Chance auf einen gerechten Sieg. Es war die Existenz dieser heimlichen Hoffnung, die weiteren Demütigungen Tür und Tor öffnete.

Gerhard wusste jetzt, was er vorhin in Schallers Hof getan hatte und warum. Natürlich hatte er Frau und Kind verteidigt, und kein Mann im Universum hätte an seiner Stelle anders gehandelt. Dennoch stellte das nur die halbe Wahrheit dar. Hinter dem ersten Impuls stand ein zweiter: Er hatte Kron gerächt, diesen vom Leben gezeichneten Greis, dem das Gombrowski-Syndikat seit Jahrzehnten übel mitspielte und dessen Anblick einem das Herz im Leib umdrehen konnte. Man hatte Krons Freund getötet und ihn selbst zum Krüppel geschlagen, und der Mann, der das zu verantworten hatte, lief seit zwanzig Jahren frei herum, nur weil das Dorf sich weigerte, mit den Behörden zusammenzuarbeiten. Bis Gerhard ihn seiner Strafe zuführte. Er hatte einen Akt der Vergeltung begangen, einen Schlag nicht nur gegen Schaller, sondern gegen Ungerechtigkeit und Demütigung an sich. Deshalb war Gerhard instinktiv hierhergekommen: Um Kron auf der Lichtung vorzufinden und ihm die Nachricht von Schallers Buße zu überbringen. Er wollte einen Satz hören, den er sich bis zuletzt von seinem Vater gewünscht hätte und den dieser nun, da er tot war, nicht mehr sagen konnte: »Danke, mein Junge, jetzt schäme ich mich nicht mehr.«

Gerhard schob die Hände in die Taschen und schlenderte auf die Lichtung. Jeder Schritt scheuchte Insekten aus dem Gras, die summend seine Beine umkreisten. Kron, der seitlich zu ihm stand, wandte erst den Kopf, als Gerhard bis auf zwei Meter herangekommen war. Gerhard sah, wie sich die Mundwinkel des Alten hoben, und konnte gar nicht anders, als mit einem strahlenden Lächeln zu antworten. Er trat noch einen Schritt näher, streckte die Hand aus und spürte, wie sein Lächeln sich verstärkte.

»Na«, sagte Kron und betrachtete Gerhards Hand wie einen seltenen Pilz, von dem er nicht genau wusste, ob er giftig war. Schließlich entschied er sich gegen das Anfassen. Nach einem kleinen Schweigen fügte er hinzu:

»Eben denke ich darüber nach, ob es die Sache wert ist.«

Gerhard steckte seine unbenutzte Hand zurück in die Hosentasche. Beim besten Willen begriff er nicht, wovon Kron sprach.

»Was was wert ist?«, fragte er.

Kron vollführte eine Armbewegung, als stünden sie auf einem Panoramaturm, von dem aus sich der gesamte Landkreis überblicken ließ.

»Der ganze Wahnsinn«, sagte er. »Wegen ein paar blöden Windrädern.«

Der Dorffunk, dachte Gerhard. Es war immer wieder verblüffend, wie schlecht er funktionierte. Ständig glaubten alle, alles zu wissen, während in Wahrheit niemand im Bilde war.

Statt miteinander zu reden, erfanden die Leute Geschichten, die sich weitererzählen ließen. Konnte es wirklich sein, dass Kron nichts von Gombrowskis Niederlage wusste?

»Haben Sie es noch nicht gehört, Herr Kron? Es wird keine Windräder geben.«

Zum ersten Mal sah ihn der Alte richtig an. Seine Augen waren gerötet, als hätte er getrunken oder geweint. Gerhard schien es, als schwankte er leicht. Der Blick war alles andere als freundlich, aber doch eine Aufforderung zum Weitersprechen.

»Gombrowski hat aufgegeben«, sagte Gerhard. »Linda Franzen hat ihn fallen lassen.«

»Wer?«

»Linda Franzen. Die mit den Pferden.«

Auf Krons Gesicht erschien ein seltsames Lächeln. Er sah nicht aus, als verstünde er, was Gerhard ihm zu erklären versuchte.

»Woran ich natürlich nicht ganz unschuldig bin«, sagte Gerhard. »Frau Franzen will doch diese Koppelzäune bauen.«

»Na und?«

»Ich habe ihr versprochen, die Einwände des Vogelschutzbundes gegen das Vorhaben zurückzuziehen. Dafür hat sie zugesagt, ihr Land auf der Schiefen Kappe nicht an Gombrowski zu verkaufen.« Gerhard nahm die Hände aus den Taschen und verschränkte die Arme. »Gombrowski ist mit seinen Plänen am Ende.«

Spätestens an dieser Stelle wäre es Zeit für ein gegenseitiges Schulterklopfen gewesen, für ein triumphierendes Lachen oder wenigstens das Zunicken zweier Verschwörer. Aber Kron schien nicht richtig zuzuhören. Er hielt seinen rötlichen Blick auf Gerhard gerichtet und schwankte.

»Ich denke, dass wir stolz auf uns sein können«, versuchte Gerhard es weiter. »Sie hatten der Raffgier von Gombrowski bestimmt die größten Opfer zu bringen. Aber auch meine Frau und ich mussten einiges aushalten. Wir haben uns alle tapfer geschlagen. Heute kann ich mit Freude sagen: nicht umsonst.«

Plötzlich begann Kron zu lachen. Er schlug sich sogar mit der Hand auf sein gesundes Bein. Während Gerhard ihm zusah, arbeitete sein Verstand an einer Formulierung, mit der er zu Schaller überleiten konnte. Etwas nach dem Motto »Ihr persönliches Problem mit Bodo Schaller habe ich bei der Gelegenheit auch gleich geklärt«, nur eben eleganter.

Er kam nicht mehr dazu, seinen Text fertig zu entwickeln, weil Kron selbst das Wort ergriff. Auch wenn das, was er sagte, ein wenig rätselhaft klang.

»Was wollen Sie eigentlich?«

Einen Moment überlegte Gerhard, ob Kron vielleicht unter Altersdemenz litt. Ob er sich vielleicht gar nicht daran erinnern konnte, wer Gerhard war.

»Herr Kron«, sagte er. »Ich bin Gerhard Fließ vom Vogelschutzbund. Wir haben von Anfang an gemeinsam gegen die Windkraftanlagen gekämpft.«

Kron vollführte eine wegwerfende Handbewegung.

»Ich habe nicht gegen Windkraftanlagen gekämpft«, sagte er. »Sondern gegen Gombrowski.«

Mit langem Arm zeigte er in die Richtung, in die er so lange gestarrt hatte, und wo es, genau wie überall sonst, nichts als Kiefern zu sehen gab.

»Dahinten«, sagte Kron, »einen halben Kilometer von hier werden sie stehen. Zehn Stück. Am Waldrand. Auf meinem Grund und Boden. Mit deinen Koppelzäunen hat das übrigens nichts zu tun. Sondern damit, dass dem Bürgermeister das Klo überläuft.«

Gerhard konnte nicht recht folgen. Zum Teil lag es daran, dass ihn ein Wagen ablenkte, der sich im Schritttempo durch die Kiefernschneise auf die Lichtung schob. Fast ohne Geräusch, mit ausgeschaltetem Blaulicht. Der Motor erstarb, zwei junge Männer in Uniformen stiegen aus. Der Wald warf das Zuschlagen der Türen als kurzes Echo zurück.

»Was wollen die denn hier?«, fragte Gerhard. »Haben Sie Ärger, Herr Kron?«

»Sind Sie Herr Fließ?«, rief einer der Uniformierten.

Als Gerhard klar wurde, dass die jungen Männer seinetwegen gekommen waren, fiel ihm das Blut in die Füße. Konnte es sein, dass sich Schaller erhoben hatte und durch den Graben zum Haus der Familie Fließ gewankt war, um seinerseits Rache zu nehmen? Das hatte er nicht bedacht. Er war sicher gewesen, Schaller neutralisiert zu haben. Nun kamen die Polizisten, um ihm eine schreckliche Nachricht zu überbringen. Gerhard rannte ihnen entgegen.

»Meine Frau!«, rief er. »Was ist passiert?«

»Herr Fließ«, sagte der Uniformierte. »Wir müssen Sie bitten, uns zu begleiten.«

»Sagen Sie es mir! Sofort! Was ist mit meiner Frau, meiner Tochter?«

»Beruhigen Sie sich, Herr Fließ. Mit Ihrer Frau und Ihrer Tochter hat das hier gar nichts zu tun.«

Gerhard hielt inne, ihm fiel auf, dass er den Arm des Polizisten umklammert hielt.

»Wirklich?« Fast hätte er zu weinen begonnen. »Ich danke Ihnen!«

»Ich muss Sie jetzt über Ihre Rechte belehren. Sie haben das Recht zu schweigen, und sobald wir im Präsidium sind, können Sie mit einem Anwalt telefonieren.«

Gerhard starrte den jungen Polizisten an. Das Gefühl, nicht zu verstehen, was Menschen ihm mitteilen wollten, wurde langsam zu einem Dauerzustand.

»Das muss ein Irrtum sein«, sagte er schließlich.

»Sie stehen unter Verdacht, Bodo Schaller schwer verletzt zu haben.«

»Ach das«, sagte Gerhard. »Nur eine Dorfangelegenheit. So etwas regeln wir unter uns.«

»Bitte steigen Sie ein.« Der junge Mann fasste nach Gerhards Arm.

Erstaunt wandte Gerhard den Kopf zu Kron.

»Was soll das?«, fragte er.

»Die verhaften dich«, sagte Kron.

»Wieso mich?« Gerhard schaute zurück zu den Polizisten. »Den Schaller müssen Sie verhaften! Schon vor zwanzig Jahren hätten Sie das machen sollen!«

»Das können Sie uns alles auf dem Präsidium erzählen.«

Während die Polizisten ihn zum Auto führten, hingen Gerhards Augen weiterhin an Kron, wobei er den Kopf auf den Rücken drehte wie ein Kind, das man von den Eltern wegzerrt. Der Alte stand reglos in der Mitte der Lichtung, den Blick schon wieder abgewandt, als habe er ihn bereits vergessen. Langsam begann Gerhard zu ahnen, dass Kron das Letzte war, was er von Unterleuten sah.

60 Kron

Nachdem der verrückte Vogelschützer von der Polizei abtransportiert worden war und der Wald zu seiner üblichen Ruhe zurückgefunden hatte, widmete sich Kron wieder seinen Überlegungen, die ihn schon seit geraumer Zeit auf der Lichtung festhielten.

Seit dem Tag der Dorfversammlung hatte er den Windmühlenstreit als eine Art Rückspiel betrachtet. Unterschriftensammlungen, Transparente, Streik, Krönchens Verschwinden, Drohungen, Schlägereien und Hildes abtransportierte Katzen waren Spielzüge zweier gegnerischer Mannschaften gewesen, die um die Frage kämpften, ob es Gombrowski ein weiteres Mal gelingen würde, Kron zu besiegen. Jetzt hatte Kron gewonnen und musste feststellen, dass ihm Gombrowskis Niederlage herzlich egal war. Er empfand keinen Triumph, keine Erleichterung, nicht einmal Schadenfreude. Er empfand überhaupt nichts, wenn er an Gombrowski dachte. Vor seiner Gleichgültigkeit gegenüber Gombrowski stand Kron wie vor einem Spiegel, der ihn nicht zeigte. Er fühlte sich unsichtbar.

Folglich brauchte er einen anderen Grund, um zu glauben, dass zehn Windräder so viel Hass und Leid aufwiegen konnten. Er kannte nur eine Person, deren Existenz automatisch alles rechtfertigte, was man für sie tat: Krönchen.

Er sah sie vor sich, fünfjährig, goldlockig, nicht viel höher als ein Küchentisch und trotzdem schon der unbestreitbare Mittelpunkt des Universums. In den Augen seiner Enkelin konnte er lesen, wie die Geschichte weiterging.

Krönchen war der Beginn einer neuen Ära. Sie würde den Knoten durchschlagen, der die Familie an Unterleuten band. Es galt, eine ganze Ahnenreihe von Bauern, Landarbeitern und Leibeigenen zu beerdigen. Was Kathrin versucht hatte, indem sie Ärztin geworden und dann doch in das verdammte Drecknest zurückgekommen war, würde Krönchen zu Ende bringen. Sie würde Jura oder BWL studieren, zur Not auch Kunstgeschichte, jedenfalls ein Fach, das außerhalb von Großstädten keinerlei Berufschancen besaß. Sie würde in Hamburg oder München leben, vielleicht sogar in New York oder Singapur, und schon ihre Kinder würden nichts mehr davon ahnen, dass sich ihre Vorfahren eine kümmerliche Existenz aus dem Märkischen Sand gekratzt hatten. Vielleicht würden Krons Urenkel in den Sommerferien nach Unterleuten kommen, um Großmutter Kathrin zu besuchen und ein paar Wochen über Stock und Stein zu toben. Für sie wäre Unterleuten eine Mischung aus Pfadfinderlager und Ponyhof, ein Ort, an dessen Gerüche man sich als erwachsener Mensch verschwommen und mit einer gewissen Wehmut erinnert. Vielleicht würden am Waldrand noch die Ruinen von zehn großen Rotoren stehen, die einst den nötigen Rückenwind erzeugt hatten, um Krönchen aus dem Dorf zu wehen.

Der Wind würde Wolfis finanzielle Impotenz ausgleichen. Der Wind würde Kathrin ein neues Badezimmer und die Erdwärmeheizung bezahlen, die sie sich schon lange wünschte. Vor allem aber sicherte er Krönchen die Möglichkeit, die sandige Sackgasse hinter sich zu lassen, in der sie geboren war. Sollten die Politiker doch weiter die Landflucht beklagen. Kron beglückwünschte jeden, dem die Flucht gelang. Sollten die verrückt gewordenen Städter kommen und die Häuser der Gestorbenen oder Geflohenen übernehmen. Typen wie der durchgedrehte Vogelschützer mochten den Ostprignitzer Fatalismus für eine Offenbarung halten und die Mentalität »sehr bodenständig« und »authentisch« finden. Aber Fatalismus war nichts weiter als Notwehr gegen Verhältnisse, die man nicht ändern konnte. So entstanden Menschen, die noch während des Weltuntergangs die Ellenbogen auf die Gartenzäune stützten und Sätze wie »Irgendwas ist immer« sagten.

Zugezogene begriffen nicht, dass der Weltuntergang hier bereits stattgefunden hatte. Mehrmals. Durch die Bomben des Zweiten Weltkriegs, die bei schlechtem Wetter wahllos über dem Berliner Umland abgeworfen wurden. Durch Rot-Armisten während des Vormarschs auf die Hauptstadt. Durch die Ankunft der Vertriebenen aus Ostpreußen, die sich auf Scheunen, Ställe und halb zerstörte Häuser verteilten. Durch die Errichtung der Mauer und durch das Einreißen der Mauer. Die Überlebenden sprachen eine eigene Sprache und folgten einer eigenen Moral. Kron hatte das immer gut und richtig gefunden, schlicht aus dem Grund, dass er es für unvermeidbar hielt.

Seit er aber wusste, dass er Gombrowski besiegen konnte, ohne dass es das Geringste bedeutete, sah die Sache anders aus. Wenn Unterleuten so verkommen war, dass es noch nicht mal zum Schauplatz für ausgleichende Gerechtigkeit taugte, dann zeichnete es sich nicht durch eine eigene, sondern durch die Abwesenheit jeglicher Moral aus. Dann war es den Boden nicht wert, auf dem es stand, und verdiente die Auslöschung, die schon im Gange war. Dieses Mal nicht durch Bomben, sondern durch die Ankunft von Menschen ohne Erinnerung. Mit jedem neuen Vogelschützer und jeder neuen Pferdefrau starb ein Stück des alten Unterleutens. Je voller, teurer und lauter Berlin wurde, desto mehr Städter würden ins Umland schwappen. Sie konnten den Kreislauf durchbrechen. Sie konnten nach und nach ein neues Unterleuten begründen, eines, das weder Kron noch Gombrowski gehörte. Dann jedenfalls, wenn sie klüger waren als der Vogelschützer, der versucht hatte, das alte Spiel mitzuspielen, statt ein neues zu erfinden.

Mit Freude wollte Kron seinen Teil zur Auslöschung des Dorfs beitragen, indem er sich demnächst hinlegte und starb. Vorher aber musste Krönchen in Sicherheit gebracht werden, die noch jung genug war, um einer Infektion mit Unterleutner Vergangenheit zu entgehen. Für Kathrin war es leider zu spät. Ihm zuliebe war sie ins Dorf zurückgekehrt und hatte sich einen Ehemann gesucht, der in der echten Welt so chancenlos war, dass er ein Leben im Nichts mit ihr teilen wollte. Krons Schuld bestand darin, Kathrin nach der Flucht ihrer Mutter umso abgöttischer geliebt zu haben, wodurch er sie immer fester an sich und Unterleuten band. Schon immer hatte er an Krönchen etwas gutmachen wollen, aber erst jetzt begriff er, worin sein Auftrag tatsächlich bestand: Er musste Krönchen von hier fortbringen und sich selbst samt Unterleuten abschaffen.

Er blieb auf der Lichtung, bis es dämmerte. Immer weiter starrte er in Richtung des Landstreifens, auf dem in wenigen Monaten Krönchens Zukunft aus Stahlbeton und Aluminium errichtet werden würde. Endlich war auch in Kron das 20. Jahrhundert zu Ende gegangen, diese Epoche des kollektiven Wahnsinns. Mit einem kleinen Schritt war er in der Gegenwart angekommen, im 21. Jahrhundert, dem Zeitalter bedingungsloser Egozentrik. Wenn der Glaube an das Gute versagte, musste er durch den Glauben an das Eigene ersetzt werden. Sich dagegen wehren zu wollen, wäre gleichbedeutend mit dem Aufstand gegen ein Naturgesetz.

Kron fühlte sich gut. Er war jetzt kein Kommunist mehr. Sondern ein Sisyphos, der verstanden hatte, dass die Lösung des Problems darin bestand, den Berg zu kaufen. Oder, dachte Kron, bevor er sich abwandte, um ins Haus zu gehen: ein Don Quijote, der entschieden hatte, seine eigenen Windmühlen zu errichten, statt gegen fremde anzurennen.

61 Gombrowski

Plötzlich roch es nach Wasser. Dann spürte Gombrowski Regentropfen, die ihm auf die Schultern tippten, als wollten sie ihm etwas mitteilen. Aber er ging weiter, rammte jeden Schritt in den Boden, zertrat die Meter, die ihn von seinem Ziel trennten, unter den Stiefeln. Die Schultern hochgezogen, das alte Doggengesicht gesenkt. Alles, was er empfand, war maßloser Ärger über den Regen, der wie immer zum falschen Zeitpunkt fiel. Wochenlang hatten Betty und er um Niederschlag gebettelt; jetzt aber musste die Ernte so schnell wie möglich eingebracht werden, bevor ein Sommergewitter sie plattdrücken konnte. Es fehlten nur noch die Sektoren 17 und 23, bis spätestens neun oder zehn an diesem Abend sollte das geschafft sein, wenn nicht wieder ein Mähdrescher kaputtging. Ihm auf den letzten Metern das Getreide nass zu machen, stellte puren Hohn dar. Vor Wut bebte sein Körper wie ein Instrument nach dem Anschlagen einer Saite.

Dass er ausgerechnet in diesen Augenblicken über die Geschäfte der Ökologica grübelte, kam ihm selbst merkwürdig vor. In den möglicherweise bedeutendsten Minuten seiner Existenz regte er sich über nassen Weizen auf – wobei andererseits, dachte Gombrowski, eigentlich immer die gegenwärtigen Minuten die bedeutendsten waren. Die simple Wahrheit bestand darin, dass er keine Ahnung hatte, worüber er sonst nachdenken sollte. Der Weizen war das, was blieb.

Am Morgen hatte das Telefon geklingelt, eine junge Frau hatte gefragt, ob er Rudolf Gombrowski sei, und sofort begonnen, in hohem Tempo auf ihn einzureden. Gombrowski brauchte eine Weile, bis er verstand, was sie von ihm wollte. Fidi war in einem Vorort von Hannover aufgegriffen worden, abgemagert, verwahrlost, das Fell an vielen Stellen abgeschürft. Offensichtlich war sie auf der Suche nach dem Heimweg zwei Wochen lang im Wald herumgestreunt, bis der Hunger sie zurück in die Zivilisation getrieben hatte. Anhand der Identifikationsnummer auf dem Mikrochip hatte man Gombrowski als Halter ermittelt.

»In Hannover?«, hatte Gombrowski gefragt. »Sind Sie sicher?«

Wie er durch eine SMS von Püppi wusste, befand sich Elena in Freiburg und war wohlauf. »Ruf bloß nicht an, Papa«, hatte am Ende der Kurznachricht gestanden. Von Fidi war keine Rede gewesen.

»Natürlich sind wir sicher«, sagte die junge Frau. »Ihre Hündin befindet sich hier bei uns im Tierheim. Sie sitzt in einer Ecke des Zwingers und zittert.«

Der Gedanke an Fidis treues, unschuldiges, verwirrtes Gesicht war eine Operation am offenen Herzen.

»Ich will das Tier nicht mehr«, sagte Gombrowski. »Machen Sie damit, was sie wollen.«

Dann beendete er das Gespräch und rief Betty an, um ihr mitzuteilen, dass er heute nicht zur Arbeit kommen würde.

Der Regen verwandelte sich in einen Wolkenbruch; Dürre oder Überschwemmung waren in Unterleuten das, was anderswo Wetter hieß. Gombrowski schob die Hände in die Hosentaschen und brachte die letzten Meter hinter sich.

Der Zaun, der das Schutzgebiet umgab, war aus Stahl,

fast drei Meter hoch und oben mit Zacken besetzt. Gombrowski war am Bau der Anlage beteiligt gewesen und kannte den Zugangscode. Er entsprach der Zahl des Jahres, in dem Arne das größte Projekt seiner Amtszeit realisiert hatte – 1998. Die Abhängigkeit vom Plausitzer Zweckverband war dem Bürgermeister dermaßen auf die Nerven gegangen, dass er keine Ruhe gab, bis ein Verfahren gefunden war, mit dessen Hilfe man die Trinkwasserversorgung auf eigene Füße stellen konnte. So wie Gombrowski seinen alten Freund kannte, hatte er den Code bis zum heutigen Tag nicht geändert.

Nachdem er die Zahlen eingetippt hatte, surrte das Tor. Gombrowski schloss es sorgfältig hinter sich und hielt sich im Gras neben dem Kiesweg, um keine Fußabdrücke zu hinterlassen. Von außen sah Arnes Superbrunnen wie ein gewöhnlicher Geräteschuppen aus. Ein kleiner Ziegelbau mit rotem Dach, einer breiten Tür und geschlossenen grünen Fensterläden, die allerdings keine Fenster, sondern nur die nackte Wand verbargen. Unter dem unauffälligen Schachtüberbau ging es zwanzig Meter in die Tiefe. Wie das Förderprinzip im Einzelnen funktionierte, hatte Gombrowski nie verstanden. Worauf es ankam, war, dass der Brunnen Trinkwasser an die Oberfläche brachte, welches sofort in die Unterleutner Leitungen eingespeist wurde. Der Brunnen benötigte keine zusätzliche Anlage für die Wasseraufbereitung und kein erweitertes Schutzgebiet. Letzteres hatte Gombrowski damals dazu bewogen, das Projekt zu unterstützen. Die Wiese zwischen Unterleuten und Groß Väter, auf welcher der Brunnen stand, brachte der Ökologica ihr bestes Heu.

Noch einmal tippte Gombrowski »1998«, dieses Mal am kleinen Terminal der Eingangstür. Der Kamera, die über seinem Kopf hing, blickte er furchtlos ins Glasauge. Ab Mitternacht würde sein Bild mit neuen Aufnahmen überspielt werden. Die Videoüberwachung speicherte ihre Daten nur bei besonderen Vorkommnissen. Da Gombrowski die Anlage ordnungsgemäß betrat, stellte er keinen Störfall dar.

Drinnen stand er eine Weile reglos in der vollkommenen Dunkelheit und genoss es zu spüren, wie sich sein feuchtes Gesicht abkühlte. Das Auto hatte er zu Hause stehen lassen und war sieben Kilometer zu Fuß gegangen, um nicht in der Nähe des Brunnens parken zu müssen. Statt bequem an der Straße nach Groß Väter entlangzuspazieren, hatte er den beschwerlichen Weg durch den Wald gewählt. Auf diese Weise konnte er sicher sein, dass ihn niemand gesehen hatte. Er lächelte und wischte sich die Hände an der Hose ab. Im Grunde war das Schwierigste schon geschafft.

Erst als er die Taschenlampe anknipste, merkte er, wie seine Finger zitterten. Auch wenn sein Plan feststand, musste er zugeben, dass er aufgeregt war. Immerhin tat man das, was er vorhatte, nur ein Mal im Leben. Wenn überhaupt.

Das beste Mittel gegen Nervosität war Handeln, und der erste Teil der Aufgabe verlangte einiges an Kraft und Körperbeherrschung. Der Einstiegsdeckel des Schachts maß achtzig Zentimeter im Durchmesser. Er war nicht gesichert, dafür aus Gusseisen und so schwer, dass Gombrowski sein ganzes Körpergewicht zum Einsatz bringen musste, um ihn aufzustemmen. Die Taschenlampe war klein genug, um sie zwischen die Zähne zu klemmen, so dass er die Hände frei hatte. Mit einer Schulter hielt er den Deckel in der Senkrechten, während seine Füße nach den ersten Sprossen der Eisenleiter tasteten. Stufe für Stufe ließ er sich in den Schacht hinab, den schweren Deckel im Nacken balancierend, gebeugt wie Atlas unter der Weltkugel. Als der Winkel so ungünstig geworden war, dass er glaubte, dem Gewicht keine Sekunde länger standhalten zu können, zog er den Kopf ein, umklammerte die eisernen Streben der Leiter mit beiden Händen und ging ruckartig in die Knie. Der Knall, mit dem der Deckel zuschlug, erzeugte ein tausendfaches Echo im Schacht, von dem Gombrowski glaubte, dass es niemals enden würde. Als es schließlich doch verebbte, hielt er noch einige Sekunden den Atem an und wartete, bis seine Ohren zu klingen aufhörten. Die anschließende Stille machte ihm Angst. Sie war absoluter als alles, was ihm jemals begegnet war. Als er sich räusperte, sog der Schacht das Geräusch in die Tiefe. Gombrowski nahm die Taschenlampe aus dem Mund und leuchtete hinunter. Nach wenigen Metern verlor sich das Licht, ohne den Grund zu erreichen. Sein Herz begann, schmerzhaft gegen die Rippen zu schlagen. Er wollte raus, er wollte Licht, Luft und Regen. Das hatte er vorhergesehen. Langsam und deutlich sagte er in Gedanken zu sich selbst, dass es unmöglich war, den schweren Deckel von innen zu öffnen. Er konnte durchdrehen, in Panik geraten, schreien und toben – an seiner Situation würde sich nichts ändern. Ein Handy hatte er selbstverständlich nicht dabei. Der Brunnen wurde alle drei Monate von einem Techniker kontrolliert. Gombrowski hatte sich nach der letzten Wartung erkundigt, sie lag erst vierzehn Tage zurück. Der einzige Weg führte abwärts.

Eine Weile konzentrierte er sich darauf, langsam zu atmen, bis sich sein Herzschlag beruhigt hatte. Dann klemmte er die Taschenlampe wieder zwischen die Zähne und machte sich an den Abstieg. Mit fast zwei Metern Durchmesser bot der Schacht seinem Körper ausreichend Platz; trotzdem fühlte er sich zu eng von den nackten Betonwänden umschlossen. Zwei messingfarbene Rohre stiegen aus der Tiefe herauf, die im Licht der Taschenlampe glänzten. Sie waren aus Stücken von etwa zwei Metern Länge zusammengeschraubt, anhand deren Gombrowski errechnen konnte, wie viel Abwärtsstrecke er noch vor sich hatte. Mehr gab es momentan nicht zu verstehen. Die Luft roch abgestanden. Vermutlich war der Sauerstoffgehalt nicht besonders hoch.

Er ließ sich Zeit. Sorgfältig suchte er mit dem Fuß Halt auf der jeweils nächsten Sprosse und prüfte ihre Tragkraft, bevor er sie mit seinem Gewicht belastete. Zur Eile gab es keinen Grund. Ab jetzt ging es nur noch darum, seinen Plan nicht durch eine unvorsichtige Bewegung zu gefährden. Nicht abzurutschen. Die Lampe nicht zu verlieren.

Er hatte zwanzig Stufen hinter sich gebracht, als ihn das Gefühl befiel, schon seit Tagen durch diesen Schacht zu klettern. Der Brunnen sah nach oben und unten identisch aus und besaß in beide Richtungen kein Ende. Plötzlicher Schwindel zwang ihn zum Innehalten. Gombrowski schloss die Augen und klammerte die Fäuste fest um die Leiter, während ihm der Schweiß in Strömen über das Gesicht lief.

Aus Dunkelheit und Stille tauchte eine Erinnerung auf, eine Episode aus seiner Jugend, die er vergessen oder vielleicht verdrängt hatte. Nicht lange nach dem Brand im Kornspeicher, Gombrowski war dreizehn und fing gerade an, sich als Mann zu fühlen, hatte seine Mutter plötzlich beschlossen, sein Zimmer auszumisten und von jenen Spielsachen zu befreien, mit denen er sich schon lange nicht mehr beschäftigte. Sie drückte ihm eine Schachtel in die Arme mit der Anweisung, sie in den Keller zu bringen, hinab zu den zerbrochenen Stühlen und leeren Einmachgläsern, in das Endlager der wertlosen Dinge. Inmitten von Sperrmüll und Spinnweben hatte sich Gombrowski hingekniet und die Schachtel noch einmal geöffnet. Darin lagen seine Spielzeugsoldaten, übereinander und durcheinander, ohne Ordnung und Aufstellung, ohne Rücksicht auf Dienstgrad oder Funktion, ein wirrer Haufen von steifen Miniaturkörpern. Wie Nadelstiche spürte er die anklagenden Blicke aus hundert kleinen Augenpaaren: Wie kannst du uns das antun? Du hast uns doch geliebt, wir waren immer für dich da, du bist doch unser General? Was haben wir getan, dass du uns die Treue brichst? Auf diese Fragen gab es keine Antwort, und Gombrowski hatte begriffen, was es bedeutet, erwachsen zu werden: den größtmöglichen und zugleich unvermeidlichen Verrat. Aus diesem Keller war er schuldig zurückgekehrt, das Echo einer zuschlagenden Tür auf ewig im Ohr. Auch heute stand er wieder auf einer abwärtsführenden Treppe, nur dass er diesmal keine Spielzeugsoldaten, sondern sein gesamtes Leben in den Keller trug.

Als der Schwindel nachließ und die Erinnerung verblasste, geriet Gombrowski mit einem Mal doch in Eile. Er glaubte, dass seine bebenden Kiefer die Taschenlampe jeden Augenblick fallen lassen würden. Er traute seinen schmerzenden Armen nicht mehr. Er würde das Brennen seiner Augen, das Jucken des schweißnassen Nackens nicht mehr lange ertragen. Er hatte keine Ahnung, wie er es in diesem Zustand schaffen sollte, auf der senkrechten Leiter die komplizierte Operation durchzuführen, die ihm noch bevorstand.

Die nächsten Sprossen nahm er in großer Hast. So fest bissen seine Zähne in den Griff der Taschenlampe, dass ihm der Speichel aus den Mundwinkeln rann. Zwei Mal glitt ein Fuß ab, ein Mal verlor die linke Hand ihren Griff am blanken Stahl. Als er plötzlich festen Boden unter den Füßen spürte, erschrak er dermaßen, dass er fast gestürzt wäre. In der Panik glaubte er sekundenlang, der Brunnen sei trocken. Bis er sich zur Ruhe zwang, unter sich leuchtete und endlich begriff, dass der Untergrund dröhnte wie ein riesiger Gong, vom Schacht um ein Vielfaches verstärkt, weil er aus Metall bestand, nicht aus Beton. Vor Erleichterung hätte er fast zu weinen begonnen. Er befand sich auf einer kleinen Arbeitsplattform, von deren Existenz er nichts gewusst hatte. Sie würde sein heikles Vorhaben zu einem Kinderspiel machen.

Er ließ sich auf dem Rand der Plattform nieder, nahm die Lampe aus dem Mund und lockerte den verkrampften Kiefer. Etwa zwei Meter unter ihm stand der glatte schwarze Spiegel des Wassers, in dem die Steigleitungen verschwanden. Wenn er gegen die Rohre trat, lief ein Zittern über die Oberfläche. Alles war gut.

Er legte die Taschenlampe neben sich, sah auf die Uhr und erbrach ein Lachen, in das der Brunnen bereitwillig einstimmte. Es war früher Nachmittag an einem gewöhnlichen Mittwoch, der elfte Tag des Monats August im Jahr 2010. Diese Zahlen betrafen ihn nicht mehr. Sie meinten eine Welt, die hier unten keine Gültigkeit besaß. Gombrowski beugte sich vor, um eine Hand an die Steigleitungen zu legen. Das waren die Arterien, die ihn mit Unterleuten verbanden. Wenn der Brunnen in gut einer Stunde seine Ruhephase beendet und den Oxidationszyklus abgeschlossen hatte, würde die Pumpe zu arbeiten beginnen. Das Wasser würde durch die Rohre an die Oberfläche steigen, das Vorhaltereservoir auffüllen und von dort aus durch ein verzweigtes System aus Adern in sämtliche Haushalte Unterleutens gelangen. Gombrowski dachte an Fidi, Elena, Püppi und Hilde. Alle seine Frauen waren irgendwo da draußen, weit weg von hier, und führten ihre eigenen Leben, die er nicht mehr verstand. Von hier unten war es kaum vorstellbar, dass sie tatsächlich existierten. Er überlegte, ob es etwas zu bereuen gab, aber ihm fiel nichts ein. Es galt jetzt, die letzten Handgriffe zu erledigen.

Er krempelte die Ärmel auf, griff in die Seitentasche seiner Hose und holte ein Futteral hervor, dem er ein Skalpell entnahm. Die Taschenlampe klemmte er zwischen die Knie; das Skalpell fasste er mit Daumen und Zeigefinger der linken Hand. Weich glitt die Klinge über den rechten Unterarm. Die Haut öffnete sich widerstandslos und schmerzfrei, als hätte er einen Reißverschluss aufgezogen. Die Menge an Blut überraschte ihn nicht; sein erstes Schwein hatte er geschlachtet, als er noch keine sechzehn war. Er wechselte das Skalpell in die rechte Hand und wiederholte die Prozedur am anderen Arm. Dann ließ er das Messer fallen, es verschwand mit einem kleinen, zufriedenen Geräusch. Gombrowski knipste die Taschenlampe aus und warf sie hinterher. In völliger Dunkelheit beugte er sich vor, ließ die Arme hängen und spürte, wie ihm das Blut an allen zehn Fingern hinunterlief, begleitet von einem leisen Plätschern, wie ein Rinnsal in einer Tropfsteinhöhle. Sein Herz arbeitete auf Hochtouren, als hätte es seine wahre Bestimmung darin gefunden, das Blut so schnell wie möglich aus dem Körper zu pumpen. Immer noch kein Schmerz, nur das heiße Pulsieren der geöffneten Arme. Jetzt bedauerte er es, nicht auf den Einsatz der Unterwasserpumpe gewartet zu haben. Ein höllischer Spaß wäre es gewesen mitzuerleben, wie der Brunnen sein Blut in sich hineintrank, wie er es vibrierend und dröhnend verdaute und in die Duschen, Waschmaschinen, Geschirrspüler, Kaffeetassen und Nudeltöpfe des Dorfes spuckte. Aber darauf kam es im Grunde nicht an. Von nun an würde der Brunnen Tag für Tag Gombrowski fördern, sämtliche Körpersäfte und Substanzen in allen Phasen organischer Zersetzung, und Unterleuten würde Gombrowski trinken, essen und sich mit ihm waschen, während die Polizei nach seinem Verbleib fahndete. Bis man im Rahmen der nächsten Wartung eine Wasserprobe nehmen und einen aufgeschreckten Techniker die Leiter hinabschicken würde. Ein schöner Gedanke, an dem sich Gombrowski seit Tagen erfreute. Immer schwerer fiel es ihm, seine Sinne beisammenzuhalten. Sein Verstand geriet auf Abwege, gaukelte ihm vor, am Rand eines sonnigen Felds zu sitzen, auf dem sich schwer der Mais wiegte. Etwas Schwarzes fuhr ihm durchs Blickfeld. Dann raschelte es wieder im Mais, und Fidi sprang hervor, zeigte ihr lachendes Gesicht mit heraushängender Zunge, während sie einem Hasen hinterherjagte, und Gombrowski war überglücklich, sie zu sehen, neigte sich mit letzter Kraft nach vorn, immer weiter nach vorn, bis er kippte. Das Überwinden des Schwerpunkts ein kurzer Jubel. Der Fall entging ihm, aber das Ankommen war schön, denn unten befand sich kein Wasser, sondern Bilder, die ihn in sich aufnahmen, für immer.

62 Finkbeiner. Epilog

Einen Zufall kann man es nicht nennen, dass ich die Notiz auf Spiegel Online entdeckte. Schließlich öffne ich jeden Morgen sämtliche Beiträge der Rubrik »Panorama« und überfliege die Meldungen, während ich meine erste Tasse Kaffee trinke.

In einem Dorf der Ostprignitz im nordwestlichen Brandenburg war die Leiche eines Mannes aus einem Horizontalfilterbrunnen geborgen worden. Der 63-jährige Landwirt hatte sich die Pulsadern aufgeschnitten und danach unbestimmte Zeit in einem Schacht gelegen, aus dem das Trinkwasser für die angrenzende Gemeinde entnommen wird. Wie die Leiche in den Brunnen gelangt war, stand noch nicht fest. Aber im Grunde gab es nur eine Erklärung: Der Mann musste Selbstmord im Inneren des Brunnens begangen haben.

Ich weiß noch, dass ich mit wohligem Schauer innehielt und meiner Phantasie freien Lauf ließ: Nach zehn Tagen treten in der Region die ersten Fälle von Übelkeit und Durchfall auf. Zuerst glaubt man an eine grassierende Magen-Darm-Infektion, dann an einen Lebensmittelskandal, schließlich an eine geheimnisvolle Seuche. Irgendwann kommen die Behörden auf die Idee, das Trinkwasser zu kontrollieren. Tatsächlich wird Leichengift gefunden. Man lässt Taucher in den Brunnen hinab, die den Selbstmörder bergen. Der Körper ist grün und aufgedunsen wie ein Walfisch, der Leichensaft fließt aus allen Öffnungen. Ahnungslos hat das Dorf über Wochen hinweg seinen Landwirt getrunken. Eine Geschichte mit Zeug zur *urban legend.*

Normalerweise liest man solche Kurzmeldungen, denkt den berühmten Satz, dass das Leben die unglaublichsten Geschichten schreibt, und vergisst die Episode wieder. Aber die Leiche im Brunnen ging mir nicht mehr aus dem Kopf. Am Nachmittag fuhr ich in die Redaktion von *Vesta*, einem neu gegründeten Monatsmagazin, von dem ich gelegentlich Aufträge erhalte, und zeigte die Notiz meiner zuständigen Redakteurin. Besonders begeistert reagierte sie nicht. Wenn ich unbedingt hinfahren wolle – warum nicht. Ich könne dann ja bei Gelegenheit erzählen, ob an der Sache etwas dran sei.

Am nächsten Tag fuhr ich nach Unterleuten, verbrachte drei Stunden im Märkischen Landmann und kehrte mit einer verwirrenden Sammlung von Informationen zurück. Windkraftanlagen sollten gebaut werden, ein junger Mann war bei einem Autounfall gestorben, ein älterer nach tätlichem Angriff ins Krankenhaus eingeliefert worden, eine Pferdefrau und eine Vogelfrau hatten das Dorf verlassen, es war zu einer Verhaftung gekommen, die Frau des Selbstmörders war verschwunden, ebenso wie ihr Hund, und einer gewissen Hilde waren zwanzig Katzen abhandengekommen, weshalb sie ebenfalls nicht mehr in Unterleuten lebte.

Die Redaktion sagte, das sei kein Stoff für eine Geschichte, sondern für einen Roman, und passe zudem thematisch nicht besonders gut ins Konzept von *Vesta*. Natürlich stehe es mir frei, der Angelegenheit auf eigene Faust nachzugehen. Wenn dabei eine magazintaugliche Reportage herauskomme, werde man zusätzlich zum Honorar die Kosten der Recherche übernehmen.

Die Kosten belaufen sich bis zum heutigen Tag auf 84 Regionalbahntickets im Wert von jeweils 10,40 Euro.

Ich war in Unterleuten. Ich habe mit jedem gesprochen, der zum Reden in der Lage war, mit den Hauptbeteiligten, aber auch mit Björn, Verena und Wolfi, mit einem Pressesprecher der Vento Direct und vielen anderen mehr. Ich habe Püppi Gombrowski in Freiburg und Krons Ex-Frau in Düsseldorf angerufen, ich habe Hilde Kessler im Altersheim besucht. Die transkribierten Interviews füllen zwanzig Aktenordner. An manchen Tagen geht mir das Blättern in den sperrigen Ordnern so sehr auf die Nerven, dass ich den Tag herbeisehne, an dem ich sie stapelweise ins Auto schleppen werde. Ich werde damit quer durch Berlin fahren und im absoluten Halteverbot direkt vor dem Redaktionsgebäude von *Vesta* parken. Der Portier wird mir nicht beim Ausladen helfen, weil er seinen Platz hinter der Glasscheibe nicht verlassen darf. Ich werde alle zwanzig Ordner nach und nach in den Fahrstuhl tragen, dabei einen Ordner verwenden, um die Tür zu blockieren, und meine Last auf diese Weise in die Redaktion transportieren, die mit der Erstattung der Recherchekosten das Eigentum an sämtlichen Unterlagen erworben hat. Inzwischen wird das Telephon des Portiers mehrmals klingeln, weil sich die Kollegen im siebten Stock über den blockierten Fahrstuhl beschweren.

Mit anderen Worten, ich habe eine Menge Material gesammelt. Sämtliche Beteiligten fühlen sich im Recht und verspüren deshalb einen starken Drang, ihre Version zu erzählen. Inzwischen kann ich behaupten, Unterleuten recht gut zu kennen, was nicht bedeutet, dass ich etwas verstanden habe. Manche Einwohner rufen mich immer noch an. Kathrin zum Beispiel, die nun doch ihren Job in der Pathologie aufgibt, nachdem sie von Arne das Bürgermeisteramt übernommen hat. Krönchen macht sich nicht so gut in der

Schule, aber ich habe ihr von Anfang an gesagt, dass sie das Kind zu sehr verwöhnt. Den Namen des Dorfs musste ich ändern, ebenso die Namen von lebenden Personen, soweit diese darauf bestanden. Nicht allen war das wichtig. So heißt Gerhard Fließ tatsächlich Gerhard Fließ, aber Kathrin Kron heißt nicht Kathrin Kron.

Je mehr ich erfuhr, desto stärker erinnerte mich die Geschichte an mein Lieblingsspielzeug aus Kindertagen, ein rotes Kaleidoskop, in dem man Muster aus winzigen bunten Perlen betrachten konnte. Man drehte ein wenig, und alles sah anders aus. Ich konnte stundenlang hineinsehen. Eine Geschichte wird nicht klarer dadurch, dass viele Leute sie erzählen.

So behauptet Kathrin, ihr Vater sei an einer Intoxikation mit Leichengift zugrunde gegangen. Feststeht, dass er kurz nach Gombrowskis Tod erkrankte und sie ihn sechs Monate in seinem Haus im Wald gepflegt hat, bevor er im Februar 2011 im eigenen Bett verstarb. Dass Kron unter keinen Umständen bereit war, sich in ein Krankenhaus verlegen zu lassen, versteht sich von selbst. Sein Standardsatz lautete: »Wozu hat meine Tochter den Quatsch denn gelernt?«

Gerade als Medizinerin sollte Kathrin eigentlich wissen, dass so etwas wie Leichengift gar nicht existiert. Hätte Gombrowski vor lauter Hass beschlossen, sich eine Portion Rhizin in die Taschen zu stecken, wäre nicht nur Kron gestorben, sondern ganz Unterleuten, und das nicht erst nach sechs Monaten Pflege.

Laut Wikipedia sind die biogenen Amine, die beim Fäulnisprozess eines Kadavers entstehen, weitgehend ungiftig. In alten Zeiten funktionierte das klassische Brunnenvergiften mit Leichen aufgrund von bakteriellen Infektionen, vor allem in Phasen von Pest oder Cholera. Da manche Unterleutner ihr Wasser direkt aus der Leitung trinken, sind leichte Erkrankungen denkbar, weshalb nicht ausgeschlossen ist, dass Gombrowski tatsächlich nur aufgrund von Brechdurchfällen gefunden wurde. Auch wenn Arne hartnäckig bestreitet, dass es irgendwelche Symptome gegeben habe. Seiner Aussage nach kann Gombrowski nicht länger als drei Tage im Brunnen gelegen haben und war bei der Bergung weder verwest noch gequollen, sondern einfach nur blass, was Arne beschwört, weil er, wie er sagt, persönlich dabei war. Das deckt sich allerdings nicht mit dem Bericht der Gerichtsmedizin; zudem liegt Gombrowskis Verschwinden fast vier Wochen vor dem Tag seiner Entdeckung.

Wovon sich Kron nie wieder erholt hat, ist in Arnes Augen die Tatsache, dass Gombrowski ihm aus dem Jenseits eine lange Nase dreht, weshalb er ihm gar nicht schnell genug folgen konnte, um den Kampf in einer anderen Welt wiederaufzunehmen. Wenn ich in Unterleuten eins gelernt habe, dann dass jeder Mensch ein eigenes Universum bewohnt, in dem er von morgens bis abends recht hat.

Von Frederik heißt es im Dorf, er sei tot, dabei habe ich ihn im letzten Herbst mehrmals im Krankenhaus besucht. Wie es zu dem Gerücht kam, liegt auf der Hand – beim Autounfall hat er sich das Genick gebrochen. Anscheinend fällt dem Schicksal auch nicht immer etwas Neues ein. Anders als Schaller hat Frederik immerhin das Gedächtnis nicht verloren. Gesundheitlich geht es ihm inzwischen wohl wieder recht gut. Die Polizei kam zum Ergebnis, dass es sich um ein selbstverschuldetes Unglück ohne Fremdeinwirkung gehandelt habe, und Frederik sagt, er habe nicht widersprochen. Er lag schon die achte Woche im Krankenhaus und hatte wieder angefangen, an seinem Konzept für ein digitales Naturschutzgebiet zu arbeiten, als die Nachricht kam, dass Traktoria an einen großen Spielekonzern verkauft wurde. Timo und Ronny wollen mit *Weirdo* und einem neuen Projekt richtig durchstarten, aber davon ein andermal.

Von Linda hat man im Dorf niemals wieder etwas gehört; laut Frederik ist sie nach Oldenburg zu ihrem Pferd zurückgekehrt. Die Villa Kunterbunt steht wieder zum Verkauf. Es heißt, sie bringe ihren Besitzern Unglück.

Aus der Untersuchungshaft wurde Gerhard Fließ bald wieder entlassen, da keine Fluchtgefahr bestand. Während er auf seinen Prozess wartet, lebt er wieder im Haus am Ortsrand mit Blick auf die Birnbaumallee. Das Gras im Garten ist sorgfältig gemäht, die Himbeeren wurden gegen Forsythien ausgetauscht. Die Anstellung beim Vogelschutzbund ist er los, aber es heißt, dass er als Aushilfe bei der Ökologica eingesprungen ist und sich inzwischen in der Leitung des Betriebs unverzichtbar gemacht hat. Böse Zungen sagen, dass Fließ in Betty die einzige Frau Unterleutens gefunden hat, die genauso jung ist wie Jule. Wobei Jule eher glaubt, dass Bettys Attraktivität in ihrem Erbe besteht. Wahrscheinlich will Gerhard bei der Ökologica einen Fuß in die Tür kriegen, bevor er vielleicht eine Weile ins Gefängnis muss.

Jule ist das alles erstaunlich gleichgültig. Sie bereitet ihre Doktorarbeit vor, in der sie eine moderne Soziologie des Ruralen entwickeln will, hat die Scheidung eingereicht und sich eine kleine Wohnung in Schöneberg genommen. Gegen Gerhards Besuchsrecht wehrt sie sich bislang mit Erfolg. Manchmal ist Sophie vormittags ein paar Stunden bei mir, wenn Jule in die Bibliothek muss. Ab dem Sommer bekommt sie ein Stipendium, und einen Krippenplatz für Sophie hat sie dann auch. Zwischen uns hat sich eine Freundschaft entwickelt, von der ich hoffe, dass sie die Arbeit an der Geschichte überdauert.

Von Betty weiß ich, dass Hilde im Altersheim eine Katze halten darf, die sie immer öfter zu füttern vergisst. Krönchen fährt schon allein mit dem Bus in die Grundschule nach Plausitz und spricht davon, dass sie später Jäger werden und im Haus ihres Großvaters leben will. Elena ist weder für die Beerdigung ihres Mannes noch für Räumung und Verkauf des Hauses nach Unterleuten zurückgekehrt. Ich stelle mir gern vor, dass sie wenigstens nach Hannover ins Tierheim gefahren ist, um Fidi zu sich nach Freiburg zu holen; leider handelt es sich dabei vermutlich um eine reine Wunschphantasie. Vor ein paar Tagen fand ich im Internet eine kurze Notiz zu einem Theaterstück namens »Fallwild« von Wolf Hübschke. Es dreht sich um eine Dorfgemeinschaft, die am Streit über ein paar Windräder zerbricht, und wurde an einer kleinen Bühne in Graz uraufgeführt. Die Rezensionen sind spärlich und mittelmäßig, vermutlich wird das Stück bald wieder abgesetzt.

Seltsamerweise denke ich am häufigsten an Schaller. Daran, wie er allein in einem ansonsten unbesetzten Mehrbettzimmer des Plausitzer Krankenhauses liegt, kein Buch liest, nicht fernsieht, sondern immer nur unverwandt aus dem Fenster schaut, mit dem leeren Blick eines Tiers, das nicht versteht, warum es geschlagen wird. Er wartet darauf, dass sein Körper die Metallplatten im rechten Oberschenkel akzeptiert, und lauscht währenddessen auf das Röhren eines postgelben MG, der nicht kommt. Er begreift nicht, warum Miriam nicht an seiner Bettkante sitzt. Warum sie ihm nicht über die Stirn streicht und seine Hand hält wie beim letzten Mal. Mit mir hat er kaum geredet. Einmal fragte er mich, ob er tatsächlich eine Tochter habe oder ob das nur eine Einbildung sei. Nach meinem letzten Besuch bei ihm rief ich Miriam an. Sagte ihr, dass er an der Schlägerei mit Gerhard absolut unschuldig sei und nichts mit dem Tod von Gombrowski zu tun habe. Dass sie ihn endlich besuchen solle. Vielleicht war das unprofessionell, aber das ist mir egal.

Seit Arne das Bürgermeisteramt an Kathrin abgegeben hat, geht er viel spazieren. An den Straßenrändern türmt sich schmutziger Schnee zu hüfthohen Wällen und sieht nicht aus, als hätte er vor, jemals wieder zu verschwinden. Eine braun verfärbte, völlig nutzlose Substanz, im Überfluss vorhanden. Seit einigen Jahren sind die Unterleutner Winter ungewöhnlich hart. Sie krallen sich bis Mitte April am Boden fest, um dann schlagartig einer wüstenartigen Hitze Platz zu machen. Als hätte das Wetter vergessen, wie Frühling geht. Arne trägt eine mit Fell gefütterte Ledermütze, deren linke Ohrenklappe er mit einem Druckknopf oben am Kopf befestigt, wenn auf dieser Seite jemand neben ihm geht.

»Na, und der Wie-heißt-er-noch. Konrad Meiler. Der soll eine Weile überlegt haben, die Villa Kunterbunt zu kaufen. Hat sich offensichtlich dagegen entschieden. Was hier im Dorf weder begrüßt noch bedauert wurde.«

Dann sitzt Meiler also zu Hause in Ingolstadt bei seiner Mizzie und überlegt, welches Projekt er als Nächstes anschieben soll, um die Drogensucht seines Sohns zu finanzieren. Vielleicht wartet er einfach darauf, dass sich seine Investition in die ostdeutsche Scholle durch den Bau von Autobahnen oder Einkaufszentren in eine Goldgrube verwandelt. Falls er überhaupt noch an Unterleuten denkt.

»Und Gombrowski«, sagt Arne. »Der dumme, alte Hund. Was für eine Geschichte.«

Er schüttelt den Kopf. Neben ihm geht das, was in Romanen eine junge Frau genannt wird, also ein weibliches Wesen, das sich gerade noch im gebärfähigen Alter befindet. Ihre bunte Wollmütze und die Fellstiefel mit zu hohen Absätzen machen sie in dieser Gegend zu einem Ortsschild von Berlin. Das bin ich, Lucy Finkbeiner. Ich muss mich anstrengen, um mit Arne Schritt zu halten, der ein kräftiges Tempo vorlegt. Unter den Sohlen meiner idiotischen Stiefel sammelt sich der Schnee in Klumpen, die sich mit jedem Schritt vergrößern; ich gehe mit gebeugten Knien wie auf Plateaus. Wir verlassen das Dorf über den Beutelweg. Arne will mir etwas zeigen. Wir haben so lange von früher geredet, dass er vergisst, wie gut ich das gegenwärtige Unterleuten kenne. Ich habe die blinkenden Schwertransporter mit den gewaltigen Bauteilen gesehen. Dann Kräne, die für das Aufrichten der Masten zuständig waren. Trotzdem lasse ich mich von Arne bis zu der Stelle führen, von der aus man einen freien Blick zum Waldrand hat.

Früher sind mir die Dinger in der Landschaft kaum aufgefallen. Heute sehe ich sie überall, bekomme jedes Mal eine Gänsehaut und denke, dass alles mit allem zusammenhängt. Aber das glauben Menschen ja immer.

Arne bleibt stehen und legt mir eine Hand auf die Schulter, mehr um sich abzustützen als um der väterlichen Geste willen.

»Da oben drehen sie sich«, sagt er schließlich. »Sehen eigentlich ganz unschuldig aus, finden Sie nicht?«

Eine Weile schauen wir schweigend. Zehn träge Rotoren. Ich kann mir nicht vorstellen, dass irgendjemand die Frage, ob es sich dafür gelohnt hat, mit »ja« beantworten würde.

Dann gehen wir zurück und trinken noch ein Bier im Märkischen Landmann. Wir sind die einzigen Gäste. Silke sagt, dass Sabine und sie über Ostern in Urlaub fahren und noch nicht wissen, ob sie den Landmann danach wieder öffnen werden. Arne murmelt etwas von »mal halblang« und »wird schon«. Er klingt wie jemand, der nicht mehr zuständig ist.

Fallwild sind tote Tiere, die im Wald herumliegen, ohne erschossen worden zu sein. Wild, das sich selbst erledigt hat.

Arne sagt, dass er manchmal denkt, auf Unterleuten laste eine Art Fluch. Er fragt mich, ob ich glaube, dass Unglück etwas mit Orten zu tun hat. Ob mit Leuten wie Linda Franzen oder Gerhard Fließ alles genauso gelaufen wäre, wenn sie in ein anderes Dorf gezogen wären. Ganz ehrlich, ich weiß es nicht.

Von der Theke her sagt Silke, dass es komisch sei, wie sich immer alles ändere und irgendwie trotzdem genau wie früher bleibe.

Draußen legt sich die frühe Nacht dem Dorf wie eine beruhigende Hand auf den Scheitel.

Die Bewohner Unterleutens u.a.

Bergamotte, * 2006 in Oldenburg, Deckhengst. Gehört Linda Franzen, mag Stuten.

Finkbeiner, Lucy, * 1980 im Westen, Journalistin. Arbeitet freiberuflich für das Magazin »Vesta«.

Fließ-Weiland, Jule, * 1982 in Berlin, arbeitslose Soziologin, momentan in Elternzeit. Verheiratet mit Gerhard Fließ. Tochter Sophie (6 Monate).

Fließ, Gerhard, * 1960 in Münster, ehemaliger Professor der Soziologie, heute Angestellter des Vogelschutzbunds Unterleuten in Seelenheil. Verheiratet mit Jule Fließ-Weiland, einer ehemaligen Studentin. Tochter Sophie (6 Monate).

Fließ, Sophie * 2010 in Unterleuten, Tochter von Gerhard und Jule.

Franzen, Linda, * 1985 in Oldenburg, Equidentrainerin. Lebt mit Frederik Wachs zusammen, liebt aber Bergamotte, einen Oldenburger Hengst. Verehrt die Schriften von Manfred Gortz.

Gombrowski, Fidi, *2005 im Westen, Haushund, und zwar ein Mastiff. Gehört Rudolf Gombrowski.

Gombrowski, geb. Niehaus, Elena, *1949 in Mecklenburg, Hausfrau. Verheiratet mit Rudolf Gombrowski, gemeinsame Tochter: Püppi (38).

Gombrowski, Püppi, * 1972 in Unterleuten, Doktorin der

Germanistik an der Uni Freiburg. Tochter von Rudolf Gombrowski und Elena Gombrowski.

Gombrowski, Rudolf, * 1954 in Unterleuten, Beruf: Landwirt, Geschäftsführer der Ökologica GmbH, früher Vorsitzender der LPG »Gute Hoffnung«. Verheiratet mit Elena Gombrowski, geb. Niehaus.

Gortz, Manfred, * 1951 in Ingolstadt, ehemaliger Unternehmensberater, heute Triathlet und Autor des Ratgebers »Dein Erfolg«, mehr auf seiner Website: *www.manfred-gortz.de*

Hübschke, Wolfi, * 1973 im Westen, Schriftsteller. Verheiratet mit Kathrin Kron-Hübschke. Tochter Krönchen.

Karl, * ca. 1960 in Unterleuten, anerkannter Sonderling. Verkleidet sich als Indianer und lebt meistens in einem Tippi.

Kessler, Betty, * 1979 in Unterleuten, Landwirtin. Assistentin der Geschäftsführung in der Ökologica GmbH. Tochter von Hilde Kessler und wahrscheinlich Erik Kessler.

Kessler, Hilde, * 1954 in der Ost-Prignitz, ehemalige Buchhalterin der LPG »Gute Hoffnung«. Witwe von Erik Kessler. Eine Tochter, Betty (31).

Kron-Hübschke, Kathrin, * 1975 in Unterleuten, Pathologin in Neu-Ruppin. Verheiratet mit Wolfi Hübschke, Tochter Krönchen. Schwierige Freundschaft mit Bürgermeister Arne Seidel.

Kron-Hübschke, Krönchen, * 2005 in Unterleuten, Kindergartenkind. Tochter von Kathrin und Wolfi, Enkelin von Kron.

Kron, *1947 in Unterleuten, ehemaliger Brigadeführer in der LPG »Gute Hoffnung«. Krons Frau hat in den Westen »rübergemacht«, als Tochter Kathrin (heute 35) zwei Jahre alt war. Schwiegersohn Wolfi, Enkelin Krönchen (5). Erzfeind von Gombrowski.

LPG-Veteranen Wolfgang, Heinz, Norbert, Jakob, Ulrich und Björn, * 1940 oder früher in Unterleuten und Umgebung, ehemalige Angestellte der LPG »Gute Hoffnung«.

Meiler, Konrad, * 1948 in Ingolstadt, Unternehmensberater mit eigener Firma »Result International«. Verheiratet mit Mizzie Meiler, drei erwachsene Söhne, Friedrich, Johannes, Philipp, von denen der jüngste heroinabhängig ist. Findet Linda Franzen toll.

Meiler, Mizzie, * 1952 in Ingolstadt, Hausfrau und Mutter. Verheiratet mit Konrad Meiler, drei erwachsene Söhne. Widmet ihr Leben dem heroinabhängigen Philipp und ist deshalb nach München gezogen.

Münkler, Herfried, * 1951 in Friedberg (Hessen), Professor für Politikwissenschaft an der Humboldt-Universität zu Berlin.

Oma Rüdiger und Opa Margot, * 1940 oder früher in Unterleuten, Rentner und Betreiber der Gerüchteküche in Unterleuten.

Pilz, * ca. 1980 im Westen, Angestellter der Windkraftfirma »Vento Direct«.

Schaller, Bodo, * 1963 in der Ost-Prignitz, Automechaniker und Kleinkrimineller. Geschieden von Susanna Schaller. Eine Tochter, Miriam Schaller (18). Betreibt seit Neuestem eine Autowerkstatt auf dem Grundstück neben Familie Fließ.

Schaller, Miriam, * 1992 in Niederleusa, Schülerin, macht Abitur. Tochter von Bodo und Susanna Schaller. Lebt seit dem Unfall ihres Vaters mit der Mutter in Berlin.

Seidel, Arne, * 1955 in Brandenburg, ehemaliger Tierarzt der LPG »Gute Hoffnung«, heute Bürgermeister der Gemeinde Seelenheil mit Ortsteil Unterleuten. Witwer, kinderlos. Verstorbene Frau: Barbara Seidel.

Seidel, Barbara, * 1958 in Unterleuten, gestorben 1990 in

Unterleuten. Kindergärtnerin bei der LPG »Gute Hoffnung«, im Nebenberuf IM Magdalena. Frau von Arne Seidel, kinderlos. Ersatzmutter der kleinen Kathrin Kron.

Silke und Sabine, * ca. 1960 in der Ost-Prignitz, Betreiberinnen des Gasthofs »Märkischer Landmann«.

Wachs, Frederik, * 1983 in Oldenburg, Entwickler bei der Spielefirma »Weirdo«, die seinem Bruder gehört. Lebt mit Linda Franzen zusammen.

Wachs, Timo, * 1985 in Oldenburg, Gründer und Eigentümer der Spielefirma »Weirdo« in Berlin. Jüngerer Bruder von Frederik Wachs und ehemaliger Klassenkamerad von Linda Franzen.

Inhalt

TEIL III
Falsche Freunde

TEIL IV
Nachts sind das Tiere

TEIL V
Kommunizierende Röhren

TEIL VI
Fallwild

Die Handlung und alle handelnden Personen dieses Romans sind frei erfunden. Jegliche Ähnlichkeit mit lebenden oder realen Personen wäre rein zufällig.

Mehr zum Roman auf
www.unterleuten.de

Verlagsgruppe Random House FSC® N001967

12. Auflage
Genehmigte Taschenbuchausgabe November 2017
btb Verlag in der Verlagsgruppe Random House GmbH,
Neumarkter Straße 28, 81673 München

Umschlaggestaltung: semper smile, München nach einem Entwurf von Buxdesign | München
Covermotiv: © Buxdesign | München
Satz: Uhl + Massopust, Aalen
Druck und Einband: GGP Media GmbH, Pößneck
SK · Herstellung: sc
Printed in Germany
ISBN 978-3-442-71573-2

www.btb-verlag.de
www.facebook.com/btbverlag

Juli Zeh

Neujahr

Roman

192 Seiten, gebunden, Luchterhand 87572

Ein Familienurlaub auf Lanzarote, der zum Albtraum wird.

Sie schreit nicht nach Mama, sondern nach ihm. Jedes Mal, wenn sie seinen Namen ruft, schneidet es ihm ins Fleisch wie ein Messer. Er geht weiter, schaut sich nicht um, hört sie nicht mehr, sieht sie nicht, stürzt, steht auf, läuft.

»Im Grunde ist Juli Zeh genau die Schriftstellerin, nach der sich alle sehnen.«
Volker Weidermann, FAZ

Juli Zeh

Leere Herzen

Roman

ca. 320 Seiten, gebunden, Luchterhand 87523

Verlust von Moral bedeutet nicht, Schlimmes zu tun, sondern das Schreckliche nicht mehr schlimm zu finden.

Zusammen mit dem Informatikgenie Babak Hamwi hat Britta Söldner eine Firma aufgezogen, die beide reich gemacht hat. Was genau hinter der Firma steckt, weiß glücklicherweise niemand so genau. Denn hinter der Fassade ihrer unscheinbaren Büroräume betreiben sie ein lukratives Geschäft mit dem Tod.

Eine brisante Zukunftsvision, die ein erhellendes Licht auf unsere Gegenwart wirft.

»Sie ist eine der international erfolgreichsten deutschen Autorinnen der Gegenwart. (…) Im Grunde ist Juli Zeh genau jene Schriftstellerin, nach der sich alle sehnen.«

Volker Weidermann, Frankfurter Allgemeine Sonntagszeitung

»Juli Zeh ist mit ›Corpus Delicti‹ der weibliche George Orwell der Gegenwart geworden.«

Deutschlandradio

Juli Zeh

Nullzeit

Roman

256 Seiten, btb 74569

»Vor knapp einer Stunde hat Theo mal wieder versucht, mich umzubringen. Klingt wie der Anfang eines Krimis. Ist es aber nicht.«

Eigentlich ist Jola mit ihrem Lebensgefährten Theo auf die Insel gekommen, doch als sie Sven kennenlernt, entwickelt sich aus einem harmlosen Flirt eine fatale Dreiecksbeziehung, die alle Regeln außer Kraft setzt. Wahrheit und Lüge, Täter und Opfer tauschen die Plätze. Sven muss erleben, wie er vom Zeugen zum Mitschuldigen wird. Bis er endlich begreift, dass er nur Teil eines mörderischen Spiels ist, in dem er von Anfang an keine Chance hatte.

»Ein schauderhaft schöner Psychothriller.«

Stern

»›Nullzeit‹ kann sich locker mit der Altmeisterin der spürbaren Amoral Patricia Highsmith messen.«

Brigitte

Juli Zeh

Schilf

Roman

384 Seiten, btb 73806

Sebastian kann mit seinem Leben mehr als zufrieden sein. Vielleicht hat er ein bisschen zu viel von seinem physikalischen Talent zugunsten seiner Familie aufgegeben. Sein alter Freund Oskar, auch er ein Genie der theoretischen Physik, erinnert ihn zuweilen daran. Als Sebastian seinen Sohn in ein Ferienlager fahren will, findet er sich unversehens in einem Alptraum wieder. Der Sohn wird entführt, und er bekommt ihn erst wieder, wenn er einen Mord begeht …

»Man hält das Buch in den Händen wie ein kostbares Kleinod, so prall gefüllt ist es mit überraschenden Erkenntnissen, schönen Sätzen, poetischen Bildern und kunstvollen Dialogen. Kein Zweifel: Juli Zeh schreibt ganz wunderbar.«

Amelie Fried

btb